D1203361

Oggi in Italia

Instructor's Annotated Edition

Oggi in Italia

A First Course in Italian

EIGHTH EDITION

Franca Celli Merlonghi

Ferdinando Merlonghi

Joseph A. Tursi
State University of New York at Stony Brook, Emeritus

Brian Rea O'Connor
Boston College

Houghton Mifflin Company   Boston   •   New York

Publisher: Rolando Hernández
Senior Project Editor: Rosemary R. Jaffe
Editorial Assistant: Deborah Berkman
Art and Design Manager: Gary Crespo
Composition Buyer: Chuck Dutton
Senior Photo Editor: Jennifer Meyer Dare
Manufacturing Coordinator: Karen Fawcett
Executive Marketing Director: Eileen Bernadette Moran
Cover Design Manager: Anne S. Katzeff

Cover Image: Copyright © Afro Celotto/Joseph Wright Imports, LLC.

Credits for texts, photographs, realia, and illustrations are found following the index at the back of the book.

Houghton Mifflin Company has provided this book free of charge to instructors considering it for classroom use. Selling free examination copies contributes to rising textbook prices for students and denies textbook authors fair royalties for their work.

Printed in the U.S.A.

Instructor's Annotated Edition
ISBN 13: 978-0-618-67813-6
ISBN 10: 0-618-67813-1

For orders, use student text ISBNs:
ISBN 13: 978-0-618-67812-9
ISBN 10: 0-618-67812-3

Library of Congress Control Number: 2005934809

1 2 3 4 5 6 7 8 9—DOW—10 09 08 07 06

Contents

Introduction

Teaching with *Oggi in Italia*

Introduction

Aims and Features

Oggi in Italia is an introductory-level course in Italian used widely at four-year and two-year colleges and universities. It is also used at the secondary school level over a two- or three-year time span.

The primary aim of *Oggi in Italia* is to provide students with a sound basis for learning to communicate effectively and accurately in Italian as it is spoken and written today. Practice is given in all four basic skills—listening, speaking, reading, and writing—with many opportunities for student-student interaction and self-expression in realistic situations. A second important aim of *Oggi in Italia* is to introduce students to contemporary Italian life and culture. The dialogues, readings, and cultural notes have been written to depict what life is like in Italy today.

By the end of the course, students should be able to use with confidence the basic structures of the language, to have mastered an active vocabulary of approximately 1,200 words, and to recognize many more words in speech and writing. They should have mastered the basic features of the sound system and be able to communicate orally and in writing on everyday topics. Students should also have gained an appreciation for varied aspects of Italian culture and the people of Italy.

See the Instructor's HM ClassPrep CD for information on preparing a syllabus and for sample lesson plans.

Oggi in Italia features:

- A balanced skills program in a preliminary and 18 thematically organized lessons

- Systematic presentation and practice of theme-related vocabulary in *Ampliamento del vocabolario* sections

- Easy-to-follow grammar explanations with examples and charts to illustrate concepts, reinforced by numerous structured and pair/group practice activities

- Cartoons introducing most grammar points to present concepts in a memorable, humorous context

- Cultural readings (culture notes and *Conoscere l'Italia*) that reflect contemporary theme-related topics and that present diverse aspects of Italy's cities and regions to develop students' cultural awareness and knowledge

- Abundant practice ranging from more controlled to open, with pair and group activities to develop oral communication

- Integration of lesson content and recycling of previously learned material in creative, interactive pair and group activities in *Parliamo un po'* to develop communication skills

- An up-to-date array of components integrated with the textbook to meet the needs of a variety of courses and teaching styles

- A new video created specifically for *Oggi*, with situations that parallel or tie to functions presented in the lesson dialogues for practice and reinforcement of lesson vocabulary, themes, and structures

New to the Eighth Edition

Revised Communicative and Cultural Sections

- *Parliamo un po'* and *Conoscere l'Italia* sections now appear at the end of every lesson, replacing *Vivere in Italia* sections. They have been redesigned for a livelier, more engaging look.

- *Conoscere l'Italia* readings have been resequenced, and six new sections contain readings on regions not previously covered and new topics such as Italian cafés, national parks, and agritourism.

- New readings also include a flier, two magazine excerpts, and a poem to expose students to authentic writing.

Expanded Pronunciation Practice

- Pronunciation now appears in every lesson and includes intonation and a review of difficult sounds.

- The pronunciation exercises are recorded on the new In-Text Audio CD, packaged with the text, so that students can practice outside class.

Revised Grammar Sequence

- *Lezione 17* has become *Lezione 14* in order to present comparisons and rooms of the house earlier.

- Additional sequencing changes have been made in the latter chapters to introduce irregular comparisons and superlatives in *Lezione 15*.

Revisions have also been made throughout the textbook to update content and revise dialogues, activities, and explanations.

Program Components

Student Components

- Student Textbook with In-Text Audio CD
- Student Activities Manual (SAM): Workbook/Lab Manual
- SAM Audio CDs
- E-SAM powered by Quia
- *Oggi in Italia* Video (VHS and DVD)
- Student CD-ROM
- Student Companion Website
- Blackboard®/WebCT®

Instructor Components

- **Instructor's Annotated Edition (IAE)**   The Instructor's Edition offers resources for new and experienced instructors alike. Annotations include presentation suggestions, activity variations and ideas, and extra cultural information.

- **Instructor's HM ClassPrep™ CD**   This ClassPrep CD contains information on planning a syllabus, sample syllabi, and sample lesson plans. It also includes the testing program in modifiable Word files; audio and video scripts; video activities; answers keys for student text activities, the Student Activities Manual, and the testing program; PowerPoint slides; and art and grammar files for making overheads.

- **Testing Audio CD**   Packaged with the Instructor's HM ClassPrep CD, the Testing Audio CD contains the recording of the listening portions of the lesson tests.

- **E-SAM powered by Quia**   Built into the instructor's version of this electronic student activities manual, course management resources provide the flexibility to customize content, review and revise grading decisions, provide feedback to students, and grade open-ended exercises.

- *Oggi in Italia* **Video**   Available in VHS or DVD versions, this new video, filmed in Italy, contains eighteen scenes of everyday situations in the lives of a group of friends and interviews to expand students' cultural knowledge. The video reinforces the themes and language presented in the textbook lessons. Activities in the form of handouts are provided on the Instructor's HM ClassPrep CD, and additional activities are included on the Student CD-ROM and the Student Companion Website.

- **Instructor Companion Website**   This site offers many of the resources found on the ClassPrep CD.

- **Blackboard®/WebCT® Online Courses**   Materials are available in formats for instructors or institutions using online instruction.

Organization and Features of the Student Text

The body of the *Oggi in Italia* text consists of a preliminary lesson and eighteen regular lessons. The preliminary lesson (*Lezione preliminare*) contains dialogues to introduce common greetings and expressions, some vocabulary and pronunciation practice, and an introduction to Italian geography, with maps. Each regular lesson is built around a theme, such as school, food, shopping, sports, newscasts, politics, or ecology.

A typical lesson is divided into the following sections:

Dialoghi/Monologhi	• New grammar structures and vocabulary are presented in context. • Accompanied by *Domande* (comprehension questions), *Domande personali*, *Situazioni* (guided interview questions for pair work in *Lezioni 1–12*), and *Pratica* (role-play situations).
Vocabolario	• New words and expressions presented in the opening dialogues or monologues are categorized by part of speech for easy reference.
Finestra culturale	• Each lesson contains a short cultural reading related to the lesson theme. The readings are in Italian beginning in *Lezione 5*. • The culture notes reflect diverse aspects of contemporary Italian culture.
Pronuncia	• This section provides explanations of and practice with Italian sounds, stress, and syllabication.

Ampliamento del vocabolario	• The vocabulary enrichment section presents functional, thematically organized vocabulary, often through the context of illustrations. • Vocabulary-building activities include pair and group work.
Struttura ed uso	• This section presents 3–4 grammar points per lesson. • Most are introduced by a cartoon, with an accompanying caption to contextualize the point in a memorable way for students. • Structured and open-ended activities follow each topic.
Parliamo un po'	• This conversation section integrates the lesson vocabulary and grammar and recycles previously learned material. • A variety of pair and group activities include art- and realia-based activities. • Writing is integrated in some of the activities, and ideas for additional writing are included.
Conoscere l'Italia	• This section contains short reading passages related to Italy's cities and regions and significant cultural characteristics particular to Italy and its regions. • It includes pre- and post-reading exercises designed to help develop reading skills and expand students' reading vocabulary.
Marginal Annotations	• Student annotations, found in the margins throughout the text, highlight word usage, practical cultural information, important grammar points, and helpful study tips. • Instructor annotations throughout the IAE provide presentation and practice suggestions and additional cultural information. • Icons signaling the Standards for Foreign Language Learning reflected in the text also appear in the IAE.
Reference Section	• *Argomenti supplementari* contains optional grammar topics that can be introduced with practice exercises. • Sound/Spelling Correspondences, Verb Conjugations, Italian-English and English-Italian Glossaries are also included.

The Standards for Foreign Language Learning

The ACTFL Standards for Foreign Language Learning represents a consensus among educators, business leaders, government, and the community on the definition and role of foreign language instruction in American education. The task force that prepared the guidelines identified five goal areas common to all the purposes and uses of foreign languages (the "five Cs").

1. **Communication (C1):** Students engage in interpersonal, interpretive, and presentational communication.

2. **Cultures (C2):** Students gain knowledge and understanding of other cultures.

3. **Connections (C3)** to other disciplines and viewpoints: Students reinforce or acquire knowledge of other disciplines through the foreign language.

4. **Comparisons (C4):** Students demonstrate an understanding of the concept of culture through cultural and linguistic comparisons of the culture they are studying and their own.

5. **Communities (C5):** Students participate in multilingual communities at home and around the world.

To facilitate the promotion of the five Cs in the classroom, icons in the Instructor's Annotated Edition (IAE) indicate the primary instances of the five Cs as they apply to a given activity or text.

Teaching with Oggi in Italia

Suggested Strategies and Techniques

In this section you will find specific ideas and suggestions for working with the different parts of the chapters and with pair and small-group activities.

Using Small-Group and Pair Work

Many activities for small-group and pair work are interspersed throughout the lessons; you are encouraged to make maximum use of such exercises. Small-group and pair work encourages student participation in class while reducing anxiety and giving the students the opportunity to develop oral skills. Here are some suggestions for successful small-group or pair activities:

1. Make sure students understand what to do. Model properly.

2. Form the groups quickly, and vary groups from day to day or activity to activity.

3. To reduce anxiety, use imagination (e.g., have students sit back-to-back for a phone conversation or have them use a pen as a microphone for an interview).

4. Specify a time limit for the activity. Give less time than you believe is necessary in order to force students to work more intensively.

5. Insist on the use of Italian only.

6. Monitor the class, making sure students are on task and making sure to note or correct errors. You should not be a member of a group.

7. Extend the time if the activity is working well. Interrupt the activity when a few groups have finished.

8. Have students report their findings to the class: Have pairs role-play the situation, do spot checks, and so on. Hold students responsible for work done in pairs and small groups.

Teaching the Lessons

Dialoghi/Monologhi.   The monologues, dialogues, and other types of core material provide the basis for most of the activities in each lesson. They introduce the basic theme of the lesson and contain examples of new structures and vocabulary.

There are numerous ways of presenting the monologues or dialogues, depending on the theme and the number of characters.

- Some dialogues lend themselves well to presentation by stick figures on a chalkboard or on overhead transparencies; others may be dramatized by you with the assistance of one or two students or role-played by the students themselves. This is an excellent technique to encourage listening comprehension. In watching classmates role-play, students are alert and interested in the characters' interaction and their gestures. The result is longer attention span and intellectual participation that contribute to comprehension.

- Use props for some dialogues; for others, use recordings or cut-out illustrations from magazines. As students progress, you could present vocabulary by using definitions, antonyms, and synonyms or by pointing out suffixes or word roots.

- Break long dialogues into logical parts before dramatic presentation or when they are to be treated as reading material.

- Vary the order of presentation in a lesson. Although the dialogue appears at the beginning of a lesson, you may wish to introduce the new structures in the lesson first and then use the dialogue as reading comprehension material or as a listening comprehension activity. Or, you may wish to introduce and use in context some of the new vocabulary listed after the dialogue.

- Have students keep their books closed during the initial presentation. This helps focus their attention on what they are hearing, thus strengthening their listening skills.

- Use sentences from the dialogues to practice intonation and pronunciation. Model dialogue lines at normal conversational speed, without distortion or undue exaggeration and ask students to repeat. Keep in mind, however, that students are not expected to memorize the dialogues.

- Isolate a word, phrase, or phoneme for special work as needed. It is sometimes difficult to decide what degree of proficiency in pronunciation, intonation, rhythm, and speed should be attained by most students. Students become discouraged and fatigued when impossibly high standards are set. At the same time, keep in mind that it is far easier to correct errors in pronunciation at the outset than it is to change poor pronunciation habits once they are firmly established. Call on the entire class to repeat a corrected response before asking an individual to do so. Choral repetition lets everyone speak without feeling singled out. Minor errors can be ignored, especially at the beginning of the course.

- Once students are comfortable with a dialogue, encourage them to adapt it in various ways. They may add a beginning or an ending to the scene, change the names and ages or personalities of one or more of the characters, or invent a new incident that fits in logically with the one described. The more opportunities students have to "create" (within carefully controlled limits), the more fluent they will become in their use of the language.

- Starting with *Lezione 3*, you may want to introduce the scene setters or narrative parts that precede the dialogues in much the same way as the dialogues: by stick figures, props, and so on. As students learn more Italian, you could clarify the meaning of new words and expressions by defining them in Italian, by using them in sentences, or by referring to known words. In addition, you could provide a simple summary that previews the dialogue using familiar words and structures. This will help students approach the material with some idea of its content.

Domande and Domande personali. Two types of questions accompany the monologues and dialogues. The *Domande* (content questions) help students check their comprehension, and the *Domande personali* (personalized questions) allow students to relate their own experiences to the dialogue content and theme.

- Try to adjust the level of difficulty of a content or personal question to the level of ability of each student. Sometimes the questions can be slightly modified or sentence fragments accepted as responses. Often the same question can be asked of two or three students in succession, so that the less linguistically able student has the opportunity to hear the correct answer before being asked to respond.

- Give students frequent opportunities to make up their own questions as they progress in their ability to use the language. Have students ask you questions so that they can practice the formal *lei*-form of verbs in proper context. Too often the instructor does all the asking and the students do all the responding.

- Encourage students to work in pairs and small groups as they ask and answer questions about the dialogues (and about readings and other material or illustrations in the text, or about visuals supplied by you and/or students).

- Use directed statements and questions (*Tell Giorgio that . . .* , *Ask Luisa if . . .*) in Italian to practice new structures and vocabulary, especially after students have mastered word order in general and specific questions.

Situazioni and Pratica.   The *Situazioni* (in *Lezioni 1–12*) contain guided exchanges designed to familiarize students with structures and vocabulary prior to formal grammar study. Many of the *Pratica* exercises contain suggested pair or small-group role-playing activities based on the lesson dialogues. In the early stages, role-playing is limited to slight modifications of the dialogues. Depending on the needs of your class, you may choose to do some of the activities, or assign half the class one role-play and the other half the second.

Vocabolario.   This section presents a reference list of words and expressions introduced in the dialogue and the accompanying activities that students should learn before starting the next lesson. Learning vocabulary can be a profitable and enjoyable experience rather than a chore.

- You may want to occasionally present the new vocabulary prior to introducing the lesson dialogue or monologue.

- Use class time for word games like Bingo, Categories, Add-an-Element, Hangman (Wheel of Fortune), Scrambled Letters, or crossword puzzles. Divide the class into groups and ask that they devise puzzles themselves. The groups can then swap their puzzles and compete to finish them within a specified period of time.

Finestre culturali.   Each lesson contains a short cultural note with information on a topic mentioned in the dialogue. The readings are in Italian beginning in *Lezione 5*.

- Use the questions for cross-cultural comparison and to stimulate student interest in the readings.

- Encourage students to undertake additional research on some of the topics.

- Assign the cultural notes if time is short, but hold students responsible by following up in class.

Pronuncia.   The *Pronuncia* sections present and practice Italian sounds in *Lezioni 1–12* and then review particular sounds and practice intonation in *Lezioni 13–18*. In most lessons, one or two common proverbs illustrate the featured sounds in a cultural context. The In-Text Audio CD packaged with the text includes the exercises so that students can practice on their own, and the lab portion of the Student Activities Manual provides additional pronunciation practice. At the start of the course, you may prefer to work with students and have them use the In-Text Audio CD for reinforcement outside class.

- Do portions of the pronunciation section over a period of several days, rather than attempt to cover all of it in one class period. Quick, lively drills on one or two sounds, repeated at appropriate points in later class periods, will produce better results than a concentrated, one-time practice session.

- Introduce practice of specific sounds when you notice students having a particularly difficult time with a specific sound. Ask the class or a group to quickly repeat a series of words containing the specific sound.

Ampliamento del vocabolario.   The vocabulary building and expansion section is designed to encourage classroom activities that will help enlarge the students' basic vocabulary and enable them to use related words in functional situations (e.g., buying food at a store or choosing appropriate food for meals). Word sets are usually illustrated with line drawings in order to reduce a dependence on English translation and to serve as a source of visual stimulation for classroom activities in pairs or in small groups.

The *Ampliamento del vocabolario* section also contains helpful information about cognates, prefixes, and word families to build the students' understanding of how words are formed in Italian and their relationship to each other and to English. Showing students how to categorize the types of words this way will also facilitate the retention of vocabulary and ease memory overload.

- Suggest to students that they study vocabulary frequently in short sessions for better retention.

- Encourage students to use the flashcards on the website for practice.

Struttura ed uso.   The structure and usage section contains grammar explanations of three to four new structures, each followed by corresponding exercises and activities. The grammar explanations are in English throughout the text to make them more accessible to students working at home; however, try to use as much Italian as possible when explaining or clarifying a concept in class. If students study the explanations at home, class time can be used to check student comprehension of the concept and to practice.

- Use the illustrations at the beginning of the grammar explanations, personalized questions, and examples from the dialogue to introduce new topics.

- You may want to begin with exercises or by writing examples on the board for certain simple structures. Ask students to derive a grammatical statement or rule based on the pattern.

- Personalize new concepts with a few examples, questions, or a simple exercise after the initial presentation of a new structure or verb tense to emphasize the fact that students are learning to use a grammatical structure in order to communicate about real-life situations or events. For example, if students are learning the *passato prossimo*, before doing the text exercises, tell students a few things you did yesterday and where you went, then ask individuals if they did the same. Or, ask about specific activities or have individuals tell something they did.

- Do the text exercises orally in class. If students have prepared some as homework, review or check them orally when possible.

- Repeat an exercise or provide extra practice of particularly difficult structures two or three times within the same week to help reinforce the concept. Spaced or distributed practice during the following weeks will serve to further reinforce the structure.

- In pair and group exercises, be sure that students understand what they are to do before beginning the activity. Call students' attention to instructions that are situational or functional in order to emphasize the communicative use of the structure. Illustrate by example what students are to do or by modeling the start of an activity with a student.

Parliamo un po'.   The *Parliamo un po'* section helps students review new structures in a functional setting. It includes a variety of pair and group activities, some illustration-based, that combine lesson topics and encourage students to use Italian with a purpose.

- Do activities over a few days or select activities based on student interest or needed reinforcement.

- Use some of the activities to develop writing skills, for example by having students follow up or report what they learned from an interview activity.

Conoscere l'Italia.   This section contains readings and exercises to develop reading skills in Italian. Short passages feature various cities and regions in Italy and cultural topics such as national parks and agritourism. Readings and accompanying exercises can be assigned to reserve class time for oral follow-up.

- Help students learn to extract general meaning using cognates and context to decipher unfamiliar material.

- Encourage students to make intelligent guesses as they read unfamiliar material; that is, they should learn to use as many cues as possible to comprehend a word or sentence before resorting to a dictionary.

- Have students investigate topics of particular interest on the web and report back to the class. Give a few simple questions or ask for a few basic facts that they can handle in Italian.

***Oggi in Italia* Video.**   The video program contains a situational scene of two to three minutes for each lesson, followed by a brief interview segment in which Italian speakers answer a question related to the lesson content. The video is designed to reinforce the lesson content and themes, develop listening comprehension, and expand students' cultural awareness. The lesson scenes feature five friends in their everyday activities, for example, getting together at their favorite café, making plans, shopping, celebrating a birthday, and apartment hunting. The Instructor's HM ClassPrep CD contains activities (pre-viewing, viewing, and post-viewing) in the form of handouts for use in class or for distribution as homework assignments. The Student Website and CD-ROM contain additional activities.

- Integrate video viewing in class activities when possible to vary your class and monitor student listening skills.

- Help students learn to use visual cues (facial expressions, gestures, the setting) to better understand what they hear.

- Encourage students to get the basic meaning of what they hear and not be concerned with understanding every word.

- Use the scenes and interview questions as opportunities for cross-cultural comparison.

Oggi in Italia

Oggi in Italia

A First Course in Italian

EIGHTH EDITION

Franca Celli Merlonghi

Ferdinando Merlonghi

Joseph A. Tursi
State University of New York at Stony Brook, Emeritus

Brian Rea O'Connor
Boston College

Houghton Mifflin Company   Boston   •   New York

Publisher: Rolando Hernández
Senior Project Editor: Rosemary R. Jaffe
Editorial Assistant: Deborah Berkman
Art and Design Manager: Gary Crespo
Composition Buyer: Chuck Dutton
Senior Photo Editor: Jennifer Meyer Dare
Manufacturing Coordinator: Karen Fawcett
Executive Marketing Director: Eileen Bernadette Moran
Cover Design Manager: Anne S. Katzeff

Cover Image: Copyright © Afro Celotto/Joseph Wright Imports, LLC.

Credits for texts, photographs, realia, and illustrations are found following the index at the back of the book.

Printed in the U.S.A.

Instructor's Annotated Edition
ISBN 13: 978-0-618-67813-6
ISBN 10: 0-618-67813-1

For orders, use student text ISBNs:
ISBN 13: 978-0-618-67812-9
ISBN 10: 0-618-67812-3

Library of Congress Control Number: 2005934809

1 2 3 4 5 6 7 8 9—DOW—10 09 08 07 06

To the Student

Welcome to the study of Italian and welcome to *Oggi in Italia*! Learning a foreign language can be an enjoyable and a stimulating experience, especially if you think of it as learning a way to communicate with other people. As you develop your skills in listening, speaking, reading, and writing in Italian, remember that you will also be learning about Italy, its people, and its culture.

Read the Overview of Your Textbook's Main Features to familiarize yourself with the chapter organization and refer to the list of Student Components to learn about some of the resources available to you.

Tips for Learning with *Oggi in Italia*

- **Have a positive attitude.** Concentrate on what you are learning and don't be frustrated by what you do not know how to say; use what you *do* know.

- **Study frequently.** Regular and consistent practice is the key to learning a language. Try to do some studying every day instead of cramming before a test or assignment due date. The end results will be more long-lasting.

- **Go to class prepared.** If you have taken the time to study the material to be covered before going to class, class time can be better used in practice and reinforcement.

- **Participate in class.** Do not be afraid of making mistakes or pronouncing words incorrectly; the important thing is to speak. Many of the activities in *Oggi in Italia* are designed to be done in pairs and small groups to give you maximum communicative practice. Take advantage of this opportunity to use your new skills to communicate in Italian with your classmates.

- **Use downtime to study Italian.** The more time you spend reviewing, the more Italian you will retain. Use otherwise nonproductive times to practice current or previously studied material. When learning numbers, for example, say your friends' phone numbers in Italian before dialing them. When learning a past tense, say what you did during the day or describe what happened on a television show.

- **Have fun.** Learning a language takes work and practice, yet it should also be an enjoyable experience. As you learn the language, you will also be learning about Italians and Italian culture. By making the most of your learning, you will find that you can get along quite well the first time you have a conversation with a native Italian speaker or when you step off a plane in Rome or Milan and enter today's Italy.

An Overview of Your Textbook's Main Features

Oggi in Italia consists of a preliminary lesson and eighteen regular lessons, each of which is organized around a theme, such as school, food, shopping, sports, politics, cinema, or ecology. The themes are designed to introduce you to everyday language, aspects of life relevant to young people, and basic concepts of Italian culture.

◀ Each lesson opens with a photo related to the lesson theme and a statement of the communicative objectives for the lesson to orient you to what you will be learning.

Accessible, contextualized language provides a focus for learning

The opening lesson dialogue, monologue, or interview presents new grammar structures and vocabulary within a context or situation that illustrates how to use the language. In this way, you see examples of the language as it is used to communicate with others.

Related comprehension, personalized, and guided interview questions help you practice the new material and prepare you for the vocabulary and grammar sections that follow.

Annotations, boxed and located in the margins of the textbook, highlight word usage, practical cultural information, important grammar points, and study tips.

Emphasis on culture promotes awareness of self and others

The **Finestra culturale** reading is related to the lesson theme. In Italian beginning in *Lezione 5*, these readings reflect diverse aspects of contemporary Italian culture. Questions at the end of the readings are included to encourage you to compare Italian culture with your own so that you'll become aware of differences as well as similarities between cultures.

Pratica

1. In pairs: Prepare a dialogue dramatizing the following situation: Laura phones Renato and wants to know what he is doing. He's not doing anything special, but he has an English exam tomorrow (**domani**) and has to study. Laura invites him to have a cappuccino at the bar Giuliani on via Napoleone. He accepts and agrees to pass by her house around six.

2. Prepare a second dialogue individually: While walking with a friend, you pass an ice cream shop. Your friend says he/she feels like having an ice cream. You agree to stop, but you don't want one. Present the dialogue to the class with another student.

Il bar italiano

*B*ars in Italy are popular meeting places for people of all ages. There are bars in small towns and large cities. Every neighborhood has one or more bars and several can be found on major city streets.

In an Italian **bar** one can buy a cup of **espresso**, a **cappuccino**, a sandwich, candy, ice cream, and mineral water, as well as beer and other alcoholic beverages. Customers typically stand at the counter to drink or eat, since doing so is less expensive than sitting at a table. When ordering at the counter, customers are expected to go to the cashier (**la cassa**), pay for what they order, and take the receipt (**lo scontrino**) to the barman/barmaid (**il/la barista**) at the counter. It is customary to leave a small tip (**la mancia**) on the counter with the receipt. Customers who sit at tables order from a waiter (**il cameriere**), who also receives the payment. In good weather, chairs and tables are placed outside. It is a favorite pastime of many Italians and tourists to watch passersby while enjoying a **cappuccino**, **aperitivo**, or **digestivo**.

• What kinds of places are popular meeting spots in your town or city?

Questa elegante gelateria di Bologna vende ottimi gelati di produzione propria.

Vocabolario

Parole analoghe	
il bar	l'idea
il cappuccino	il parco
l'espresso	

Nomi
l'aiuto help
l'aranciata orange soda
la biblioteca library
la carta card
l'esame (m.) exam
la gelateria ice cream shop
il gelato ice cream
il panino sandwich
il pomeriggio afternoon
lo spuntino snack

Aggettivi
buono/a good
questo/a this

Verbi
andare (*irreg.*) to go; **va** he/she goes, you (*formal*) go; **andiamo** we go
aspettare to wait
comprare to buy
desiderare to wish, want
entrare to enter
fare (*irreg.*) to do; to make
mangiare to eat
ordinare to order (*food*)
parlare to speak, talk
passare to come by
passeggiare to walk, take a walk
prendere to take; to have (*in the sense of* to eat or drink); to pick up
squillare to ring
telefonare to telephone
uscire to go out

Altre parole	
adesso now	
allora well, then; then	
chi? who?	
d'accordo agreed, OK	
domani tomorrow	
mentre while	
oggi today	
oggi pomeriggio this afternoon	
per for; **per me** for me	
perché? why?; **perché** because	
pronto? hello? (*response on the phone*)	

Practical aids improve fluency using Italian

The **Vocabolario** list contains the new words and expressions presented in the opening dialogue or monologue and in the accompanying activities.

Pronuncia

Il suono della *l*

In Italian, the sound of the letter **l**, /l/, is pronounced nearer to the front of the mouth than it is in English. Italian /l/ is formed with the tip of the tongue pressed against the gum ridge behind the upper front teeth. The back of the tongue is lowered somewhat. The sound /l/ is spelled **l** or **ll**.

(A) Listen and repeat the following words.

legge   gelato   bello
liceo   solo   allora
lezione   telefonare   sorella

(B) Proverbio. Repeat the following Italian proverb.
Ad ogni uccello il suo nido è il più bello.
There's no place like home.
(*Literally: To each bird, its nest is best.*)

Il suono della *p*

Italian /p/ is not aspirated (that is, not accompanied by a puff of air), in contrast to English /p/. The sound /p/ is represented in writing by **p** or **pp**.

(C) Listen and repeat the following words.

padre   Alpi   giapponese
parola   Napoli   appartamento
piccolo   anticipo   cappuccino

(D) Proverbio. Listen and repeat the following Italian proverb.
Dio li fa e poi li accoppia.
Birds of a feather flock together.
(*Literally: God makes them and then pairs them.*)

Pronuncia provides explanations and practice of Italian sounds to help you develop proper pronunciation early on.

The audio icon signals that the practice exercises are recorded on the In-Text Audio CD packaged with your textbook so that you can practice outside class. These exercises are also available for listening on the *Oggi in Italia* Companion Website, and additional pronunciation practice for each lesson is provided on the SAM Audio CDs that correlate to the Student Activities Manual.

Focus on practical language fosters communication skills

The **Ampliamento del vocabolario** section in each lesson presents words in thematic groups, along with a series of activities designed to help you build your vocabulary. Often illustrations are used to convey the meaning of new words so that you immediately associate an object with its Italian word.

Many of the activities are for pairs or groups, providing numerous opportunities to practice speaking Italian.

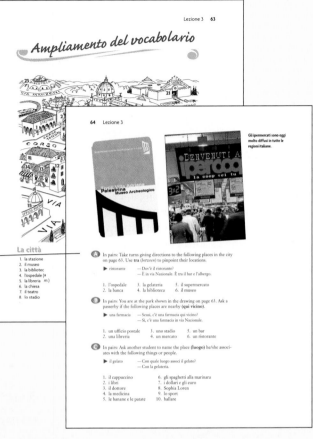

Struttura ed uso sections contain three to four topics per lesson. Many topics are illustrated by a cartoon to help you remember how the structure is used. Charts highlighting key information serve as a handy reference for review.

Clear, easy-to-follow grammar explanations in English include examples showing you how to use the structure presented.

A variety of guided exercises and communicative pair and group activities gives you necessary practice for reinforcement of the topics presented.

Web and CD-ROM icons serve as reminders of the additional resources available to you for reinforcement and review. You can also view the video that accompanies each lesson and reinforce your learning by doing the related practice activities.

Speaking practice and reading further fluency and cultural knowledge

The **Parliamo un po'** section includes a variety of creative, interactive pair and group activities as well as illustration-based activities that integrate what you have learned in the lesson and in previous lessons. The primary aim of the section is to give you the chance to put everything together and practice speaking in a personalized way.

▶

Short reading passages in the **Conoscere l'Italia** section relate to various aspects of Italian culture and introduce you to the diverse cities and regions of Italy.

▶

Pre-reading exercises develop your readings skills and help prepare you for reading, while post-reading exercises check your comprehension.

▶

Parliamo un po'

A **Cosa desideri fare?** In pairs: Interview your partner to find out some of the things he/she wants to do someday. Then tell your partner about what you want. Ask about:

- la città che lui/lei desidera visitare
- dove desidera abitare
- quale persona famosa desidera incontrare
- quale automobile desidera guidare
- dove desidera lavorare
- se desidera avere figli (quanti?)

B **Presentare amici.** In groups of three: You are with two friends who have never met before. Create a conversation in which you introduce your two friends to each other. They should ask each other a few questions, and then you suggest that you all go somewhere together.

S1: (Pietro), ti presento un mio amico ...
S2: Piacere.
S3: Il piacere è mio. Pietro, tu studi ... ?

Alcuni studenti si scambiano idee e opinioni davanti all'università.

C **Com'è la tua città?** You receive the following e-mail from a student in Italy. Write an answer in which you give some information about the city or town you live in.

Ciao _____. Come stai?
Tutto bene qui a Lucca. Lucca non è una grande città ma ci sono molte cose interessanti da visitare: chiese, palazzi, teatri. C'è anche una piazza (chiamata piazza dell'Anfiteatro) che ha la forma di un anfiteatro romano. Dove abiti tu? Com'è la tua città? È grande o piccola? Che cosa c'è da visitare? È una città interessante per un turista? Ci sono molti ristoranti? Musei? Che altro?

A presto
Mauro

Conoscere l'Italia

A **Vocabolario.** Before reading the passage, study the following vocabulary. Then choose an appropriate word to complete each sentence.

gli abitanti inhabitants	**la fontana** fountain	**la panchina** bench	**il tavolino** table
la bellezza beauty	**la gente** people	**il ruolo** role	**il valore** value
bere to drink	**il palazzo** palace, building	**il salotto** living room	**la vita** life

1. "_____ è bella" è il titolo di un film di Roberto Benigni.
2. Il sinonimo di *le persone* è _____.
3. Una parola che si associa con *caffè* è _____.
4. Le persone che abitano in un paese o in una città si chiamano _____.
5. Quando abbiamo sete desideriamo _____ qualcosa.
6. _____ è parte di una casa.
7. L'aggettivo *bello* è associato al nome _____.

Le piazze italiane

La piazza ha un ruolo molto importante nei paesi e nelle città d'Italia. In paesi piccoli e grandi è il centro della vita degli abitanti. Bar, ristoranti, negozi, la chiesa e la banca sono spesso situati¹ nella

...zza di Spagna a ... La famosa scali-... Barcaccia.

...rco a ...in questo ...o occupano ...he delle

Veduta parziale della stupenda Piazza del Campo a Siena con il Palazzo Pubblico e la Torre.

78 Lezione 3

B **Domande.** Answer the following questions based on the preceding passage.

1. Perché la piazza ha un ruolo importante nei paesi d'Italia?
2. Che cosa è situato spesso nelle piazze dei paesi d'Italia?
3. Come si chiamano due belle piazze di Roma?
4. Dov'è Piazza San Marco? E Piazza del Campo?
5. Perché alcune piazze delle città d'arte sono come salotti?
6. Cosa ammirano le persone che frequentano le piazze delle città d'arte?

A **Vocabolario.** Match each definition with a word from the list in the right-hand column. There are two extra words in the list.

1. una persona con molti dollari
2. un caffè, un cinema, un ristorante
3. la persona che scrive libri
4. non italiano
5. una bella caratteristica

a. straniero (*foreign*)
b. lo scrittore (*writer*)
c. vedere (*to see*)
d. fascino (*charm*)
e. ricca (*rich*)
f. un locale (*place*)
g. meta (*destination*)

Student Textbook

This textbook is your primary resource for learning Italian. It contains cultural information, vocabulary and grammar presentations and practice, and activities to help you develop listening, speaking, reading, and writing skills in Italian.

In-Text Audio CD

Packaged with your textbook, the audio CD contains recordings of the lesson pronunciation exercises so that you can practice on your own.

Student Activities Manual (SAM):
Workbook/Lab Manual

The Workbook section of the SAM provides a variety of practice to reinforce the vocabulary and grammar presented in each chapter and to help you develop your reading and writing skills. The Lab Manual section includes pronunciation explanations and practice and a variety of listening activities to develop your listening comprehension skills so that you gradually understand spoken Italian more and more easily. Answer Keys may be made available to you for self-correction at the discretion of your instructor.

SAM Audio CDs

The SAM Audio CDs contain the recorded material that coordinates with the Lab Manual portion of the Student Activities Manual to reinforce pronunciation and listening skills.

E-SAM Powered by Quia

This online version of the Student Activities Manual contains the same content as the print version, plus the material recorded on the SAM Audio CDs, in an interactive environment that provides immediate feedback for many activities so you can monitor your progress.

Oggi in Italia Video

This new video, filmed in Italy especially for *Oggi in Italia*, contains eighteen situational scenes that feature a group of friends as they go about everyday activities, such as making plans, shopping at a market, celebrating a birthday, or getting together at their favorite café. Each lesson concludes with interviews of Italian speakers. The video focuses on the themes and language presented in the textbook lessons in order to reinforce your learning and improve your listening skills as you learn about Italian culture. Your instructor may provide activities designed to guide your viewing, and you can also do the video activities on the Student CD-ROM and website.

Student CD-ROM

This multimedia CD-ROM helps you practice each chapter's vocabulary and grammar, and provides immediate feedback so that you can check your progress. Each chapter includes games, art- and listening-based activities, video activities, and the opportunity to record selected responses. As you work, you can access a grammar reference, an Italian-English glossary, and a progress report. It also allows you to link directly to the *Oggi in Italia* Website.

Student Companion Website

The website for *Oggi in Italia* includes a variety of activities and resources to help you practice vocabulary and grammar, review for quizzes and exams, and explore Italian-language websites. The site also has electronic flashcards for practice of vocabulary and verb conjugations and MP3 files of the In-Text Audio CD. The website is accessible at **http://college.hmco.com/languages/italian/students.**

Contents

Acknowledgments

The authors and publisher would like to express their appreciation to the many instructors teaching with *Oggi in Italia* who have offered their feedback on the program. We also extend a special word of thanks to the following reviewers for their ideas and recommendations for this revised edition.

Antonina Farrell, *Addison Trail High School*
Andrea Fedi, *University of Stony Brook*
Cosetta Gaudenzi, *University of Memphis*
Sara Gelmetti, *University of Wisconsin–Madison*
Nanette Granuzzo, *Middlesex County College*
Richard B. Hilary, *Florida State University*
Michael L. Mazzola, *Northern Illinois University*
Cinzia Donatelli Noble, *Brigham Young University*
Chad W. Shorter, *University of Virginia*
Patrick L. Vivirito, *University of Notre Dame*

Our appreciation also goes to Elissa Tognozzi and the instructors at the University of California, Los Angeles, who provided feedback and suggestions for changes; to Tiziana Serafini (UCLA) for revising the testing program; and to Joseph G. Tursi, East Islip (Long Island) High School for trying out selected material in his classes.

We wish to thank all the people at Houghton Mifflin who have contributed to publishing the Eighth Edition of *Oggi in Italia*, particularly Glenn Wilson in the World Languages Department. We also thank Sandra Guadano, our development editor, and Rosemary Jaffe, Steve Patterson, Lisa Jelly Smith, Linda Rodolico, and the many other people who helped with the design, production, and art of this new edition.

Franca and Ferdinando Merlonghi
Joseph Tursi
Brian O'Connor

Lezione preliminare

Studenti e studentesse vanno a lezione all'Università di Milano.

Il saluto

Communicative Objectives

- Greet others and say good-bye (or take leave) using the appropriate level of formality
- Express how you're feeling
- Express what you like
- Talk about some classes and people
- Give some street addresses and zip codes

Explain to students what they will learn in this lesson. Point out the communicative objectives.

Buon giorno! Lei come si chiama?

lei = you, formal

Il professore e lo studente

PROFESSOR LANDINI:	Buon giorno.
	Sono Giovanni Landini.
	Sono il professore d'italiano.
	Lei come si chiama?
MAURIZIO:	Buon giorno, professore.
	Mi chiamo Maurizio Ferroni.

La professoressa e la studentessa

PROFESSORESSA VENTURI:	Buon giorno.
	Sono la professoressa d'italiano.
	Mi chiamo Luciana Venturi.
	E lei come si chiama?
SIMONA:	Buon giorno, professoressa.
	Mi chiamo Simona Barbieri.

Buona sera! Come sta?

Il signor Carboni e il dottor Salvini

SIGNOR CARBONI:	Buona sera, dottor Salvini.
	Come sta?
DOTTOR SALVINI:	Bene, grazie, e lei?
SIGNOR CARBONI:	Molto bene, grazie. ...
	Arrivederla, dottore.

La signora Masetti e la signorina Polidori

SIGNORINA POLIDORI:	Buona sera, signora Masetti.
	Come sta?
SIGNORA MASETTI:	Abbastanza bene, e lei?
SIGNORINA POLIDORI:	Bene, grazie. ... A più tardi, signora.

With books closed, introduce yourself first to the class, then to a few students and ask them their names. Follow pattern of text dialogue.

Then have students greet each other and ask each other's names using *lei*. Tell them, however, that the informal *tu* is generally used among young people.

Point out that *mi chiamo* means "my name is," but its literal translation is "I call myself."

Explain that *lei* is the formal "you." It is capitalized in formal letters to show deference. In some textbooks, *lei* is capitalized to distinguish it from *lei*, meaning "she." Following a more modern usage, this text does not capitalize it.

Model dialogues. Point out that *arrivederla* is a formal leave-taking, used to say good-bye to only one person. Use mime to contrast *bene, molto bene,* and *abbastanza bene.*

Pratica

1. Introduce yourself to four or five classmates, asking each person his/her name.

   ▶ — Buon giorno. Mi chiamo (Giorgio Lotti). E lei, come si chiama?
   — Mi chiamo (Gabriella).

2. Find out from three or four classmates how they are feeling.

   ▶ — Buon giorno, (Roberto). Come sta?
   — Bene (Abbastanza bene/Non c'è male), grazie. E lei?
   — Molto bene.

 Model first for pronunciation. Remind students that *lei* is formal.

Have students replace *buon giorno* with *buona sera*. Introduce *buona notte* and explain that it is used only as a late-night leave-taking.

Be sure students understand expressions. Use mime to convey the meaning of *Non c'è male.*

Levels of formality

*I*n Italian, as in English, speakers use different levels of formality, depending on the situation and to whom they are speaking. For example, in Italy, you might use **ciao** or **salve** (*hello*) as a greeting, and **ciao** or **arrivederci** as a farewell to a friend or a member of the family. In a more formal situation, speaking to a stranger or an acquaintance, you might use **buon giorno** or **buona sera** as a greeting and **arrivederla** as a farewell.

In English, speakers always use the pronoun *you* when addressing another person. In Italian, there are two ways of expressing *you* when addressing another person. **Tu** is used with someone you know on a first-name basis, such as a child, friend, classmate, or member of your family. **Lei** is used with a stranger, an acquaintance, an older person, or someone in a position of authority.

— **Ciao, Giovanni, come stai?**
— **Non c'è male, grazie. E tu?**

• What greetings do you use in English in formal and informal situations?

Ciao! Come ti chiami?

Anna Melani e Paolo Salvatori

PAOLO: Ciao! Come ti chiami?
ANNA: Io? Mi chiamo Anna. E tu, come ti chiami?
PAOLO: Paolo.

Silvia Bellini ed Enrico Genovesi

SILVIA: Tu ti chiami Paolo Salvatori?
ENRICO: No, mi chiamo Enrico Genovesi.
SILVIA: Piacere, Enrico. Io mi chiamo Silvia Bellini.

Come stai?

Patrizia Moro e Rosanna Peroni

ROSANNA: Ciao, Patrizia, come stai?
PATRIZIA: Non c'è male. E tu?
ROSANNA: Benissimo! ... Arrivederci.
PATRIZIA: A domani, Rosanna.

Be sure students understand that dialogue speakers are peers. Explain that *ciao* means both "hi" and "bye," and that it is an informal greeting used only with family members, close friends, children, and (among young people) acquaintances.

tu = you, informal

Point out two other informal expressions used in presentations: *Lieto/a di conoscerti* (Glad to meet you) and *Molto lieto/a* (Delighted [to meet you]).

Point out that *arrivederci* is also used as both a formal and an informal leave-taking when addressing more than one person, but that *arrivederla* must be used when addressing one person formally.

Luigi Rinaldi e Marcello Bottino

LUIGI: Salve, Marcello. Come stai?
MARCELLO: Bene, grazie. E tu, come stai?
LUIGI: Mah, così così. ... A presto, Marcello.
MARCELLO: Ciao!

Have students in pairs or groups of three role-play dialogues using their own names.

Have students shake hands with greetings and leave-takings.

Pratica

1. Find out the names of four or five classmates.

   ▶ — Tu, come ti chiami?
   — Mi chiamo (Susanna/Mario).

2. Greet a friend and ask how he/she is. Then exchange roles.

   ▶ — Ciao (Renata), come stai?
   — Molto bene (Benissimo/Non c'è male/Così così/Male), grazie.

3. You're leaving class. Say good-bye to four or five classmates.

   ▶ — Ciao (Luigi), arrivederci.
   — A domani (A presto/Ci vediamo domani).
   — Ciao, (Vittoria).

Have students get up, speak to a classmate, and then move on. Set a time limit to keep students on task.

Have students further practice by combining *Pratica* 1 and 2 or 1, 2, and 3. Have them greet three classmates they haven't talked with yet and find out their names and how they are, and then take leave.

Convey meaning of new words using mime and gestures. Teach *Ci vediamo domani* as a set phrase.

— **Ciao, Silvia. Hai lezione adesso?**
— **Sì, e sono in ritardo. Ci vediamo più tardi.**

Use of courtesy and professional titles

*T*he use of first names among adults is less frequent in Italy than in the United States. In the workplace, in informal situations people usually call or refer to their colleagues or co-workers by using only their last name without any title. The courtesy titles **signore, signorina,** and **signora** can be used in place of a name. In contrast to English usage, professional titles such as **dottore, avvocato** (*lawyer*), and **ingegnere** (*engineer*) are commonly used with or as substitutes for names. Notice that the titles ending in **-re** (**signore, dottore, professore,** and **ingegnere**) drop the final **-e** when they precede a name:

Giovani studenti parlano con la professoressa dopo una lezione.

Buon giorno, *professore.*   **Buon giorno,** *professor* **Dini.**

Buon giorno, *dottore.*   **Buon giorno,** *dottor* **Paolini.**

Signore, signora, and **signorina** usually are not capitalized in Italian, except in their abbreviated forms (**Sig., Sig.ra,** and **Sig.na**), which are used mainly in letter writing.

Che peccato!

Giulia Campo is walking through Piazza San Marco on her way to class when she meets her friend Giacomo Mannini. They shake hands and chat for a minute.

GIULIA:	Ciao, Giacomo, come stai?
GIACOMO:	Non c'è male, grazie, e tu?
GIULIA:	Bene, grazie. … Ah, ecco il professor Renzi. Buon giorno, professor Renzi.
5 PROFESSOR RENZI:	Buon giorno, signorina Campo. Buon giorno, signor Mannini.
GIACOMO E GIULIA:	Buon giorno, professore.

The professor continues on his way.

GIACOMO:	Hai lezione d'italiano con il professor Renzi?
10 GIULIA:	Sì, fra cinque minuti.
GIACOMO:	Ti piace l'italiano?
GIULIA:	Sì, mi piace molto. Scusa, Giacomo, ma sono in ritardo.
GIACOMO:	Che peccato! Arrivederci, Giulia, buona giornata!
15 GIULIA:	Grazie! Ciao, Giacomo. A presto.

Ask students to vary the dialogue by changing *il professor Renzi* to *la professoressa Giuliani*, and to make the corresponding changes. They can also change *non c'è male* to *così così* and *bene* to *benissimo*.

Explain that *ecco* (here is/here are/there is/there are) is used to point out people and things: *Ecco il professore; Ecco Giulia e Giacomo; Ecco Piazza San Marco*, etc.

Practice *Che peccato!* by making statements like (*Paolo*) *non sta bene* and having students react.

La lezione means "lesson" or "class," as in "to have a class." *La classe* (*d'italiano*) can refer to the (Italian) classroom or the group of students in it.

Pratica

1. You're between classes. Ask a classmate if he/she has class tomorrow. Then switch roles.

   ▶ — Hai lezione domani?
   — Sì, ho lezione d'italiano (d'inglese/di matematica/di storia).

2. Find out from a classmate if he/she has a class with a specific teacher whom you know. Then switch roles.

   ▶ — Hai lezione con (il professor Montini/la professoressa Corvari)?
   — No, ho lezione con il professor ... (la professoressa ...).

3. Ask a classmate if he/she likes certain academic subjects.

   ▶ — Ti piace (l'italiano/l'inglese/la matematica/la storia)?
   — Sì, mi piace. (Sì, mi piace molto./No, non mi piace.)

4. You see a friend hurrying along a hallway. Find out if he/she is late.

   ▶ — Ciao, Monica, sei in ritardo?
   — No, non sono in ritardo (sono in anticipo/sono puntuale).

 After doing the *Pratica*, have students close their books. Then encourage them to combine *Pratica* 1, 3, and 4 by applying them to their own schedules.
—*Hai lezione?*
—*Sì, ho lezione di storia.*
—*Ti piace la storia?*
—*Sì, mi piace molto.*
—*Sei in ritardo?*
—*No, non sono in ritardo.*

Introduce *piacere* (to like) as a lexical item. Explain that its construction resembles that of "to be pleasing" in English. I like Italian = Italian is pleasing to me. *Piacere* is formally presented in *Lezione 11*.

Put a time or clock on the board as a reference point to teach *Sono in ritardo*.

I nomi italiani (maschili e femminili)

Some Italian names are similar to English first names, with slight spelling changes, while others have no English equivalent. Note that many masculine first names ending in **-o** have an equivalent feminine first name ending in **-a.**

Listen and repeat each name after your instructor. Look for the Italian equivalent of your name and the names of family members, friends, and acquaintances. If no Italian equivalent of your name is listed, ask your instructor if there is one.

Italians frequently use the diminutive forms of names: *Antonio = Toni* or *Tonio*; *Giovanni = Gianni* or *Vanni*; *Giuseppe = Beppe, Peppe,* or *Pino; Luigi = Luigino* or *Gino; Giulia = Giulietta; Elisabetta = Betta, Bettina,* or *Elisa; Giovanna = Gianna* or *Vanna,* etc.

nomi maschili		nomi femminili	
Alberto	Marcello	Angela	Giulia
Antonio	Mario	Anna	Lisa
Carlo	Massimo	Antonella	Loretta
Emilio	Michele	Bettina	Luisa
Enrico	Paolo	Carla	Maria
Franco	Pietro	Caterina	Marisa
Giacomo	Renato	Daniela	Paola
Giorgio	Roberto	Elena	Patrizia
Giovanni	Stefano	Elisabetta	Rosanna
Giuseppe	Tommaso	Franca	Silvia
Lorenzo	Valerio	Francesca	Teresa
Luigi	Vittorio	Giovanna	Valeria

Customary greetings

*I*n Italy it is customary to shake hands when greeting good friends as well as acquaintances, regardless of age. Italians (and many other Europeans) shake hands with only one or two short up-and-down motions, not a series of them as Americans do. Close friends who have not seen each other in a long time tend to greet each other with a light kiss on both cheeks, and not on one cheek only as Americans do in similar circumstances.

- When do you shake hands with someone?

- Whom do you greet with a kiss?

— Arrivederci, Anna.
— Ciao, a domani.

Most *Pronuncia* exercises are recorded on the audio CD accompanying the text. You can assign these sections, use the CD in class, or have students repeat after you.

L'alfabeto italiano

The Italian alphabet consists of twenty-one letters and five additional letters that appear only in foreign words. Accent marks (´ and `) occur on the vowels **a, e, i, o,** and **u** under certain circumstances.

Listen and repeat each letter of the Italian alphabet.

The grave accent (`) is more common than the acute accent (´) in Italian. The latter is generally used to indicate the closed sound of /e/ in words such as *perché, ventitré, benché,* etc.

Italian alphabet						foreign letters		capital and lowercase letters		accents and punctuation	
a	a	**h**	acca	**q**	cu	**j**	i lunga	**C**	ci maiuscola	´	accento acuto
b	bi	**i**	i	**r**	erre	**k**	cappa	**c**	ci minuscola	`	accento grave
c	ci	**l**	elle	**s**	esse	**x**	ics			.	punto
d	di	**m**	emme	**t**	ti	**y**	ipsilon			,	virgola
e	e	**n**	enne	**u**	u	**w**	vu doppia			?	punto interrogativo
f	effe	**o**	o	**v**	vu					!	punto esclamativo
g	gi	**p**	pi	**z**	zeta						

Have students locate Siena on the map on p. 14. Then ask: *In quale regione è Siena?*

Elicit from students the names of the cities and their countries whose symbols are represented on the sign pointing toward Siena. Give them the Italian equivalent: *New York/Stati Uniti; Parigi/Francia; Londra/Inghilterra (o Regno Unito)*. Tell students that both Siena and Perugia have well-known programs for foreigners (*stranieri*).

A You are at a hotel in Venice. Spell your name for the receptionist who is looking for your reservations.

▶ Jodie Fowler   Jodie: i lunga, o, di, i, e
                       Fowler: effe, o, vu doppia, elle, e, erre

B You are in Italy trying to get the phone number of a friend from the operator. Spell out your friend's name and city. (See page 14 for some names of Italian cities.)

▶ Marco Giuliani   Marco: emme, a, erre, ci, o
                          Giuliani: gi, i, u, elle, i, a, enne, i
   Forlì   Forlì: effe, o, erre, elle, i

Ex. A & B: Write the alphabet on the board (or use a poster). Point to letters at random and ask students to say them aloud.

With books closed, challenge students to spell aloud familiar words like *ecco, lezione, peccato, signora*.

Ex. B: In pairs: Expand by having one student spell the name of the state or city he/she comes from, while the other student writes it.

I suoni delle vocali

Because English and Italian have their own sets of sound-spelling correspondences, the pronunciation sections of this text use a few of the special symbols developed by the International Phonetic Association to represent sounds. Each symbol, given between slash lines (for example, /a/), represents a specific sound. A complete list of symbols, together with the Italian spelling correspondences, appears in Appendix A.

Demonstrate the difference between open and closed pronunciation of *e* and *o*. Open: *è* (is) and *ho* (I have); closed: *e* (and) and *o* (or). Mention that the sounds of these two vowels vary regionally.

Dictate the following words, letter by letter: *bene, ciao, tu, lei, io, italiano, ecco, Milano*.

There are five basic vowel sounds in Italian. The sounds /a/ (spelled **a,** as in **Anna**), /i/ (spelled **i,** as in **Milano**), and /u/ (spelled **u,** as in **studente**) are stable; they are always pronounced the same. The sounds /e/ (spelled **e,** as in **bene**) and /o/ (as in **sono**) may vary slightly.

 C Listen and repeat the following words to practice the vowel sounds.

americana	bene	minuti	sono	Ugo
Anna	come	italiano	Torino	studente
matematica	lezione	signore	Roberto	università

D **Proverbio.** Listen and repeat the following Italian proverb.

Un bel gioco dura poco.
Fun doesn't last long.

I numeri da 0 a 20

Listen and pronounce the numbers from 0 to 20 **(da zero a venti).**

0 = **zero**			
1 = **uno**	6 = **sei**	11 = **undici**	16 = **sedici**
2 = **due**	7 = **sette**	12 = **dodici**	17 = **diciassette**
3 = **tre**	8 = **otto**	13 = **tredici**	18 = **diciotto**
4 = **quattro**	9 = **nove**	14 = **quattordici**	19 = **diciannove**
5 = **cinque**	10 = **dieci**	15 = **quindici**	20 = **venti**

E In pairs: What are your reasons for learning Italian? Rate on a scale from 0 to 10 **(da zero a dieci),** how important it is for you to do the following. Compare your responses with those of your partner.

▶ speak Italian when you visit Italy   dieci

1. read Italian newspapers or magazines
2. understand printed signs when you are in Italy
3. order food in an Italian restaurant in this country
4. learn more about Italian culture
5. cook lasagna from an Italian recipe
6. understand what the characters in Italian movies are saying
7. read literary classics in Italian
8. sing Puccini's *Madama Butterfly* in Italian

F In pairs: Exchange addresses with a classmate. Say your street number and zip code as in the model.

▶ Via Manzoni, diciotto (18)

zero, zero, uno, nove, sette (00197) Roma

Ex. C & D: Have students imitate your pronunciation. Tell them that word stress in Italian most often falls on the next-to-last syllable and that they'll learn more about stress in *Lezione 1*. You may want to point out special sounds (*chi, che*, etc.) as they come up or if students ask.

Proverbio. Have students dictate the proverb to other students, syllable by syllable.

Write the numbers 0–20 on the board (or use a poster). Point to numbers at random and ask students to say them aloud. Practice pairs: 1/11, 4/14, 5/15, etc.

Dictate ten numbers at random. Have students write the corresponding numerals.

On the board, write simple arithmetic problems like 1 + 1 = ?, 3 – 2 = ?, and ask students to respond in Italian. *Uno più uno fa… ? Tre meno due fa… ?*

Ex. E: Ask students to give you the results of the poll. Encourage students to add to the list other reasons for studying Italian.

Ex. F: Write Italian addresses on the board and have students read them: *Via Dante 10, 50129 Firenze; Corso Vittorio 7, 00196 Roma.* Elicit from students the differences from U.S. addresses. Then have pairs do Ex. F, using the Italian style for addresses. Tell students that they can give numbers in hundreds or digit by digit.

Explain *via* and *corso* by mentioning well-known streets in your town: *Boylston è una via, Madison è un corso.*

Parole analoghe

Learn to recognize cognates to help you understand Italian more easily.

Italian is a Romance language, which means that it derives from Latin, the language of the ancient Romans. Other Romance languages are French, Portuguese, Spanish, Romanian, Catalan, and Provençal. English is a Germanic language, but it contains thousands of words derived from Latin that resemble their Italian equivalents. These words are called *cognates* (**parole analoghe**). Most cognates are easily recognizable in print, though their pronunciation may be different. For example:

studente	student	**possibile**	possible	**studiare**	to study
professore	professor	**famoso**	famous	**arrivare**	to arrive
lezione	lesson	**interessante**	interesting	**entrare**	to enter

Other cognates form groups of words with easily recognizable patterns. For example:

-tà -ty	*-ale* -al	*-zione* -tion
città city	**nazionale** national	**informazione** information
difficoltà difficulty	**originale** original	**stazione** station
università university	**speciale** special	**tradizione** tradition

Luckily, there are relatively few false cognates in Italian. False cognates resemble English words, but their meanings are different. An example of a false cognate is **collegio,** which generally means *boarding school*, not *college*. Context will usually help you recognize false cognates.

G Complete the sentences, choosing from the following list of cognates.

città
speciale
interessante
lezione
possibile
studente

1. Giacomo studia la _____ due.
2. Venezia è una bella _____ .
3. La lingua italiana è _____ .
4. Lo _____ arriva all'università.
5. Non è _____ entrare.

Say a few sentences containing cognates to increase students' confidence in their understanding of spoken Italian: *Lo studente studia all'università. La lezione è interessante.*

Model the pronunciation of the cognates as students follow along in the text.

Mention a few other false cognates: *parente* = relative; *fattoria* = farm; *libreria* = bookstore; *facoltà* = university department; *lettura* = reading; *attuale* = present-day.

Ex. G: Before doing Ex. G, have students complete the following sentences: _____ è famoso; _____ è una grande città; _____ e _____ sono università americane.

Have students look at the map of the European Union. First model the pronunciation of *Italia* and *Roma*, then the names of some other countries and their capitals.

L'Italia nell'Europa

Carta dell'Unione Europea

Point out that most European nations belong to the European Union (EU or UE) and that, as of January 2002, several of them share the euro as their common currency. In May 2004, ten additional countries were integrated, thus bringing to twenty-five the number of member nations. The new additions include Poland, the Czech Republic, Slovakia, Hungary, Lithuania, Latvia, Estonia, Slovenia, and the islands of Malta and Cyprus. Have students look at the map and have them repeat the names of the countries that belong to the EU. Tell them that *Svizzera* is not a member of the Union.

Italy, located in southern Europe, is a peninsula stretching into the Mediterranean Sea. Rome is its capital, and Italian is the language spoken by more than 57 million people living in Italy.

Italian is also spoken by residents of the Canton Ticino in Switzerland, by many Ethiopians, and by Italians around the world. In the United States and Canada, for example, there are millions of American and Canadian citizens who speak Italian as a first or second language and who retain close ties with their relatives in Italy.

Tell students that those countries of the European Union that have elected the euro as their currency have, at the same time, selected some of their representative cultural or historical figures or monuments to be on their bills or coins. Point out the Colosseum on the Italian five-cent coin, Leonardo's human body on the one-euro coin, and Dante's profile on the two-euro coin.

Carta fisica d'Italia

Have students name and locate the following on the map: *due catene di montagne, la capitale d'Italia, un fiume, due golfi, cinque isole, cinque mari, tre laghi, una penisola, uno stretto, sette città.*

H Many geographical terms are cognates. Pronounce after your instructor each of the terms listed below. Note that **il, la, l', lo, gli,** and **le** all mean *the.*

Ex. H: With books closed, challenge students to recall as many of the geographical terms as they can. Give them a word to associate with each one. For example: *Mississippi–il fiume; Kilimanjaro–la montagna.*

le Alpi   the Alps
gli Appennini   the Apennines
la baia   the bay
la capitale   the capital
  (*of a country*)
il capoluogo   the capital (*of a region*)
la catena di montagne   the mountain
  range
la città   the city
il fiume   the river
il golfo   the gulf
l'isola   the island
il lago   the lake

il mare   the sea
la montagna   the
  mountain
il paese   the country;
  the small town
la penisola   the
  peninsula
il Po   the Po (River)
il porto   the port
la provincia   the
  province
la regione   the region
lo stretto   the strait

la capitale vs. **il capoluogo**
Note that: *Roma è la capitale d'Italia* and that *Napoli è il capoluogo della Campania.*

Learn the eight points of the compass shown below. Note how closely they resemble their English cognates. Listen to your instructor pronounce each one, paying particular attention to the difference between **est** and **ovest.**

Ex. I: Pronounce the points of the compass, with particular emphasis on the difference between *est* and *ovest.*

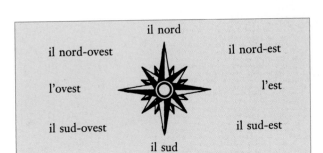

Have students use the points of the compass to tell you the locations of certain places in Italy or in relation to Italy: *Sicilia/sud; le Alpi/nord,* etc.

Complete the following statements in Italian, using the points of the compass and the map of Europe on page 11. Note that **al** means *to the.*

Ex. J: Have students quiz each other using similar items.

1. La Svizzera è al _____ dell'Italia.
2. La Grecia è al _____ dell'Italia.
3. La Germania è al _____ dell'Italia.
4. La Gran Bretagna è al _____ dell'Italia.
5. La Francia è al _____ dell'Italia.

Have students go back to the map of Europe on p. 11 and choose a country. Then have them indicate its border countries using the points of the compass.

Positano: pittoresco paese sul mare vicino a Napoli.

Carta politica d'Italia

Repeat after your instructor the names of the Italian regions listed below. Then locate each one on the map on page 14.

l'Abruzzo (gli Abruzzi)
la Basilicata
la Calabria
la Campania
l'Emilia-Romagna
il Friuli-Venezia Giulia
il Lazio
la Liguria
la Lombardia
le Marche
il Molise
il Piemonte
la Puglia
la Sardegna
la Sicilia
la Toscana
il Trentino-Alto Adige
l'Umbria
la Valle d'Aosta
il Veneto

regione abruzzo

mare...
monti...

parco
nazionale

Have students consult the political map of Italy while doing Ex. K.

Assign each student a city or region of Italy. Have them gather basic information from an encyclopedia, a travel book, or the Internet, and explain that they will be the experts on these cities or regions for the rest of the term.

Vocabolario

Be sure you know the meaning and use of the following words and expressions before you proceed to **Lezione 1**.

Greetings

buon giorno   hello, good morning
buona sera   good evening
ciao   hi (*informal*)
salve   hello

Farewells

arrivederci   good-bye
arrivederla   good-bye (*formal*)
a più tardi   till later
a domani   till tomorrow
a presto   see you soon
buona giornata   have a good day
ci vediamo domani   see you
   tomorrow
ciao   bye (*informal*)

Asking and giving names

come si chiama lei?   what's your
   name? (*formal*)
come ti chiami?   what's your
   name? (*informal*)
mi chiamo ...   my name is . . .

Expressions involving time

fra cinque minuti   in five minutes
fra poco   soon
sono in ritardo   I'm late
sono puntuale   I'm on time
sono in anticipo   I'm early

Introduce *buon pomeriggio* as an alternative greeting. Make sure students understand the difference between *buon giorno* and *buona giornata*.

Names of courses

l'inglese   English
l'italiano   Italian
la matematica   mathematics
la storia   history

Numbers (see p. 9)

Geographical terms
(see p. 12)

Asking how someone is

come sta?   how are you? (*formal*)
come stai?   how are you? (*informal*)
bene, grazie   fine, thanks
benissimo!   just great!
molto bene   very well
abbastanza bene   quite well
così così   so-so
non c'è male   not too bad
male   bad

Persons

il dottore   (male) doctor
la dottoressa   (female) doctor
il professore   (male) professor
la professoressa   (female) professor
lo studente   (male) student
la studentessa   (female) student

Courtesy titles

signore   sir; **signor** + *last name*
  Mr.
signora   ma'am; **signora** + *last name*   Mrs.
signorina   Miss; **signorina** + *last name*   Miss

Other words and expressions

che peccato!   what a shame!
  too bad!
con   with
di (**d'** before vowels)   of, from
domani   tomorrow
e   and
ecco   there is, there are
grazie   thanks, thank you
hai lezione?   do you have a class?
io   I
lei   you (*formal*)
ma   but
mah   oh
molto   a lot, a great deal
no   no
piacere   to like, to be pleasing;
  mi piace ...   I like ...;
  non mi piace ...   I don't like ...;
  ti piace ... ?   do you like ... ?
piacere!   how do you do!
scusa   excuse me (*informal*)
sì   yes
sono   I am
tu   you (*informal*)

Names of languages are not capitalized in Italian.

Mi (Ti) piace + singular noun or infinitive

Lezione 1

Alessandra e Francesco hanno diciassette anni e frequentano il liceo.

Lei come si chiama?

Communicative Objectives

- Describe yourself and others by age and place of origin
- Talk about likes and dislikes
- Make negative statements
- Indicate possession (of basic objects)

Use the photographs in the book to discuss cultural differences and similarities.

Explain the objectives of each section in the lessons. Also point out the appendices and index at the end of the book.

 Show the *Oggi in Italia* video segment and do the video activities.

Two Italian students introduce themselves.

Have students listen to monologues with their books closed. You may read them yourself or play the recording on the lab CDs.

Ciao, mi chiamo Marco Casciani e sono italiano.
Sono di Verona.
Ho venti anni e sono uno studente universitario.
Frequento l'università di Roma e studio medicina.
Ho un fratello e una sorella.
Mi piace lo sport, ma mi piace anche viaggiare.

Point out that pronouns aren't always needed in Italian because verb endings indicate the subject.

Salve, mi chiamo Lucia Savini e anch'io sono italiana.
Sono di Roma e ho sedici anni.
Sono una studentessa liceale.
Frequento il liceo scientifico.
Non ho un fratello, ma ho una sorella.
Mi piace molto la musica e mi piace anche ballare.

Domande

1. Marco Casciani è italiano? (Sì, Marco è ...)
2. Marco Casciani è professore? (No, Marco non è ...)
3. Marco frequenta l'università di Bari? (No, Marco non frequenta ...)
4. Marco studia medicina o legge? (Marco studia ...)
5. Marco ha venti anni? (Sì, Marco ha ...)
6. Marco è di Verona o di Roma?
7. Marco ha un fratello? Ha una sorella?
8. A Marco piace lo sport o la musica? (A Marco piace ...)
9. A Marco piace viaggiare? (Sì, a Marco ...)
10. Lucia Savini è italiana o americana?
11. Lucia frequenta il liceo o l'università?
12. Quanti anni ha Lucia?
13. Lucia ha un fratello o una sorella?
14. A Lucia piace la musica? (Sì, a Lucia ...)
15. A Lucia piace ballare o viaggiare? (A Lucia ...)

Have students listen with books open while you model the questions and answers. Then repeat the questions and have students provide the answers. You may have students cover the questions, skip the modeling, or accept short answers. Help students with responses from 6 to 15 if necessary.

Remind students about the verb *piacere* and point out the third person: *A Lucia piace* ...

Personalize the *Domande: Lei è di Verona? Lei frequenta l'università di Roma? Lei ha venti anni? A lei piace la musica?*

Domande personali

1. Lei come si chiama, signore/signora/signorina?
2. Lei è studentessa, signora/signorina?
3. Lei è una professoressa italiana, signora/signorina?
4. Lei è uno studente americano, signor (Brown)?
5. Lei frequenta il liceo o l'università?
6. Lei studia medicina?
7. Quanti anni ha lei?
8. Di dov'è lei?
9. Lei ha un fratello o una sorella?
10. A lei piace lo sport?
11. A lei piace anche la musica?
12. A lei piace viaggiare? e ballare?

Maintain a brisk pace. Ask each question of two or three students. React to student responses to give feel of real conversation; for example, if a student's name is Karen, reply, *Che bello! Anche mia sorella si chiama Karen.*

Point out individual students and ask questions about them, such as *Lui/Lei come si chiama? Lui/Lei studia medicina? Quanti anni ha lui/lei? Di dov'è lui/lei? A lui/lei piace lo sport? A lui/lei piace viaggiare?*

Explain that *lui* means "he" and that *lei* means "she" as well as formal "you," and that the context usually makes it obvious which meaning is intended.

You may want to provide the *tu* forms of the verbs in these questions, and have students ask them of each other.

Go over the meaning of *a lui/a lei piace.* Be sure students understand the context when asked *A lei piace … ?*

Situazioni

Review numbers before starting the *Situazioni.* Model each situation. Have students combine 1 and 2 if capable. Follow up by asking, *Quanti anni ha lei? Di dov'è lei?*

Have students report what they learn: (*Carlo/Paola*) ha diciannove anni ed è di Boston. A lui/lei piace studiare legge.

1. In groups of three: Find out how old some of your classmates are.

   ▶ — Quanti anni hai?
       — Ho (diciotto) anni.

   > Sit. 1: *Quanti anni hai?:* informal

2. In groups of three: Ask the same classmates where they are from.

   ▶ — Di dove sei?
       — Sono di (Columbus/Dallas/Boston).

   > Sit. 2: *Di dove sei?:* informal

3. In groups of three: Find out what the same classmates like to study.

   ▶ — Che cosa ti piace studiare?
       — Mi piace studiare medicina (legge/matematica/italiano/inglese/storia).

   > Sit. 3: *Che cosa ti piace?:* informal

Pratica

1. In pairs: Introduce yourself in Italian to another student, and say where you are from. Then ask him/her for the same information.

   ▶ — Ciao, mi chiamo … . Sono di Bologna. E tu, come ti chiami?
   — Mi chiamo … e sono di … .

2. In pairs: You are at a party and are meeting another guest. Shake hands, then ask what his/her name is, if he/she attends the university or the **liceo,** whether he/she is Italian or American, where he/she is from, and if he/she likes the party **(la festa).** Then trade roles.

You will find the rest of the lesson easier if you learn the **Vocabolario** before proceeding.

Parole analoghe

la medicina
la musica
scientifico/a
lo sport
l'università
universitario/a

Nomi

l'anno   year
il fratello   brother
la legge   law
il liceo   high school (*see cultural note, p. 21*)
la sorella   sister

Verbi

avere   to have
ballare   to dance
essere   to be
frequentare   to attend
studiare   to study
viaggiare   to travel

Aggettivi

americano/a   American
italiano/a   Italian
liceale   high school

Altre parole ed espressioni

a (*frequently* **ad** *before a vowel*)   at, to
anche   also, too
anch'io   I too, me too
e (*frequently* **ed** *before a vowel*)   and
o   or
a lei piace … ?   do you like … ? (*formal*)
a lui/a lei piace …   he/she likes …
a lui/a lei piace … ?   does he/she like … ?
avere + … anni   to be … years old; **ho venti anni**   I'm twenty years old; **ha sedici anni**   he/she is sixteen years old; you (*formal*) are sixteen years old
che cosa?   what?
di dov'è?   where is he/she from? where are you (*formal*) from?
di dove sei?   where are you (*informal*) from?
quanti anni ha?   how old is he/she? how old are you (*formal*)?
quanti anni hai?   how old are you (*informal*)?

Prat. 2: Tell pairs of students that they are strangers meeting in a formal setting. Remind them that in formal settings one should use *lei*. Remind them to use *buon giorno* or *buona sera* as a greeting, rather than *ciao*. Have them compare this situation with that in Prat. 1.

The *Vocabolario* of each lesson includes essential new words and expressions used in the core material at the beginning of the lesson and the corresponding exercises and activities (*Domande, Domande personali,* and *Situazioni*).

A lui/A lei piace + singular noun or infinitive.

Adjectives of nationality are not capitalized in Italian.

La scuola in Italia

*A*fter years of debates and discussions both in Parliament and among the people directly involved with the issue, Italians have begun the process of renewing their educational system. In order to institute a system similar to that of other western European countries, many drastic changes were introduced in the school reform law in 2001. To reduce its impact on students, teachers, and school administrators, the reform is being implemented gradually.

With the new system, compulsory education **(scuola dell'obbligo)** lasts from age six to sixteen, and Italian students graduate at age eighteen just like their European counterparts. Italian schools are now divided into two cycles. The primary cycle includes grades one through eight, and before entering the next cycle, students have to pass a state examination. As they enter the second cycle, students may choose either the **liceo** or the professional training school. The **liceo** is a high school that in five years prepares students for university studies and ends with a state examination. The professional training school, on the other hand, lasts three years and prepares students for the work world.

Giovani studenti di Torino aspettano l'inizio delle lezioni davanti al liceo.

• How is the Italian system the same as in your country? How is it different?

Assign the cultural note as outside reading. At the next class meeting, have students answer questions or compare the American and Italian educational systems.

Have students look at the educational tree and point out the different school levels. Then have students refer to the cultural note and ask: *Quali scuole sono nel primo ciclo? Quali nel secondo ciclo? C'è un esame di stato? O ci sono due esami di stato? Ci sono sette o otto tipi di licei? Quando si fa il primo esame di stato? Quando il secondo?*

Sillabazione (*Syllabication*)

Most Italian syllables end in a vowel sound. A syllable usually contains one or more consonants plus a vowel sound. Grammatically, the division of a word into syllables follows these rules:

1. A single consonant between two vowels belongs with the following vowel or diphthong (two vowels pronounced as a single syllable).

Ca-ro-li-na	stu-dia-re	ma-te-ma-ti-ca
le-zio-ne	co-me	Mi-la-no

2. Double consonants are always divided.

cit-tà   Mar-cel-lo   dot-to-re   pro-fes-so-re

3. A combination of two different consonants belongs with the following vowel, unless the first consonant is **l, m, n, or r.** In this case the two consonants are divided.

so-pra	pre-sto	si-gno-ra	li-bro
But: fre-quen-ta-re	gior-no	ar-ri-ve-der-ci	tar-di

4. When three consonants are combined, the first belongs with the preceding syllable, except **s,** which belongs with the following syllable.

al-tro	en-tra-re	in-gle-se	sem-pre
But: mi-ni-stro	e-spres-sio-ne	ma-e-stro	a-stro-nau-ta

5. Unstressed **i** and **u** are not separated from the vowel they combine with.

uo-mo	pia-no	Gio-van-ni	Eu-ro-pa	
But: mi-o	zi-o	po-e-si-a	far-ma-ci-a	pa-u-ra

Accento tonico (*Stress*)

1. Italian words are usually stressed on the second-to-last syllable. Most of the exceptions are stressed on the third-to-last syllable.

stu-den-**tes**-sa	cul-tu-**ra**-le	**dia**-lo-go
a-me-ri-**ca**-no	**a**-bi-to	be-**nis**-si-mo

2. Words stressed on the last syllable have a written accent mark on the final vowel.

u-ni-ver-si-**tà**   pos-si-bi-li-**tà**   at-ti-vi-**tà**   cit-**tà**

3. A few words (mostly verb forms) are stressed on the fourth-from-last syllable.

te-**le**-fo-na-no   **a**-bi-ta-no   de-**si**-de-ra-no

Use familiar words from the previous lesson to practice syllabication and stress. Point out to students that knowing how to divide a word is particularly important when writing and a word has to be broken into syllables at the end of a line. Point out that certain monosyllabic words take an accent mark to distinguish them from identically spelled words: *sì* (yes)/*si* (himself/herself); *dà* (he/she gives)/*da* (from), etc.

Emphasize the need to stress words properly in Italian because the meaning of some words changes if the stress is placed on the wrong syllable; the meaning of other words can be lost if they are not pronounced correctly.

A Listen and repeat the following words. Be sure to stress the correct syllable.

pe-**ni**-so-la	cit-**tà**	an-**ti**-ci-po
Mar-co	mi-**nu**-ti	To-**sca**-na
co-**sì**	stu-**den**-te	fre-**quen**-ta
mi-**ni**-stro	si-gno-**ri**-na	pro-fes-**so**-re

Ex. A: For more practice, have students work with a partner to divide the following words: *dottore, domani, peccato, lezione, Francesca, Patrizia, italiano, ritardo, inglese.*

B Listen to each word and underline the stressed syllable. Then divide each word into syllables.

arrivederla	benissimo	cinque
università	presto	grazie
abbastanza	golfo	signorina
legge	scientifico	ritardo

Ex. B: Dictate the following words and have students underline the stressed syllable: *Massetti, male, arrivederci, medicina, matematica, nazionale, capitale, originale.*

C **Proverbio.** Listen and repeat the following Italian proverb.

Tutte le strade portano a Roma.
All roads lead to Rome.

Ampliamento del vocabolario

I numeri da 21 a 100

21 = **ventuno**	31 = **trentuno**	50 = **cinquanta**
22 = **ventidue**	32 = **trentadue**	60 = **sessanta**
23 = **ventitré**	33 = **trentatré**	70 = **settanta**
24 = **ventiquattro**	34 = **trentaquattro**	80 = **ottanta**
25 = **venticinque**	35 = **trentacinque**	90 = **novanta**
26 = **ventisei**	36 = **trentasei**	100 = **cento**
27 = **ventisette**	37 = **trentasette**	
28 = **ventotto**	38 = **trentotto**	
29 = **ventinove**	39 = **trentanove**	
30 = **trenta**	40 = **quaranta**	

Tre always has a written acute accent when added to another number: *ventitré, settantatré.*

The numbers **venti, trenta, quaranta,** etc., drop the final vowel (**-i** or **-a**) when combined with **uno** and **otto: ventuno, ventotto, trentuno, trentotto, quarantuno, quarantotto,** etc.

A Read aloud the following groups of numbers.

▶ 2/20/22   due/venti/ventidue

1. 3/30/33	3. 5/50/55	5. 7/70/77	7. 9/90/99
2. 4/40/44	4. 6/60/66	6. 8/80/88	8. 1/10/100

Ex. A & B: Write some random numbers from 21 to 100 on the board. Have students say them aloud as you point. Have them say and write numbers with double consonants, such as *ventisette, trentotto, sessanta,* and *ventiquattro.* Challenge them to some addition and subtraction problems: *Undici più dodici fa … ? Dodici meno undici fa … ?*

Dictate about ten random numbers and have students write them in Arabic numerals.

B Read these numbers and then give the numbers that precede and follow each one.

► 37   trentasette, trentasei, trentotto

1. 47   4. 72   7. 98
2. 53   5. 29   8. 81
3. 34   6. 66   9. 77

Soccorso pubblico	= Police
Carabinieri	= Gendarme (police)
Emergenza sanitaria	= Medical emergency
Vigili del fuoco	= Fire department
Soccorso stradale	= Road assistance

C In pairs: Take turns asking the ages of the following people. Make educated guesses.

► il professore/la professoressa

— Quanti anni ha il professore/la professoressa?
— Ha trentotto anni.

1. Matt Damon   5. il presidente degli Stati Uniti
2. Gwyneth Paltrow   6. il rettore (*president*) dell'università
3. Britney Spears   7. Howard Stern
4. Tiger Woods   8. Diane Sawyer

D In pairs: You are in Rome and need some telephone numbers. Call the operator and ask for the numbers of each of the following places.

► dell'aeroporto Leonardo da Vinci/06.65951

— Qual è il numero (di telefono) dell'aeroporto Leonardo da Vinci?
— È 06.65951.

Places	*Numbers*
1. dei Musei Capitolini	06.48.80.530
2. del Museo Keats-Shelley	06.67.84.235
3. del Teatro dell'Opera	06.481.601
4. della Stazione Termini	06.44101
5. dell'Alitalia	848865641
6. dell'Università di Roma	06.49.911
7. dello Stadio Olimpico	06.32.00.562
8. dell'Ambasciata degli Stati Uniti	06.46.741

Go over the useful numbers. Elicit cognates. Point out that *auto rimosse* = car towing; *oggetti smarriti* = lost and found; *ferrovie dello Sato* = state railway. Then have students ask each other questions such as *Qual è il numero di telefono dell'aeroporto? e del radiotaxi?* Etc.

Have students read the emergency numbers. Then ask: *Qual è il numero di telefono dei Vigili del fuoco? e dell'Emergenza sanitaria?* Etc.

Ex. C: Encourage pairs to ask about people in the news. Follow up by asking what ages different pairs guessed.

Ex. D: Read the items and have students repeat so they'll know how to pronounce them. Tell students that Italian phone numbers may have four to seven digits, but that in large cities they are gradually being changed to eight or even ten digits.

Model question and response; read numbers individually or in pairs and groups of 3, for example, *0665.953.640 = 0, 6, 65, 9, 53, 6, 40.*

Have students asking the questions cover the numbers and write down what the "operator" tells them.

As a follow-up have pairs of students exchange phone numbers: *Qual è il tuo numero di telefono?*

Italian phone numbers start with the area code, which must always be dialed, even when calling within the area itself. Rome's area code, 06, precedes all the numbers in this exercise except for Alitalia.

Musei Capitolini: Museum of ancient Roman art
Stazione Termini: the main train station in Rome

Cose utili

Point out that *orologio* can mean both "watch" and "clock."

You may want to introduce computer-related terms: *la tastiera, il mouse, un e-mail, la posta elettronica, l'indirizzo elettronico* (*e-mail*), *il sito web*, etc.

un libro

un quaderno
e un foglio di carta

un CD (ciddì)

un calendario

una rivista

un giornale

un televisore

una penna

una matita

un motorino

un lettore DVD
un registratore DVD
un DVD

un lettore ed
un'audiocassetta

una calcolatrice

una radio con
registratore

un orologio

una sedia

un tavolo

un computer

uno stereo

un telefonino
un cellulare

un telefono

uno zaino

una bicicletta

E In pairs: Ask another student if he/she has these objects in his/her room.

▶ giornale   — Hai un giornale?
             — Sì, ho un giornale.
                No, non ho un giornale.

1. una calcolatrice	5. un motorino
2. uno zaino	6. una penna
3. un lettore DVD	7. una radio
4. un telefonino	8. un cellulare

F Name the objects you associate with the following.

▶ PC, Macintosh   un computer

1. 18 marzo	5. 1-800-785-3799
2. *Time* and *Newsweek*	6. musica
3. $20 + 50$; $79 - 33$; 18×3	7. NBC, CBS, ABC
4. *Oggi in Italia*	8. 9:45 A.M.

Struttura ed uso

Pronomi personali

— **Voi** siete americani?
— **Lui** sì, ma **io** no.

Make sure students understand the different situations that call for different levels of formality, and that they use the correct personal pronoun and verb forms in each case.

After introducing the vocabulary, have students close their books. Point to the clock (books, etc.) and ask *Che cos'è?* Make sure students use the indefinite article.

Expand Ex. E by having students add another item to their question whenever possible.
— *Hai un giornale o una rivista?*
— *Ho un giornale.*

Laptop is called *laptop* in Italian.

Expand Ex. F by asking students what objects they associate with reading, writing a letter, etc.

1. A personal or subject pronoun (**un pronome personale**) is used as the subject of a verb and refers to the person or thing doing the action. The following chart shows the forms of the subject pronouns in Italian.

singular		plural	
io	I	noi	we
tu	you (*informal*)	voi	you (*informal*)
lui	he	loro	they (*m.* or *f.*)
lei	{ she / you (*formal*)		you (*formal*)

The traditional subject pronoun forms *egli, ella, esso, essa, essi,* and *esse* appear in supplementary readings. Their use can be explained at that point.

When you are speaking to an Italian and aren't sure whether to use *tu* or *lei*, use the latter. If the person says, *Puoi darmi del tu!* or *Diamoci del tu!*, that means you may use the informal *tu*.

2. When speaking to someone in Italian, there are four ways to express the English *you*, according to how many people are being addressed (singular or plural) and the level of formality.

a. Use **tu** when addressing a member of your family, a friend, a child, or in general, a person of your own age in an informal setting.

b. Use **voi** when addressing more than one person except in very formal situations.

c. Use **lei** when addressing a person you do not know well, or a person to whom you wish to show respect or courtesy.

d. Use **loro** when speaking to more than one person to whom you wish to show respect.

Explain to students that *loro* meaning *you* is used very rarely and that they can confidently use *voi* even in formal situations.

A Which subject pronoun would you use to talk *about* the following?

1. what school you attend
2. what your teacher's name is
3. how your parents are feeling
4. how old your brother is
5. what you and your friends did last night
6. why your friend Anna is late for class

After doing Ex. A, have students identify with a subject pronoun the subject in Italian phrases they have learned so far: *Mi chiamo ... La professoressa si chiama ...* etc.

B Which pronoun meaning "you" would you use to speak *directly to* the following people? More than one answer could be appropriate in some of these situations.

1. your father
2. your mother and father
3. your father's boss
4. your doctor
5. your doctor's assistant
6. your doctor and his/her assistant together
7. another student in your class
8. your teacher

Ex. B: Encourage students to discuss factors that would require more or less formal means of address, i.e., age difference, previous acquaintance, etc. For example, the doctor's assistant could be a friend, or very young.

It is a good idea to state whether you expect to be addressed as *tu* or *lei*. In Italy, professors sometimes use *tu* with their students but generally expect to be addressed as *lei*.

C Determine who is being asked the following questions, choosing from the possibilities indicated in parentheses.

1. Ho venti anni, e tu?
   (Sandra, Sandra e Marina, Enzo e Massimo)
2. Lei come si chiama?
   (la sorella, la mamma, una professoressa)
3. Di dove sono loro?
   (un professore, una signorina, due signori)
4. Io frequento l'università di Bologna, e voi?
   (un dottore, una studentessa, due studenti americani)

Ex. C: Have students change the stimulus to agree with the incorrect responses: (*Sandra e Marina*) *Ho venti anni, e voi?*

Have students answer the questions where possible.

Presente di *essere*

— Ciao, mamma. *Sono* io.
— Ma Ilaria, dove *sei*?
— *Sono* in biblioteca (*library*), mamma!

1. **Essere** (*to be*) is one of the most commonly used verbs in Italian. **Essere** is an infinitive, the form that tells the meaning of a verb. Italian infinitives end in **-are, -ere,** or **-ire.**

studiare	to study
essere	to be
finire	to finish

2. The conjugated forms of a verb give more specific information about the verb, including *who* is doing the action and when. The following chart shows the conjugated present tense forms of **essere.**

Point out to students that *essere* is used to describe (nationality, profession, characteristics, etc.) and to indicate location.

For practice with infinitives and recognition of cognates, have students give the English equivalents of these infinitives: *continuare, esagerare, immaginare, ritornare, discutere, convincere, decidere, distribuire, preferire, servire.*

essere		*to be*			
singular			**plural**		
io	**sono**	I am	noi	**siamo**	we are
tu	**sei**	you (*informal*) are	voi	**siete**	you (*informal*) are
lui/lei	**è**	he/she is	loro	**sono**	they are
lei	**è**	you (*formal*) are			you (*formal*) are

3. In Italian, the subject pronoun can be omitted from a sentence. The pronoun is generally used only for stress or clarity.

Marco Casciani è italiano. Ha venti anni e studia medicina. Ha una sorella e anche **lei** è studentessa.

4. To make a sentence negative, use the word **non** before the verb.

— Siete di Milwaukee?   — *Are you from Milwaukee?*
— No, **non** siamo di Milwaukee,   — *No, we're not from*
     siamo di Madison.   *Milwaukee, we're from Madison.*

D Replace the subject of each sentence with the new subjects indicated in parentheses. Be sure to use the correct form of the verb with each new subject.

1. Noi siamo di Bologna. (Antonella e Laura / tu / la signora Ermini /Emilio)
2. Io sono all'università. (voi / la professoressa / lo studente / noi)
3. Sei in ritardo? (io e Tina / tu e Giovanna / Marcella / Marcella e Luisa)

E How would the following paragraph be different if you were talking (1) about yourself instead of Lorenzo? (2) about yourself and some friends? (3) about Lorenzo and Pina? Change the sentences to agree with the new subjects.

Lorenzo è di Reggio Calabria. È studente all'università di Padova, ma adesso (*now*) non è all'università. È in ritardo.

Io ...

F With a partner: Take turns reading the following sentences. If the sentence is true, go on to the next one. If you disagree, make the sentence negative with the word **non**.

▶ David Letterman è professore d'italiano. No, non è professore d'italiano. (Sì, è professore d'italiano.)

1. *Oggi in Italia* è un libro di matematica.
2. Io sono uno studente del liceo classico.
3. Il professore/la professoressa è italiano/a.
4. La Sicilia è una città.
5. Gli Appennini sono montagne.
6. Cristoforo Colombo è spagnolo (*Spanish*).
7. Jim Carrey è presidente degli Stati Uniti.
8. Queen Latifah e Oprah sono studentesse liceali.

G Interview three or four other students in your class. Find out if they are Italian, where they are from, and if they are freshmen **(del primo anno).** Pay attention to the answers you hear and be ready to tell in Italian what you have learned about your classmates.

Read the example to the class and ask what pronoun is implied by *ha* and *studia*. Ask them why the pronoun *lei* is given in the last sentence. Refer them also to the drawing on p. 28.

Model the correct pronunciation of *non* several times and have students repeat after you. Have students read the monologues on p. 18 and make all the statements negative.

Ex. D: Have students do Ex. D in pairs, taking turns with each new subject. When finished, review with the whole class by asking questions: *Di dove sono Antonella e Laura?* Encourage students to answer without the subjects: *Sono di Bologna.*

Ex. E: Remember: a subject pronoun is usually unnecessary since the verb form tells you *who*.

Ex. E: Make sure students know the appropriate form of *studente*. Write them on the board and point to students as you say: *Lui è studente ma lei è studentessa. Loro sono studenti.*

After completing Ex. F, have the whole class correct the incorrect sentences in a logical manner: *Oggi in Italia è un libro d'italiano.*

Expand Ex. F by having pairs create absurd sentences like 7 and 8. Individuals then read their sentences and the class negates the sentences in unison, with feeling.

Ex. G: Model questions with both a male and a female student. Have them answer in full sentences. With each response, tell the class what you heard: *–Sei italiano?* *–No, non sono italiano.* (To class): *–Lui non è italiano.*

Presente di *avere*

1. You are already familiar with some of the present tense forms of the verb **avere** (*to have*). Here is a chart showing all the forms.

avere *to have*					
singular			**plural**		
io	**ho**	I have	noi	**abbiamo**	we have
tu	**hai**	you (*informal*) have	voi	**avete**	you (*informal*) have
lui/lei	**ha**	he/she has	loro	**hanno**	{ they have
lei	**ha**	you (*formal*) have			{ you (*formal*) have

> The *h* that begins several forms of *avere* is always silent.

— **Avete** lezione oggi?
— Sì, **abbiamo** lezione di fisica
  più tardi. E tu?
— No, io non **ho** lezione.

— *Do you have class today?*
— *Yes, we have physics class
  later. How about you?*
— *No, I don't have class.*

2. The verb **avere** indicates possession. It also means *to be* in many idiomatic expressions such as **avere ... anni** (*to be . . . years old*). You will learn other expressions of this type in **Lezione 3**.

Pietro **ha** solo sette anni e **ha**
  un cellulare!

*Pietro is only seven years old and
  he has a cell phone!*

Point out to students that *avere* is used to express possession and age. Ask them what these phrases mean: *Hai un computer? Ho venti anni. Quanti anni ha lei? Hai lezione d'italiano?*

H Say that the people in column A have one of the things listed in column B but not another.

▶ Marco e Lucia hanno una radio ma non hanno uno stereo.

A	*B*
mia sorella	un lettore DVD
gli studenti	un CD
voi	un computer
io e Lucia	un motorino
Marco e Lucia	un giornale
tu	un televisore
il professore	una penna
	uno stereo
	una rivista
	un telefonino
	una radio

Have students do Ex. H in pairs, taking turns. Then check by having an individual from each pair read a sentence to the class. Follow up by asking the class, *Cosa hanno Marco e Lucia? Cosa non hanno?*, etc.

I In pairs: Look at the drawing of Marco's bedroom. Take turns talking about some of the things Marco has in his room. Then find out if your partner has them.

La camera di Marco

▶ S1: Marco ha un calendario. Anche tu hai un calendario?
S2: Sì, anch'io ho un calendario. / No, io non ho un calendario.
E tu?

Before doing Ex. I, review vocabulary by asking volunteers to name things they see in the drawing. Or, ask the class to look at the drawing for thirty seconds. Then, books closed, quiz them by asking: *Carlo ha un orologio? Ha un computer? Ha un libro? Ha una calcolatrice? Ha una bicicletta? Ha un giornale?* When students work in pairs, have them switch roles with every item discussed.

J In groups of three or four: Take turns asking each other who has some of the objects shown on page 25. When you ask a question, keep track of the answers so you can report this information to the class.

▶ S1: Chi ha uno zaino?
S2: Io ho uno zaino.
S3: Io non ho uno zaino.
What to report: Dave e io abbiamo uno zaino. Stacy non ha uno zaino.

Before doing Ex. J, model with the whole class. Refer students to p. 25. Ask students: *Chi ha un computer?* Take answers from volunteers or direct questions toward individuals. Then review by saying: *Lui, lei e lei hanno un computer. Lui non ha …* etc. Be sure to check after group work is completed.

K In pairs: Ask a partner how old the following Italians and Italian-Americans are. The right-hand column shows the year each person was born.

▶ Bernardo Bertolucci   1940
S1: Quanti anni ha Bernardo Bertolucci?
S2: Ha sessantasei anni.

1. James Gandolfini   1961
2. Sophia Loren   1934
3. Madonna Ciccone   1958
4. Robert De Niro   1943
5. Sylvester Stallone   1946
6. Roberto Benigni   1956
7. Monica Bellucci   1968

Ex. K: Have one partner cover the birthdate column while asking how old each person is.

Ex. K: Write appropriate phrases like *una cantante, un attore, un regista,* etc., on the board. Then ask the class who each person is.

With a partner: Make a list of items you could use in the following situations. Then tell each other which items you have and which you don't have.

▶ You want to write a letter.
  List: una penna, una matita, un foglio di carta
  S1: Ho una penna e un foglio di carta. Non ho una matita.
  S2: Ho una penna ma non ho un foglio di carta.

1. You need to take some notes in class.
2. You need to finish a research paper that is due tomorrow.
3. You are having a party and need some music.
4. You want to find out the results of last night's game.
5. You need to contact a friend who lives two miles away.

Have students play "Fish." Make one photocopy of p. 25 for each student. In groups of four sheets, cut the pictures up into "cards" and then mix them up. In class, form groups of four. Each group gets a set of cards, which they distribute evenly. They then try to make pairs of cards by asking a group member: *Brendan, hai un telefonino?*

Genere dei nomi e l'articolo indeterminativo

— Ma Rinaldo, è una domanda difficile!

Explain to students that nouns ending in *-tà* are feminine and that many of them have English cognates ending in *-ty*. *Città* = city; *università* = university.

1. Italian nouns are either masculine or feminine. Generally, nouns ending in **-o** or a consonant are masculine, and those ending in **-a** are feminine. Nouns ending in **-e** can be either masculine or feminine and should be memorized as you learn them.

Most nouns ending in *-ore* are masculine: *signore, registratore*. Most nouns ending in *-ione* are feminine: *lezione, regione*. Nouns ending in consonants are of foreign origin and are generally masculine: *un bar, uno sport*.

masculine	feminine
tavolo	penna
computer	studentessa
registratore	lezione

2. The indefinite article, which means *a* or *an*, has different forms in Italian according to the sound that follows and the gender of the noun modified. Here are the forms of the indefinite article in Italian.

masculine		feminine
un	libro orologio	**una** rivista
uno	stereo zaino	**un'**università

Uno is used to avoid a group of too many consonant sounds and for more flowing pronunciation. *Un'* is used to avoid too many vowel sounds together.

a. **Un** is used with a masculine noun beginning with most consonants or with a vowel.

b. **Uno** is used with a masculine noun beginning with **s** + *a consonant*, or **z**.

c. **Una** is used with a feminine noun beginning with a consonant.

d. **Un'** is used with a feminine noun beginning with a vowel.

You may want to tell students that *uno* is also used with masculine nouns beginning with *gn* and *ps* (*uno gnomo, uno psicologo*).

Say familiar nouns (from p. 19 and *Lezione preliminare*) to the class and have students identify the gender. Or have students raise their hands for feminine (or masculine) nouns only.

M Provide the correct form of the indefinite article.

1. Lucia Savini ha _____ fratello ma non ha _____ sorella.
2. Nella classe ci sono _____ studentessa e _____ studente.
3. A casa ho _____ televisore e _____ videoregistratore, ma non ho _____ stereo.
4. Nella mia città ci sono _____ università e _____ museo.
5. Marco frequenta _____ università americana e Lucia frequenta _____ liceo privato a Bari.
6. Luigi non ha _____ motorino; ha _____ bicicletta.

N In pairs: You are in a **cartoleria** (*stationery store*). With your partner playing the salesperson, ask for the items from the list below.

▶ dizionario   S1: Un dizionario, per favore.
                    S2: Ecco un dizionario.

1. matita	3. libro d'inglese	5. penna	7. zaino
2. quaderno	4. calcolatrice	6. calendario	

Ex. O: Review geographical terms from p. 12 orally with students.

O In pairs: Take turns asking each other what the following things are. If the answer you receive is wrong, correct your partner.

Ex. O: Refer to the maps in the *Lezione preliminare* if needed.

▶ il Po   S1: Che cos'è il Po?
          S2: È una città.
          S1: No, non è una città; è un fiume.

1. Capri	4. il Tevere	7. Bari
2. la Francia	5. il Garda	8. Genova
3. la Sicilia	6. il Mediterraneo	9. la Lombardia

You may want to do Ex. P as a class activity. Ask for volunteers or have all students stand up and allow each to sit down after offering a sentence.

P **Un gioco circolare.** In small groups and with your books closed, take turns pointing out any object in the room that you know how to say in Italian, using **Ecco una/un.** The game ends when no one can think of any more words.

  For further practice of lesson topics, log on to the *Oggi in Italia* website and/or do the CD-ROM activities. You can also view the lesson video segment on the CD-ROM.

Parliamo un po'

A Come ti chiami?

Introduce yourself to at least two classmates you haven't met yet and find out the following information. Write down the information you learn so that you can tell your instructor or another student about at least one person you talked to.

- his/her name
- how he/she is
- how old he/she is
- where he/she is from
- if he/she has a brother or a sister
- if he/she likes Italian

Act. A: Model the activity before beginning. After most students have talked to two classmates, have individuals tell the class about someone they spoke to.

B Una lettera.

You are going to spend a semester studying in Italy. Write a short letter to your host family giving them as much information about yourself as you can in Italian. You might want to ask them some questions too. Begin your letter with **Gentili signori** and close it using **Cordiali saluti.**

Assign Act. B as homework or as a quick in-class writing assignment. Have students read their letters to the class, or collect them all, redistribute at random, and after giving them time to read the new letter, ask individuals about the information in the letter.

Dopo le lezioni all'università alcuni studenti passeggiano e mangiano il gelato.

C **Quattro amici, un appartamento.** Daniele, Davide, Dario, and Donato have decided to share an apartment while studying at the **Università di Reggio Calabria.** Each young man is a different age, each one studies a different subject, each is from a different Italian city, and each brought a different piece of electronic equipment to the apartment. Read the clues to find out the age, major, hometown of each, and the electronic equipment each person owns. Then write the information in the chart below.

1. Lo studente con il lettore DVD ha venti anni; lo studente con il computer ha ventun' anni.
2. Davide ha un televisore, ma non è lo studente che studia medicina.
3. Daniele è di Messina e Dario è di Napoli. Donato non è di Bari.
4. Lo studente di Torino ha ventidue anni. Non ha un computer.
5. Dario studia chimica e ha un lettore DVD.
6. Lo studente di medicina ha uno stereo.
7. Lo studente di storia non è lo studente che ha ventitré anni.
8. Una persona studia musica.

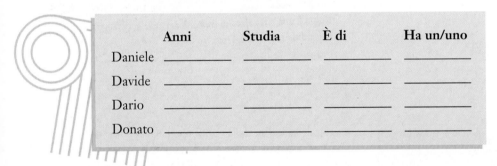

	Anni	Studia	È di	Ha un/uno
Daniele	_____	_____	_____	_____
Davide	_____	_____	_____	_____
Dario	_____	_____	_____	_____
Donato	_____	_____	_____	_____

Have students do Act. C in pairs. Challenge them to speak only Italian, using phrases they have learned. Have the first pair to finish explain their reasoning to the class.

Act. C: Daniele, 21 anni, storia, Messina, computer; Davide, 23 anni, musica, Bari, televisore; Dario, 20 anni, chimica, Napoli, lettore DVD; Donato, 22 anni, medicina, Torino, stereo.

D **Un titolo appropriato.** Read the following description and then choose an appropriate title from the list that follows.

Mario Corsetti e Gabriella Armani sono due studenti italiani. Mario ha ventidue anni ed abita a Salerno, in via Mazzini 12. Ha un fratello e tre sorelle. Frequenta l'Università di Napoli e studia legge. Gabriella è di Napoli ed abita in via Caracciolo 34. Ha diciassette anni e frequenta il liceo scientifico. A Gabriella piace viaggiare.

1. Napoli e Salerno
2. Due studenti italiani
3. Due città italiane

Act. D: As homework, have students rewrite the paragraph using information about people they have met in the class.

E **Sul treno.** In groups of three: You are on a train going from Naples to Rome. Mario Corsetti and Gabriella Armani are sitting across from you in the compartment. Introduce yourself and find out as much as you can about them. Two other students will play Mario and Gabriella.

Before beginning Act. E, elicit possible questions. Encourage students to find out as much as they can. The students playing Mario and Gabriella can ask questions as well. Review greetings and introductions if needed.

Conoscere° l'Italia

To know

A **Un po' di geografia.** Refer to the maps on pages 14 and 37 while doing this exercise.

1. Il _____ è una regione d'Italia. (nord, Bologna, Lazio)
2. Roma è la _____ d'Italia. (capitale, città, regione)
3. Roma è nella regione _____. (Lombardia, Lazio, Toscana)
4. Il Colosseo è a _____. (Torino, Firenze, Roma)
5. Il Lazio è nel _____ d'Italia. (nord, centro, sud)

Read the following brief passage.

Roma è una città ricca di fontane artistiche. Questa è la splendida fontana di Trevi.

ROMA

La capitale d'Italia è nella regione Lazio, al centro del paese. La città eterna è chiamata anche con il nome latino di "caput mundi"[1]. A Roma ci sono monumenti antichi, chiese[2], piazze, fontane e palazzi molto belli[3]. Il Colosseo, il Pantheon, la Basilica di San Pietro, Piazza di Spagna e Piazza Navona, con le splendide fontane del Bernini, sono alcuni luoghi[4] caratteristici di questa città. Molti turisti italiani e stranieri[5] visitano Roma per ammirare le sue bellezze[6].

1. center of the world   2. churches
3. very beautiful   4. places   5. foreign
6. beauties

Il Colosseo è sempre una grande attrazione per i turisti che visitano Roma.

Gian Lorenzo Bernini (1598–1680) was an Italian sculptor, painter, and architect of the Baroque period. He also designed the colonnade in St. Peter's Square in Rome. (The definite article is used when referring to artists and authors by their last names only: *il Bernini, del Bernini*.)

B **Domande.** In pairs: Ask your partner the first three questions, and your partner then will ask you the last three questions. Two- or three-word answers are acceptable. If your partner makes a mistake, give the correct answer.

Have students look at the map on p. 14 and locate Lazio and Roma.

1. Che cosa è il Lazio?
2. Qual è il nome latino di Roma?
3. Dov'è Roma?
4. Come si chiamano tre luoghi caratteristici di Roma?
5. Quali sono due piazze famose di Roma?
6. Chi visita Roma?

C **A Roma.** Look at the map of Rome and answer the following questions.

1. Come si chiama il fiume che passa per Roma?
2. Quale monumento importante dell'antica Roma è vicino a Piazza Navona?
3. Quale monumento famoso è vicino all'Arco di Costantino?

Have students look at the map of Rome and locate some major monuments of ancient Rome (*Colosseo, Pantheon, Foro Romano,* and *Arco di Costantino*); city hall (*Campidoglio*); and Vatican City (*Città del Vaticano*).

Lezione 2

A queste due donne professioniste piace lavorare nel mondo della moda.

Presentazioni

Communicative Objectives

Elicit comments on the photograph.

- Give some personal information
- Talk about likes and dislikes
- Tell time (and tell at what time events take place)
- Talk about course subjects
- Express possession

 Show the *Oggi in Italia* video segment and do the video activities.

Two professionals introduce themselves.

Buon giorno, sono Raffaele Ferroni.
Ho quarantasette anni.
Sono sposato e ho un figlio.
Sono professore di informatica e insegno
  all'università di Bologna.
Abito con mia moglie e mio figlio in una piccola
  villa fuori città.
Abbiamo anche due cani e un gatto.
Mi piacciono molto gli animali.

Io mi chiamo Lisa Ferroni Melani.
Sono la sorella di Raffaele.
Ho trentadue anni.
Anch'io sono sposata, ma non ho figli.
Sono architetto e lavoro con mio marito.
Abito in un appartamento al centro di Bologna.
Mi piace abitare in città.
Ma non mi piacciono i rumori e il traffico.

Domande

1. Quanti anni ha Raffaele? È sposato o non è sposato?
2. Quanti figli ha?
3. Che cosa insegna? Dove?
4. Dove abita Raffaele?
5. A Raffaele piacciono o non piacciono gli animali?
6. Come si chiama la sorella di Raffaele? Quanti anni ha?
7. Quanti figli ha Lisa?
8. Lisa è architetto o dottoressa? Lavora con il fratello o con il marito?
9. Dove abita Lisa?
10. A Lisa piace abitare in città?
11. A Lisa piacciono i rumori e il traffico?

With books closed, have students listen to the monologues. You may read them yourself or play the recording on the lab CD.

Tell about yourself, using new structures and vocabulary from the monologues. Then ask students to do the same, making all necessary changes.

Treat verb forms as vocabulary for now. Conjugation of -are verbs is in *Lezione 3.*

Contrast *piace* (is pleasing) and *piacciono* (are pleasing).

Tell students that some professional titles have only the masculine form, used for both males and females (*architetto, ingegnere, presidente*, etc.).

Ask additional questions with cognates: *Raffaele è un esperto di computer o di film? L'appartamento di Lisa è in città?* etc.

Domande personali

1. Quanti anni ha lei?
2. Lei lavora o studia?
3. A lei piace abitare in città o fuori città?
4. Abita in una villa, in una casa o in un appartamento? È grande o piccolo/a?
5. Abita con la famiglia o abita da solo/a?
6. Ha un cane o un gatto? Come si chiama?
7. A lei piacciono gli animali?

> Remember that *lei* means both "she" and "you" (formal). In questions like *A lei piacciono?*, context and gestures make the meaning clear.

Ask individual students: *Lei abita all'università?* Ask the same questions using the third person singular and pointing to different students: *Quanti anni ha (Paolo)? Lavora (Maria)? A lui/lei piacciono i cani?* etc.

Situazioni

1. In groups of three: Find out where your classmates live, if they live alone, and if they like living as they do.

Have students go over the *Domande personali* again, working in pairs and using the *tu* form of the verbs. Provide the *tu* form: *hai, sei, lavori, studi, abiti.* Remind students of *ti piace* and provide *ti piacciono.*

   ► — Dove abiti?
   — Abito a (San Francisco).
   — Abiti da solo/a?
   — Sì, abito da solo/a. No, abito con (mia madre/mio padre/un amico/un'amica).
   — Ti piace abitare da solo/a (con tua madre/con tuo padre/con un amico/con un'amica)?
   — Sì, mi piace. (No, non mi piace.)

> Remember that *piace* is used with a singular noun or an infinitive. In this lesson you will also practice *piacciono* + plural noun: *Mi piacciono gli animali.*

2. In groups of three: Ask your classmates if they like dogs or cats, if they have a dog or a cat, and what its name is.

   ► — Ti piacciono i cani o i gatti?
   — Mi piacciono i cani (i gatti).
   — Hai un cane (un gatto)?
   — Sì, ho un cane. (No, non ho un cane.)
   — Come si chiama?
   — Si chiama (Nero).

Whenever the exercises allow, encourage students to move around the room and interact. Provide new vocabulary if requested. Follow up by asking individuals to report: *Dove abita (Charles)? Chi ha un cane? A chi piace abitare in città? A chi piacciono gli animali?*

Have students read the realia and identify cognates. Then ask questions such as, *Qual è l'indirizzo (address) dell'Università per Stranieri di Siena? Ha un sito web l'università? Qual è? Ha un indirizzo elettronico (e-mail)? Qual è? Quali corsi offre? Che tipi di laurea offre?* Help with pronunciation. Return to the realia once students have studied the *Ampliamento* section.

Corsi per studenti italiani e stranieri

■ **Laurea in Lingua e cultura italiana**
  - Insegnamento dell'italiano a stranieri
  La laurea in Lettere professionalizzante, valida in Italia e preferita all'estero.

■ **Laurea in Mediazione linguistica e culturale**
  Le lingue straniere per la comunicazione, il commercio, i rapporti internazionali.

■ **Lauree specialistiche,**
  corsi post-laurea, dottorati

■ **Corsi di Lingua e cultura italiana per stranieri**

Università per Stranieri di Siena

Via Pantaneto 45 – 53100 Siena / Italia
www.unistrasi.it
Tel. +39 05.77.24.01.15 – Fax +39 05.77.28.10.30
E-mail: info@unistrasi.it

Pratica

1. In pairs: You have just met Raffaele Ferroni at a party in Bologna. Introduce yourself and ask him if he is a professor and what he teaches. Also find out if he is married, if he has children, where he lives, and if he likes living there.

2. In pairs: You are conversing with Lisa Ferroni Melani at the same party. She asks how old you are, whether you work or study, where and with whom you are living, and if you like living there. Respond appropriately.

L'università italiana

*I*taly has few private universities. The handful that exist are excellent, expensive, and competitive. The most prestigious are the Bocconi and the Cattolica in Milan and the Luiss in Rome. Recently, several new private universities were created and more are being organized, but the majority of Italian universities remain public. All students with a **diploma di maturità** (equivalent to a high school diploma) can be admitted to a public university.

Italy is making strides in upgrading and modernizing its university system and making it more similar to its counterparts in the European Union. The first important change is the **autonomia universitaria,** which gives each public university the power to operate independently and the freedom to seek cooperation and financial support from public organizations and private companies. The second major change is the recent implementation of the university reform. Its main objectives are to reduce the number of years required to obtain the undergraduate degree **(la laurea)** from four to three, and to offer all students a general education plus specific professional knowledge. This allows young people to enter the workforce earlier and to better face its demands.

There are two more levels of education after the **laurea:** the **laurea specialistica** and the **dottorato di ricerca.** These degrees correspond to the American M.A. and Ph.D. degrees. The reform has also introduced a system of academic credits similar to the one used in American universities.

- What makes the university system in your country similar to or different from that in Italy?

L'università è anche un piacevole luogo d'incontro per gli studenti italiani.

(A) Judging from the content of their courses, guess what subject each professor teaches.

▶ la professoressa Giuliani: le poesie di Petrarca e la *Divina Commedia*
Insegna letteratura.

1. il professor Fraschi: le sculture di Michelangelo e i dipinti (*paintings*) di Raffaello
2. la signora Papini: numeri, divisioni, addizioni ed equazioni
3. il professor Gaetani: le teorie di Freud e di Jung
4. la professoressa Sansoni: Platone, Aristotele, San Tommaso d'Aquino, Kant e l'esistenzialismo
5. il dottor Manna: i prodotti, il mercato e il capitalismo
6. il signor Scalari: vocabolario (nomi, aggettivi e verbi) e grammatica

(B) Give the English equivalent of the following Italian nouns.

1. astronomia	4. anatomia	7. fotografia
2. cardiologia	5. filosofia	8. criminologia
3. ecologia	6. antropologia	9. astrologia

(C) What subjects does a person who is preparing for the following professions study?

▶ psichiatra   Studia biologia e psicologia.

1. dottore in medicina
2. interprete alle Nazioni Unite
3. ingegnere civile
4. programmatore di computer
5. direttore d'orchestra
6. professore d'inglese
7. farmacista

Have students identify cognates before beginning Ex. A. Remind them to use context and their knowledge of cognates when they encounter new vocabulary.

Ask students what courses of study they associate with the following: *la rivoluzione francese; calcolo; Giuseppe Verdi e Giacomo Puccini; una scultura di Michelangelo; colonne, capitelli e basiliche; le elezioni e la campagna elettorale*, etc.

Have students tell partners two subjects they study and find out two subjects their partners study.

Ex. B: Learn to recognize suffixes such as *-ia* to help you when reading and learning vocabulary.

Ex. B: Challenge students to give the Italian nouns ending in *-ia* for *pedagogy, analogy, ideology, melody, psychology,* and *physiology.*

Che ora è? Che ore sono?

È l'una.	Sono le tre.	Sono le dieci.	È l'una e un quarto. È l'una e quindici.	Sono le quattro e venti.

Sono le undici e mezzo. Sono le undici e trenta.	Sono le sei meno un quarto.	Sono le otto meno cinque.	È mezzogiorno. È mezzanotte. Sono le dodici.

1. **Che ora è?** and **Che ore sono?** (*What time is it?*) are used interchangeably. **Sono le** + *the number of hours* is used to tell what time it is.

Che ora è? Sono le due.   *It's two o'clock.*
Che ore sono? Sono le dieci.   *It's ten o'clock.*

But:

È l'una.   *It's one o'clock.*
È mezzogiorno.   *It's noon.*
È mezzanotte.   *It's midnight.*

Practice telling time as you do different things throughout the day. For example, as you shower, *Sono le sette e cinque.*

Draw a clock on the board or bring one to class.

Practice times beginning with times on the hour, then the half-hour, etc.

2. For fractions of an hour, Italian uses **e** + *minutes.*

Sono le due **e venti.**   *It's twenty after two.*
Sono le tre **e quaranta.**   *It's three-forty.*

Times after the half-hour are usually expressed by subtracting minutes from the next full hour, using **meno** (*minus*).

Sono le cinque **meno dieci.**   *It's ten to five.*

Un quarto (*a quarter*) and **mezzo** (*half*) often replace **quindici** and **trenta.**

Sono le nove e **mezzo.**   *It's half-past nine.*
È l'una meno **un quarto.**   *It's a quarter to one.*

Explain that *mezzo* and *mezza* are used interchangeably to indicate the half-hour.

Write digital clock times on the board and have students read them aloud.

You may want to explain the use of the period instead of the colon when writing the time.

3. Italians often use the twenty-four-hour clock for official times, such as schedules and appointments.

Le banche sono aperte **dalle 8.30**   *Banks are open from 8:30 A.M. to*
   alle 13.30.   *1:30 P.M.*

The expressions **di mattina** (*in the morning*), **del pomeriggio** (*in the afternoon*), and **di sera** (*in the evening*) are sometimes used for clarity when not using the twenty-four-hour clock.

Sono le quattro **di mattina.**   *It's 4 A.M.*
Sono le quattro **del pomeriggio.** *It's 4 P.M.*
Sono le dieci **di sera.**   *It's 10 P.M.*

4. **A che ora?** (*At what time?*) is used to ask at what time an event or action takes place. **Alle** + *time* is used in the response (**alle due, alle otto,** etc.). The only exceptions are **a mezzogiorno, a mezzanotte,** and **all'una.**

—**A che ora** arriva Anna?   — *At what time does Anna arrive?*
— Arriva **alle dieci e mezzo.**   — *She arrives at 10:30.*

—**A che ora** mangi?   — *At what time do you eat?*
— Mangio **a mezzogiorno.**   — *I eat at noon.*

Practice *A che ora?* by asking students at what time Italian class begins and ends: *A che ora comincia (finisce) la lezione d'italiano?* Also ask them about the schedules of other classes, TV shows, school events, etc.

Contrast *Che ora è?* and *A che ora?* by writing times on the board and asking the time or *A che ora arriva lei all'università?*

D In pairs: Take turns asking and telling the time, using the clocks below.

Italian digital clocks run on the twenty-four-hour system.

▶ — Scusa, che ora è/ore sono?
— Sono (le sette e dieci).

Ex. D: Ask students to add two hours to the time shown on each clock.

1.

2.

3.

4.

5.

6.

7.

8.

9.

10.

E In pairs: Ask another student at what time he/she does the following things. Then reverse roles.

▶ hai lezione d'italiano — A che ora hai lezione d'italiano?
— Alle dieci.

1. mangi (*eat*) la sera
2. sei all'università domani
3. studi
4. hai lezione d'inglese
5. sei a casa oggi pomeriggio

F In groups of three or four: You work at the information desk at the train station in Naples. Tell travelers at what time trains are arriving and whether each is early **(in anticipo)**, on time **(puntuale)**, or late **(in ritardo).**

Orario di arrivo = Scheduled arrival

Tell students that *orario* means "schedule." Ask them what word *orario* derives from.

▶ — Scusi, a che ora arriva il treno da Bari?
— Alle undici. È puntuale.

luogo di origine	orario di arrivo	commento
Bari	11.00	11.00
Roma	7.15	7.30
Palermo	21.00	22.00
Bologna	12.00	11.45
Genova	14.00	14.00

Struttura ed uso

Plurale dei nomi

un uomo e un **piccione**   un uomo e cinquanta **piccioni**

Point out singular objects in the classroom (*sedia, tavolo, libro, zaino, signorina*, etc.) and have students give the plural. Group nouns according to gender and ending so that students become familiar with singular and plural sounds. Include *calendario* and *orologio*, and make sure students are aware that the plural is written with one *i*.

1. Italian has different endings for plural nouns according to the final letter of the singular form. Regular nouns in Italian form their plurals as follows:

If the singular form ends in:	The plural ends in:	examples
-o	**-i**	tavolo → tavoli
-io	**-i**	calendario → calendari
-a	**-e**	studentessa → studentesse
-e	**-i**	dottore → dottori
a consonant	no change	bar → bar
an accented vowel	no change	città → città

Amico is probably the only noun ending in -*co* with a plural in -*ci* that students will need at this point. Plurals of nouns ending in -*co* and -*go* will be treated in more detail in *Lezione 10*.

2. Nouns that are abbreviated forms do not change in the plural.

la radio (radiofonia)   **le radio**
la foto (fotografia)   **le foto**
la bici (bicicletta)   **le bici**   *But:* le biciclette

3. Most nouns ending in **-co, -go, -ca,** and **-ga** add **h** in the written plural to preserve the sound of the **c** or **g**. **Amico** is an exception.

lago   la**ghi**   amica   ami**che**
tedesco   tedes**chi**   *But:* amico   ami**ci**

A Give the plural of the following phrases. Replace the indefinite article with any number higher than one.

▶ un'isola e una montagna   tre isole e cinque montagne

1. un dottore e un architetto
2. un fratello e una sorella
3. un cane e un gatto
4. un figlio e una figlia
5. un caffè e un cappuccino
6. un ingegnere e una professoressa
7. un calendario e un orologio
8. un computer e una calcolatrice
9. un mare e un lago
10. un liceo e un'università

Have students do Ex. A in pairs, alternating the items. Encourage them to use two different numbers in each phrase. For more practice, have one student in each pair say the plural form of the nouns while the partner, book closed, gives the singular form.

B In groups of three or four: With books closed, quiz each other on plural forms. One person starts by saying a noun. The first person in the group to give the correct plural of that noun gives the next noun.

C In pairs: You and a partner are helping to take inventory in an electronics store. Count how many of each item you see in the display case.

▶ Una calcolatrice, due calcolatrici ...

After completing Ex. B, hold a contest among the groups to form the plurals of more difficult words or cognates from a list that you have prepared in advance. Read a word to the first group. They gain a point if someone in the group can give the correct plural. If no one can, the team loses a point and another group tries.

Ex. C: Have students take turns counting items out loud.

D In pairs: You are going away to school and want to stock up on certain items before leaving home. Tell your partner what you will need and how many of each item. Use the phrase **avere bisogno di** (*to need*).

▶ Ho bisogno di un ... , di dieci ...

Ex. D: Review vocabulary for *Cose utili* (p. 25) if needed before splitting the class into pairs. Ask students what things they need while at school, then ask for the plural of each noun volunteered.

E Tell what you can buy with the following amounts of money and how many of each item. Use the verb **comprare** (*to buy*).

▶ cinque dollari   Con cinque dollari compro un quaderno e dieci penne.

1. un dollaro
2. dieci dollari
3. cento dollari
4. un milione di dollari

L'articolo determinativo

Che bella **la** natura: **le** montagne, **il** fiume, ... **gli** animali!

Tell students that the definite articles for masculine nouns beginning with *gn* or *ps* are *lo* for the singular, and *gli* for the plural.

1. In Italian, the definite article (*the*) agrees in number and in gender with the noun it modifies. The following chart shows the singular and plural forms of the definite article.

As with the indefinite article *uno*, *lo* is used to avoid too many consonant sounds clustered together.

singular					
masculine			**feminine**		
il	before most consonants	il dottore	**la**	before consonants	la casa
lo	before **s** + *consonant*, and **z**	lo studente, lo zaino	**l'**	before vowels	l'università
l'	before vowels	l'architetto			

plural					
masculine			**feminine**		
i	before most consonants	i gatti	**le**	before all feminine plural nouns	le finestre, le amiche
gli	before **s** + *consonant*, and **z**	gli spaghetti, gli zaini			
gli	before vowels	gli appartamenti			

2. The definite article is used to talk about specific persons, places, or things. In a series, it is used before each noun.

The sound at the beginning of the word *gli* is similar to the *lli* in the English *million*.

Non ho **i giornali.**　　　　　*I don't have the newspapers.*
Dove sono **il libro e la rivista?**　*Where are the book and magazine?*

3. Nouns used in a general sense also take the definite article.

L'arte è interessante, ma　　*Art (in general) is interesting, but*
　mi piacciono anche **le scienze.**　*I also like the sciences (in general).*

4. The definite article is generally used with the names of languages, except after **parlare.**

Mi piace studiare **le lingue
straniere,** in particolare **il
russo** e **il francese.**
Non parlo russo.

*I like studying foreign languages,
especially Russian and French.*

I don't speak Russian.

5. The definite article is used with the courtesy titles **signora, signorina,** and **signore,** and with professional titles such as **dottore** and **professore/ professoressa** when talking *about* a person. It is not used when speaking directly *to* the person.

La signora Albinone è
un'amica di mia madre.
But: Buona sera, signora Albinone.

*Mrs. Albinone is a friend of
my mother's.*

Good evening, Mrs. Albinone.

(F) Give the singular form of the definite article for each noun as in the example.

Have students do Exs. F and G in pairs, taking turns with each item.

▶ fiume / lago   il fiume e il lago

1. città / università
2. mare / isola
3. signore / signorina
4. amico di papà / amica di mamma

5. appartamento / villa
6. montagna / casa
7. centro / scuola
8. studente / studentessa

(G) Read the list of nouns in Ex. F again, giving the plural form of each one. Be sure to use the correct definite article.

▶ fiume / lago   i fiumi e i laghi

(H) In pairs: Alternate with a partner, asking whether he/she likes the following subjects.

▶ chimica   S1: Ti piace la chimica?
S2: Sì, la chimica mi piace.
(No, la chimica non mi piace.)

1. informatica
2. musica
3. scienze politiche
4. storia

5. arte
6. italiano
7. matematica
8. scienze naturali

9. spagnolo
10. fisica
11. economia
12. cinese

> Remember that plural subjects (*le scienze naturali, le scienze politiche*) require the plural form of *piacere: piacciono.*

(I) You have just returned from Italy and are describing the family you stayed with. Complete the description with the correct forms of the definite article.

_____ famiglia Tedeschi abita in una villa fuori Bologna. _____ signor Tedeschi è avvocato e _____ professoressa Tedeschi insegna all'università. Hanno due figli, Renzo e Patrizia. _____ figli sono grandi e non abitano con _____ signori Tedeschi. Patrizia è sposata. Lei e _____ marito hanno tre figli. _____ figli si chiamano Angelo, Gianna e Daniela. Anche Renzo è sposato, ma non ha figli. _____ moglie di Renzo si chiama Rosa.

Complete the conversations with the correct definite articles where necessary.

Remember that in some cases the definite article is not used.

Assign Ex. J as homework. Have students write out the entire exercise and underline the articles.

1. — Dove sono _____ matita e _____ quaderno?
   — Sono nello zaino.
   — E _____ libri e _____ riviste?
   — Sono sul tavolo.

2. — Che cosa studia questo semestre?
   — _____ storia orientale e _____ cinese.
   — Ah, parla _____ cinese?
   — No, non parlo _____ cinese; parlo _____ giapponese.

3. — Claudia, ti presento _____ professor Ferroni.
   — Buon giorno, _____ professor Ferroni, molto piacere.
   — E lei come si chiama?
   — Mi chiamo Claudia. Sono _____ sorella di Laura.

Aggettivi possessivi

Cara, ti presento **la mia** famiglia! Ecco **mio** padre, **mia** madre, **le mie** sorelle, **i miei** cugini ...

1. The preposition **di** + *a noun* is used to express possession or relationship.

Di + a name is equivalent to *'s* in English. Literally, *la radio di Gina* means *the radio of Gina*.

Dov'è la radio **di Gabriele?**	*Where is Gabriele's radio?*
La capitale **d'Italia** è Roma.	*The capital of Italy is Rome.*
Sono il padre **di Gina.**	*I'm Gina's father.*
Sono le sorelle **di Giacomo.**	*They are Giacomo's sisters.*

The interrogative **di chi?** means *whose?*

Di chi è l'appartamento?	*Whose apartment is it?*
Di chi sono le riviste?	*Whose magazines are they?*

2. Possessive adjectives are also used to express possession. The Italian possessive adjectives **mio** (*my*), **tuo** (*your*), **suo** (*his/her*), **nostro** (*our*), **vostro** (*your*), and **loro** (*their*) are almost always preceded by a definite article. The article and the possessive adjective agree in gender and in number with the thing possessed. Note that **loro** is invariable.

Substitute other nouns for those given in the examples: e.g., *È la matita di Luigi? / Sì, è la sua matita; Sono le fotografie di Luigi?*, etc.

— È il quaderno di Luigi?	— Sì, è **il suo** quaderno.
— Sono le fotografie di Marilena?	— Sì, sono **le sue** fotografie.
— È il computer dei ragazzi?	— Sì, è **il loro** computer.
— E di chi è la rivista? di Elena?	— No, è **la nostra** rivista.

3. The following chart shows the forms of the possessive adjective.

masculine		feminine	
singular	**plural**	**singular**	**plural**
il **mio** amico	i **miei** amici	la **mia** amica	le **mie** amiche
il **tuo** amico	i **tuoi** amici	la **tua** amica	le **tue** amiche
il **suo** amico	i **suoi** amici	la **sua** amica	le **sue** amiche
il **nostro** amico	i **nostri** amici	la **nostra** amica	le **nostre** amiche
il **vostro** amico	i **vostri** amici	la **vostra** amica	le **vostre** amiche
il **loro** amico	i **loro** amici	la **loro** amica	le **loro** amiche

Note that, unlike English, Italian does not specify the gender of the possessor.

Marisa cerca **il suo** telefonino. *Marisa is looking for her cell phone.*
Marco cerca **il suo** telefonino. *Marco is looking for his cell phone.*

4. A possessive adjective referring to a relative is not preceded by a definite article when it occurs before a singular, unmodified noun.

Nostro figlio abita in Italia. *Our son lives in Italy.*
Mia madre è professoressa. *My mother is a professor.*
Insegna francese **tuo padre?** *Does your father teach French?*

Plural nouns and the nouns **mamma, papà,** and **babbo** (*dad*) always take a definite article, as does **loro** + *noun.*

I nostri figli abitano in Italia. *Our children live in Italy.*
La mia mamma è professoressa. *My mom is a professor.*
Il loro padre insegna francese. *Their father teaches French.*

 In pairs: Maria Luisa, Alessandra, and Giovanna are three students who share an apartment. Read the following description and then take turns with a partner asking and telling to whom each item belongs.

Maria Luisa ha molto talento nel campo musicale: studia musica al Conservatorio. Alessandra studia le lingue straniere e in particolare l'inglese e il tedesco. Giovanna è molto brava nella tecnologia: studia informatica e matematica.

▶ pianoforte   S1: Di chi è il pianoforte?
                  S2: È di ...

1. pianoforte
2. liste di parole in tedesco
3. libri di giapponese e di russo
4. calcolatrice
5. cassette di Pavarotti

6. computer
7. dizionario di verbi irregolari
8. chitarra
9. poster di Beethoven
10. le opere complete di Shakespeare

Before doing Ex. K, go through the list of items with the class to assure comprehension and correct pronunciation of new vocabulary.

L From the pictures and the information given below, can you determine to whom each dog belongs?

Ex. L: Both Cesare (Caesar) and Nerone (Nero) were Roman emperors. They are also popular names for dogs in Italy.

I cani di Sandra e Alessio hanno il collare (*collar*).
Il cane di Sandra ha un nome italiano.
Il cane di Roberta ha una macchia (*spot*).
Il cane di Giuseppe ha il nome di un dittatore romano.

▶ Nerone è il cane di ...

Ex. L: If students are unable to figure out the logic of this game, start them off by telling them: *Il cane di Sandra ha il collare e ha un nome italiano. Il cane di Sandra non è Fido e non è Cesare (non hanno il collare), e non è Killer (non ha un nome italiano). Allora il cane di Sandra è Nerone.* (Solution: Sandra + Nerone, Roberta + Fido, Alessio + Killer, Giuseppe + Cesare)

M Point out the people and things indicated in the sentences below as in the example.

▶ Marco ha un televisore.   Ecco il suo televisore.

1. Pietro e Dario hanno uno stereo.
2. Noi abbiamo due figli.
3. Lisa ha un appartamento.
4. Raffaele e sua moglie hanno una villa.
5. Valeria ha due biciclette.
6. Voi avete un cane.
7. Io ho una sorella.

Before doing Ex. M, pick up items from students' desktops (pens, pencils, books, backpacks, etc.). With each item, ask questions such as: *Di chi è la penna? È di Erica o di Gianni?*

N Form new sentences using the words in parentheses.

▶ Dov'è la mia penna? (quaderni)   Dove sono i miei quaderni?

1. Ecco la mia amica. (amico / professore / sorelle / moglie)
2. Dov'è la nostra calcolatrice? (biciclette / libri / telefonino / cane)
3. Lavora con suo marito. (moglie / fratelli / amica / amici)
4. Ecco i vostri cappuccini! (vino / spaghetti / caffè / pasta)
5. Come si chiama il tuo professore? (sorella / studenti / figlio / gatto)
6. Hanno un problema con il loro lavoro. (famiglia / università / appartamento / computer)

O Two students are talking about their families. Complete the following descriptions with the appropriate articles (where needed) and possessive adjectives.

1. Sono Luigi Castaldo e abito a Firenze. _____ madre insegna musica e _____ padre è architetto. _____ fratelli Carlo e Stefano lavorano a Roma. _____ sorella è sposata ed abita in un appartamento a Napoli con _____ marito e con _____ figli.
2. Mi chiamo Stefania Volsi e _____ famiglia abita a Bari. _____ fratello studia legge ma _____ sorella frequenta ancora il liceo. _____ famiglia abita fuori città. _____ padre e _____ madre lavorano in centro.

P In pairs: Ask your partner the names of the following people.

▶ suo padre   S1: Come si chiama tuo padre?
                S2: Mio padre si chiama Brad.

1. sua madre
2. le sue sorelle
3. i suoi fratelli
4. il suo compagno/la sua compagna di camera (*roommate*)
5. i suoi attori preferiti
6. il suo dentista

Q In pairs: Show your partner the contents of your backpack. See how many objects you can point out.

▶ Ecco il mio zaino. Ecco il mio libro di italiano, le mie matite …

Ex. O: Have students do this exercise in pairs, each student reading one of the paragraphs and taking the role of the person described. Then have individuals tell the class about their partners: *Si chiama Luigi e la sua famiglia abita …*

Ex. Q: Check by asking students to tell the class about their partner's belongings: *Ecco lo zaino di … Ecco il suo …* Provide vocabulary and have them show the contents of their wallets, purses, or pockets as well. Ask students to point out objects in the classroom using *nostro: Ecco la nostra classe …*

www ◉ For further practice of lesson topics, log on to the *Oggi in Italia* website and/or do the CD-ROM activities.

Parliamo un po'

Act. A: Check by asking 2–3 students to tell the class their partners' schedules. Ask if anyone has 4 or even 5 classes today, or if anyone has an early morning or an evening class.

A **L'orario.** Ask another student what classes he/she has today and what time each class meets. Take notes and be ready to report what you find out to the class.

▶ S1: Che lezioni hai oggi?
S2: Ho lezione di …
S1: A che ora hai lezione di (filosofia)?
S2: Alle (due del pomeriggio).
S1: Oggi (Alessio) ha lezione di filosofia alle due. Ha lezione di …

Lezione _____ Ora _____
Lezione _____ Ora _____
Lezione _____ Ora _____

Model the example before students do Act. B. Have students stand and use a desk as the airline counter. Only the Alitalia employee should use the flight schedule. The passengers can jot down departure and arrival times and check them after completing the activity.

 B **All'aeroporto.** In groups of three: One person works at the Alitalia flight information desk at Leonardo da Vinci Airport in Rome. The others are passengers seeking departure and arrival times of the following flights. Refer to the schedule for flight times.

▶ il volo per Bologna
   S1: Scusi, a che ora parte il volo per Bologna?
   S2: Parte alle nove.
   S1: E a che ora arriva a Bologna?
   S2: Arriva alle dieci meno cinque.
   S1: Grazie.

> Act. B: Alitalia is the national airline of Italy.

1. il primo (*first*) volo per Bruxelles
2. il volo della mattina per Brindisi
3. il volo per Boston
4. l'ultimo (*last*) volo per Bologna
5. il primo volo per Bombay
6. il volo per Brazzaville

DA/FROM ROMA

Validità/Validity		Frequenza Days	Partenza Departure	Arrivo Arrival	Volo Flight
dal/from	al/to				
A/TO BOLOGNA - BLQ - GMT+1					
⊕ G. MARCONI KM. 6,4 Δ 25'					
		1234567	09.00	09.55	AZ 0232
		1234567	11.30	12.25	AZ 0242
		1234567	13.15	14.10	AZ 0234
		1234567	15.00	15.55	AZ 0230
		1234567	18.20	19.15	AZ 0238
		1234567	21.05	22.00	AZ 0236
A/TO BOMBAY - BOM - GMT+5.30					
⊕ SAHAR KM. 35 Δ 75'					
		3	01.00	12.50	AZ 1766
		6	18.00	09.30 G1	AI 0130
		3	18.00	09.35 G1	AI 0164
		7	20.55	12.30 G1	AI 0152
		4 7	22.55	10.45 G1	AZ 1760
A/TO BOSTON - BOS - GMT-5					
⊕ LOGAN ITL. KM. 5 Δ 60'					
		1 34 6	10.10	15.35	TW 0807
A/TO BRAZZAVILLE - BZV - GMT+1					
⊕ MAYA MAYA KM. 4 Δ 45'					
11FEB		3	22.50	06.45 G1	RKAZ0055
10FEB		3	22.50	07.45 G1	RKAZ0055
A/TO BRINDISI - BDS - +1					
⊕ PAPOLA C. KM. 6 Δ 25' NAZ.30' INT.					
		1234567	11.05	12.10	BM 0402
		1234567	16.55	18.00	BM 0064
		1234567	21.10	22.15	BM 0310
A/TO BRUXELLES - BRU - GMT+1					
⊕ BRUSSELS NATIONAL KM. 12 Δ 30'					
		4	07.30	09.30	QC 0004
		5	07.50	09.50	SQ 0034
		1234567	09.10	11.15	AZ 0274
		7	10.40	12.55	SN 0816
		12 456	11.35	13.50	SN 0812
		3	11.35	13.50	SN 0812
		1234567	16.00	18.05	AZ 1274
		12345 7	19.00	21.15	SN 0814

C **L'albero genealogico.** With a partner: Ask who the people are in the drawings. Your partner will answer by naming as many relationships as he/she can. Switch roles for each family member.

▶ S1: Chi è Lidia?
   S2: Lidia è la moglie di Raffaele, ed è anche la madre di ...

D **La mia famiglia.** Prepare a family tree diagram similar to the drawing on the right, showing your own immediate family. Show it to a partner, and point out each family member, telling the person's name and age.

▶ Ecco mio fratello. Si chiama Giorgio e ha quindici anni.

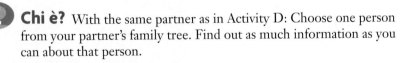

Raffaele   Lidia

Angelo   Gianna   Daniela

> Ask students to bring in photos of their families to the next class. Show some photos to the class and ask about each family member.

E **Chi è?** With the same partner as in Activity D: Choose one person from your partner's family tree. Find out as much information as you can about that person.

- name
- age
- where he/she lives
- if he/she is married
- if he/she has any children or pets
- one or two things he/she likes to do

> To check Act. E, ask individuals to tell the class what they learned about their partner's family.
> Both Act. D and E are good topics for writing assignments to be completed at home.

Conoscere l'Italia

 Vocabolario. Study the following vocabulary. Then choose the appropriate word to complete each sentence.

caro/a expensive	**i portici** arcades
la cucina cooking	**il prosciutto** cured ham
il formaggio cheese	**il ragù** meat sauce
il negozio store	**i tortellini** type of stuffed pasta
il parmigiano Parmesan cheese	**la trattoria** inexpensive restaurant

1. A Bologna ci sono molti ... . (ragù, cucina, negozi)
2. Ci sono anche molte ... . (trattorie, formaggio, cucina)
3. La ... italiana è molto buona. (caro, tortellini, cucina)
4. Oggi mangiamo in una trattoria sotto (*under*) i ... . (negozio, portici, prosciutto)
5. La trattoria non è molto ... . (cucina, parmigiano, cara)
6. Io mangio i ... al ragù. (formaggio, tortellini, cucina)
7. E tu mangi prosciutto e ... . (trattoria, caro, formaggio)

Point out how valuable cognates are for understanding meaning when reading. As a prereading activity, have students skim the passages to find ten cognates. In pairs, have them compare their lists and write the English meaning of each word.

Locate Emilia-Romagna and Bologna on the map on p. 14.

In the thirteenth century, there were about ten thousand students at the University of Bologna.

Tell students that the University of Padova is also very old; it was founded in 1221.

BOLOGNA

Bologna è il capoluogo dell'Emilia-Romagna. È chiamata "la dotta"[1] perché è un importante centro di studi; qui c'è una delle università più antiche d'Europa, fondata nel 1158. Bologna è una città elegante e moderna anche se[2] nella sua architettura conserva molte caratteristiche medievali. Le strade della città sono fiancheggiate[3] da portici che permettono di passeggiare[4] anche quando fa cattivo tempo[5]. I negozi di Bologna sono molto belli ma abbastanza cari. E infine, di grande importanza per la città sono i ristoranti e le trattorie, che sono rinomati[6] perché a Bologna si mangia molto bene.

1. "the learned one" 2. even if 3. flanked
4. take walks 5. it's bad weather 6. renowned

Bologna: La Torre degli Asinelli è un caratteristico monumento medievale della città.

Have students comment on this photograph and on the one on the next page.

LA CUCINA EMILIANA

Ti piace il parmigiano? Parma e tutta l'Emilia-Romagna sono zone di produzione del famoso formaggio.

L'Emilia-Romagna è una regione molto ricca e, per molti aspetti, all'avanguardia[1] nei settori sociali e culturali. Ma essa è famosa principalmente per la sua cucina. I tortellini e il ragù bolognesi sono noti a tutti. Il parmigiano, il formaggio che grattugiamo[2] sugli spaghetti o che mangiamo a tocchetti[3], è molto buono ed è conosciuto anche all'estero[4]. Un altro prodotto squisito di questa zona è il prosciutto di Parma, chiamato dolce[5] perché è poco salato[6].

1. in the forefront   2. we grate
3. in small chunks   4. abroad
5. sweet   6. salty

The name *parmigiano* comes from Parma, a city in Emilia-Romagna.

B **Vero o falso?** In pairs: Take turns identifying the following statements as true (**vero**) or false (**falso**) based on the reading.

1. Bologna è il capoluogo del Lazio.
2. L'università di Bologna è molto antica.
3. Una caratteristica delle strade di Bologna sono i portici.
4. I negozi di Bologna non sono cari.
5. La cucina emiliana è molto buona.
6. Il parmigiano è un formaggio romano.

C **Domande.** Answer the following questions based on the preceding passages.

1. Dov'è Bologna, nel nord o nel sud d'Italia?
2. Perché Bologna è chiamata "la dotta"?
3. Quali sono tre caratteristiche della città?
4. Quali sono tre cose buone da mangiare nella cucina emiliana?

Lezione 3

Quanto è comodo il telefonino!

Che cosa fai di bello?

Communicative Objectives

- Talk about leisure time
- Make plans to do something
- Express wants and needs
- Specify locations

Discuss the photograph with students.

 Show the *Oggi in Italia* video segment and do the video activities.

Fabio Salvati ha fame e desidera mangiare qualcosa. Entra in un bar a Piazza di Spagna a Roma e ordina un panino e un'aranciata. Mentre aspetta, il suo telefonino squilla.

Review telling time before introducing the dialogue: *A che ora ha lezione d'italiano? A che ora va all'università domani?*

FABIO:	Pronto, chi parla?
PAOLA:	Ciao, Fabio, sono Paola. Come stai?
FABIO:	Bene, grazie, e tu?
PAOLA:	Non c'è male. Che cosa fai di bello?
5 FABIO:	Niente di speciale. Sono al bar a fare uno spuntino.
PAOLA:	Senti°, domani ho l'esame di chimica e ho bisogno del tuo aiuto.
FABIO:	Perché no! Passo da te oggi pomeriggio. Verso le sei, va bene?
PAOLA:	Sì.
FABIO:	Dopo se hai voglia andiamo a prendere un gelato.
10 PAOLA:	Buona idea. Andiamo alla gelateria vicino al parco, così passeggiamo un po'.
FABIO:	D'accordo. Allora a più tardi.

Have students refer to the cultural note about bars on p. 60.

Listen

Prepare a cloze version of the dialogue and have students supply the missing words. You may want to prepare a version in which Fabio's lines are missing and have students supply them as logically as they can.

Domande

1. Dove entra Fabio? Perché?
2. Che cosa ordina?
3. Chi telefona a Fabio?
4. Che cosa dice Fabio quando risponde al telefono?
5. Che cosa fa di bello Fabio?
6. Di che cosa ha bisogno Paola? Perché?
7. Dov'è la gelateria?
8. A che ora Fabio passa da Paola?

Another word for *il bar* is *il caffè*, but *il bar* is more commonly used.

Domande personali

1. Che cosa fa lei quando ha fame?
2. Lei usa spesso il telefonino? A chi telefona?
3. Quando ha gli esami, lei studia a casa o in biblioteca? Perché?
4. Che fa di bello oggi? Ha voglia di prendere un gelato?
5. Dove va lei quando ha voglia di passeggiare? Con chi va?

The *telefonino* or *cellulare* (cell phone) is a very common means of communication among young people in Italy.

Situazioni

1. You are at the bar Savoia. Order something to drink or eat from the waiter.

   ▶ — Desidera ordinare qualcosa, signorina (signora/signore)?
   — Un'aranciata (Un cappuccino/Un espresso/Un gelato/Un panino), per favore.

2. Find out what some of your classmates feel like doing now.

   ▶ — Che cosa hai voglia di fare adesso?
   — Ho voglia di uscire (andare al bar/prendere un gelato/telefonare ad un amico/un'amica).

Sit. 1: Assign some waiters/waitresses to go up to students and take their orders. Expand by supplying additional vocabulary.

Sit. 2: Practice *avere voglia di* when you want various things during the day: *Ho voglia di un'aranciata. Adesso non ho voglia di studiare.*

Sit. 2: Have students circulate and write down responses. Encourage them to give other responses and follow up by asking what different students want to do.

Pratica

1. In pairs: Prepare a dialogue dramatizing the following situation: Laura phones Renato and wants to know what he is doing. He's not doing anything special, but he has an English exam tomorrow **(domani)** and has to study. Laura invites him to have a cappuccino at the bar Giuliani on via Napoleone. He accepts and agrees to pass by her house around six.

2. Prepare a second dialogue individually: While walking with a friend, you pass an ice cream shop. Your friend says he/she feels like having an ice cream. You agree to stop, but you don't want one. Present the dialogue to the class with another student.

Prat. 1: Have students practice phone calls in pairs. The caller identifies himself/herself on the phone and asks for a friend: *– Pronto? – Sì, pronto. Buon giorno. Sono Marta Collins. C'è Corrado? – No, non c'è. Vuole lasciare un messaggio? ecc.*

Prat. 2: Have each student go over his/her dialogue with a partner before role-playing it.

Il bar italiano

Bars in Italy are popular meeting places for people of all ages. There are bars in small towns and large cities. Every neighborhood has one or more bars and several can be found on major city streets.

In an Italian **bar** one can buy a cup of **espresso, a cappuccino,** a sandwich, candy, ice cream, and mineral water, as well as beer and other alcoholic beverages. Customers typically stand at the counter to drink or eat, since doing so is less expensive than sitting at a table. When ordering at the counter, customers are expected to go to the cashier **(la cassa),** pay for what they order, and take the receipt **(lo scontrino)** to the barman/barmaid **(il/la barista)** at the counter. It is customary to leave a small tip **(la mancia)** on the counter with the receipt. Customers who sit at tables order from a waiter **(il cameriere),** who also receives the payment. In good weather, chairs and tables are placed outside. It is a favorite pastime of many Italians and tourists to watch passersby while enjoying a **cappuccino, aperitivo,** or **digestivo.**

• What kinds of places are popular meeting spots in your town or city?

Questa elegante gelateria di Bologna vende ottimi gelati di produzione propria.

It is customary in Italy to drink an *aperitivo* such as Campari before a meal to enhance the appetite and a *digestivo* such as Fernet Branca or Amaro Averna after a meal to aid digestion.

Vocabolario

Parole analoghe

il bar	l'idea
il cappuccino	il parco
l'espresso	

Nomi

l'aiuto   help
l'aranciata   orange soda
la biblioteca   library
la carta   card
l'esame (*m.*)   exam
la gelateria   ice cream shop
il gelato   ice cream
il panino   sandwich
il pomeriggio   afternoon
lo spuntino   snack

Aggettivi

buono/a   good
questo/a   this

Verbi

andare (*irreg.*)   to go; **va**
   he/she goes, you (*formal*) go;
   andiamo   we go
aspettare   to wait
comprare   to buy
desiderare   to wish, want
entrare   to enter
fare (*irreg.*)   to do; to make
mangiare   to eat
ordinare   to order (*food*)
parlare   to speak, talk
passare   to come by
passeggiare   to walk, take a walk
prendere   to take; to have (*in
   the sense of* to eat or drink); to
   pick up
squillare   to ring
telefonare   to telephone
uscire   to go out

Altre parole

adesso   now
allora   well, then; then
chi?   who?
d'accordo   agreed, OK
domani   tomorrow
mentre   while
oggi   today
oggi pomeriggio   this afternoon
per   for; **per me**   for me
perché?   why?; **perché**
   because
pronto?   hello? (*response on the
   phone*)
qualcosa   something
quando   when(ever)
verso   toward, around (*time*)

Altre espressioni

avere bisogno di   to need
avere fame   to be hungry
avere voglia di (+ *infinitive or
   noun*)   to feel like (doing or
   having something)
che cosa fai di bello?   what are
   you up to?
a chi?   to whom?
con chi?   with whom?
fare uno spuntino   to have a
   snack
niente di speciale   nothing
   special
passo da te   I'll come by your
   house
per favore   please
va bene?   OK? is that all right?
vicino a   near

Cappuccino gets its name from the color of the habits worn by the Capuchins (Franciscan friars).

la biblioteca = library
la libreria = bookstore

Il suono della *l*

In Italian, the sound of the letter **l**, /l/, is pronounced nearer to the front of the mouth than it is in English. Italian /l/ is formed with the tip of the tongue pressed against the gum ridge behind the upper front teeth. The back of the tongue is lowered somewhat. The sound /l/ is spelled **l** or **ll**.

A Listen and repeat the following words.

legge	gelato	bello
liceo	solo	allora
lezione	telefonare	sorella

B **Proverbio.** Repeat the following Italian proverb.

Ad ogni uccello il suo nido è il più bello.
There's no place like home.
(*Literally: To each bird, its nest is best.*)

Il suono della *p*

Italian **/p/** is not aspirated (that is, not accompanied by a puff of air), in contrast to English /*p*/. The sound /**p**/ is represented in writing by **p** or **pp**.

C Listen and repeat the following words.

padre	Alpi	giapponese
parola	Napoli	appartamento
piccolo	anticipo	cappuccino

D **Proverbio.** Listen and repeat the following Italian proverb.

Dio li fa e poi li accoppia.
Birds of a feather flock together.
(*Literally: God makes them and then pairs them.*)

Ex. A: Set a time limit and have pairs, with books closed, list as many words as they can that have the sounds of the letters *l* and *ll*. Each pair then alternates with another, pronouncing words from their lists without repeating any. The pair giving the most words wins.

Ex. B: Write the following proverb on the board, read it, then explain it to the students: *L'abito non fa il monaco.* (Clothes don't make the man.) Challenge students to give you the literal meaning.

Ex. C: Ask students to list at least 15 Italian words, other than those in Ex. C, with the sound *p* or *pp*. Then have them take turns dictating their words to a partner.

Ex. D: Write on the board the proverb *Chi va piano va sano e va lontano.* (Slowly but surely.) Then have individual students read it back, letter by letter.

Ampliamento del vocabolario

La città

1. la stazione
2. il museo
3. la biblioteca
4. l'ospedale (*m.*)
5. la libreria
6. la chiesa
7. il teatro
8. lo stadio

9. il cinema
10. la banca
11. il negozio
12. l'albergo
13. il ristorante
14. il bar
15. l'ufficio postale
16. il mercato

17. la gelateria
18. il supermercato
19. la farmacia
20. il parco
21. il centro commerciale
22. il parcheggio
23. la discoteca

> When you go places, practice saying where they are located: *La banca è in via …* , etc.

Tell students that the vocabulary in this section will help them to ask for and give directions to specific buildings and places in a city and to use expressions indicating hunger, thirst, cold, etc.

Gli ipermercati sono oggi molto diffusi in tutte le regioni italiane.

A In pairs: Take turns giving directions to the following places in the city on page 63. Use **tra** (*between*) to pinpoint their locations.

▶ ristorante —Dov'è il ristorante?
—È in via Nazionale. È tra il bar e l'albergo.

1. l'ospedale
2. la banca
3. la gelateria
4. la biblioteca
5. il supermercato
6. il museo

B In pairs: You are at the park shown in the drawing on page 63. Ask a passerby if the following places are nearby **(qui vicino)**.

▶ una farmacia —Scusi, c'è una farmacia qui vicino?
—Sì, c'è una farmacia in via Nazionale.

1. un ufficio postale
2. una libreria
3. uno stadio
4. un mercato
5. un bar
6. un ristorante

C In pairs: Ask another student to name the place **(luogo)** he/she associates with the following things or people.

▶ il gelato —Con quale luogo associ il gelato?
—Con la gelateria.

1. il cappuccino
2. i libri
3. il dottore
4. la medicina
5. le banane e le patate
6. gli spaghetti alla marinara
7. i dollari e gli euro
8. Sophia Loren
9. lo sport
10. ballare

Ex. A: Have students work in pairs, with one of them playing the new student who wants to know the locations of certain places on campus. Students should use only words and expressions they already know.

Expand by having students ask each other the locations of various places in their own town or city.
– Dov'è il supermercato?
– È in via ... etc.

Ex. B: Expand by having students ask about other places: *gelateria, supermercato,* etc.

Have students describe their own town or neighborhood to the class: *Nella mia città (Nel mio quartiere) ci sono un ufficio postale, due ristoranti, ecc.*

Once students become familiar with the vocabulary, have them close their books. Ask them where they would go to buy stamps, buy food, read today's newspaper, buy a book, see an exhibit, pray, etc.

Espressioni con *avere*

1. avere caldo   2. avere freddo   3. avere fame   4. avere sete   5. avere sonno

Other common expressions with **avere** are:

avere bisogno di (+ *noun or infinitive*)   to need, have need of
avere paura di (+ *noun or infinitive*)   to be afraid of
avere ragione   to be right

You have already learned **avere … anni** and **avere voglia di.**

avere pazienze   avere fretta

D What would you be likely to say in the following circumstances? Use an expression with **avere**.

▶ You're looking for something to eat.   Ho fame.

1. You're putting on a heavy sweater.
2. You're turning on the air conditioner.
3. You didn't have breakfast this morning and it's almost noon.
4. You're looking for something to drink.
5. It's late and you can hardly keep your eyes open.
6. You can't sleep because you keep hearing strange noises outside your window.

E Move around the class and ask your classmates about some of their needs.

▶ calendario   — Hai bisogno di un calendario?
              — Sì, ho bisogno di un calendario. (No, ho bisogno
                di un orologio.)

1. calcolatrice   6. orologio
2. studiare oggi   7. andare al supermercato
3. lavorare   8. zaino
4. bicicletta   9. telefonare a tuo padre
5. registratore   10. parlare con il professore

Point out that in these expressions *avere* is followed by a noun. Contrast them with their English equivalents in which "to be" is followed by a predicate adjective ("She is *sleepy*").

Give students other expressions with *avere*, such as *avere pazienza* (to be patient) and *avere fretta* (to be in a hurry).

Ex. D: Practice the expressions by asking several students if they are hungry, thirsty, cold, etc.: *– Lei ha fame adesso?* Encourage them to respond according to how they feel: *– Non ho fame, ma ho sete,* etc.

Encourage students to expand their responses: *Ho fame. Hai voglia di andare al ristorante I Tre Fratelli?*

Ex. E: Have pairs alternate, expressing as many desires as possible using *avere voglia di +* infinitive.

F Find out from two or three classmates if they are afraid of the following.

► dei cani — Hai paura dei cani?
— Sì, ho paura dei cani. (No, non ho paura dei cani; ho paura dei gatti.)

1. di abitare da solo/a
2. del professore/ della professoressa d'italiano
3. di andare al parco la sera
4. dei dottori
5. di volare (*fly*)

Ex. F: Expand by asking who's afraid of horror movies (*film dell'orrore*) or ghosts in the closet (*dei fantasmi nell'armadio*), or let students offer other ideas.

Expand by letting students say what they are afraid of.

Point out that the preposition *di* contracts with the definite article that directly precedes the noun.

Struttura ed uso

Presente dei verbi regolari in *-are*

Filomena **canta** mentre le amiche **ascoltano**.

1. Italian infinitives are made up of a stem and an ending. You learned in **Lezione 1** that infinitives end in **-are, -ere,** or **-ire.**

You may want to tell students that there are a few verbs with infinitives in *-rre*, such as *porre*, *produrre*, and *tradurre*.

infinitive	stem + ending	English equivalent
entrare	entr + **are**	*to enter*
prendere	prend + **ere**	*to take; to have*
sentire	sent + **ire**	*to hear; to feel*

2. Infinitives in **-are** are the most numerous. The present tense of regular **-are** verbs is formed by adding the endings **-o, -i, -a, -iamo, -ate,** and **-ano** to the infinitive stem.

Point out to students that when pronouncing the third person plural of regular *-are* verbs, the stress falls on the same syllable as when pronouncing the first person singular: *á-bito = á-bitano; pár-lo = pár-lano; telé-fono = telé-fonano;* etc. Have students practice with at least ten words in the chart on p. 67.

parlare *to speak*			
singular		**plural**	
io parl**o**	I speak	noi parl**iamo**	we speak
tu parl**i**	you (*informal*) speak	voi parl**ate**	you (*informal*) speak
lui parl**a**	he speaks	loro parl**ano**	{they speak / you (*formal*) speak
lei parl**a**	{she speaks / you (*formal*) speak		

3. Here is a list of common regular **-are** verbs.

abitare to live	**incontrare** to meet
arrivare to arrive	**insegnare** to teach
ascoltare to listen (to)	**lavorare** to work
aspettare to wait (for)	**mandare** to send
ballare to dance	**mangiare** to eat
cantare to sing	**pagare** to pay (for)
cercare to look (for)	**parlare** to speak
chiamare to call	**passare** to pass; to spend (*time*)
cominciare to begin	**pensare (di)** to think (of)
comprare to buy	**portare** to bring; to wear
desiderare to want, wish	**ricordare** to remember
dimenticare to forget	**studiare** to study
entrare to enter	**telefonare** to telephone
frequentare to attend; to frequent	**tornare** to return
giocare to play (*a game*)	**trovare** to find
guardare to watch; to look (at)	**usare** to use
guidare to drive	**viaggiare** to travel
imparare to learn	**visitare** to visit

> To learn this list, first find all the verbs you already know, such as *studiare* and *insegnare*. Then look for the cognates.

> Have students complete sentences beginning with *Ho voglia di …* (*ascoltare, mangiare, parlare, comprare, usare, visitare, etc.*).

Note: The verbs **ascoltare, aspettare, cercare, guardare,** and **pagare** do not require a preposition after the verb as their English equivalents often do.

Ascoltano la radio.   *They are listening to the radio.*

> Remember that subject pronouns are often omitted in Italian because the ending of the verb indicates the subject.

4. The present tense in Italian is equivalent to the present tense and the present progressive (*is . . . -ing*) in English.

Paola **studia** chimica e biologia.	*Paola studies chemistry and biology.*
Oggi **studia** per l'esame di chimica.	*She is studying for the chemistry exam today.*
Fabio **telefona** a Paola.	*Fabio calls (is calling) Paola.*

The present tense may also be used in Italian to express actions intended or planned for the near future.

— **Passi** da me domani?   — *Are you coming by my house tomorrow?*

— No, mi dispiace. Domani **lavoro.**   — *No, I'm sorry. I'm working tomorrow.*

5. In "double-verb constructions," the first verb is conjugated and the second is a dependent infinitive.

Desideri prendere un gelato?	*Do you want to have an ice cream?*
Non mi **piace ballare.**	*I don't like to dance.*

6. Verbs ending in **-care** and **-gare**, like **cercare** (*to look for*) and **pagare** (*to pay for*), add an **h** to the infinitive stem in the **tu** and **noi** forms so that the hard sounds of the **c** and **g** are retained.

Practice *dimenticare* and *giocare*. Start by asking for an oral conjugation from the class. Then ask how each form is spelled in Italian.

cercare	to look for	pagare	to pay for
cerco	cerchiamo	pago	paghiamo
cerchi	cercate	paghi	pagate
cerca	cercano	paga	pagano

7. Verbs ending in **-iare**, like **cominciare** (*to begin*), **mangiare** (*to eat*), and **studiare** (*to study*), drop the **i** from the infinitive stem in the **tu** and **noi** forms.

mangiare	to eat
mangio	mangiamo
mangi	mangiate
mangia	mangiano

Ⓐ Complete the conversations using the correct verb form.

Students can do Ex. A in pairs, acting out the dialogues.

1. — Paola, dove _____ (lavorare) tuo padre?
   — _____ (insegnare) musica in una scuola privata.
   — Bello! E cosa _____ (imparare) i bambini?
   — I bambini _____ (cantare) canzoni (*songs*) e _____ (ascoltare) cassette di musica folcloristica.

2. — Massimo, che cosa fai nel corso d'italiano?
   — _____ (parlare) italiano con gli amici, e _____ (studiare) il vocabolario.
   — _____ (ricordare) i verbi regolari?
   — Sì, ma _____ (dimenticare) i verbi irregolari.

3. — A che ora _____ (cominciare) il film?
   — Alle 7.45, ma noi _____ (incontrare) gli amici al bar vicino al cinema e _____ (entrare) alle 7.15. Così _____ (trovare) buoni posti (*seats*).
   — E come _____ (arrivare) voi al centro?
   — Pietro _____ (guidare) l'Alfa Romeo di suo padre.

Ⓑ Form complete sentences using a subject from the first column, a verb from the second column, and a logical ending from the last column.

Review the meanings of the verbs before doing Ex. B. Remind students that these verbs do not use prepositions as they do in English.

▶ La mamma aspetta una telefonata importante.

la mamma	ascoltare	una moglie italiana/un marito italiano
voi	aspettare	l'autobus numero 64
le studentesse	cercare	un film di Roberto Benigni
io	guardare	un appartamento in centro
il presidente		la radio
io ed un amico		una telefonata importante
tu		la musica di Dave Matthews
		Il Grande Fratello

Il Grande Fratello is the very popular Italian version of the reality show *Big Brother*.

C You and a friend are asked the following questions. Answer as suggested, using the **noi** form of the verb.

▶ Chi aspettate? (un amico)   Aspettiamo un amico.

1. Cercate un ristorante? (no, un bar)
2. Cosa comprate oggi? (riviste italiane)
3. Studiate insieme più tardi? (no, domani)
4. Tornate a casa adesso? (no, più tardi)
5. Pensate di andare in discoteca adesso? (no, di prendere un gelato)
6. Cosa guardate alla televisione stasera? (un film)

D In pairs: Take turns asking and answering the following questions. If your answer is negative, complete the answer in a logical way.

▶ S1: Desideri un caffè espresso?
  S2: Sì, desidero un caffè espresso. / No, desidero un cappuccino.

1. Torni a casa alle otto stasera?
2. Compri un giornale oggi?
3. Desideri ascoltare un CD di Zucchero?
4. Lavori oggi pomeriggio?
5. Telefoni a tua madre più tardi?
6. Mangi al bar oggi?
7. Parli con il professore oggi?
8. Giochi a tennis oggi?

Ex. C: Have students work in pairs or threes and alternate asking and answering questions. For realism and to reinforce the *noi* form, have students point to themselves and a friend as they respond. Follow up by asking individuals from different groups to respond. After each response, ask another group about what they just heard:
–*Cosa cercano loro?*
–*Cercano un bar.*

Zucchero (*Sugar*) is a popular Italian singer-songwriter who has also recorded with Sting and Andrea Bocelli.

Roma: I cittadini usano molto la metropolitana e il servizio di autobus.

E In pairs: On a subway in Rome, you meet an Italian university student who asks you several questions. With a partner playing the role of the Italian student, answer his/her questions with plausible responses.

▶ abitare a Roma   S1: Abiti a Roma?
                          S2: No, non abito a Roma. Abito a ...

1. frequentare il liceo o l'università
2. studiare molto
3. che lingua parlare a casa
4. imparare altre lingue
5. visitare molti musei a Roma
6. tornare in America fra poco
7. che cosa pensare di Roma
8. desiderare visitare il Colosseo con me domani

Have students switch roles after completing Ex. E.

Ex. E: Let one or two pairs role-play the situation. Have them greet each other and exchange names, then act out the questions. To reinforce the third person, ask class about what they have just heard.

Change the situation to two adults speaking using *lei*.

F In pairs: Find out from your partner at what time he/she does the following activities.

▶ arrivare all'università   S1: A che ora arrivi all'università?
                              S2: Arrivo alle otto e mezzo. E tu, a che ora arrivi?
                              S1: Arrivo alle dieci.

1. arrivare all'università
2. incontrare gli amici
3. mangiare
4. lavorare
5. tornare a casa
6. studiare italiano
7. guardare la televisione

Do Ex. F as a class. Count off students by sevens. Then have students mingle and ask as many people as they can the question that corresponds to their number. Check by asking individuals: *A che ora arrivano all'università? / Due arrivano alle otto e mezzo, uno arriva alle … , etc.*

G In pairs: Find out what your partner generally **(di solito)** does on Saturdays **(il sabato)** and Sundays **(la domenica).** When answering, use only verbs that you know.

▶ S1: Che cosa fai di solito il sabato?
    S2: Di solito il sabato gioco a tennis, guardo la televisione, ecc.

Before doing Ex. G, ask students what they do on Saturdays and then on Sundays. Encourage them to use only words they know.

H In groups of three: Decide whether or not the following statements are generally true of the students at your university.

▶ Gli studenti desiderano studiare le lingue straniere.   (Non) È vero. Gli studenti (non) desiderano studiare le lingue straniere.

1. Gli studenti pagano troppo (*too much*) per frequentare l'università.
2. Gli studenti frequentano sempre (*always*) le lezioni.
3. Gli studenti trovano lavoro dopo l'università.
4. Gli studenti portano vestiti (*clothes*) eleganti.
5. Gli studenti parlano molto di politica.
6. Gli studenti mangiano molta pizza.
7. Gli studenti ascoltano la musica classica.
8. Gli studenti arrivano alle lezioni in orario.
9. Gli studenti guardano molto la televisione.

After doing Ex. H, review by asking selected questions in the *voi* form and having individuals respond in the *noi* form.

Preposizioni semplici e articolate

1. A preposition is a word used before a noun or pronoun to express its relation to another word. Here are some simple (one-word) Italian prepositions, some of which you have already learned.

a	to, at, in	**fra** (or **tra**)	between, among
con	with	**in**	in, into, at
da	from, by	**per**	for
di	of, about, from	**su**	on

The preposition **di** frequently becomes **d'** before a vowel, especially **i**: Banca d'Italia, un corso d'informatica.

2. Five of the most commonly used Italian prepositions combine with definite articles to form single words. These prepositions are: **a, da, di, in,** and **su.**

Fabio è **alla** gelateria.   a + la = **alla**
Telefona a Paola **dal** bar.   da + il = **dal**
Paola desidera parlare **degli** esami.   di + gli = **degli**
Marisa è **nell'**appartamento di Paola. in + l' = **nell'**
I libri sono **sul** tavolo.   su + il = **sul**

3. This chart shows the most common prepositional contractions.

preposition	article						
	singular				plural		
	il	**lo**	**l'**	**la**	**i**	**gli**	**le**
a	al	allo	all'	alla	ai	agli	alle
da	dal	dallo	dall'	dalla	dai	dagli	dalle
di	del	dello	dell'	della	dei	degli	delle
in	nel	nello	nell'	nella	nei	negli	nelle
su	sul	sullo	sull'	sulla	sui	sugli	sulle

Dov'è la mia penna? Sul tavolo? Nello zaino? Sulla sedia?

Quickly review singular and plural forms of the definite article before working with the articulated prepositions. Ask students to name things in the room using a definite article: *la finestra, lo studente*, etc.

Point out that *da* + a person's name or a noun referring to a person also means *at* someone's house or place of business. Tell students that many restaurants have names like *da Enzo*, etc.

A is used with a city or town to mean both *in* and *to*. *In* is used with larger geographical areas such as provinces, countries, etc. *In* is also used with the names of streets. *Tra* and *fra* are interchangeable.

You will sometimes encounter contractions with the preposition *con: con + il = col; con + i = coi*. Either form is acceptable.

Notice that in most cases these contractions are a combination of the preposition and the definite article, often with a doubling of the letter *l* in the article. Only *di* and *in* change form.

4. The article is rarely used after the preposition **in** with place nouns such as **casa, biblioteca, chiesa, città, cucina** (*kitchen*), **ufficio** (*office*), and **banca**, unless the noun is modified with another word or expression.

> — Desideri studiare **in biblioteca?**
> — Sì, ma studiamo **nella biblioteca** dell'università.

> — Lavora **in banca** Fabio?
> — Sì, lavora **alla Banca d'Italia.**

5. Some prepositions consist of more than one word. If followed by a definite article, only the last element (**a, di, da,** etc.) contracts with the definite article.

davanti a	Incontro Paola **davanti allo** stadio.	*I'm meeting Paola in front of the stadium.*
vicino a	Lo stadio è **vicino all'**università?	*Is the stadium near the university?*
lontano da	No, è abbastanza **lontano dall'**università.	*No, it's pretty far from the university.*

 Answer the questions according to what you see in the drawing below.

Marisa, è per te la telefonata.

Fabio   Paola   Marisa   Da Mario   ECONOMIA

1. Da dove telefona Fabio, da un ristorante?
2. Come si chiama la gelateria?
3. A chi telefona Fabio?
4. Con chi studia Marisa?
5. Per chi è la telefonata?
6. Di chi è il libro di economia?

J Complete the paragraph by supplying appropriate contractions where necessary.

Sono le quattro (di) _____ pomeriggio e Tommaso torna (da) _____ liceo scientifico. Entra (in) _____ casa, mette lo zaino (su) _____ tavolo e telefona subito (a) _____ suo amico Tonio. Parla anche (con) _____ sorella di Tonio, e dopo mezz'ora ha voglia di ascoltare i CD (di) _____ suo fratello Roberto. Mentre ascolta la musica, cerca il telefonino (in) _____ zaino e telefona (a) _____ amici di scuola. Poi si siede (*sits*) davanti (a) _____ televisore e guarda un programma musicale.

K In pairs: Find out where the following people are. Take turns asking and answering.

▶ S1: Dov'è la professoressa?
S2: È all'università.

Yogi Bear	(a) università
gli atleti	(in) cucina
Emeril Lagasse	(a) libreria
la professoressa	(a) cinema
Stephen King	(a) stazione
il dottore	(a) Palazzo Buckingham
la Regina Elisabetta	(in) parco nazionale
Tom Cruise	(in) negozio
Indiana Jones	(a) stadio
	(a) ospedale
	(a) museo archeologico

L In pairs: Look at the drawing on page 63. Ask a partner if one place is near another. Your partner will tell you whether the two places are close to or far from each other.

▶ S1: Il supermercato è vicino al teatro?
S2: No, è lontano dal teatro. / Sì, è vicino al teatro.

M In pairs: Ask each other where you do the following things. Use contracted prepositions in your answers when appropriate.

▶ comprare cose da mangiare
S1: Dove compri cose da mangiare?
S2: Al supermercato in via …

1. incontrare gli amici
2. lavorare
3. studiare per gli esami
4. parlare italiano
5. guardare la televisione
6. usare il computer
7. mangiare la pizza
8. comprare i libri
9. mandare le lettere

Ex. L: Have students take turns asking and answering the questions. Then review the activity with the whole class and ask the same questions about places in your area: *Il cinema è vicino all'università?*

Ex. M: Circulate among students to listen to answers and to suggest other possibilities or needed vocabulary. Then review the activity, using answers you have heard from students. Ask questions like: *Dove incontrate gli amici? Al bar? A casa? In biblioteca? Chi incontra gli amici al bar?*

C'è, ci sono, ecco

— **Ci sono** ristoranti eleganti in questa città?
— Sì, **ecco** il mio preferito.

1. **C'è** (*there is*) and **ci sono** (*there are*) are used to talk about the existence or presence of things or people.

> **C'è** un telefono pubblico nel bar.　*There is a public phone in the bar.*
> **Ci sono** venti studenti in classe.　*There are twenty students in class.*

To show the difference between *c'è* and *ecco*, talk about objects in the classroom without looking at them; then point them out physically using *ecco: In quest'aula ci sono due finestre. Ecco una finestra* (pointing or touching) *e ecco l'altra finestra: ecco le due finestre.* Or ask students where certain objects are: *– Dov'è il tavolo? – Ecco il tavolo.*

2. **Ecco** (*here is/are, there is/are*) is used when drawing attention to or pointing out things or people. It is often used in exclamatory statements.

> **Ecco** un telefono pubblico.　*Here's a phone booth.*
> **Ecco** Mario e Carlo!　*Look! It's Mario and Carlo!*

Ecco generally calls for physical presence, signifying *Look at this!* or *Hear this!*

N In pairs: Create a list of at least ten objects in your own room and specify the number of each item. Use words you have already learned in Italian. Then try to guess some things in your partner's room.

> ▶ S1: C'è un orologio?
> S2: Sì, c'è un orologio. / No, non c'è un orologio.

Before doing Ex. N, ask individuals to name something they have in their rooms and ask how many there are. Give students one minute to create a list. Then check by asking individuals to tell the class some of the things in their partner's room. Make sure they use *c'è* and *ci sono*.

O In pairs: Reveal to a partner some of the things that you have in your backpack, purse, or pockets. Show each item to your partner after identifying it.

> ▶ Ci sono due matite. Ecco le matite!

P In groups of three or four: Establish whether the following places are near your university. Then decide how many there are, and what their names are.

> ▶ gelateria　S1: C'è una gelateria vicino all'università?
> S2: Sì, ci sono due gelaterie. C'è la gelateria
> 　　　　Friendly's e c'è la gelateria Dairy Queen.

Ex. P: Have students take notes on the places named. Then review the answers with the class to see if the lists agree.

1. ospedale
2. cinema
3. albergo
4. ristorante
5. parco
6. museo
7. supermercato
8. chiesa
9. centro commerciale

  For further practice of lesson topics, log on to the *Oggi in Italia* website and/or do the CD-ROM activities.

Parliamo un po'

A **Cosa desideri fare?** In pairs: Interview your partner to find out some of the things he/she wants to do someday. Then tell your partner about what you want. Ask about:

- la città che lui/lei desidera visitare
- dove desidera abitare
- quale persona famosa desidera incontrare
- quale automobile desidera guidare
- dove desidera lavorare
- se desidera avere figli (quanti?)

B **Presentare amici.** In groups of three: You are with two friends who have never met before. Create a conversation in which you introduce your two friends to each other. They should ask each other a few questions, and then you suggest that you all go somewhere together.

S1: (Pietro), ti presento un mio amico …
S2: Piacere.
S3: Il piacere è mio. Pietro, tu studi … ?

Alcuni studenti si scambiano idee e opinioni davanti all'università.

C **Com'è la tua città?** You receive the following e-mail from a student in Italy. Write an answer in which you give some information about the city or town you live in.

Ciao _____. Come stai?

Tutto bene qui a Lucca. Lucca non è una grande città ma ci sono molte cose interessanti da visitare: chiese, palazzi, teatri. C'è anche una piazza (chiamata piazza dell'Anfiteatro) che ha la forma di un anfiteatro romano. Dove abiti tu? Com'è la tua città? È grande o piccola? Che cosa c'è da visitare? È una città interessante per un turista? Ci sono molti ristoranti? Musei? Che altro?

A presto

Mauro

D **Dov'è Firenze?** You have just arrived in Florence and ask a passerby for directions to the following places. The passerby can refer to the map to answer your questions.

il Duomo	la stazione dei treni
Piazza della Signoria	l'albergo Malaspina
l'ufficio postale	il ristorante "La Pentola d'oro"
Ponte Vecchio	

E **Una telefonata.** In pairs: You are in Florence on business and call a friend who is living there. Your friend wants to meet you for dinner, but needs to know what hotel you are staying at, where it is, and the telephone number. He/She wants to take you to a restaurant that specializes in medieval and Renaissance Tuscan food. Ask about it, and agree on a time for your friend to come by your hotel. Use these two ads to give details to your conversation.

Ristorante "La pentola d'oro"

Via di Mezzo, 24r   50100 Firenze
Tel. 055 2344918

•

Gustate l'autentica cucina toscana medievale e rinascimentale. Piatti tipici con un tocco di creatività.

•

Aperto dalle ore 19,00.   Chiuso la domenica.
Proprietari
Giuseppe, Margherita e Matteo Alessi

ALBERGO MALASPINA
★ ★ ★

Realizzato in un antico palazzo fiorentino, situato in una delle più belle piazze della città, vicino alla stazione e al centro storico e ai suoi famosi monumenti.

Piazza dell'Indipendenza 24
50129 Firenze
Tel. 055 48 98 69
email: info@malaspinahotel.it

Conoscere l'Italia

Remind students to look for cognates. Tell them to try to understand the gist and to not be concerned with understanding every word.

A **Vocabolario.** Before reading the passage, study the following vocabulary. Then choose an appropriate word to complete each sentence.

gli abitanti inhabitants	**la fontana** fountain	**la panchina** bench	**il tavolino** table
la bellezza beauty	**la gente** people	**il ruolo** role	**il valore** value
bere to drink	**il palazzo** palace, building	**il salotto** living room	**la vita** life

1. "_____ è bella" è il titolo di un film di Roberto Benigni.
2. Il sinonimo di *le persone* è _____.
3. Una parola che si associa con *caffè* è _____.
4. Le persone che abitano in un paese o in una città si chiamano _____.
5. Quando abbiamo sete desideriamo _____ qualcosa.
6. _____ è parte di una casa.
7. L'aggettivo *bello* è associato al nome _____.

Le piazze italiane

La piazza ha un ruolo molto importante nei paesi e nelle città d'Italia. In paesi piccoli e grandi è il centro della vita degli abitanti. Bar, ristoranti, negozi, la chiesa e la banca sono spesso situati[1] nella piazza principale di un paese. Nelle grandi città ci sono molte piazze e nelle città

Una suggestiva veduta notturna di Piazza di Spagna a Roma con la chiesa di Trinità dei Monti, la famosa scalinata e la popolare fontana chiamata La Barcaccia.

d'arte ci sono piazze molto belle che hanno grande valore artistico. Piazza di Spagna e Piazza Navona a Roma, Piazza San Marco a Venezia, Piazza del Campo a Siena e Piazza del Duomo a Firenze sono come salotti dove la gente s'incontra[2] e socializza. In queste piazze le persone passeggiano, si siedono[3] alle panchine o occupano i tavolini dei caffè all'aperto[4]. Mentre parlano o prendono qualcosa da bere o da mangiare esse ammirano le bellezze artistiche delle chiese, delle fontane e dei palazzi della piazza.

Veduta parziale della stupenda Piazza del Campo a Siena con il Palazzo Pubblico e la Torre.

1. located   2. meet   3. they sit   4. open air

Domande. Answer the following questions based on the preceding passage.

1. Perché la piazza ha un ruolo importante nei paesi d'Italia?
2. Che cosa è situato spesso nelle piazze dei paesi d'Italia?
3. Come si chiamano due belle piazze di Roma?
4. Dov'è Piazza San Marco? E Piazza del Campo?
5. Perché alcune piazze delle città d'arte sono come salotti?
6. Cosa ammirano le persone che frequentano le piazze delle città d'arte?

 Vocabolario. Match each definition with a word from the list in the right-hand column. There are two extra words in the list.

1. una persona con molti dollari
2. un caffè, un cinema, un ristorante
3. la persona che scrive libri
4. non italiano
5. una bella caratteristica

a. straniero (*foreign*)
b. lo scrittore (*writer*)
c. vedere (*to see*)
d. fascino (*charm*)
e. ricca (*rich*)
f. un locale (*place*)
g. meta (*destination*)

Caffè famosi

In alcune[1] città d'arte italiane ci sono caffè che sono famosi perché nei secoli scorsi[2] erano locali di ritrovo[3] di artisti, scrittori e intellettuali italiani e stranieri. Ancora[4] oggi alcuni di questi caffè sono aperti al pubblico e hanno sempre un certo fascino. Spesso essi sono meta di turisti curiosi di vedere da vicino[5] questi locali ricchi di storia. A Padova c'è il Caffè Pedrocchi situato nella zona universitaria della città. Al centro di Roma, in via dei Condotti, c'è il Caffè Greco. In Piazza San Marco, a Venezia, troviamo il Caffè Florian, fondato nel 1720 (millesettecentoventi) e in Piazza della Repubblica a Firenze è situato il Caffè Giubbe Rosse.

1. some   2. in past centuries   3. meeting
4. Still   5. up close

Turisti di tutto il mondo si fermano a prendere qualcosa da bere o da mangiare nel famoso Caffè Florian in Piazza San Marco a Venezia.

B **Vero o falso?** In pairs: Take turns identifying the following statements as true or false based on the reading.

1. Nei piccoli paesi d'Italia ci sono caffè famosi.
2. Nei secoli scorsi gli artisti non frequentavano questi caffè.
3. Oggi questi caffè sono la meta di molti turisti.
4. Il Caffè Pedrocchi è a Padova.
5. Il Caffè Giubbe Rosse e il Caffè Florian sono a Roma.

C **Informazioni.** Complete the following sentences based on the Giubbe Rosse flyer (**il volantino**). Scan it for the information requested without trying to understand every word.

Have students work in pairs. If needed, ask either/or questions to elicit the information.

1. Giubbe Rosse è un _____.
2. Sabato 21 febbraio c'è l'inaugurazione di una _____.
3. Giubbe Rosse è a Firenze in _____.
4. Tony Grancaric è un _____.
5. Grancaric è nato in _____.
6. Ha studiato (*He studied*) musica a _____.

Caffè Storico Letterario

GIUBBE ROSSE
Firenze

Piazza della Repubblica 13/14r – 50123 Firenze
Tel. 055.212.280   Fax 055.290.052
E-mail: giubbe.rosse@tin.it

ARTISTI E AUTORI ALLE GIUBBE ROSSE
a cura di Fiorenzo Smalzi

SABATO 21 FEBBRAIO 2004 ore 18.00

Inaugurazione della mostra di pittura

"Gli orizzonti del paesaggio"

di

Tony Grancaric

Presenta

Silvio Calzolari

"Tony Grancaric è nato nel 1949 a Zara in Croazia. Nel 1968 lascia la Croazia, e dopo un soggiorno a Parigi, si reca in Canada, a Toronto. Ha lavorato nel mondo del design-architettonico per oltre 20 anni. Ha studiato musica al conservatorio di Toronto. A Toronto è stato presente con due personali di pittura: nel 1986 e 1988. Ultimamente vive fra la Croazia e l'Italia".

Lezione 4

La piazza principale di Cefalù con la meravigliosa Cattedrale di influenza normanna, le palme e i caffè all'aperto.

Cosa prendono i signori?

Communicative Objectives

- Order a snack at a restaurant
- Talk about and make plans for specific days of the week and times of day
- Accept and refuse invitations
- Talk about a variety of activities

 Show the *Oggi in Italia* video segment and do the video activities.

È giovedì pomeriggio. Lorenzo Genovesi e Bettina Marinaro sono seduti° ad un
bar all'aperto° a Palermo. Desiderano bere qualcosa di fresco. Leggono il menù
e decidono anche di mangiare qualcosa.

seated
outdoor

> A *panino* is a sandwich generally made with a roll, while a *tramezzino* is made with sliced bread cut diagonally.

LORENZO:	Cameriere, scusi, desideriamo ordinare qualcosa.
CAMERIERE:	Sì, subito. … Bene, che cosa prendono i signori?
BETTINA:	Una granita° al caffè e un tramezzino al tonno.
LORENZO:	Io invece prendo un panino al prosciutto e un tè freddo.
5 CAMERIERE:	Molto bene. Torno subito.
LORENZO:	Allora, Bettina, sei libera sabato sera?
BETTINA:	Credo di sì, perché? Che si fa?
LORENZO:	Conosci il gruppo Folclore di Sardegna?
BETTINA:	Sì, mi piacciono molto le danze e i canti sardi.
10 LORENZO:	Allora si va a teatro dopodomani?
BETTINA:	Sì, se mi prometti che dopo lo spettacolo andiamo a fare quattro salti in discoteca.
LORENZO:	Perché no. La discoteca chiude molto tardi. Intanto stasera prendiamo i biglietti.
15 BETTINA:	Sì, è bene non perdere tempo. Ah, ecco il cameriere.
CAMERIERE:	Signori, ecco il cappuccino e la cassata°.
LORENZO:	Ma no! Avevamo ordinato° una granita al caffè, un tè freddo, un tramezzino al tonno e un panino al prosciutto.
CAMERIERE:	Oh, mi dispiace, c'è un po' di confusione. Torno subito.

*ice cream with grains of frozen
    coffee*

Explain that *Che si fa?* and *Si va?* are impersonal forms meaning, "What are we doing?" and "Are we going?" and that *si* as an impersonal subject can mean "one," "you," "we," or "they." Point out that these expressions are used mainly in conversation.

Ask students what *Sardegna* is and where it is located.

Point out that a *granita* may also be made with frozen orange or lemon juice.

Sicilian ice cream with candied fruit
We asked for

Domande

1. Dove sono Lorenzo e Bettina?
2. Che cosa desiderano?
3. Che cosa ordina Bettina? E Lorenzo?
4. Perché Lorenzo domanda a Bettina se è libera sabato sera?
5. Che cosa è in programma al teatro?
6. Quando prendono i biglietti?
7. Cosa ha voglia di fare Bettina dopo lo spettacolo?
8. Cosa porta il cameriere quando torna?

Have students read the dialogue silently. Then, after oral presentation with books closed, ask them the *Domande* and additional questions such as *Chi perde la pazienza? C'è molta gente al caffè?*

Domande personali

1. Lei va spesso ad un caffè? Con chi va? Quando va: la mattina, il pomeriggio o la sera?
2. Cosa prende di solito ad un caffè?
3. Prende spesso il caffè espresso, il cappuccino o il caffè americano? O prende il tè?
4. Le piace vedere uno spettacolo di danza moderna o di danza folcloristica?
5. Dove va a ballare lei? Quando? Con chi?

Have students work in pairs. Be sure they use first names and the *tu* form of the verb.

Situazioni

1. Risponda ad un amico/un'amica che domanda se lei è libero/a giovedì sera. (*Answer a friend who asks if you are free Thursday night.*)

   ▶ — Sei libero/a giovedì sera?
       — Sì, perché? (No, mi dispiace./Credo di no./No, sono impegnato/a.)

2. Lei è ad un caffè all'aperto con gli amici che ordinano cose diverse. Al cameriere, che domanda se lei prende un caffè come il suo amico/la sua amica, risponda che prende un'altra cosa. (*You are at an outdoor café with friends who order various things. To the waiter, who asks if you will have coffee like your friend, answer that you will have something else.*)

   ▶ — Cosa prendono i signori (le signore/le signorine)?
       — Un caffè (una Coca-Cola/un bicchiere d'acqua/un tramezzino al tonno), per favore.
       — Un caffè anche per lei?
       — No, per me un'aranciata (una limonata/acqua minerale/una spremuta d'arancia).

3. Risponda ad un amico/un'amica che domanda che cosa si fa sabato sera. (*Answer a friend who wants to know what both of you are going to do on Saturday night.*)

   ▶ — Che cosa si fa sabato sera?
       — Si va a teatro (al cinema/a mangiare la pizza/a ballare/al bar/in discoteca).

Directions are in Italian and English in *Lezione 4,* but will be in Italian only in the lessons that follow. Point out imperative forms and tell students to look at the stem for meaning. They only need to recognize forms, not produce them. Tell them they will learn the commands later on. If you use the familiar commands with students, point out the different endings.

Sit. 1: Have students answer affirmatively and continue the exchange:
– *Ti piace andare a prendere un gelato al bar Savoia?*
– *D'accordo. È una buona idea,* etc.

Sit. 2: Practice vocabulary items before grouping students.

Have students vary the dialogue by changing the setting to *una pizzeria* and using different names and expressions from the *Situazioni.* Have them order food, such as *pizza, crostini, calzoni, prosciutto,* or *formaggio,* and drinks.

POMODORO & MOZZARELLA

PIZZERIA

"La pizza"

V.le L. Da Vinci, 215
Tel. 065411013

I cognomi italiani

Last names came into use in Italy in the ninth century, and by the time of the Renaissance they were fully established. Originally, many last names were descriptive, and a number of these names remain in use today. For instance:

names based on a family's place of origin: **Genovesi** (from Genoa), **Lombardi** (from Lombardy), **Siciliani** (from Sicily).

names drawn from an ancestor's trade or occupation: **Ferrari** (blacksmith), **Pastore** (shepherd), **Vaccaro** (cowherd), **Sarti** (tailor), **Marinaro** (sailor), **Pellegrino** (pilgrim).

names based on a father's first name, common before last names came into use: **Di Giovanni, Di Giacomo, Di Pietro.**

names that describe physical features or characteristics: **Biondi** (blond), **Calvino** (bald), **Grasso** (plump), **Mancini** (left-handed).

Until 1975, an Italian woman had to take her husband's last name when she got married. Through reforms in Italian family law, a married woman now has the right to keep her family's last name, to which she adds the husband's last name.

- Do last names in your country have particular characteristics? What are they?

Nelle città i cognomi delle famiglie che abitano negli appartamenti appaiono vicino al citofono.

Pratica

1. In groups of three: You meet a friend at a bar in Palermo. Shake hands, greet one another, and find out what your friend wants to eat or drink. Call the waiter and order for both of you.

2. Call a friend to find out if he/she is free next Saturday. Your friend is free and wants to know why. Explain that you have two tickets for the theater; invite your friend, who accepts gladly and asks what's playing. Tell him/her that the name of the play (**il dramma**) is *Il cameriere sardo*.

Have students stand and act out *Pratica 1* and 2.

Prat. 2: Encourage students to vary the situation by changing the play to a rock concert and by changing the day of the performance.

Vocabolario

Parole analoghe

la confusione
la danza
decidere
il folclore
folcloristico/a
il gruppo
moderno/a
il menù
il programma

Nomi

l'acqua (minerale)   (mineral)
   water
il bicchiere   (drinking) glass
il biglietto   ticket
il caffè   café; coffee
il cameriere   waiter
il canto   song, chant
la limonata   lemon soda,
   lemonade
il panino al prosciutto   ham
   sandwich
lo spettacolo   show
la spremuta d'arancia   freshly
   squeezed orange juice
il tè   tea;   **il tè freddo**   iced tea
il tramezzino al tonno   tuna
   sandwich

Aggettivi

fresco/a   cool, fresh
impegnato/a   busy, engaged
libero/a   free
sardo/a   Sardinian

Verbi

bere   to drink
chiudere   to close
conoscere   to know
credere   to believe, think
domandare   to ask
leggere   to read
perdere   to lose
prendere   to get
promettere   to promise
vedere   to see

Altre parole ed espressioni

dopo   after
dopodomani   the day after
   tomorrow
intanto   meanwhile, in the
   meantime
invece   instead
scusi   excuse (me) (*formal*)
se   if
spesso   often
subito   right away, immediately
tardi   late
che cosa è in programma?
   what's playing?
che si fa?   what are we going to do?
credo di no   I don't think so
credo di sì   I think so
di solito   usually
fare quattro salti   to dance (a little)
giovedì pomeriggio   Thursday
   afternoon
perché no   why not
perdere tempo   to waste time
mi dispiace   I'm sorry
le piace ... ?   do you like ... ?
   (*formal*)
un po' di (+ *noun*)   a little bit of
sabato sera   Saturday evening
si va?   are we going?
stasera   this evening

---

il caffè = il bar

Fruit juice is *il succo di frutta*.
The term *la spremuta
d'arancia* (*di limone, di
pompelmo*) refers only to
freshly squeezed juice.

Pronuncia

La lettera *h*

The letter **h** is silent in Italian. It is used in some forms of the verb **avere (ho, hai, ha, hanno)** and in some interjections (such as **ah, oh,** and **eh**). It is also present, though never pronounced, in some foreign words currently used in Italian (for example, *hobby, habitat,* and *hotel*).

In **ch** and **gh**, the letter **h** helps to form the hard sound of **c** and **g** before the vowels **e** and **i** (**che, chi, analoghe, laghi**).

 Ascolti e ripeta le seguenti frasi. (*Listen and repeat the following sentences.*)

1. Quanti anni hai?
2. Oh, che peccato!
3. Dov'è l'Hotel Pilato?
4. Non ho un hobby.
5. Chiamo il cameriere?
6. Che cosa fai oggi?

Il suono della combinazione *qu*

The sound /**kw**/, as in **quando**, is usually spelled **qu**.

 Ascolti e ripeta le seguenti parole. (*Listen and repeat the following words.*)

qualcosa	**qu**attro	**qu**indici	li**qu**ido
quando	**qu**aderno	cin**qu**e	fre**qu**entare

 Proverbio. Ascolti e ripeta il seguente proverbio. (*Listen and repeat the following proverb aloud.*)

Quando a Roma vai, fa' come vedrai.
When in Rome, do as the Romans do.
(*Literally: When you go to Rome, do as you see.*)

Dittonghi e trittonghi

1. A *diphthong* is a combination of two vowels pronounced as a single syllable.

h**ai**   f**i**gl**i**o   q**ua**le   s**ei**   p**iù**   g**ue**rra

2. A *triphthong* is a group of three vowels pronounced as a single syllable.

m**iei**   t**uoi**   g**uai**   v**uoi**

 Ascolti e ripeta le seguenti parole. (*Listen and repeat the following words.*)

graz**ie**	P**ie**tro	S**ie**na	v**uoi**
b**uo**no	stad**io**	f**ai**	p**uoi**
v**uo**le	p**ia**no	s**ei**	a**iu**tare

Proverbio. Ascolti e ripeta il proverbio. (*Listen and repeat the proverb.*)
Natale con i tuoi e Pasqua con chi vuoi.
Spend Christmas with your family and Easter with whomever you wish.
(*Literally: Christmas with yours and Easter with whom you wish.*)

Explain that when *qu* is preceded by a *c*, as in *acqua, acquistare,* the sound is lengthened slightly, as with a double consonant. Point out that the words *cuore* and *scuola* are spelled with a *c*, despite the *kw* sound. Dictate these sentences; then have students work in pairs to check for spelling: *Chi ha qualcosa da mangiare? Quando e perché studi scienze politiche? Ecco le quattro parole analoghe. Di chi è questo bicchiere?*

Explain that a diphthong is a phonetic group formed by a semivowel (unstressed *i* or *u*) plus a vowel (*a, o,* or *e*). Stressed *i* or *u* combined with *a, o,* or *e* does not constitute a diphthong. A triphthong—uncommon in Italian—is composed of two semi-vowels and one vowel. Remind students that *miei* and *tuoi* are possessive adjectives.

Ex. D: Write the following words on the board or dictate them. Then have students divide them into syllables and check as a class: *Luciana, dispiace, Barbieri, tuoi, aranciata, voglia, ufficio, quale.*

For spelling practice, have students create sentences using sounds in this section and take turns dictating them to a partner.

Ampliamento del vocabolario

I giorni della settimana

The days of the week in Italian, starting with Monday, are:

lunedì	**mercoledì**	**venerdì**	**domenica**
martedì	**giovedì**	**sabato**	

Lunedì (not *domenica*) is the first day of the week on Italian calendars.

1. The days of the week are not capitalized in Italian.

2. All the days of the week except **domenica** are masculine.

3. The definite article is used with days of the week to describe repeated occurrences (*on Mondays, on Tuesdays*). The definite article is omitted when referring to only one specific day. Contrast:

Il venerdì vado al cinema. *On Fridays (Every Friday) I go to the movies.*
Venerdì vado al cinema. *On (this) Friday I'm going to the movies.*

The invariable adjective **ogni** is frequently used with the days of the week in the sense of *every single*.

Ogni martedì vado al caffè. *Every single Tuesday I go to the café.*

Ⓐ In gruppi di tre o quattro: Domandi a due o tre studenti cosa fanno in un determinato pomeriggio di questa settimana. Usi la forma **io** dei verbi in **-are** a p. 67. (*In groups of three or four: Ask two or three students what they are doing on a particular afternoon this week. Use the **io** form of -are verbs on p. 67.*)

▶ — Che cosa fai (lunedì/mercoledì/sabato) pomeriggio?
— Lunedì pomeriggio (studio in biblioteca).

Begin teaching the days of the week by asking: *Oggi è giovedì? Che giorno è oggi?*

Ask students how learning the days of the week helps them. If needed, suggest routines, work schedules, and leisure activities. Also point out that knowing common expressions of time allows them to describe events today, tomorrow, and in the near future.

Announce that Andrea Bocelli will meet students in the cafeteria on Wednesday afternoon. Find out who can come and why others cannot: — *Mercoledì pomeriggio alle quattro c'è un incontro con Andrea Bocelli. Siete liberi?* Expect questions and comments such as *Che giorno? A che ora? Ma io il mercoledì lavoro. Io non sono libero/a mercoledì alle quattro. Chi è Andrea Bocelli?*, etc.

Have students, in pairs, tell their class schedules for the week: *Lunedì alle nove ho lezione di storia, alle undici ... E tu?*, etc.

Ex. A: Have students mingle, asking and answering one question per person. Set a time limit.

B In coppia: Domandi ad un altro studente/un'altra studentessa in quali giorni lavora o studia e qual è il suo orario. (*In pairs: Ask another student which days of the week he/she works or studies and what his/her schedule is.*)

> ▶ S1: In quali giorni lavori (studi)?
> S2: Lavoro (Studio) (il lunedì e il mercoledì).
> S1: Qual è il tuo orario?
> S2: Il lunedì lavoro (studio) dalle (due) alle (sei del pomeriggio), il mercoledì dalle (quattro) alle (dieci di sera).

Ex. B: Have a few students report to the class: *Antonella lavora il lunedì e il venerdì*, etc.

C In gruppi di tre o quattro: Domandi a tre o quattro studenti se fanno o desiderano fare certe cose in determinati giorni di questa settimana. (*In groups of three or four: Ask two or three students if they are doing or wish to do certain things on specific days this week.*)

Ex. C: Have a few students report to the class what others are doing: *Carlo studia in biblioteca il lunedì; Lucia non va al cinema venerdì*, etc.

> ▶ sabato: lavorare
> — Lavori sabato?
> — Sì, lavoro sempre il sabato. (No, di solito il sabato sono libero/a.)

1. lunedì: avere lezione all'università
2. martedì pomeriggio: prendere un cappuccino con me
3. domenica sera: avere voglia di mangiare la pizza con me
4. giovedì sera: pensare di andare al cinema
5. mercoledì mattina: avere lezione d'italiano
6. venerdì sera: desiderare fare quattro salti in discoteca

Alcune espressioni di tempo

Here is a list of some useful time expressions that you can use to refer to events that occur today, tomorrow, on the weekend, and in the near future.

il/la fine settimana weekend	**domani** tomorrow
oggi today	**domani mattina (domattina)**
stamattina this morning	tomorrow morning
oggi pomeriggio this afternoon	**domani pomeriggio** tomorrow afternoon
stasera this evening	**domani sera** tomorrow night
stanotte tonight	**dopodomani** the day after tomorrow
la mattina (in) the morning	
il pomeriggio (in) the afternoon	**lunedì mattina** Monday morning
la sera (in) the evening	**martedì pomeriggio** Tuesday afternoon
la notte (at) night	**mercoledì sera** Wednesday evening
	giovedì notte Thursday night

Stamattina, stasera, and *stanotte* are shortened forms of *questa mattina, questa sera,* and *questa notte.* Both forms are used.

Choose four or five time expressions and tell a classmate what you plan to do or usually do at those times. Then ask what his/her plans are for those times.

D In coppia: Spieghi ad un amico/un'amica quello che lei deve fare da oggi a dopodomani. (*In pairs: Explain to a friend all the things you have to do from today until the day after tomorrow.*)

> ▶ — Oggi sono molto impegnato/a.
> Stamattina ...
> Oggi pomeriggio ...
> Stasera ...
> Domani mattina ... , ecc.

E In coppia: Domandi ad un amico/un'amica cosa fa di solito nel fine settimana. (*In pairs: Ask a friend what he/she usually does on the weekend.*)

> ▶ — Cosa fai di bello nel fine settimana?
> — Di solito la mattina del sabato …

F Faccia le seguenti domande a due o tre studenti. (*Ask two or three students the following questions.*)

1. Come stai oggi?
2. A che ora hai lezione domani mattina?
3. Che cosa fai domani? E dopodomani?
4. Che lezione hai lunedì?
5. Hai voglia di assistere ad un concerto oggi pomeriggio?
6. Cosa guardi stasera alla televisione?
7. Che cosa fai di bello domani mattina? E domani pomeriggio?
8. Compri il giornale la mattina?

Struttura ed uso

Presente dei verbi regolari in -ere

Encourage students to use their imaginations for Exs. D and E. Supply new words and expressions if requested.

Tell students that *la fine settimana* (weekend) is the linguistically correct form since *fine* is a feminine noun. But because, following the popular phrase *il weekend, il fine settimana* is most commonly used, in this book we use this form.

Ex. F: Have one student ask two other students these questions, using the *voi* form of the verb. One of the two should respond using the *noi* form. Supply plural forms of *stare* and *fare*.

I turisti **leggono** la guida e non **vedono** il Colosseo.

Drill *-ere* verbs by having students change the subjects of these model sentences:
1. *Anna legge molto ma scrive poco.* (*tu / gli studenti / io / tu e Orazio / noi*)
2. *Prendono un caffè mentre discutono di sport.* (*noi / i ragazzi / tu e gli amici / Bettina e Lisa*)
3. *Vedo il programma e decido di andare.* (*Alba / loro / tu / Carlo e Giacomo / lui*)

1. The present tense of regular **-ere** verbs is formed by adding the present tense endings **-o, -i, -e, -iamo, -ete,** and **-ono** to the infinitive stem.

prendere	to take
prendo	prendiamo
prendi	prendete
prende	prendono

> Note that the endings for the *io, tu,* and *noi* forms are the same as for *-are* verbs.

2. The following **-ere** verbs are regular in the present tense.

> Read the list of infinitives to the class so that they can hear how the stress differs from that of *-are* verbs. Point out that only in *vedere* is the stress like that of the infinitives of *-are* verbs.

chiedere   to ask for
chiudere   to close
conoscere   to know (*a person or a place*); to meet
credere   to believe
decidere di (+ *infinitive*)   to decide to do something
discutere (di)   to discuss (something)
leggere   to read
mettere   to put, place

perdere   to lose
prendere   to take; to have (to eat or drink); to get
promettere   to promise
ricevere   to receive
rispondere   to answer
scrivere   to write
spendere   to spend (*money*)
vedere   to see
vendere   to sell

> *Discutere* also means "to argue."

> Point out to students that in pronouncing the third person plural of *-ere* verbs, the stress falls on the same syllable as in the first person singular: *spén-do = spéndono; métto = méttono.* Have students practice verbs from the chart.

Bettina e Lorenzo **leggono** il menù.

Bettina and Lorenzo are reading the menu.

Decidono di chiamare il cameriere.
Bettina **prende** un cappuccino.

They decide to call the waiter.
Bettina is having a cappuccino.

— Il bar **chiude** alle dieci?
— **Credo** di sì.

Does the bar close at ten?
I believe (think) so.

Ⓐ Completi i dialoghi con la forma corretta dei verbi fra parentesi. (*Complete the dialogues with the correct form of the verbs in parentheses.*)

> Ex. A: Students can act out these two-part exchanges in pairs.

1. — Enrico, ogni giorno io ti _____ (scrivere) uno o due messaggi elettronici, e tu non _____ (rispondere) mai. Ma non _____ (leggere) i miei messaggi?
   — Sì, sì, certo che _____ (ricevere) i tuoi messaggi e li _____ (leggere) con piacere. Va bene, ti _____ (promettere) che d'ora in poi (*from now on*) ti _____ (rispondere) subito.

2. — Ciao, mamma. Vado al bar a incontrare gli amici.
   — Di nuovo al bar! Ma cosa fate lì?
   — Noi? _____ (prendere) il caffè o magari (*perhaps*) un gelato, e _____ (discutere) di politica o di sport.
   — E _____ (spendere) soldi (*money*) e _____ (perdere) tempo anche!
   — Un po' sì, è vero.

B Completi le seguenti frasi con la forma appropriata del verbo. (*Complete the following sentences with the appropriate form of the verb.*)

Ex. B: Have students find other logical ways to complete the sentences.

▶ io / chiudere / lo zaino   Io chiudo lo zaino.

1. Marina / mettere / i suoi libri nello zaino
2. Tonio ed Alberto / conoscere / una persona famosa
3. tu / vendere / la bicicletta
4. Alba ed io / scrivere / agli amici italiani
5. il professore / rispondere / alle domande
6. voi / discutere / di sport
7. loro / decidere di / ordinare una pizza
8. io / chiedere / qualcosa al professore

C In coppia: A turno chieda e risponda a queste domande con frasi complete. (*Take turns asking and answering the following questions with complete sentences.*)

Ex. C: Make sure students take turns asking and answering each question. When paired work is completed, review the questions with the whole class in a conversational manner.

1. Ricevi molti messaggi elettronici? Rispondi subito?
2. Di che cosa discuti con gli amici? Di sport? Di politica? Di scuola?
3. C'è una cosa che tu perdi spesso? Che cosa?
4. Che cosa prendi di solito la mattina? Caffè? Tè? Latte?
5. Leggi molto? Che cosa leggi? Giornali? Libri?
6. Come scrivi i compiti per i corsi? Con la penna? Con il computer?
7. Vedi molti film? Dove? A casa o al cinema?
8. Conosci una persona famosa? Chi?

D Formuli frasi di senso compiuto per ogni soggetto della colonna A, usando le parole nelle colonne B e C. (*Create coherent sentences about each subject in column A using words from columns B and C.*)

▶ Io scrivo sul quaderno.

A	B	C
io	chiedere	due biglietti per il concerto di
i ragazzi	ricevere	Springsteen
i miei fratelli	perdere	la penna
la studentessa	leggere	al telefonino
tu	vendere	informazioni al poliziotto
io ed un'amica	rispondere	libri di fantascienza
tu e lui	spendere	Giorgio Armani
	conoscere	una telefonata dal presidente
		cento dollari a Wal-Mart

E La famiglia Giulietti è a casa martedì sera. Dica quello che fa ognuno, usando i verbi indicati in basso. (*The Giulietti family is at home Tuesday evening. Say what each person is doing, using the verbs listed below.*)

chiedere	leggere	rispondere	vedere
discutere	prendere	scrivere	

Ex. E: Have students work in pairs to come up with a description of the drawing. When paired work is completed, ask questions like
– *Cosa fa questa signora?*
– *Legge.* — *Cosa legge?*, etc.
Encourage students to give names to the people in the drawing, or to identify the relationship: *la madre*, etc.

Formulare le domande

—**Dove** vai? **Con chi? Quando** torni?
—**Perché** tante domande?

1. Questions that can be answered *yes* or *no* often use the same phrasing and word order as declarative sentences.

Desidera qualcosa da mangiare.	*He wants something to eat.*
Desidera qualcosa da mangiare?	*Does he want something to eat?*

There are three possible ways to signal that such sentences are questions.

a. by using rising intonation at the end of a question

   Sei libera sabato sera?

   Si va a ballare?

b. by adding a tag phrase like **non è vero?** or **no?**

Paola prende una spremuta d'arancia, **non è vero?**

Il bar chiude a mezzanotte, **no?**

c. by naming the subject (noun or pronoun) at the end of the question instead of in its normal position at the beginning of the sentence

Prendono qualcosa **i signori?**
Arriva anche **Bettina?**

2. Questions that ask for specific information are introduced by interrogative words. The subject, if stated, usually follows the verb.

come?	how?	**Come** stai?
che (cosa)?	what?	**Che cosa** si fa sabato sera?
chi?	who?	**Chi** va al cinema?
dove?	where?	**Dove** vai con gli amici?
quando?	when?	**Quando** comincia lo spettacolo?
quale/i?	which?	**Quale** film desideri vedere?
quanto/a?	how much?	**Quanto** costano i biglietti?
quanti/e?	how many?	**Quanti** anni hai?
perché?	why?	**Perché** non si va domani?

Have paired students reread the dialogue on p. 81 and then ask each other questions about it.

Che?, *che cosa?*, and *cosa?* are interchangeable. They all mean *what?*

Tell students that prepositions such as *a*, *di*, *con*, and *per* precede the interrogative words *chi*, *che*, and *che cosa*. *Con **chi** parlano?* / *Di **che cosa** parlano?*

3. The interrogative adjectives **quale?** and **quanto?** agree in gender and number with the nouns they modify.

Quanto tempo abbiamo?
Quante granite prendi?
Quanti studenti ci sono nella tua classe?
Quante persone ci sono nella tua classe?
Quale università frequenti?
Quali corsi segui?

Tell students that *quale?* (which one?) becomes *qual?* before *è*. *Qual è il tuo numero di telefono?*

(F) Trasformi ciascuna delle seguenti frasi in domande, usando gli schemi indicati. (*Transform each of the following statements into questions, using the patterns indicated.*)

▶ Maria lavora oggi.   Maria lavora oggi?
Maria lavora oggi, non è vero?
Lavora oggi Maria?

1. Franco parla con la moglie.
2. Paola e Nicola sono a Roma.
3. La discoteca chiude tardi.
4. Tina è libera oggi.
5. Sua sorella sta bene.
6. Lei è italiano.
7. Carlo e Cesira hanno lezione.

G Formuli delle domande logiche per le seguenti risposte. (*Ask logical questions for the answers below.*)

Ex. G: There may be more than one possible question for some answers.

▶ Marco va al cinema.   Dove va Marco?/Chi va al cinema?

1. Gli studenti di arte sono al museo.
2. Arrivano al museo con l'autobus.
3. Tornano dal museo più tardi.
4. Guardano le sculture medievali.
5. Uno studente compra una guida del museo.
6. La professoressa arriva alle due.
7. È in ritardo perché c'è molto traffico.
8. Parla con il direttore del museo.
9. Incontra gli studenti alla porta.
10. Discutono di arte.

H In coppia: Domandi ad un altro studente/un'altra studentessa con chi fa le seguenti cose. (*In pairs: Find out from another student with whom he/she does the following things.*)

Ex. H: If you normally do some of these things by yourself, say *Studio da solo/a.*

▶ S1: Con chi studi?
  S2: Studio con …

1. studiare per gli esami
2. giocare a tennis
3. abitare
4. discutere di sport o di politica
5. guardare la televisione
6. mangiare
7. passare le vacanze
8. parlare al telefono

Have students alternate asking and answering the questions in Ex. H.

I In coppia: Faccia vedere una fotografia di un/una parente o di un amico/un'amica. Risponda ad almeno sei domande sulla persona nella foto. (*In pairs: Show a photograph of a relative or friend to a partner. Your partner will ask at least six questions about the person in the photograph. Answer the questions.*)

Ex. I: If a student does not happen to have a photograph in his/her wallet or purse, use an appropriate photo from the text and let S2 improvise the answers. Or bring in magazine or newspaper photos of famous people.

▶ S1: Come si chiama?   S1: Dove abita?
  S2: Si chiama …   S2: Abita a …

J Risponda alle seguenti domande con frasi complete. (*Answer the following questions with complete sentences.*)

1. Qual è il suo numero di telefono?
2. Qual è il suo giorno preferito?
3. Qual è la capitale dell'Italia? E qual è la città italiana più popolata?
4. Quali lingue parlano in Svizzera?
5. Quante sono le regioni italiane? Quante sono le province?
6. Quali sono i principali fiumi italiani?
7. Quante settimane ci sono in un anno? E mesi?
8. Quanti capitoli ci sono in questo libro? Quale lezione studiate adesso?

In coppia: Legga la cartolina scritta da un giovane americano che viaggia in Europa. Poi faccia ad un altro studente/un'altra studentessa cinque domande basate sulle informazioni scritte sulla cartolina. (*In pairs: Read the postcard below written by a young American traveling in Europe. Then ask a partner five questions about the information in the postcard.*)

Ex. K: Have students prepare questions and answers for homework.

Have students close their books when doing this activity to see what information they remember from the postcard.

Caro Giuseppe (Joe),

   Come stai? Io sto benissimo. Ora siamo a Palermo e ti scrivo dall'ufficio postale. Sono qui con Stefano e con altri amici. Stiamo nell'Albergo Tricornia. Non è molto elegante, ma costa poco. Ogni giorno visitiamo musei, chiese, ecc. La sera frequentiamo le discoteche, perché desideriamo conoscere ragazze italiane! Domani partiamo per l'Austria. Arriviamo a Chicago l'8 agosto.

                    A presto,
                    Michele

€ 0,52

Joe Cardarelli
700 Plains Ave
Arlington Heights,
IL 60005

U.S.A.

Verbi irregolari: *dare, fare, stare*

1. **Dare, fare,** and **stare** are irregular in some forms of the present tense.

dare	*to give*	*fare*	*to do; to make*	*stare*	*to stay; to be*
do	diamo	**faccio**	**facciamo**	sto	stiamo
dai	date	**fai**	fate	**stai**	state
dà	**danno**	fa	**fanno**	sta	**stanno**

Notice the patterns in the *tu* forms and in the *loro* forms: *dai, fai, stai; danno, fanno, stanno.*

— A chi **dà** il cappuccino?
— **Do** il cappuccino al signore seduto al bar.

— Che cosa **fate** stasera?
— Non **facciamo** niente di speciale.

— Come **stanno** le tue sorelle?
— Chiara **sta** molto bene, ma Mariella **sta** un po' male.

Point out the written accent on the verb *dà*, explaining that this accent differentiates the verb *dà* from the preposition *da*. Ask them if they know a similar pair of words (*è* and *e*).

2. Fare is used in many common idiomatic expressions.

fare bel tempo to be nice (*weather*)	Oggi **fa bel tempo**?
fare caldo to be hot (*weather*)	Sì, stamattina **fa caldo**.
fare freddo to be cold (*weather*)	Ma più tardi **fa freddo**.
fare una passeggiata to go for a walk	Desideri **fare una passeggiata**?
fare due passi to go for a short walk	Bene, perché non **facciamo due passi**?
fare un giro to take a ride; to take a short walk	Hai voglia di **fare un giro** in macchina con me?
fare una gita to take a short trip	Gli studenti **fanno una gita** scolastica domani.
fare un viaggio to take a longer trip	A dicembre **fanno un viaggio** in Italia.
fare una domanda to ask a question	Lorenzo **fa una domanda** a Bettina.
fare colazione to eat breakfast (or lunch)	**Facciamo colazione** al bar?
fare una fotografia to take a picture	Sì, ma prima **faccio alcune fotografie** della piazza.

fare la spesa

> Italians often use *due* or *quattro* to mean "a few" or "a little": *fare due passi, fare due chiacchiere, fare quattro salti.*

3. Stare in the sense of *to be* is used primarily with expressions of health.

— Come **state**?   *How are you (feeling, doing)?*
— **Stiamo** bene, grazie.   *We're fine, thank you.*

Many Italians use **stare** to mean *to be in a place.*

— Dove **sta** il papà?   *Where's Dad?*
— **Sta** ancora in ufficio.   *He's still at the office.*

4. Dare is also used in the expression **dare un esame** (*to take a test*).

— Quando **dà** gli esami?
— **Do** l'esame di storia giovedì, e **do** quello d'inglese fra due settimane.

L Sostituisca il soggetto delle seguenti frasi con quelli indicati, coniugando il verbo nella forma appropriata. (*In the following sentences, replace the subject with those given in parentheses, changing the verb accordingly.*)

1. Che cosa fate domani? (tu / loro / la professoressa / noi)
2. Sto abbastanza bene. (il professor Massi / tu e Sergio / gli studenti / noi)
3. Diamo l'esame di storia domani. (lui / Margherita / tu / io e tu / loro)

M Guardi il disegno dei regali che Francesca riceve per il suo compleanno. Dica chi dà un regalo a Francesca. (*Look at the drawing of the gifts that Francesca is receiving for her birthday. Say who is giving a gift to Francesca.*)

Ex. M: Have students offer guesses of what the gifts are: *I nonni danno un orologio a Francesca.*

▶ I nonni (*grandparents*) danno un regalo a Francesca.

N Cerchi di sapere qualcosa di un altro studente/un'altra studentessa, facendogli/le le seguenti domande. (*Find out more about your partner by asking him/her the following questions.*)

1. Fai spesso fotografie? Di che cosa?
2. Cosa fai giovedì mattina? E giovedì sera?
3. Stai a casa quando fa bel tempo?
4. Cosa dai a tua madre per il suo compleanno (*birthday*)?
5. Fai una passeggiata se fa freddo?
6. Fai una gita questo fine settimana? Con chi? Dove andate?
7. Come stai oggi? Come sta la tua famiglia?
8. Fai colazione ogni mattina? A che ora?
9. Quando dai l'esame d'italiano?

Before doing Ex. O, brainstorm with the class to come up with activities that are likely during good weather, etc. Have students take turns asking and answering the questions or have them move around the class and talk with 4–5 classmates.

O Domandi ad un altro studente/un'altra studentessa che cosa fa quando fa bel tempo, quando fa caldo e quando fa freddo. (*Ask another student what he/she does when the weather is nice, when it is hot, and when it is cold.*)

▶ S1: Che cosa fai quando fa bel tempo?
  S2: Gioco a tennis, faccio una passeggiata. ...

  For further practice of lesson topics, log on to the *Oggi in Italia* website and/or do the CD-ROM activities.

Parliamo un po'

A **Un sondaggio.** In gruppi di quattro: Faccia un sondaggio su tre compagni di scuola per sapere cosa leggono. Prenda appunti e poi riferisca i risultati alla classe. (*In groups of four: Conduct a survey with three other students to find out what they read. Take notes and then report the results to the class.*)

Act. A: You may want to practice the questions with the class before doing the activity. Have students ask questions in complete sentences: *Quali giornali leggi?* Ask students to move around the room, and encourage them to speak to people they don't usually work with.

For writing practice, have students summarize the results of one student in a paragraph.

	Studente/Studentessa		
	1	**2**	**3**
Nome	___	___	___
Legge i giornali?	___	___	___
Quali?	___	___	___
Quante volte alla settimana?	___	___	___
Riviste?	___	___	___
Quali?	___	___	___
Libri?	___	___	___
Quanti all'anno?	___	___	___
Libri scolastici o romanzi (*novels*)?	___	___	___

B **Il progetto.** In coppia: Lei deve fare insieme a un compagno/una compagna di classe un progetto che richiede almeno quattro ore. Domandi al compagno/alla compagna qual è il suo orario per i prossimi sette giorni. Cercate di trovare un periodo di tempo libero per completare il progetto. (*In pairs: You and a classmate are doing a project together that will take at least four hours. Ask your classmate what his/her schedule is for the next seven days. Try to find a time when you are both free to complete the project.*)

Act. B: Review time expressions in the *Ampliamento del vocabolario* section of this chapter if necessary.

▶ S1: Io sono libera domani mattina dalle nove all'una. E tu?
  S2: Io non sono libero. Ho lezione di chimica a mezzogiorno. E mercoledì pomeriggio che fai?
  S1: Mercoledì lavoro. E giovedì mattina?…

Ordinazioni per telefono. In coppia: Telefoni al bar vicino all'ufficio dove lei lavora e ordini qualcosa da bere e da mangiare per se stesso/a e per altre due persone che lavorano con lei. Collabori con un altro studente/un'altra studentessa (il proprietario del bar) che risponde alla sua telefonata. (*In pairs: Phone the bar near the office where you work and order something to eat and drink for yourself and for two other people who work with you. Create a dialogue with another student who will play the part of the bar owner.*)

Act. C: Extend dialogue by having the barista *arrive with the order. The order can go smoothly or may have to be rectified.*

Bar pizzeria Il Gabbiano

034.94.90.78

Panini e tramezzini	€3,50
Pizzette	€2,75
Gelati cono	€1,70/2,50
Paste	€2,00
Caffè	€1,25
Cappuccino	€2,00
Granite limone/caffè	€3,30
Acqua minerale	€1,00
Succo di frutta	€1,75
Bibite in lattina[1]	€1,50

1. Drinks in a can

It is common for bars in Italian cities to deliver coffee and sandwiches to nearby workplaces. Office workers can call in their orders by telephone.

D **Dove andiamo?** In gruppi di tre: Lei è ad un caffè all'aperto con un gruppo di amici dopo le lezioni. Domandi ad ognuno degli amici cosa ha voglia di fare dopo. Tra di voi, decidete dove andare e cosa fare. (*In groups of three: You are at an outdoor café with a group of friends after classes. Ask the others what they feel like doing later. Decide together where to go and what to do.*)

Act. D: Once students have all expressed their opinions and made a decision, encourage them to be specific in their plans and then tell the class what they plan to do.

Possibili attività:

vedere un film italiano
fare quattro salti in discoteca
ascoltare un concerto
prendere qualcosa da bere

fare una passeggiata
mangiare una pizza
tornare a casa

Al concerto. Questa settimana c'è una serie di concerti fantastici, e lei desidera andare ad uno degli spettacoli che seguono. Decida quale concerto preferisce vedere, e poi inviti un amico/un'amica ad andare con lei. Discutete anche quando e dove ha luogo il concerto, e se volete fare qualcosa prima o dopo il concerto. (*This week there is a series of great concerts and you would like to go to one of the following shows. Decide which concert you prefer to see, and then invite a friend to go with you. Discuss with your friend when and where the concert will take place, and if you want to do anything before or after the concert.*)

Act. E: Have some students decline the invitation with a polite excuse. S1 may propose one of the other concerts instead.

Have students look up some of these groups and performers on the Internet and share their findings with the class.

SABATO
Edoardo Bennato
*Teatro Tenda Pianeta,
ore 21*
Eiffel 65
*Teatro olimpico,
ore 22*

DOMENICA
883
*Teatro Tenda,
ore 20*
Laura Pausini
*Discoteca Ciao Ciao,
ore 21*

LUNEDÌ
Modena City
Ramblers
*New Age Club,
ore 21*
Pino Daniele
Palasport, ore 2.30

MARTEDÌ
Pitura Freska
*Discoteca Mambù,
ore 20.30*
Jovanotti
*Live Club,
ore 19.30*

MERCOLEDÌ
Yuppie Flu
*Teatro Tenda,
ore 22*
Ivano Fossati
*Discoteca Grande
Fratello, ore 19.30*

GIOVEDÌ
Articolo 31
Palasport, ore 20
Snaporaz
*New Age Club,
ore 21*

VENERDÌ
I Pooh
*Teatro Tenda,
ore 19.30*
Vasco Rossi
*Discoteca Mambù,
ore 22*

Conoscere l'Italia

 Un po' di geografia. Completi le seguenti frasi con una parola appropriata della lista indicata. Ci sono due parole in più nella lista. (*Complete the following passage with an appropriate word from the list. There are two extra words on the list.*)

Have students refer to the map on p. 14 and locate the places mentioned in the reading.

Have students find at least seven cognates in this reading.

arance   paese   greci   città
mare   storia   isola   regione

1. L'Italia è un _____ .
2. La Sardegna è un' _____ .
3. Genova è una _____ .
4. Il Mediterraneo è un _____ .
5. I _____ sono gli abitanti della Grecia.
6. L'Abruzzo è una _____ del centro Italia.

LA SICILIA

Taormina: Il teatro greco (III secolo a.C.) e sullo sfondo, l'Etna.

La Sicilia è un'isola vicino alla punta dello "stivale[1]" italiano ed è una delle più belle e pittoresche regioni del paese. Ricca[2] di storia, tradizioni e cultura, la Sicilia ha molte costruzioni artistiche di origini diverse. In questa regione ci sono anche monumenti antichi molto belli che ricordano[3] la presenza dei greci, dei romani, degli arabi e dei normanni.

Circondata dal mare Mediterraneo, la Sicilia ha spiagge[4] stupende. Le città principali della Sicilia sono Palermo, il capoluogo, Catania, Messina e Siracusa. Vicino a Catania c'è il monte Etna, uno dei tre vulcani attivi d'Italia. Grazie al suo clima mite[5], la Sicilia produce molta frutta, specialmente arance, mandarini[6], limoni e mandorle[7].

1. "boot"   2. Rich   3. call to mind   4. beaches   5. mild climate
6. tangerines   7. almonds

As you look at the map of Italy on p. 14, notice that the shape of Italy resembles that of a boot (*uno stivale*). Locate the major cities of Sicily.

The Normans were ancient Scandinavian people who settled in northern France in the tenth century and later moved on to conquer Sicily.

The other two active volcanos in Italy are Mount Vesuvius, near Naples, and Stromboli, on one of the Eolian Islands near Sicily.

 Domande. Risponda alle seguenti domande basate sulla lettura. (*Answer the following questions based on the reading.*)

1. Dov'è la Sicilia?
2. Di che cosa è ricca la Sicilia?
3. Che cosa ricordano i monumenti antichi siciliani?
4. Quali sono le città principali della Sicilia?
5. Che cosa è l'Etna?
6. Che cosa produce la Sicilia?

Definizioni. Prima di leggere il seguente brano, abbini le definizioni con una parola della lista a destra. Ci sono due definizioni in più nella lista. (*Before reading the following passage, match the definitions with a word from the list on the right. There are two extra definitions in the list.*)

1. l'autunno
2. sinonimo di *paese*
3. nome legato a *bello*
4. un vulcano
5. un mese dell'anno
6. un gelato particolare della Sicilia
7. è come dare un Nobel

a. l'Etna
b. la granita
c. una stagione
d. la bellezza
e. l'appuntamento
f. giugno
g. il borgo
h. i dolci
i. premiare

Authentic magazine or newspaper excerpts such as this one occasionally are included in the book. Help students learn to recognize cognates and read for the gist. They do not need to understand every word to get the basic message.

RIPOSTO (CATANIA)

LE GRANITE, L'ETNA E IL MARE

di Gianluca Fiorentini

I dolci[1], le granite, l'Etna alle spalle che si staglia[2] sul mare. Riposto, tra Taormina e Acireale, è un borgo marinaro di indubbia[3] bellezza. Un paese ospitale in tutti i mesi dell'anno, ma in particolare con la bella stagione, con due appuntamenti da non mancare[4]: la festa del Patrono, San Pietro, che si tiene[5] il 29 giugno e l'iniziativa Capitani Coraggiosi, prevista per il 4 settembre. Con questa manifestazione vengono premiati i migliori uomini di mare del luogo.

1. sweets   2. stands out
3. undoubted   4. not to miss
5. is held

L'APPUNTAMENTO
DOVE: PROVINCIA DI CATANIA
OCCASIONE: FESTA DEL PATRONO SAN PIETRO

Caratteristica veduta dal mare della cittadina siciliana Riposto. Sullo sfondo il vulcano Etna coperto di neve.

Throughout Italy, patron saints enjoy an important place in the life of small towns and big cities as well. On a specific day of the year, the patron saint is celebrated with religious ceremonies, processions, and other festive activities such as fairs, concerts, and other entertaining events.

B **Vero o falso?** In coppia: A turno identificate le seguenti frasi come vere o false secondo il brano precedente. Correggete le frasi false. (*In pairs: Take turns identifying the following sentences as true or false according to the preceding passage. Correct the false sentences.*)

1. L'Etna è un vulcano della regione Campania.
2. Riposto è un paese siciliano vicino al mare.
3. Il patrono di Riposto è San Paolo.
4. La festa del patrono è il 13 giugno.
5. Con la manifestazione Capitani Coraggiosi vengono premiate le migliori granite di Riposto.

Sicilians have a very close rapport with the sea, and the fishing industry is an important economic resource of this region.

Granita al limone, latte di mandorla, succo di cocomero, spremute varie: non manca proprio niente in questo chiosco.

Una bambina in costume aspetta l'arrivo della sfilata di Carnevale nella cittadina di Scandicci vicino a Firenze.

Lezione 5

Ad un ballo in maschera

Communicative Objectives

- Talk about costumes and costume parties
- Describe people, places, and things
- Express preferences
- Talk about where you and others are going

 Show the *Oggi in Italia* video segment and do the video activities.

Point out that, from this chapter on, instructions are in Italian only. Be sure students understand what they are to do in exercises by demonstrating, modeling, etc. Tell students to use the models and context to decipher meaning, if possible, before looking up words.

È la settimana di Carnevale e in tutta la città c'è un'atmosfera di allegria. Giulia Magrini e Francesca Cipriani vanno in giro per le vie del centro di Perugia. Mentre guardano le vetrine dei negozi, sentono la voce del loro amico Massimo Damiani.

MASSIMO:	Salve, ragazze, come mai° siete qui?	*how come*
GIULIA:	Siamo qui per fare acquisti. Cerchiamo un costume originale.	
MASSIMO:	Venite anche voi alla festa di Roberto Santini?	
5 FRANCESCA:	No, non conosciamo Roberto Santini.	
GIULIA:	Noi andiamo al ballo in maschera all'Università per stranieri.	
FRANCESCA:	Ti suggeriamo di venire con noi.	
MASSIMO:	Preferisco veramente la vostra compagnia ma ...	
10 FRANCESCA:	Hai già un costume particolare°?	*special*
MASSIMO:	Sì, penso di indossare un costume semplice ed economico, una bella toga romana. Capite bene che non ho voglia di spendere molto. Voi invece quali costumi avete in mente°?	*in mind*
GIULIA:	Io preferisco un costume elegante. Desidero vestire come una bella donna dell'alta società dell'Ottocento°. Il problema è che il vestito è molto caro.	*19th century*
15		Tell students that *l'Ottocento* stands for the nineteenth century, also called *il diciannovesimo secolo*.
MASSIMO:	E tu, Francesca, chi preferisci essere?	
FRANCESCA:	Ancora non lo so. Giulia mi suggerisce d'indossare un'uniforme militare.	
20 MASSIMO:	Davvero? Ti piace per caso° seguire la carriera militare?	*by chance*
FRANCESCA:	No, ma per una sera posso° impartire ordini a tutti gli invitati.	*I can*
MASSIMO:	Allora, agli ordini, signor generale! Ora vado ma forse ci vediamo al ballo in maschera. Ciao.	

Domande

1. Perché c'è un'atmosfera di allegria nelle vie della città?
2. Perché sono in centro le due ragazze?
3. Perché hanno bisogno di costumi i tre amici?
4. Cosa pensa di indossare Massimo per la festa di Carnevale?
5. Perché preferisce questo costume?
6. Com'è il costume che Giulia pensa di indossare?
7. Cosa pensa di indossare Francesca?

After students have responded to the *Domande*, challenge them to retell what happens in the dialogue.

Have students read the opening paragraph of the dialogue. Explain that *Carnevale* is celebrated the week before Ash Wednesday, when Lent, the 40 days of penitence and fasting before Easter, begins. Children wear costumes and parade in the city center with their parents. Young people go to all-night costume parties and play jokes on their friends. According to an old saying, *Di Carnevale, ogni scherzo vale.* "All jokes are allowed (*anything goes*) at Carnival."

SIMBOLO E MANIFESTO UFFICIALE
DEL CARNEVALE DI FOIANO

Carnevale is the week before Ash Wednesday, when Lent begins. People wear costumes and attend masked parties and balls. The word *Carnevale* comes from the Latin *carne* (meat) and *vale* (farewell); that is, "farewell to meat" during Lent.

Dove fare gli acquisti

I negozi eleganti sono quasi tutti nelle vie del centro delle città italiane. Ma di solito la merce[1] è molto cara. Fino a[2] pochi anni fa[3] la maggior parte della gente faceva[4] gli acquisti nei piccoli negozi di quartiere[5], meno pretenziosi e meno cari. Ora molti di questi negozi chiudono a causa della concorrenza[6] dei centri commerciali che si trovano nelle zone periferiche delle città. La facile accessibilità con l'automobile, la possibilità di trovare parcheggio senza problemi e la grande quantità e varietà di merce a prezzi più economici attraggono sempre di più gli italiani. Molto frequentati sono anche i mercati e i mercatini specializzati all'aperto dove è possibile fare la spesa[7] e comprare prodotti personali e per la casa.

In alcune città ci sono anche i mercati dell'usato[8], come quello di Porta Portese a Roma. Situato in una zona lungo[9] il fiume Tevere, il mercato di Porta Portese prende il nome dalla Porta Portese, una delle porte esistenti[10] nelle mura che circondavano[11] la Roma antica. Questo mercato, dove è possibile acquistare a buon mercato[12] prodotti di ogni genere e oggetti d'arte e di antiquariato[13], ha luogo ogni domenica.

- Come sono i negozi dove gli abitanti della sua città fanno le spese?

- Nella sua città ci sono negozi piccoli e mercati all'aperto? Che cosa vendono?

 Il mercato di Porta Portese a Roma offre un po' di tutto.

> The Tevere (Tiber) is the river that flows through Rome.

> Walking along the main street (*corso*) to window-shop and to meet and chat with friends is a traditional activity in Italian cities and towns.

1. merchandise   2. Until   3. ago   4. used to make   5 neighborhood   6. competition   7. to shop for groceries
8. secondhand markets   9. along   10. existing   11. surrounded   12. inexpensive   13. antiques

Domande personali

1. Di solito lei va in giro per il centro? Quando? Con chi?
2. Di solito dove va a fare gli acquisti?
3. Lei va a balli in maschera? Quando? Dove? Con chi?
4. Lei preferisce indossare un costume tradizionale o moderno?
5. Preferisce un costume semplice ed economico o un costume caro ed elegante?

Have students ask each other the *Domande personali,* using the *tu* form of the verb.

Ask students if they go to Halloween parties.

Situazioni

1. Domandi ad un amico/un'amica dove va.

  ▶ — Dove vai oggi pomeriggio?
     — Vado al centro a fare acquisti (a guardare le vetrine/a prendere un gelato con gli amici/a fare due passi).

2. Lei desidera sapere come sono i negozi vicino all'università.

  ▶ — Come sono i negozi vicino all'università?
     — Sono cari (economici/grandi/piccoli/eleganti).

> *Vado* (I go) and *vai* (you go, informal) are present tense forms of *andare* (to go).

> Sit. 1: Have students work in pairs or circulate and ask three or four classmates. Encourage them to invent other responses.

> Sit. 2: Have students ask their partners about the restaurants near the university, or ask other students: *Come sono i negozi del centro della tua città? / Del centro commerciale? / Del tuo quartiere?*

> Have volunteers act out their dialogues for the class.

Pratica

1. In coppia: Lei organizza una festa a casa sua. Telefoni ad un amico/un'amica e lo/la inviti. L'amico/amica desidera sapere il giorno e l'ora della festa, e domanda se lei ha bisogno di qualcosa da bere o da mangiare per gli invitati.

2. In gruppi di tre: C'è una festa di Halloween all'università. Dite quale costume indossa ciascuno (*each*) di voi e perché.

  ▶ — Io penso di indossare il costume (di Arlecchino) perché è un costume allegro. E tu?
     — Io ...

> Halloween parties are becoming very popular in Italy. Introduced by American TV and movies, Halloween offers the chance to wear costumes associated with ghosts and scary characters from horror films.

> Prat. 2: Review adjectives if necessary. Have students supply adjectives that apply to one or two of the costumes or ask students questions such as *È elegante una toga romana? O è semplice?* Offer some costume suggestions, such as *l'uomo pipistrello, l'uomo ragno, Topolino, Cenerentola, il gatto con gli stivali, Superman, la donna meravigliosa,* etc.

Vocabolario

<table>
<tr><td colspan="4">

Parole analoghe

</td></tr>
<tr><td>l'atmosfera</td><td>elegante</td><td>originale</td><td>la società</td></tr>
<tr><td>la carriera</td><td>il generale</td><td>il problema</td><td>la toga</td></tr>
<tr><td>la compagnia</td><td>militare</td><td>romano/a</td><td>l'uniforme (*f.*)</td></tr>
<tr><td>il costume</td><td>l'ordine (*m.*)</td><td></td><td></td></tr>
</table>

Nomi

l'acquisto purchase	la ragazza girl
l'allegria joy	il vestito dress
la donna woman	la vetrina store window
la festa party	la via street
l'invitato/a guest	la voce voice
l'Ottocento 19th century, the 1800s	

Verbi

capire   to understand
conoscere   to know
indossare   to wear
preferire   to prefer
seguire   to follow
sentire   to hear
suggerire   to suggest
venire (*irreg.*)   to come
vestire   to dress

Aggettivi

bello/a   beautiful
caro/a   expensive
economico/a   cheap, inexpensive
scorso/a   last, past
semplice   simple

Altre parole ed espressioni

ancora   yet
benissimo   very well
che   that; who
davvero?   really?
forse   perhaps
già   already
mentre   while
molto   very, much, a lot
molti/e   many
qui   here
tutto/a   all
veramente   really
andare in giro   to go around
il ballo in maschera   masquerade
  ball
fare acquisti   to make purchases
impartire ordini   to give orders
non lo so   I don't know

I suoni della *c*

The sounds of the letters **c** and **ch** in Italian differ from English. **Ch** is always pronounced /**k**/, as in *chemistry*. When the letters **c** and **cc** appear before *a*, *o*, or *u*, they are always pronounced /**k**/, as in *cold*. Before *e* and *i*, however, **c** and **cc** are pronounced like the *c* in *ancient*.

> Remember: *c* and *cc* before *e* and *i* = the sound of *c* in *ancient*.

  A   Ascolti e ripeta le seguenti parole.

perché	caro	ricevere	dieci
maschera	piccolo	piacere	facile
chi	Franco	liceo	vicino
chiamo	costume	centro	cappuccino
vecchio	ricco	voce	faccia

Ex. A: Say these words aloud and challenge students to spell them: *certo, chimica, cerchi, cielo, cinese, pacco, faccia.*

B   **Proverbio.** Ascolti e ripeta il seguente proverbio.

In bocca chiusa non entrano mosche.
Silence is golden.
(*Literally: Into a closed mouth no flies will enter.*)

Ex. B: Teach students: *Patti chiari, amici cari.* (Clear agreements make good friends.)

Ampliamento del vocabolario

Caratteristiche personali

Note that an adjective that ends in **-o** usually refers to a male, one that ends in **-a** to a female. An adjective that ends in **-e** may refer to either a male or a female.

Anna è **bassa**. Paola è **alta**.

Enrico è **grande**. Carlo è **piccolo**.

Laura è **divertente**. Marisa è **noiosa**.

Dino è **grasso**. Aldo è **magro**.

La signora Baschi è **ricca**. La signorina Donato è **povera**.

Luisa è **allegra**. Giulietta è **triste**.

Il diavolo è **cattivo**. L'angelo è **buono**.

Pietro è **giovane**. Il nonno è **vecchio**.

Giorgio è **calmo**. Alberto è **nervoso**.

Altre caratteristiche personali

bello/a beautiful, handsome
dinamico/a dynamic, energetic
disinvolto/a carefree, self-possessed
cortese kind, courteous, polite
ingenuo/a naive
simpatico/a nice, pleasant
gentile kind, courteous
onesto/a honest
generoso/a generous
sincero/a sincere
intelligente intelligent
prudente careful, cautious

brutto/a ugly
pigro/a lazy
timido/a shy, timid
scortese unkind, rude
furbo/a shrewd
antipatico/a unpleasant
sgarbato/a rude
disonesto/a dishonest
egoista selfish
falso/a insincere
stupido/a stupid
audace bold, daring

Tell students that these adjectives will help them describe physical and abstract personal traits.

After students have learned the Italian adjectives, ask them to describe a family member, another student, or a celebrity using at least three of the adjectives.

If requested, provide new words or expressions as students describe themselves or other people.

 A In coppia: A turno (*In turn*) descrivete le persone rappresentate nel disegno (*drawing*). Usate almeno (*at least*) quattro aggettivi in ogni descrizione.

Ex. A: Ask students what some well-known people are like: *Com'è il presidente degli Stati Uniti? E Ben Affleck? E Helen Hunt?* etc.

▶ Maria Montesi — Com'è Maria Montesi?
  — È ricca, ed è anche ...

 B Descriva le seguenti persone con un aggettivo appropriato.

▶ — La signora Fanti ha molti soldi e fa sempre molti acquisti.
  — È molto ricca.

1. Il dottor Valenti non lavora. Ha novantadue anni.
2. Marina adora ballare e cantare.
3. Mio fratello ha quindici anni e frequenta il liceo.
4. Mia sorella guarda sempre la televisione e non studia molto.
5. Tiziana non presta i libri agli amici.
6. Luigi non offre il gelato a nessuno.
7. Sandro non ha paura di parlare in classe. Parla italiano senza esitare (*without hesitating*).

Ex. B: Challenge students to add a comment that is plausibly related to the first. For example, after *È molto ricca*, they may say *Abita in una grande villa fuori Roma.*

C In gruppi di tre o quattro: Domandi quali caratteristiche devono avere le seguenti persone. Usi due o tre aggettivi per persona.

> un amico   — Quali caratteristiche deve avere un amico?
>   — Un amico deve essere sincero, buono e generoso.

1. un dottore/una dottoressa
2. un attore/un'attrice
3. un professore/una professoressa
4. uno studente/una studentessa
5. un cameriere/una cameriera
6. un/un'atleta (*athlete*)

Ex. C: Elicit other roles and activities and the characteristics students think they call for.

Have students take turns asking and answering. Follow up by asking a few groups about one or two of the people listed.

D In coppia: Lei cerca lavoro come animatore/animatrice (*entertainer*) in un campeggio per ragazzi. Descriva se stesso/a al direttore del campeggio, dicendo di dov'è, quale scuola frequenta, la sua età, le sue caratteristiche fisiche e alcuni aspetti della sua personalità.

> — Allora, signore (signorina), mi parli un po' di lei.
> — Bene, mi chiamo ...

Ex. D: Give students one minute to jot down all the qualities they can think of. Have students play both roles.

Struttura ed uso

Concordanza degli aggettivi qualificativi

1. In Italian, descriptive adjectives **(aggettivi qualificativi)** agree in number and gender with the nouns they modify. There are two main types of descriptive adjectives: those with four forms and those with two forms.

   a. Adjectives whose masculine singular form ends in **-o** have four forms.

Remember, it is the gender and number that agree, not necessarily the final letter: *una festa elegante*.

alto *tall*		
m. sing.	alto	Quel signore tedesco è **alto.**
f. sing.	alta	Anche sua moglie è **alta.**
m. pl.	alti	I figli del signore sono **alti.**
f. pl.	alte	Anche le sue sorelle sono **alte.**

Note: Adjectives ending in **-io** drop the second **i** in the masculine plural: **vecchio / vecchi.**

Adjectives with four endings are more numerous, but many common adjectives, such as *giovane* and *grande*, have two endings.

The possessive adjectives that you learned in *Lezione 2* all have four forms with the exception of *loro*, which is invariable: *il loro costume, le loro amiche*, etc.

b. Adjectives whose masculine singular form ends in **-e** have two forms.

elegante *elegant*		
m. sing.	elegant**e**	È un vestito **elegante**.
f. sing.	elegant**e**	Ritorno da una festa **elegante**.
m. pl.	elegant**i**	In questa città i negozi sono **eleganti**.
f. pl.	elegant**i**	Mi piacciono le vetrine **eleganti**.

If students use the adjective *egoista*, tell them that it belongs to another class of adjectives with three endings: *-ista, -isti,* and *-iste.*

2. When an adjective modifies two or more nouns of different gender, the masculine plural form is always used.

Francesca e il suo ragazzo sono **simpatici**.

Francesca and her boyfriend are nice.

La signora e il signore sono molto **generosi**.

The woman and the man are very generous.

Students will learn forms of nouns and adjectives ending in *-co/-ca* in *Lez. 10*. In the meantime, you may want to present the plural forms of *simpatico, antipatico,* and *dinamico.*

3. Adjectives of nationality may also have either four forms or two forms.

americano, -a, -i, -e
australiano, -a, -i, -e
italiano, -a, -i, -e
messicano, -a, -i, -e
russo, -a, -i, -e
spagnolo, -a, -i, -e
tedesco, a, -hi, -he

canadese, -i
cinese, -i
francese, -i
giapponese, -i
inglese, -i
irlandese, -i

Ask students to determine to which group the adjectives on pages 108 and 109 belong. Highlight those with two endings, which are fewer in number and may be overlooked.

A Completi la seconda frase con un aggettivo di significato opposto a quello della prima frase.

▶ Antonella è allegra. Luigi e Filippo _____.
Luigi e Filippo sono tristi.

1. Alberto è povero. Anna e Nino _____.
2. Laura è buona. Le sue sorelle _____.
3. Teresa è intelligente. Claudio _____.
4. Gianni è giovane. Alfredo _____.
5. Le figlie di Paolo sono piccole. I suoi figli _____.
6. Luisa è grassa. Angelo ed io _____.
7. La sorella di Elena è bella. I suoi fratelli _____.
8. Io sono alto. Tu e Riccardo _____.

Before doing Ex. A, elicit opposite adjectives from the class: *Antonella è allegra; non è ...* Have students reverse the subjects and make necessary changes: *Antonella è triste. Luigi e Filippo sono allegri.*

Talk about people in the class, using the adjectives *giovane, intelligente, divertente: Mark è giovane; ha solo diciotto anni. Anche Mara è giovane. Tutti e due sono giovani.*

B Dia la nazionalità delle seguenti persone.

▶ Céline Dion è del Canadà.
Céline Dion è canadese.

1. David Beckham e Victoria Adams abitano in Inghilterra.
2. Il re (*king*) Juan Carlos abita in Spagna.
3. Gérard Depardieu è della Francia.
4. Chow Wan Fat è della Cina.
5. Nicole Kidman e Mel Gibson sono originari dell'Australia.
6. Sinéad O'Connor abita in Irlanda.
7. Paris e Nikki Hilton sono degli Stati Uniti.
8. L'imperatore Akihito abita in Giappone.

C In coppia: Ecco un disegno di alcune persone ad una festa veramente fantastica. Con un compagno/una compagna, descrivete le caratteristiche fisiche e personali dei partecipanti alla festa, e dite anche che cosa fanno.

Ex. C: Have students take turns choosing a person and describing and relating what that person is doing. As homework have students write imagined conversations between the people at this party.

D Descriva i luoghi indicati nella sua città, usando la forma appropriata di aggettivi come **nuovo, moderno, grande, vecchio, piccolo, buono,** ecc.

Ex. D: Make sure students realize they are describing real places in their own towns. Extend the activity to describe features of your school or university.

▶ le chiese   Le chiese della mia città sono vecchie (grandi, ecc.).

1. i ristoranti
2. l'ufficio postale
3. gli alberghi
4. l'ospedale
5. il museo
6. le scuole
7. l'università
8. i cinema

Posizione degli aggettivi con i nomi

— Guarda! Ho una **nuova macchina**.
— Scusa, ma questa non è una **macchina nuova!**

Ask students to guess the difference in meaning in these phrases: *una vecchia amica/un'amica vecchia; un lungo viaggio/un viaggio lungo.*

1. In Italian, most descriptive adjectives follow the noun they modify.

— Penso di indossare una **toga romana.**
— Ecco un **costume semplice!**
— Io invece porto un'**uniforme militare.**

— *I think I'll wear a Roman toga.*
— *Now that's a simple costume!*
— *I'm wearing a military uniform.*

2. Certain common descriptive adjectives, such as **bello, buono, nuovo,** and **piccolo,** ordinarily precede the noun they modify. When they follow the noun, it is usually for emphasis or contrast.

— Abitano in una **piccola villa** fuori Roma.
— Ma non è una **villa piccola**. È grande!

— *They live in a small villa out-side Rome.*
— *But it's not a small villa at all. It's big!*

Using these adjectives after the noun tends to emphasize the literal meaning of the adjective. For example, *una nuova macchina* means that the car is new to the speaker, but not necessarily new. *Una macchina nuova* means that the car is brand new.

Here is a list of some common adjectives that generally precede the noun.

altro/a	other	**grande**	large; great
bello/a	beautiful; nice	**lungo/a**	long
bravo/a	good; capable	**nuovo/a**	new
brutto/a	ugly; unpleasant	**piccolo/a**	small
buono/a	good	**stesso/a**	same
caro/a	dear	**vecchio/a**	old
cattivo/a	bad	**vero/a**	true
giovane	young		

The word *caro* before a noun means *dear: un caro amico.* After a noun it means *expensive: un costume caro.*

Note: **Altro** and **stesso** always precede the noun.

3. When **buono** directly precedes a singular noun, it has shortened forms similar to those of the indefinite articles **un/uno/una/un'**.

Antonio è un **buon** ragazzo. È
anche un **buono** studente.
Tiziana è una **buona** pianista. È
una **buon'**amica di Tonio.

*Antonio is a good boy. He's also a
good student.*
*Tiziana is a good pianist. She's a good
friend of Tonio.*

4. When **bello** directly precedes the noun it modifies, it has forms similar to the definite article.

masculine		feminine	
singular	**plural**	**singular**	**plural**
il **bel** museo	i **bei** musei	la **bella** città	le **belle** città
il **bello** stadio	i **begli** stadi	la **bell'**isola	le **belle** isole
il **bell'**albergo	i **begli** alberghi		

But: Gli alberghi sono **belli**.

E Completi la descrizione con la forma appropriata degli aggettivi indicati tra parentesi. Metta gli aggettivi nella posizione corretta.

▶ Frequento una (grande) _____ università _____.
Frequento una grande università.

Abito in una (piccolo) _____ casa _____ per (internazionale) _____ studenti _____. Quest'anno ci sono quattro (nuovo) _____ studenti _____. Ilsa è una (bravo) _____ ragazza _____ tedesca. Laure e Mireille sono due (giovane) _____ studentesse _____ che sono dello (stesso) _____ paese _____ della Francia. Ivan è un _____ (russo) ragazzo _____. È una (simpatico) _____ persona _____ e un (vero) _____ amico _____.

F In coppia: Lei e un amico/un'amica avete opinioni differenti su quasi (*almost*) tutto. Quando lei dice che una cosa è bella, l'amico/a dice che è brutta, e viceversa. Esprimete il vostro punto di vista sulle seguenti cose, secondo l'esempio.

▶ la città di Los Angeles   S1: Che bella città!
                               S2: Che brutta città!

1. i libri di Stephen King
2. la lingua tedesca
3. la famiglia di Homer Simpson
4. i negozi di Rodeo Drive   *costi economici*
5. la musica di Frank Sinatra
6. le idee di Howard Stern
7. la tradizione di Carnevale
8. il giorno di San Valentino

Quickly review the forms of the indefinite article and what they are dependent on. Practice by asking the class: *Come si dice "friend"? E come si dice "a friend"? E "a good friend"?* Do the same with *studente, studentessa, fratello, sorella, gatto, sport.* The students can answer in chorus.

Practice the forms of *bello* as well, using the definite article rather than the indefinite and including plurals. Point out that these irregular forms are used only when *buono* and *bello* precede the noun. If they follow the noun or the verb *essere*, they have four regular forms.

Explain to students that *molto*, when used as an adjective, has four forms and precedes the noun: *molto tempo, molta fame, molti amici, molte cose.* When used as an adverb, it is invariable: *È una ragazza molto intelligente.*

After completing Ex. E, have students read the whole paragraph for comprehension. Expand by asking them to supply other possible adjectives.

Ex. F: Have students take turns expressing positive and negative opinions. Then ask for a consensus from the class on the items: *Allora, ragazzi, la città di Los Angeles, è una bella città o una brutta città?*

Have students comment on items in the classroom:
– *Che bella sedia!*
– *Che brutta sedia!*

G In coppia: Chieda ad un amico/un'amica se ha le seguenti cose. Se risponde di sì, domandi se sono belle.

Ex. G: Have students extend their descriptions of these items beyond *bello*. Have them ask: – *Com'è il cane?* – *È un cane piccolo e intelligente.*

▶ orologio   S1: Hai un orologio?
               S2: Sì, ho un orologio.
               S1: È bello l'orologio?
               S2: Sì, è un bell'orologio.

1. cane   4. computer   6. stereo
2. macchina (*car*) 5. televisore   7. appartamento
3. bicicletta

H In gruppi di tre o quattro: Fate una lista di persone famose che voi associate con le seguenti qualità.

Ex. H: Circulate to be sure that all students are participating and using correct adjective forms. Then, poll the students to see who, in their opinion, epitomizes each characteristic.

▶ bello   S1: Brad Pitt è un bell'uomo.
            S2: Cameron Diaz è una bella donna.

1. ricco   4. alto   7. divertente
2. intelligente   5. basso   8. antipatico
3. vecchio   6. brutto

Presente dei verbi regolari in *-ire*

Il film finisce ma Pietro dorme.

Notice that verbs like *dormire* have the same endings as the *-ere* verbs, except for the *voi* form.

As you learn new *-ire* verbs, conjugate them in your head so that you will remember whether they are like *dormire* or *capire*. To determine to which group a particular *-ire* verb belongs, count backwards from the last letter of the infinitive. If the fifth-to-the-last letter is a consonant, it is probably conjugated like *dormire;* if it is a vowel, it is probably conjugated like *capire* (notice the exception *restituire*).

1. The present tense endings for regular **-ire** verbs are **-o, -i, -e, -iamo, -ite,** and **-ono.** These verbs follow two patterns: that of **dormire** (*to sleep*) and that of **capire** (*to understand*). The endings are the same for both groups, but verbs like **capire** insert **-isc** between the stem and the ending in all forms except the **noi** and **voi** forms.

dormire	*to sleep*	capire	*to understand*
dormo	dormiamo	capisco	capiamo
dormi	dormite	capisci	capite
dorme	dormono	capisce	capiscono

2. The following **-ire** verbs are regular in the present tense.

Verbs like **dormire**	*Verbs like* **capire**
aprire to open	**finire** to finish
offrire to offer	**ubbidire** to obey
partire to leave, depart	**preferire** to prefer
seguire to follow; to take (*courses*)	**pulire** to clean
sentire to hear; to feel	**restituire** to give back
servire to serve; to be useful	**spedire** to send
soffrire to suffer	**suggerire** to suggest

Note: The verbs **finire** and **suggerire** require the preposition **di** before an infinitive. English uses the *-ing* form to express the same idea.

— Quando **suggerisci di** partire? — *When do you suggest leaving?*
— Quando **finiamo di** studiare. — *When we finish studying.*

3. Remember that in a double-verb construction, the first verb is conjugated and the second verb is an infinitive.

— **Preferisci prendere** l'autobus dell'una? — *Do you prefer to take the one o'clock bus?*
— No, veramente **preferisco partire** ora. — *No, actually I prefer to leave now.*

Ⓟ Risponda alle domande con una frase appropriata della lista indicata. Metta il verbo nella forma corretta.

▶ Cosa fa il professore? Insegna all'università.

dormire molto
spedire lettere
capire tutto
servire il caffè
ubbidire
seguire corsi di anatomia
partire e arrivare
aprire la porta alla mamma
soffrire d'insonnia

1. Cosa fanno le persone pigre?
2. Cosa fa una persona intelligente?
3. Cosa fanno i viaggiatori (*travelers*)?
4. Cosa fanno i cani buoni?
5. Cosa fa il ragazzo cortese?
6. Cosa fa una persona che non dorme?
7. Cosa fanno i camerieri?
8. Cosa fanno gli studenti di medicina?

Make sure students are aware of the changes in the *-sc* sound in present tense verbs like *capire*. Write the endings *-isco, -isci, -isce, -iamo, -ite, -iscono* on the board and conjugate several *-ire* verbs like *capire* with the class. Point to the letters and highlight the *-sc* sounds so students can make a connection between the written and spoken forms of the verbs.

Point out to students that in pronouncing the third person plural of regular *-ire* verbs, the stress falls on the same syllable as in the first person singular, whether *-isc* verbs or not: *finí-sco = finí-scono; pár-to = pár-tono*, etc. Have students practice with words from the list.

Practice forms of the *-ire* verbs by having students change the subjects of these sentences: *Io dormo fino a tardi.* (la madre / le sorelle / voi / Gianni) *Mio fratello pulisce la macchina.* (le ragazze / io / io e Marco / tu) *Tu senti le parole ma non capisci l'idea.* (Loredana / tu ed Alberto / gli amici / io)

Have students do Ex. I in pairs, taking turns asking and answering questions.

Aldo descrive una sua giornata all'università. Completi la descrizione in maniera appropriata con la forma corretta di uno dei verbi indicati. Usi ogni verbo una volta sola.

Ex. J: As homework, have students rewrite the paragraph in the third person, talking *about* Aldo and making all necessary changes.

restituire
aprire
preferire
seguire
spedire
dormire
offrire
pulire
prendere

Di solito, la mattina io non _____ fino a tardi perché _____ andare a scuola presto. Vado a scuola alle otto, ma prima _____ un po' il mio appartamento. Poi incontro Giuseppe al bar e lui mi _____ un caffè. _____ il caffè e poi andiamo a lezione di storia. Di solito noi non _____ i libri quando il professore parla per tutta l'ora. Alla fine della lezione _____ la penna a Giuseppe e lo saluto. Io resto a scuola perché _____ un corso di matematica. Torno a casa all'una e poi _____ una lettera ad un'amica di Pisa.

K In gruppi di tre o quattro: Domandi agli altri studenti del gruppo quale delle due cose indicate preferiscono.

▶ ascoltare la musica / guardare la televisione
    S1: Preferite ascoltare la musica o guardare la televisione?
    S2: Io preferisco guardare la televisione.
    S3: Io invece preferisco ascoltare la musica. / Anch'io preferisco ...

1. studiare la mattina presto / studiare la sera tardi
2. le persone disinvolte / le persone timide
3. i cani / i gatti
4. andare in bicicletta / andare in motocicletta
5. la cucina italiana / la cucina cinese
6. il gelato al cioccolato / il gelato alla vaniglia
7. avere caldo / avere freddo
8. i film dell'orrore (*horror*) / i film romantici
9. la Coca-Cola / la Pepsi

 In coppia: Faccia le seguenti domande ad un altro studente/un'altra studentessa.

Ex. L: Be sure students take turns asking and answering. Encourage them to respond as they like and to volunteer other information.

1. Capisci l'italiano? E il francese? E il tedesco?
2. A che ora comincia la lezione d'italiano? A che ora finisce?
3. Di solito, a che ora finisci di studiare la sera?
4. Quanti corsi segui? Quali sono i corsi che segui? Quale preferisci?
5. Fino a che ora dormi il sabato mattina? E la domenica mattina?
6. Preferisci andare al cinema o a teatro?
7. Chi pulisce la tua camera (*room*)? Quando?
8. Soffri di malinconia? Di allergie? Di insonnia?

Verbi irregolari: *andare* e *venire*

1. The verbs **andare** and **venire** are irregular in some forms of the present tense.

andare	*to go*	venire	*to come*
vado	andiamo	vengo	veniamo
vai	andate	vieni	venite
va	vanno	viene	vengono

> Make sure students understand that the construction *andare + a + infinitive* expresses movement rather than the future tense as in English (or Spanish). Ask them questions like: *Dove vai a mangiare? Dove vai a comprare vestiti? Dove vai a ballare?* Make sure they know what is being asked.

2. **Andare** and **venire** require the preposition **a** before an infinitive.

Oggi non **andiamo a mangiare** al ristorante.

Today we aren't going to the restaurant to eat.

Gli amici di mio fratello **vengono a fare** colazione con noi.

My brother's friends are coming to have breakfast with us.

M Completi i dialoghi con le forme appropriate di **andare** e **venire**.

— Ciao, Simona. Da dove _____?
— _____ dal lavoro.
— Desideri _____ con me ad una festa?
— Sì! Ma prima _____ a casa a cambiarmi (*change*) il vestito.

— Dove _____ la tua famiglia in vacanza (*on vacation*)?
— Mamma e papà _____ in Florida.
— E tu non _____ con loro?
— No, io preferisco _____ a sciare con gli amici.

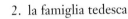 Dopo le vacanze in Italia, alcuni turisti europei cambiano treno alla stazione di Roma. Dica da dove vengono e dove vanno.

▶ Partenza da: Rimini   Destinazione: Copenaghen   il signore danese
Il signore danese viene da Rimini e va a Copenaghen.

FERROVIE DELLO STATO
Partenza da: PALERMO
Destinazione: LIONE

1. il signore francese

FERROVIE DELLO STATO
Partenza da: SORRENTO
Destinazione: AMBURGO

2. la famiglia tedesca

FERROVIE DELLO STATO
Partenza da: SPERLONGA
Destinazione: BARCELONA

3. gli studenti spagnoli

FERROVIE DELLO STATO
Partenza da: NAPOLI
Destinazione: LONDRA

4. la signorina inglese

FERROVIE DELLO STATO
Partenza da: AGRIGENTO
Destinazione: AMSTERDAM

5. i giovani olandesi

FERROVIE DELLO STATO
Partenza da: TAORMINA
Destinazione: LUCERNA

6. la signora svizzera

 In coppia: Indichi ad un altro studente/un'altra studentessa tre luoghi dove lei va questo fine settimana. Dica anche che cosa va a fare e con chi va.

Ex. O: Circulate to supply needed vocabulary. Make sure both partners answer all three questions: where, what, with whom.

▶ S1: Dove vai questo fine settimana?
S2: Vado al parco a fare una passeggiata con la mia amica. E poi vado …

 In coppia: Un amico/un'amica decide di fare le seguenti cose questo fine settimana. Dica dove va per fare queste attività. Le destinazioni possibili sono indicate nella lista a destra.

▶ ballare con gli amici   S1: Vado a ballare con gli amici.
S2: Tu vai alla nuova discoteca.

1. vedere un bel film
2. studiare per un esame
3. comprare un vecchio costume
4. vedere la partita di calcio (*soccer game*)
5. spedire una lettera
6. mangiare un bel gelato
7. vedere i negozi eleganti
8. fare due passi

a. al parco
b. all'ufficio postale
c. in centro
d. al mercato dell'usato
e. alla gelateria
f. in biblioteca
g. allo stadio
h. al cinema

For further practice of lesson topics, log on to the *Oggi in Italia* website and/or do the CD-ROM activities.

Parliamo un po'

Venite ad un
Ballo in maschera
martedì, 21 febbraio
alle 21.00
Via Garibaldi 62, Viareggio

Costume obbligatorio!!!

Perché non porti anche un amico o
un'amica?

A Un ballo in maschera. In coppia.

S1: Lei ha ricevuto (*received*) questo invito per un ballo in maschera. Telefoni a S2 e lo/la inviti alla festa. Poi risponda alle domande dell'amico/a.

S2: Un amico/un'amica le telefona per invitarla ad un ballo in maschera. Lei accetta, ma vuole sapere quando e dov'è la festa, se ha bisogno di vestire in costume, e quale costume pensa di indossare l'amico/a.

Before doing Act. A, have students brainstorm interesting costume ideas. Provide necessary vocabulary and write the list on the board for students' use. Encourage students to react to each other's costumes: *È un costume semplice. Che buona idea!*, etc.

B **Che bella foto!** In coppia. Un suo amico è andato a Venezia per Carnevale e ti ha mandato con la posta elettronica questa fotografia di un gondoliere nel costume di Arlecchino. Descriva la foto ad un compagno/una compagna che ascolta con il libro chiuso e che disegna (*draws*) la scena che lei descrive. Poi confrontate il disegno con la fotografia originale.

S1: Nella foto c'è un gondoliere che ...
S2: È molto ...

S1: Ci sono anche molte ...
S2: C'è una grande ...

Try a similar activity with the whole class and different photos of people or places before having students do Act. B in pairs.

È Carnevale a Venezia e Arlecchino, famosa maschera italiana, invita la gente a fare una gita in gondola.

C **Una persona che ammiro.** Scriva una breve descrizione di una persona che lei ammira (*admire*): un amico, un membro della sua famiglia o una persona famosa. Dica com'è questa persona e perché l'ammira.

> Keep your description simple and use words and phrases you are familiar with. Use only the present tense.

Act. C: Have students read their descriptions to each other. You may want to restrict students' choices to well-known people. They can read the description to the class without naming the subject; then the class can try to guess who it is.

D **L'uomo/La donna ideale.** In gruppi di tre o quattro: Secondo voi, com'è la donna/l'uomo ideale? Quali sono le sue qualità? Indicate sei caratteristiche che ha e due o tre che non ha.

▶ L'uomo ideale è alto, ma non troppo alto. È intelligente ...

Act. D: Divide the class into small groups by gender. Ask each female student to name some qualities of the perfect man. For each quality, expand by saying: T: *Allora l'uomo perfetto è bello? Bello come chi?* S: *Come Mel Gibson.* T: *È ricco? Ricco come chi?* Do the same with male students.

E **Le preferenze.** Intervisti un altro studente/un'altra studentessa per sapere quali sono le sue preferenze. Prenda appunti e riferisca le informazioni alla classe. Ecco alcuni suggerimenti per fare le domande.

— dove andare il fine settimana? ad una festa? al cinema? ecc.
— che tipo di film? di fantascienza? dell'orrore? romantico? comico? ecc.
— che tipo di ristorante? elegante? semplice? italiano? francese? ecc.
— che tipo di persone? intelligenti? allegre? ecc.
— dove fare acquisti? in quali negozi?

▶ S1: Dove preferisci andare il fine settimana?
  S2: Preferisco andare ...

Conoscere l'Italia

A   Un po' di geografia.
Completi le seguenti frasi con la forma appropriata di una parola della lista indicata. C'è una parola in più nella lista.

monte	fiume	capoluogo	cittadina	città
valle	lago	abitante	penisola	palazzo

1. Il Po è un _____ molto grande.
2. Firenze è una grande _____ ma Fiesole è una _____ .
3. Il _____ Bianco (Blanc) è tra l'Italia e la Francia.
4. La _____ del Po è nel nord Italia.
5. Anche il _____ di Garda è nel nord Italia.
6. Firenze è il _____ della Toscana.
7. L'Italia e la Spagna sono due _____ .
8. Gli _____ della città di Roma sono più di tre milioni.

Write the list on the board and go over the meaning of each word. Then, with books closed, have students complete the sentences as you read them aloud.

Have students locate Umbria, Perugia, and the Tiber River on the map on p. 14.

Remind students to look for cognates. Then point out the false cognate *fabbrica* (factory).

L'UMBRIA

Situata nel centro d'Italia, questa regione è molto bella. Essa è chiamata "Umbria verde[1]" per il colore dei monti e delle valli dell'Appennino umbro[2], ricchi di boschi e di pascoli[3]. In questa regione, che non ha il mare, scorre[4] il fiume Tevere mentre va verso Roma. Qui c'è anche il lago Trasimeno, il più grande della penisola dopo i laghi del nord Italia.

L'Umbria è una regione tranquilla; non ha città molto grandi e i suoi abitanti sono poco meno di[5] un milione. Il capoluogo è Perugia, città importante fin dall'[6] epoca degli Etruschi. L'altra città grande è Terni, conosciuta per le sue industrie e le sue fabbriche[7].

Ma sono le varie cittadine medievali che caratterizzano l'Umbria. In esse ci sono belle chiese romaniche[8], conventi e palazzi storici[9] e ancora oggi sono circondate da mura[10] antiche. Orvieto, Spoleto, Gubbio, Todi e Assisi sono alcune di queste cittadine che molti turisti italiani e stranieri visitano continuamente.

1. green   2. Umbrian   3. woods and pastures   4. flows
5. a little less than   6. since   7. factories   8. romanesque
9. historical   10. walls

Perugia: La gente passeggia tranquillamente; in fondo c'è il Palazzo dei Priori e la Fontana Maggiore.

Tell students that Assisi is Saint Francis's birthplace. The town's basilica, dedicated to him, has frescoes by Giotto and Cimabue.

Have students read the passage twice. Then, with books closed, do Ex. B.

The Etruscans (*Etruschi*) were an ancient people (800 to 200 B.C.) who lived in the region of Etruria, which included parts of present-day Umbria, Tuscany, and Lazio.

Informazioni. Dia le seguenti informazioni basate sul brano precedente.

1. Nome particolare di questa regione ...
2. Fiume che scorre nell'Umbria ...
3. Lago umbro ...
4. Il capoluogo dell'Umbria ...
5. Altre città importanti dell'Umbria ...
6. Numero di abitanti dell'Umbria ...
7. Caratteristiche delle cittadine medievali dell'Umbria ...
8. Tre cittadine umbre ...

 Definizioni. Prima di leggere il seguente brano, abbini (*match*) le definizioni con una parola della lista di destra. Cerchi di indovinare il significato delle parole che non sono familiari.

Say each word and have students provide a definition with books closed.

1. due periodi della storia
2. persone che visitano città e paesi
3. aggettivo derivato da *arte*
4. ingrediente della cucina italiana
5. un prodotto artistico
6. una celebrazione
7. un artista
8. luoghi di concerti e di spettacoli

a. artistico
b. l'olio d'oliva
c. il musicista
d. la ceramica
e. Medioevo e Rinascimento
f. i teatri
g. i turisti
h. una festa

Tell students that *tartufo* is a very expensive edible fungus that grows underground and is considered a gastronomic specialty. After reading, ask students about special dishes, products, or festivals in the states or regions they are from. For example, Wisconsin cheese, California wines, Newport Jazz Festival, etc.

LE ATTRAZIONI DELL'UMBRIA

L'Umbria è una regione ricca di tradizioni culinarie, artigianali e folcloristiche. I prodotti principali della cucina umbra sono il tartufo[1], l'olio d'oliva, il prosciutto, le salsicce[2] e il vino. L'artigianato[3] è un'altra attrazione. Le ceramiche artistiche di Deruta, Orvieto, Gubbio e Città di Castello e i tessuti e i ricami[4] di Assisi sono molto conosciuti in Italia e all'estero[5].

Però le attrazioni principali sono le varie attività folcloristiche, le sagre[6] popolari e i vari festival culturali che hanno luogo[7] in Umbria. Molte feste folcloristiche hanno le loro origini nel Medioevo e nel Rinascimento[8]. Esse sono ricche di costumi multicolori e gare[9] sportive di antiche tradizioni. Le sagre celebrano i buoni prodotti locali come il tartufo, gli asparagi, i funghi[10] e le ciliege[11] che vengono presentati in tipici piatti regionali e venduti al pubblico. L'Umbriajazz ed il Festival di Spoleto sono invece le più importanti manifestazioni culturali di fama internazionale. Musicisti e cantanti[12] di jazz di tutto il mondo partecipano all'Umbriajazz e i loro concerti hanno luogo nei bei teatri di varie cittadine umbre. Il Festival di Spoleto ha luogo a Spoleto da quasi cinquanta anni. Durante tre settimane d'estate spettacoli teatrali, danze, concerti, mostre[13] di pittura[14] e scultura, conferenze su temi scientifici e letterari e rassegne[15] cinematografiche trasformano la tranquilla cittadina di Spoleto in un centro internazionale di arte e cultura.

Queste artistiche ceramiche sono in mostra in un negozio di Città di Castello in Umbria.

1. truffle   2. sausages   3. handicrafts   4. fabrics and embroidery   5. abroad   6. feasts   7. take place   8. Renaissance   9. competitions   10. mushrooms   11. cherries   12. singers   13. exhibits   14. painting   15. reviews

The Spoleto Festival was founded in 1957 by Giancarlo Menotti, the composer of *Amahl and the Night Visitors* and other musical compositions.

B **Vero o falso?** In coppia: A turno identificate le seguenti frasi come vere o false secondo il brano precedente. Correggete (*Correct*) le frasi false.

1. Due prodotti usati nella cucina italiana sono il tartufo e l'olio d'oliva.
2. In Umbria l'artigianato non ha una lunga tradizione ed è poco praticato.
3. Le cittadine di Deruta e di Città di Castello sono conosciute per le loro ceramiche.
4. La sagra del tartufo celebra questo importante prodotto regionale.
5. Una cittadina umbra conosciuta per i suoi ricami è Gubbio.
6. Umbriajazz è un festival dedicato al jazz locale.
7. Il Festival di Spoleto ha luogo a Orvieto.

Write the following questions on the board and have students find the answers in the passage. 1. Com'è la cucina umbra? 2. Quali sono alcuni prodotti umbri? 3. Quale cittadina è famosa per l'artigianato del tessuto e del ricamo? 4. Come vestono i partecipanti di alcune feste folcloristiche? 5. Quali artisti partecipano al festival di Umbriajazz? 6. Quanto tempo dura (lasts) il Festival di Spoleto?

Lezione 6

Giovanni invita Laura a mangiare una pizza con lui questa sera.

Dov'è andato in vacanza?

Communicative Objectives

- Describe past actions and events
- Talk about vacations and vacation plans
- Express dates
- Tell when past actions took place

 Show the *Oggi in Italia* video segment and do the video activities.

Edoardo Filippini e Valerio Marotta sono seduti ad un tavolo della pizzeria Il Marinaio. Mentre mangiano una pizza, loro parlano.

EDOARDO:	Giovedì scorso sono andato dal meccanico per un controllo alla mia macchina e ho visto Sergio Pellegrini.
VALERIO:	Ma che dici? Non è partito a giugno per gli Stati Uniti?
EDOARDO:	No, ha cancellato la sua vacanza all'estero. Comunque° ho visto il suo ultimo acquisto.
VALERIO:	Che cosa ha comprato?
EDOARDO:	Una bella moto di marca giapponese.
VALERIO:	Accidenti! Ma allora non va più in vacanza?
EDOARDO:	Oh, sì, ma ha cambiato programma°. Intanto, beviamo qualcosa? Hai ordinato la birra o il vino?
VALERIO:	Ho ordinato una bottiglia di vino rosso. Questa pizza è buona, ma mette molta sete°.
EDOARDO:	*(alla cameriera)* Signorina, il vino, per favore.
LA CAMERIERA:	Va bene, subito.
VALERIO:	Dunque, dove va in vacanza Sergio?
EDOARDO:	Ha deciso di andare al Parco Nazionale delle Cinque Terre°. Parte il due agosto. Va con la sua moto nuova.
VALERIO:	Anch'io sono stato alle Cinque Terre l'estate scorsa. Mi è piaciuto molto.
EDOARDO:	Che cosa hai visto lì?
VALERIO:	Ho visto cittadine pittoresche, spiagge stupende e panorami favolosi.
EDOARDO:	Ah, ecco il vino. Salute°!

Lines: 5, 10, 15, 20

Explain briefly that *da* (*dal meccanico*), followed by someone's house or place of business, means *to* or *at that person's house* or *place of business.*

However

Point out that the verb *vedere* has two past participles: *visto* and *veduto.* *Visto* is more commonly used.

(his) plans

it makes one very thirsty

Review *avere sete,* and ask some students: *Ha sete? Che cosa beve quando ha sete? Quali cibi* (foods) *di solito mettono sete?*

famous park in the region of Liguria

> **La moto** is feminine, even though it ends in *-o,* because it is the shortened form of *la motocicletta.*

To your health!

Domande

1. Dove sono Edoardo e Valerio?
2. Dov'è andato Edoardo giovedì scorso? Perché?
3. Che cosa ha comprato Sergio Pellegrini?
4. Che cosa ordinano i due giovani? Perché?
5. Che cosa ha deciso di fare Sergio?
6. Quando è stato alle Cinque Terre Valerio?
7. A Valerio è piaciuto il Parco Nazionale delle Cinque Terre? Che cosa ha visto?

Before presenting the dialogue, ask students to formulate questions about the opening photo using interrogatives such as *chi, quando, come, perché,* etc.

Have students ask each other the *Domande* and the *Domande personali,* using the *tu* form of the verbs.

Have students substitute the names of three female classmates for Edoardo, Valerio, and Sergio; change the vacation date and destination; keep the motorcycle or replace it with a red Alfa Romeo car, and order mineral water instead of wine.

I giovani italiani

I giovani italiani non sono molto diversi dai loro coetanei[1] americani. Molti di loro frequentano la scuola secondaria superiore e, dopo aver ottenuto il diploma di maturità[2], alcuni incominciano a lavorare mentre altri si iscrivono[3] all'università o ad istituti di studi superiori come l'Accademia delle Belle Arti o il Conservatorio di Musica. Durante le vacanze estive, molti giovani vanno al mare o in montagna. Alcuni vanno all'estero in vacanza e per imparare una lingua straniera.

Spesso i giovani italiani che studiano all'università vivono a casa con i loro genitori[4]. Le università sono presenti nelle maggiori città italiane e quindi non è necessario trasferirsi[5] in un'altra parte del paese. Anche per ragioni economiche e per la mancanza[6] di adeguati appartamenti a buon mercato, è più conveniente vivere in famiglia.

I giovani passano il tempo libero in modi diversi. Praticano lo sport, ascoltano la musica, vanno a ballare in discoteca, organizzano feste e spesso fanno gite in macchina o in motocicletta. Amano anche passeggiare con gli amici per le vie del centro, e i loro luoghi d'incontro preferiti sono le paninerie[7], i bar, le pizzerie e i centri commerciali.

Firenze: Un gruppo di amici si incontra e socializza in Piazza Santa Maria Novella.

> Most Italian universities are government-operated. There are few private universities in Italy.

- Cosa fanno lei e i suoi amici nel tempo libero?

> Ask students the advantages and disadvantages of living at home while at college.

1. people of the same age   2. after receiving their high school diploma   3. enroll   4. parents   5. to move   6. lack   7. sandwich shops

Domande personali

1. Dove va lei quando ha voglia di mangiare una pizza?
2. Che cosa preferisce bere quando mangia una pizza?
3. Lei ha la moto, la macchina o la bicicletta? Di che marca è? Quale marca preferisce?
4. Come guida, lentamente o velocemente?
5. Preferisce le macchine americane, giapponesi o italiane? Perché?

> The *moto* and *motorino* (motor scooter) are the preferred means of transportation of many young people in Italy. They are exciting, fast, and easy to park.

Situazioni

1. Domandi ad un amico/un'amica dov'è andato/a il mese o l'anno scorso.

   ▶ — Dove sei andato/a il mese (l'anno) scorso?
   — Sono andato/a in Italia (a Roma/in Canadà/a Londra/al mare/in montagna).

> Sit. 1: Encourage students to name places where they actually have been. Expand by having students ask *Dove sei andato/a stamattina (ieri, ieri sera)?*

2. Risponda ad un compagno/una compagna di scuola che domanda che cosa lei ha deciso di fare durante le prossime vacanze.

   ▶ — Che cosa hai deciso di fare durante le prossime vacanze?
   — Ho deciso di fare una gita (rimanere in città/andare in Europa/non fare niente di particolare).

> Sit. 2: Have students ask *E tu, sei mai andato/a in Italia?*

Pratica

1. In coppia: Lei pensa di comprare una moto o un motorino e desidera andare a vedere alcuni modelli. Telefoni ad un amico/un'amica e gli/le chieda di accompagnarla. L'amico/a risponde che non può (*cannot*) e dice perché.

2. In gruppi di tre: Lei è con il suo ragazzo/la sua ragazza in una pizzeria. Prima chiamate il cameriere e ordinate una pizza e qualcosa da bere; poi parlate di una gita in campagna per il fine settimana. Lei preferisce andare con la moto, e il suo ragazzo/la sua ragazza con la macchina. Alla fine prendete una decisione sul mezzo (*means*) da usare.

Personalize by letting students make up excuses. Help students brainstorm excuses before doing *Pratica*.

You may assign *Pratica* for the next day. If done in class, model and then give groups a few minutes to prepare.

Vocabolario

Parole analoghe

il Canadà
cancellare
il meccanico
nazionale
il panorama
pittoresco/a
la pizza
la pizzeria
stupendo/a

Nomi

agosto August
la birra beer
la bottiglia bottle
la cameriera waitress
la cittadina small town
il controllo check, inspection
l'estate (*f.*) summer
giugno June
la macchina car
la marca make, brand name
la moto(cicletta) motorcycle
la spiaggia beach
la vacanza vacation
il vino wine
il ragazzo boy, boyfriend
la ragazza girl, girlfriend

Aggettivi

favoloso/a fabulous
giapponese Japanese
rosso/a red
ultimo/a latest, last (*in a series*)

Verbi

cambiare to change
dire to say; to tell
deciso decided (*past participle of* **decidere**)
piaciuto liked (*p.p. of* **piacere**)
rimanere to remain; to stay
visto or **veduto** seen (*p.p. of* **vedere**)
stato been (*p.p. of* **essere**)

Altre parole ed espressioni

accidenti! my goodness!
come as, like
dunque well then
lentamente slowly
lì there
sempre always
velocemente fast
all'estero abroad
in vacanza on vacation
non ... più no longer
gli Stati Uniti the United States

Point out that *panorama* and some other words of Greek origin ending in *-a* are masculine: *problema, tema, dramma,* etc.

Illustrate use of *non ... più* by giving examples, such as *Enzo non lavora più qui.*

Pronuncia

I suoni della *r*

Italian /**r**/ (spelled **r**) and /**rr**/ (spelled **rr**) are pronounced differently from English /r/. Italian /**r**/ is "trilled" once—that is, pronounced with a single flutter of the tip of the tongue against the gum ridge behind the upper front teeth. This produces a sound similar to the *tt* in the English words *bitter, better, butter* when they are pronounced rapidly. The sound /**rr**/ is produced with a multiple flutter of the tip of the tongue.

 A Ascolti e ripeta le seguenti parole.

rosso	Marotta	marca	birra	arrivederci
ragione	dire	corso	terra	Corrado
cameriera	trenta	Edoardo	arrivare	carriera

B **Proverbio.** Ascolti e ripeta il seguente proverbio.

Rosso di sera bel tempo si spera.
Red sky at night, sailor's delight.
(*Literally: Red in the evening, good weather is expected.*)

In groups of three with books closed, have students write as many words with the letters /**r**/ and /**rr**/ as they can recall from previous lessons. Then check for correct spelling.

Ex. A: First have students repeat the following sentences; then dictate them and check for spelling: *Roberto arriva a Firenze. Parto per l'Inghilterra fra poco. Sergio, perché provi la marca russa?*

Ex. B: Teach students: *Non ti affrettare, non ti preoccupare, e non dimenticare di odorare i fiori!* (Don't hurry, don't worry, and don't forget to smell the flowers.)

Ampliamento del vocabolario

Le stagioni e i mesi dell'anno

la primavera
aprile, maggio, giugno

l'estate (f.)
luglio, agosto, settembre

l'autunno
ottobre, novembre, dicembre

l'inverno
gennaio, febbraio, marzo

1. The months of the year are not capitalized in Italian.

aprile *April*   **luglio** *July*

2. The preposition **a** is generally used with names of the months to express *in*.

A febbraio vado in Italia.   *In February I'm going to Italy.*

The prepositions **in** and **di (d')** are used with names of the seasons to express *in*.

in primavera	*in spring*
in autunno	*in fall*
d'estate	*in summer*
d'inverno	*in winter*

Ask students in what season they were born: *In quale stagione è nato/a lei?* Then ask *Quando è nato/a lei?* or *Qual è la sua data di nascita?*

Practice dates you consider important, such as your birthday, your parents' anniversary, etc.

3. In English, days of the month are usually expressed in ordinal numbers (the first, the nineteenth). In Italian, only the first day of the month is expressed with an ordinal number; the other days are expressed with cardinal numbers.

È il **primo (di)** novembre.   *It's the first of November. (It's November 1.)*
È il **due (cinque, diciassette,**   *It's the second (fifth, seventeenth, etc.)*
    ecc.) **(di)** dicembre.   *of December.*

Note: The definite article **il** is always used before the number to express dates. The preposition **di** between the day and the month is optional.

Practice dates using a calendar or by writing numerical dates on the board. Explain that in Italian the day precedes the month.

4. The adjectives pertaining to the four seasons are: **primaverile, estivo/a, autunnale,** and **invernale.**

È una bella giornata **primaverile.**   *It's a beautiful spring day.*
Ho un bel vestito **estivo.**   *I have a beautiful summer dress.*

Ⓐ In gruppi di tre: Immaginate di avere abbastanza tempo e soldi (*money*) per fare quattro vacanze all'anno. Dite dove andate quest'anno, quando partite e quando tornate.

▶ In primavera vado in vacanza in Italia. Parto il 20 aprile e torno il 28 maggio… . E tu?

Ex. A: Have students jot down their dates and destinations first so the activity can proceed smoothly and quickly.

Ⓑ In coppia: Faccia alcune domande ad un compagno/una compagna per avere le seguenti informazioni. Prenda appunti per poi (*to then*) riferire i risultati alla classe.

▶ cosa fa durante i mesi d'estate   — Che cosa fai durante i mesi d'estate?
    — A luglio vado …

1. quale stagione dell'anno preferisce e perché
2. quale mese preferisce di più (*the most*) e perché
3. quale mese preferisce di meno (*the least*) e perché
4. quali sport pratica d'inverno e quali d'estate
5. in quale mese preferisce visitare l'Italia e perché
6. qual è il mese in cui (*in which*) studia di più

Ex. B: Have students ask you these questions using the *lei* form of the verbs.

C In coppia: Domandi ad un compagno/una compagna la data o almeno (*at least*) il mese di questi giorni importanti.

Ex. C: Be sure students take turns.

▶ — Quando è il giorno di San Valentino?
  — È il 14 febbraio.

1. la giornata (*day*) della mamma
2. il compleanno di George Washington
3. la giornata di Cristoforo Colombo
4. la festa del Lavoro (*Labor*)
5. il giorno del Ringraziamento (*Thanksgiving*)
6. il giorno delle elezioni politiche nazionali
7. il giorno dell'Anno Nuovo (*New Year*)
8. il giorno dell'Indipendenza degli Stati Uniti

D Impari (*Learn*) i seguenti versi rimati sui mesi.

Trenta giorni ha novembre,
con aprile, giugno e settembre,
di ventotto ce n'è uno,
tutti gli altri ne han trentuno.

Ex. D: Read the rhyme with appropriate rhythm and have students repeat it. Elicit English. Explain *ce n'è* and *ne han*.

Alcune espressioni di tempo al passato

Here is a list of some common expressions used to refer to events in the recent and the more distant past.

Espressioni con *ieri*	Espressioni con *fa*
ieri yesterday	**un'ora fa** one hour ago
ieri mattina yesterday morning	**due giorni (settimane, mesi, anni) fa** two days (weeks, months, years) ago
ieri pomeriggio yesterday afternoon	**molto tempo fa** a long time ago
ieri sera last night	**poco tempo fa** not long ago, a little while ago
l'altro ieri the day before yesterday	**qualche tempo fa** some time ago
	quanto tempo fa? how long ago?
Espressioni con *scorso*	
sabato scorso last Saturday	
la settimana scorsa last week	
il mese scorso last month	
l'anno scorso last year	

Practice these expressions by applying them to things you have done: *Ho visto un film ieri sera.*

E In coppia: Domandi ad un amico/un'amica quanto tempo fa ha fatto le seguenti cose. L'amico/a risponde usando un'espressione di tempo appropriata.

Ex. E: Before doing this exercise, practice some questions. Use the same question for various students. Avoid requiring past tense. If questions arise on the past tense forms, tell students they'll study them later in the lesson.

▶ — Quando hai finito la scuola media?
  — (Cinque) anni fa.

1. Quando sei andato/a al bar con gli amici?
2. Quando hai ordinato una pizza a domicilio (*home delivery*)?
3. Quando hai comprato il computer?
4. Quando sei arrivato/a all'università?
5. Quando hai deciso di studiare l'italiano?

In coppia: Domandi ad un compagno/una compagna quando è andato/a ai seguenti posti (*places*).

Ex. F: Have class list some favorite places to use here: *al ristorante* (+ name), *a ballare in discoteca,* etc.

▶ — Quando sei andato/a al cinema?
    — Ieri pomeriggio.

1. Quando sei andato/a in biblioteca?
2. Quando sei andato/a in vacanza?
3. Quando sei andato/a al mare?

4. Quando sei andato/a dal dentista?
5. Quando sei andato/a a teatro?

Struttura ed uso

Passato prossimo con *avere*

— **Hai ordinato** il vino?
— No, **ho cambiato** idea.

1. The **passato prossimo** (present perfect) is used to describe actions and events that have occurred in the past, particularly in the recent past. It is often accompanied by an expression specifying a particular time, such as **ieri, domenica scorsa,** or **un'ora fa.**

Tell students that the *passato prossimo* is similar in form to the English present perfect, but is quite different in usage.

— Sai, **siamo tornati** ieri dalle vacanze nell'Abruzzo.
— Cosa **avete veduto** lì?
— **Abbiamo visitato** alcuni parchi nazionali.
— Bello! Anch'io **sono stata** nell'Abruzzo l'anno scorso.

— *You know, we just got back yesterday from a vacation in Abruzzo.*
— *What did you see there?*
— *We visited some national parks.*

— *Great! I've been to Abruzzo too, last year.*

Review past time expressions on the preceding page.

Review present tense forms of *avere* with the class. Review the written forms as well, especially the silent *h*.

2. The **passato prossimo** is a compound tense that consists of two parts: the present tense form of an auxiliary verb, either **avere** or **essere,** and the past participle of the main verb. Most Italian verbs form the **passato prossimo** with the auxiliary **avere.** These verbs are mostly transitive, that is, they take a direct object that answers the question *what?* or *whom?*

Hanno mangiato	(che cosa?)	una pizza.
Ha passato	(che cosa?)	le vacanze in America.
Abbiamo ordinato	(che cosa?)	i panini e l'aranciata.
Ho veduto	(chi?)	Sergio.
Hanno incontrato	(chi?)	Edoardo.

Most -*ere* verbs have irregular past participles. See p. 139.

3. The past participle of regular verbs is formed by adding:

-**ato** to the stem of **-are** verbs: (comprare) **compr + ato** = comprato
-**uto** to the stem of **-ere** verbs: (vendere) **vend + uto** = venduto
-**ito** to the stem of **-ire** verbs: (capire) **cap + ito** = capito

4. Here is the **passato prossimo** of the regular verbs **comprare, vendere,** and **capire.**

comprare	vendere	capire
ho comprato	ho venduto	ho capito
hai comprato	hai venduto	hai capito
ha comprato	ha venduto	ha capito
abbiamo comprato	abbiamo venduto	abbiamo capito
avete comprato	avete venduto	avete capito
hanno comprato	hanno venduto	hanno capito

5. The **passato prossimo** is equivalent to either the present perfect or the simple past in English.

Hanno finito i compiti.
> *They have finished their homework.*
> *They finished their homework.*

Ho incontrato Sergio.
> *I have met Sergio.*
> *I met Sergio.*

Note: The form of the **passato prossimo** is the same in a question and in a negative statement, unlike English past tenses.

Hanno finito i compiti?   *Have they finished (Did they finish) their homework?*

Non **ho incontrato** Sergio.   *I haven't met (didn't meet) Sergio.*

6. The adverbs of time **già** (*already*), **ancora** (*yet*), **mai** (*ever, never*), and **sempre** (*always*) usually occur between the auxiliary verb and the past participle.

— Avete **già** pagato?	— *Have you already paid?*
— No, non abbiamo **ancora** ordinato!	— *No, we haven't ordered yet!*

In a question, the adverb **mai** with the **passato prossimo** means *ever*. In a negative sentence it means *never*.

— Hai **mai** guidato una motocicletta?	— *Have you ever driven a motorcycle?*
— No, non ho **mai** avuto l'occasione.	— *No, I've never had the opportunity.*

A Lei è andato/a recentemente ad una festa con il suo ragazzo/la sua ragazza. Racconti (*Tell*) che cosa è successo alla festa secondo i suggerimenti indicati.

► io / ricevere un invito alla festa
  Io ho ricevuto un invito alla festa.

1. noi / guidare la macchina di papà
2. tu / portare molte persone alla festa
3. gli amici / servire panini e Coca-Cola
4. noi / ascoltare la musica degli anni 80
5. un amico / cantare canzoni di Elvis Presley
6. noi / ballare fino a tardi
7. il mio ragazzo (la mia ragazza) / mangiare troppo
8. tutti / parlare delle elezioni universitarie

Ex. A: Expand by asking students what else might have happened at the party, and have them change the endings of the sentences to personalize them.

B Metta le frasi nel passato prossimo.

► Compro una macchina usata.
  Ho comprato una macchina usata.

1. Ho un problema con la macchina.
2. Porto la macchina dal meccanico.
3. Il meccanico guarda attentamente la macchina.
4. Ascolta il motore.
5. Controlla il motore.
6. Prova l'acceleratore.
7. Trova il problema.
8. Finisce di ripararla (*fix it*) dopo poco tempo.
9. Pago il meccanico con la carta di credito.

Ex. B: If there is confusion between the two tenses, have students identify the present tense verb and the subject.

Have individuals say the new sentences aloud. Then ask another student what the first student said: S1: *Ho comprato una macchina usata.* T: *Che cosa ha comprato?* S2: *Ha comprato una macchina usata.*

C Dica che cosa hanno fatto due giorni fa le persone della colonna A. Formuli frasi logiche usando i verbi della colonna B e finendo con le parole della colonna C.

▶ Due giorni fa io ed un amico abbiamo pulito la macchina.

A	B	C
noi	passare	la macchina
tu e tua sorella	giocare	un regalo dal fratello
il meccanico	ricevere	con i videogiochi
la professoressa	ordinare	Graceland
tu	pulire	una moto giapponese
un amico ed io	visitare	un CD di Andrea Bocelli
i dottori	comprare	la pizza con il salame
io	imparare	le vacanze a Las Vegas
	ascoltare	a ballare il tango

Gretchen

D Trovi nella classe una persona che ha fatto una delle seguenti cose. Quando ha trovato la persona, scriva il suo nome vicino all'attività.

▶ visitare l'Europa   S1: Hai mai visitato l'Europa?
                         S2: No, non ho mai visitato l'Europa.
                              Sì, ho visitato l'Europa.

1. trovare dieci dollari per strada _____
2. mangiare i calamari _____
3. frequentare un liceo privato _____
4. studiare una lingua asiatica _____
5. lavorare in un negozio _____
6. giocare a rugby _____
7. incontrare una persona famosa _____
8. seguire un corso di antropologia _____

Before doing Ex. D, you may want to elicit the past participle of each verb from the class.

Have students move around the room, speaking to as many people as possible. After one question-answer exchange, they can move on to new partners. Set a five-minute time limit; then see who has the most names filled in.

Calamari (squid) is a popular dish in Italy, often fried.

Gretchen

E In coppia: Domandi ad un altro studente/un'altra studentessa se ha fatto le seguenti cose in questo mese. Se risponde di sì, chieda più informazioni.

▶ avere un esame difficile   S1: Hai avuto un esame difficile in questo mese?
                                S2: Sì, ho avuto un esame difficile nel corso di …
                                     No, non ho ancora avuto un esame difficile.

1. ricevere una lettera
2. studiare in biblioteca
3. vedere un bel film
4. viaggiare fuori degli Stati Uniti
5. trovare un nuovo amico/una nuova amica
6. cercare un lavoro
7. dimenticare un appuntamento importante

Ex. E: Circulate around the class to help students with needed vocabulary. Ask a few students to report what their partners did.

F In coppia: Chieda ad un amico/un'amica tre cose che ha fatto sabato scorso. Domandi anche a che ora ha fatto ogni cosa.

▶ S1: Che cosa hai fatto sabato scorso?
   S2: Ho mangiato al ristorante.
   S1: A che ora hai mangiato?
   S2: Alle …

Passato prossimo con *essere*

È entrato qua ...
ed **è uscito** là.

1. The **passato prossimo** of some Italian verbs is formed with the auxiliary verb **essere.** These verbs are intransitive; they do not take a direct object. Many of them involve movement.

Sergio **è partito** lunedì.   *Sergio left on Monday.*
È andato alle Cinque Terre.   *He went to Cinque Terre.*
È tornato venerdì.   *He returned on Friday.*

Remind students that the verbs in the previous section, *Passato prossimo con avere,* nearly always had an expressed direct object. Refer them to point 2 on page 133. Read the examples and stress the objects. Read other examples and ask who or what is the object.

2. The past participle of verbs conjugated with **essere** always agrees with the subject of the sentence in gender and number.

Tutti sono partit**i** per le vacanze.   *Everyone left for vacation.*
Valerio è andat**o** in America.   *Valerio went to America.*
Gina e Flavia sono andat**e** in Grecia.   *Gina and Flavia went to Greece.*
Solo **Maria** è restat**a** a casa.   *Only Maria stayed at home.*

Review present tense forms of *essere* with the class.

> To remember gender and number agreement, think of the past participle of an intransitive verb as an adjective like *bello: Marisa è bella, Marisa è uscita,* etc.

3. Here is a list of some common regular verbs that form the **passato prossimo** with the auxiliary **essere.**

andare	*to go*	I giovani sono andati all'estero.
arrivare	*to arrive*	L'aeroplano è arrivato in ritardo.
diventare	*to become*	Silvia è diventata nervosa.
entrare	*to enter*	Siamo entrati in un bar.
partire	*to depart, leave*	Gloria è partita per le Alpi.
restare	*to stay, remain*	Io sono restato in albergo.
tornare	*to return*	Siete tornati in un momento difficile.
uscire	*to go out*	Il papà è uscito due minuti fa.

Point out that most intransitive verbs are verbs of movement but that others denote lack of movement or a change of state. Go through the list of intransitive verbs and ask students in which category each verb belongs.

4. The verb **piacere** also uses **essere** as its auxiliary in the **passato prossimo**. When the person or thing liked is singular, the verb is singular; when it is plural, the verb is plural.

Vernazza mi **è piaciuta.**   *I liked Vernazza.*
E mi **sono piaciute** molto   *And I really liked the beaches there.*
   le spiagge lì.

G Cambi il soggetto della descrizione quattro volte, usando **Marco, io, Gina e Daria** e **i ragazzi.** Faccia i cambiamenti necessari al participio passato dei verbi.

Ieri Melissa è andata alla Biblioteca Vaticana. È uscita di casa presto. È arrivata al Vaticano alle nove meno un quarto. È entrata in biblioteca quindici minuti dopo ed è restata lì fino all'una. Poi è tornata a casa con l'autobus.

H Dica dove sono andate in vacanza l'anno scorso queste persone e che cosa hanno fatto lì.

▶ Mia sorella è andata ad Aspen e ha sciato.

io	a New York	visitare le piramidi
tu ed un amico	alle isole Bahama	giocare con i canguri (*kangaroos*)
mia sorella	ad Aspen	frequentare le discoteche del
mamma e papà	a Parigi	luogo
tu	in Egitto	incontrare Topolino (*Mickey*
	in Australia	*Mouse*)
	a EuroDisney	sciare
		dormire sulla spiaggia
		comprare molti vestiti eleganti

Vernazza è una delle caratteristiche cittadine della costa ligure.

I Domandi a cinque studenti dove sono andati in vacanza recentemente. Prenda appunti per poi riferire le informazioni alla classe.

> ▶ S1: Dove sei andato/a in vacanza recentemente?
> S2: Sono andato/a a …
>
> S1: Michele è andato a Disneyworld, Ruben è andato a New York, Carla ed io siamo restate a casa …

Ex. I: Have students circulate and talk to as many others as they can. Follow up by asking a few students to report what they learned to the class, or by having them write out their findings in full sentences as homework.

Expand by having students tell something that they liked or disliked about their vacation.

J In coppia: Ricordate la storia di Cenerentola (*Cinderella*)? Raccontate la storia, con l'aiuto dei suggerimenti indicati e usando il passato prossimo.

Vocabolario utile

la sorellastra stepsister	**il topolino** mouse
la fata madrina fairy godmother	**il cavallo** horse
la carrozza carriage	**la scarpetta** slipper

Cenerentola era (*was*) una povera ragazza che abitava con due sorellastre cattive. Un giorno …

1. arrivare / l'invito al ballo
2. le due sorellastre / andare al ballo / senza Cenerentola
3. la fata madrina / arrivare
4. la fata / creare / un vestito bellissimo
5. i topolini / diventare / cavalli
6. Cenerentola / andare al ballo / in carrozza
7. Cenerentola / incontrare / il principe
8. loro / ballare / insieme
9. Cenerentola / tornare a casa / a mezzanotte
10. il principe / seguire / Cenerentola
11. Cenerentola / perdere / la scarpetta
12. Cenerentola / arrivare a casa / prima delle sorellastre

E poi … ? (Completi la storia.)

Ex. J: Point out the use of the imperfect in the sentence that begins the story. You may want to finish the story with the entire class, helping out with needed vocabulary.

K Metta in contrasto quello che le seguenti persone fanno di solito con quello che hanno fatto due giorni fa (l'anno scorso, ieri, ecc.).

> ▶ Di solito arrivo in ritardo alla lezione d'italiano, ma due giorni fa …
>
> Di solito arrivo in ritardo alla lezione d'italiano, ma due giorni fa sono arrivato/a in anticipo.

1. Di solito parto per l'Europa a febbraio, ma l'anno scorso …
2. Di solito torniamo a casa alle dieci, ma ieri sera …
3. Di solito non beviamo Coca-Cola, ma sabato scorso …
4. Di solito loro ascoltano la musica classica, ma domenica …
5. Di solito Luisa esce (*goes out*) con Orazio, ma venerdì sera …
6. Di solito preferiscono la pizza, ma la settimana scorsa …
7. Di solito finisco i compiti (*homework*) in anticipo, ma lunedì …
8. Di solito puliamo l'appartamento il sabato, ma questa settimana …
9. Di solito non mi piace il programma *Saturday Night Live*, ma ieri sera …

Participi passati irregolari

Cenerentola **è rimasta** troppo tempo al ballo.

1. Many Italian verbs, particularly **-ere** verbs, have irregular past participles. A list of common verbs with irregular past participles follows. A more complete list appears in Appendix E. Asterisks indicate that the **passato prossimo** is formed with **essere**.

aprire (*to open*)	**aperto**	offrire (*to offer*)	**offerto**
bere (*to drink*)	**bevuto**	perdere (*to lose*)	**perso (perduto)**
chiedere (*to ask for*)	**chiesto**	prendere (*to take*)	**preso**
chiudere (*to close*)	**chiuso**	*rimanere (*to remain*)	**rimasto**
decidere (*to decide*)	**deciso**	rispondere (*to answer*)	**risposto**
dire (*to say*)	**detto**	*scendere (*to descend*)	**sceso**
discutere (*to discuss*)	**discusso**	scrivere (*to write*)	**scritto**
*essere (*to be*)	**stato**	soffrire (*to suffer*)	**sofferto**
fare (*to do; to make*)	**fatto**	spendere (*to spend*)	**speso**
leggere (*to read*)	**letto**	vedere (*to see*)	**visto (veduto)**
mettere (*to put*)	**messo**	*venire (*to come*)	**venuto**
*morire (*to die*)	**morto**	vincere (*to win*)	**vinto**
*nascere (*to be born*)	**nato**		

— Cosa **hai fatto** ieri sera?
— Niente di speciale. **Sono stato** con alcuni amici al bar.
— Fino a che ora **siete rimasti** lì?
— Fino a tardi! **Abbiamo discusso** di politica.

— *What did you do last night?*
— *Nothing special. I was with some friends at a bar.*
— *How long did you stay there?*
— *Late! We discussed politics.*

Ask students whether each verb conjugated with *essere* denotes movement, lack of movement, or change of state.

Have students mingle and ask each other *In quale mese sei nato/a?* Encourage them to find as many different months as possible.

Tell students that *scendere* also means "to get off" (a bus or train).

Perform a series of simple actions silently in front of the class (open the door, enter the classroom, write on the board, etc.). Then ask *Cosa ho fatto?* Have students narrate your actions in order. Or have them write the actions in the *passato prossimo* as a brief review quiz.

2. Perdere and **vedere** have both regular and irregular past participles. The irregular forms are more commonly used.

— Ieri ho **perso** lo zaino.

— Hai **perduto** anche i libri?

— Ieri ho **visto** Sergio.

— Hai **veduto** anche il suo ultimo acquisto?

3. Stato is the past participle of both **essere** and **stare.** Their forms are identical in the **passato prossimo,** but their meaning is usually clear from the context.

— Maura è **stata** a scuola ieri?

— No, è **stata** a casa tutta la giornata.

— *Was Maura at school yesterday?*

— *No, she stayed at home all day.*

L Dia il contrario del verbo nel passato prossimo.

▶ Sergio ha vinto dieci dollari.   Sergio ha perso dieci dollari.

1. La professoressa ha aperto la finestra.
2. Abbiamo mangiato poco a mezzogiorno.
3. Chi ha scritto l'articolo sul giornale?
4. Niccolò Machiavelli è nato a Firenze.
5. Hai trovato la penna?
6. Cosa hanno chiesto al professore?
7. Sono andati con il treno delle dieci e un quarto.

Before doing Ex. L, elicit opposites of infinitives from students: *Qual è il contrario di vincere?*

> Niccolò Machiavelli (1469–1527) was a Florentine writer, statesman, and political theorist.

M In coppia: Qui ci sono due liste di cose da fare per lei e per un suo amico/una sua amica. A turno, chiedete se ognuno (*each*) ha fatto le cose della sua lista.

▶ S1: Hai fatto una passeggiata con il cane?
   S2: Sì, ho già fatto una passeggiata con il cane.
       No, non ho (ancora) fatto una passeggiata con il cane.

S1

mettere la macchina nel garage
pulire l'appartamento
fare i letti (*beds*)
portare le bottiglie al supermercato
chiudere tutte le finestre

S2

fare una passeggiata con il cane
leggere il giornale
rispondere alla e-mail
bere il caffè
dormire un po' nel pomeriggio

N In coppia: Un compagno/Una compagna le domanda se recentemente lei ha fatto le seguenti cose. Se risponde di sì, dica quando le ha fatte.

▶ scrivere una tesina (*paper*)   S1: Hai scritto una tesina recentemente?
                                   S2: No, non ho scritto una tesina recentemente.
                                       Sì, ho scritto una tesina domenica scorsa.

1. vedere un bel film
2. dire una bugia (*lie*)
3. fare una passeggiata
4. leggere un libro noioso
5. spendere più di $100 ad un ristorante

6. venire a lezione in ritardo
7. essere fuori degli Stati Uniti
8. prendere un mezzo pubblico (*public transportation*)
9. rimanere in casa 24 ore
10. perdere una cosa preziosa

You may want students to mingle to do Ex. N. Have students count off by tens and assign the corresponding question. Each student asks the question of as many people as he/she can.

Encourage students to find out more information from people who answer positively.

In coppia: Guardate i due disegni (*drawings*). Il primo fa vedere com'era ieri pomeriggio la camera di Sergio. Il secondo disegno fa vedere com'è oggi la stessa camera. Dica al compagno/alla compagna tre o quattro cose che Sergio ha fatto fra ieri e oggi. Vocabolario utile: *letter:* la lettera; *door:* la porta; *bed:* il letto.

▶ S1: Sergio ha/è …
S2: Ha/È anche …

Ex. O: If students are having trouble, prompt them by saying *In questa bottiglia c'è ancora la Coca-Cola. Qui non c'è la Coca-Cola. Cosa ha fatto Sergio?* Have students take turns finding and explaining differences.

Verbi irregolari: *bere, dire, uscire*

1. The verbs **bere** (*to drink*), **dire** (*to say*), and **uscire** (*to go out*) are irregular in the present tense. Here are their forms.

bere		dire		uscire	
bevo	beviamo	dico	diciamo	esco	usciamo
bevi	bevete	dici	dite	esci	uscite
beve	bevono	dice	dicono	esce	escono

— Cosa **bevete?**
— Noi **beviamo** acqua minerale, ma Sergio **dice** che preferisce non **bere** niente.

— *What are you drinking?*
— *We're drinking mineral water, but Sergio says he prefers not to drink anything.*

— **Esci** ancora con Laura?
— No, non **usciamo** più insieme. Lei **dice** che sono noioso!

— *Do you still go out with Laura?*
— *No, we don't go out together anymore. She says I'm boring!*

Uscire means both "to go out" (of a building) in the literal sense and "to go out" in the sense of dating.

2. The past participles of **bere** and **dire** are irregular: **bevuto** and **detto**. **Uscire** is regular in the **passato prossimo** but is conjugated with **essere**.

Siamo usciti ieri sera per festeggiare il compleanno di Paolo.
Gli **abbiamo detto** "Auguri!" e **abbiamo bevuto** alla sua salute.

Last night we went out to celebrate Paolo's birthday.
We said "Best wishes!" and drank to his health.

P Dica che le persone tra parentesi fanno le seguenti cose.

1. Gabriella beve un caffè ed esce di casa. (io / Gabriella e Valeria / voi / tu)
2. Dice "buongiorno" al direttore dell'ufficio. (la segretaria / noi / i ragazzi)
3. Dopo il lavoro esce con due amiche. (tu e Gabriella / io / Gabriella e sua madre / Marco)
4. Dice alle amiche che oggi non beve niente. (Francesco / noi / tu / i due giovani)

Q In coppia: Un sondaggio sull'alcol. Domandi ad un compagno/una compagna:

1. se beve alcolici
2. che cosa beve
3. quando e quanto beve
4. se i suoi genitori bevono alcolici
5. se gli amici bevono alle feste o quando escono
6. se gli studenti della vostra università bevono poco o molto
7. se l'uso eccessivo di bevande alcoliche è un problema serio nella vostra università

R Intervisti un altro studente/un'altra studentessa per sapere:

— se esce spesso
— dove va quando esce
— con chi preferisce uscire
— cosa fa quando esce
— se è uscito/a sabato scorso; dov'è andato/a

▶ S1: Esci spesso?
   S2: Sì, abbastanza spesso: due o tre volte alla settimana.
   S1: Dove vai …

Ex. P: Repeat the exercise. Have students start each sentence with *ieri* and use the *passato prossimo*.

Alcoholic beverages, and wine in particular, are an integral part of Italian life. Italians begin to drink wine with meals at an early age. Alcohol abuse is much less of a problem than in the United States.

Ex. Q: The subject of alcohol abuse should not be taken lightly. Approach Ex. Q as a serious investigation of drinking habits on your campus, not as an opportunity to joke about beer consumption. After paired work is completed, discuss whether there is a problem on campus, why students drink, and why it should be discouraged.

Before doing Ex. R, model with a student or elicit questions for each item. Have students take turns interviewing each other.

For further practice of lesson topics, log on to the *Oggi in Italia* website and/or do the CD-ROM activities.

Parliamo un po'

A **Il tempo libero.** In gruppi di tre o quattro: Ecco le attività preferite degli europei durante le ore libere di un giorno lavorativo (*working*): guardano la televisione, incontrano amici, ecc. Il numero indica il tempo dedicato in media (*on average*) a fare l'attività. Con due o tre amici, create uno schema simile per gli studenti della vostra università: Quali sono le attività più popolari fra gli studenti? Quanto tempo dedicano a queste attività?

Act. A: Have students choose appropriate activities from the realia and add others that students participate in: *mangiare con gli amici, andare in palestra,* etc. Then they can decide on average how much time students spend doing each activity. Focus on pronunciation of third person plural forms.

▶ Gli studenti qua dormono in media sei ore al giorno. Vanno a ballare …

dormire - 8h03'
guardare la tv - 3h27'
ascoltare la radio - 3h14'
incontrare amici - 2h10'
andare al cinema - 2h03'
fare sport - 1h41'
LAVORO
leggere un giornale - 57'
fare spese - 1h09'
leggere un libro - 1h15'
passeggiare - 1h28'

B **Durante la settimana.** In coppia: Domandi ad un compagno/una compagna se ha fatto le attività presentate in Attività A nell'ultima settimana. Se risponde di sì, chieda altre informazioni.

▶ S1: Hai letto un libro questa settimana?
S2: Sì, ho letto un libro.
S1: Quale libro? Ti è piaciuto? ecc.

C **Una gita.** In coppia: Descriva ad un amico/un'amica una gita che lei ha fatto recentemente. Dica dov'è andato/a, quando, con chi, perché, quanto tempo è rimasto/a là, che cosa ha fatto, cosa è successo e quando è tornato/a.

▶ Domenica scorsa ho fatto una gita a (in) …

D **Fotografie di un viaggio.** In coppia: Recentemente Anna ed Aldo hanno passato le vacanze a Cocoruba, ed ecco alcune fotografie che hanno fatto là, ma non sono in ordine cronologico. Trovate l'ordine corretto, e poi raccontate alla classe che cos'è successo durante il loro viaggio.

Act. D: Students should be able to describe the pictures with known and provided vocabulary. There are a few possible sequences.

You may also assign this activity as written homework.

Vocabolario utile: le camicie (*shirts*), la piscina (*pool*), in aereo (*by plane*)

▶ Recentemente Anna ed Aldo sono andati in vacanza a Cocoruba. Hanno viaggiato in …

E **Un viaggio alle Cinque Terre.** In coppia: Recentemente avete fatto un bellissimo viaggio nelle Cinque Terre. Ecco alcune note che avete scritto rapidamente in un diario. Usate le note per ricostruire il viaggio.

Assign Act. E as homework. Students can write these as short entries in a travel journal. Have them use the Internet to look up some of the places mentioned and include any interesting information in their descriptions.

giovedì	Arrivare a Monterosso in treno. Albergo Villa Margherita.
venerdì	Visita del paese, Santuario della Madonna. Cena: trattoria Gianni Franzi, spaghetti al pesto!
sabato	Mattina: spiaggia. Treno a Vernazza alle 14.35. Hotel l'Eremo sul Mare.
domenica	Visitare il vecchio porto, castello. Sera: discoteca La Cantina delle Sirene, fino alle …
lunedì	Altra spiaggia! Escursione al monte Roccioso.
martedì	Tornare a casa.

Conoscere l'Italia

Have students consult the map on p. 14 or on the inside cover while doing Ex. A.

A **Definizioni.** Abbini le definizioni con una parola della lista a destra. Ci sono due parole in più nella lista.

1. si trovano vicino al mare
2. sono due regioni del nord Italia
3. è un'isola italiana
4. sono regioni del centro Italia
5. sono montagne dell'Italia del Nord
6. è una regione del sud Italia
7. un prodotto della terra
8. è sinonimo di *zona*
9. organizzazione di nazioni d'Europa
10. una città molto piccola

a. l'Abruzzo, il Lazio e il Molise
b. un paese
c. la Sardegna
d. il vino
e. nazionale
f. Unione Europea
g. le dune
h. la Calabria
i. il territorio
j. l'area
k. il Piemonte e la Valle d'Aosta
l. le Alpi

Remind students to look for cognates while reading. Practice pronunciation by asking individual students to read parts of the reading aloud.

I parchi nazionali italiani

Patrimonio Naturale e Culturale

parchi riserve naturali d'Abruzzo

Ci sono oggi in Italia ventuno parchi nazionali con altri tre in via di istituzione[1]. Le aree protette italiane occupano il 10% (dieci per cento) del territorio nazionale e includono anche lagune e dune vicino alla costa. Ci sono aree protette in quasi tutte le regioni e l'Abruzzo, la Calabria e la Sardegna hanno il maggior[2] numero di parchi. I primi parchi nazionali sono il Parco Nazionale del Gran Paradiso (1947), situato sulle Alpi, fra il Piemonte e la Valle d'Aosta, e il Parco Nazionale d'Abruzzo (1951), situato sugli Appennini, fra l'Abruzzo, il Lazio e il Molise. Tutti gli altri parchi sono più recenti e molti sono stati istituiti con l'aiuto[3] di fondi dell'Unione Europea. I parchi servono per proteggere specie di animali e vegetazione, per conservare[4] l'arte, l'architettura e le tradizioni dei paesi di queste zone e per promuovere[5] i loro prodotti tipici, come formaggio, vino, olio ed altre specialità.

1. about to be established 2. largest 3. help 4. to save 5. to promote

B **Informazioni.** Dia le seguenti informazioni basate sul brano precedente.

1. Sono ventuno i …
2. Il 10% (dieci per cento) del territorio italiano è costituito da …
3. Tre delle regioni che hanno il maggior numero di parchi sono …
4. Sulle Alpi, fra il Piemonte e la Valle d'Aosta, c'è il Parco …
5. Sugli Appennini è situato il Parco …
6. Molti parchi sono stati istituiti …
7. Nei parchi nazionali sono protette …
8. Nei paesi situati nelle aree protette vengono protette e conservate anche …
9. Alcuni prodotti tipici delle zone protette sono …

A **La parola giusta.** Completi le seguenti frasi con le parole appropriate fra quelle indicate tra parentesi.

1. La (zona / riviera / terra) è un territorio della costa.
2. I piccoli paesi si chiamano anche (città / aree / borghi).
3. New York è una città, non (una cittadina / un terreno / un parco).
4. Il Mediterraneo che circonda l'Italia è un (lago / fiume / mare).
5. Fra la terra e il mare c'è (la costa / la cittadina / il parco).
6. Un sinonimo di *campo* è terreno che deriva da (arte / costa / terra).
7. La (studentessa / umanità / facoltà) di Architettura è un dipartimento dell'università.

Il Parco Nazionale delle Cinque Terre

Istituito nel 1999 (millenovecentonovantanove), il Parco Nazionale delle Cinque Terre si trova sulla Riviera della Liguria. Il nome Cinque Terre deriva dai cinque borghi situati lungo[1] la costa in questo parco. Queste pittoresche cittadine sono Riomaggiore, Manarola, Corniglia, Vernazza e Monterosso al Mare. Le caratteristiche di questo parco sono i versanti scoscesi[2] che scendono a picco[3] sul mare. I muri a secco[4] proteggono i terreni terrazzati[5] dove sono coltivati i vigneti.[6] L'UNESCO ha iscritto questo bel parco fra i beni[7] del Patrimonio Mondiale dell'Umanità. La Facoltà di Architettura dell'Università di Genova e l'Ente Parco[8] hanno organizzato campi di lavoro[9] per restaurare il paesaggio. Due delle attività di questi campi di lavoro sono la ricostruzione dei muri a secco e il restauro dei sentieri[10] abbandonati. Studenti universitari italiani e stranieri partecipano a queste attività.

1. along   2. steep slopes   3. vertically   4. dry walls   5. terraced
6. vineyards   7. property   8. Park Agency   9. work fields   10. paths

Have students read the passage twice. Then, with books closed, do Ex. B.

Ask students about American national parks and where they are located.

Look at the map on p. 14 and locate Liguria and Genova.

UNESCO = United Nations Educational, Scientific, and Cultural Organization

Patrimonio Mondiale = World Heritage

 Che cosa ricorda? Dia il nome o la descrizione dei seguenti aspetti del Parco Nazionale delle Cinque Terre.

1. anno dell'istituzione del Parco Nazionale delle Cinque Terre
2. regione dov'è situato
3. perché il nome Cinque Terre
4. i nomi delle cinque cittadine situate nel parco
5. caratteristiche di questo parco
6. quello che ha fatto l'UNESCO
7. hanno organizzato i campi di lavoro alle Cinque Terre
8. partecipano ai campi di lavoro per restaurare il parco

Lezione 7

Il mercato all'aperto
è ancora oggi una
caratteristica di molte
città italiane.

Il mercato all'aperto

Communicative Objectives

- Describe your daily routine and ask others about their routines
- Inquire about and express prices
- Talk about food and food preferences and quantities
- Make requests and suggestions; give orders and advice

Refer students to the photo and ask if they know of any outdoor markets. Ask if they think prices are more or less expensive at an outdoor market than at a supermarket.

 Show the *Oggi in Italia* video segment and do the video activities.

Gabriella Marchi abita e lavora a Genova. Il sabato mattina le piace alzarsi tardi. Di solito si sveglia verso le nove e dopo colazione si prepara per uscire. Si lava, si veste e poi va a fare la spesa. Al mercato all'aperto del suo quartiere c'è una buona scelta di frutta e verdura ed è tutto a buon mercato.

Oggi Gabriella si ferma prima alla bancarella di un fruttivendolo.

	FRUTTIVENDOLO:	(*Ad alta voce°*) Comprate queste belle arance! Guardate che bell'uva! È una delizia°. (*A Gabriella*) Buon giorno, signorina, mi dica°.	*loudly* *delight, delicious* *may I help you?*
	GABRIELLA:	Vorrei degli spinaci. Quanto costano?	
5	FRUTTIVENDOLO:	Un euro e settanta centesimi al chilo.	
	GABRIELLA:	Un chilo, per favore.	
	FRUTTIVENDOLO:	Subito.	
	GABRIELLA:	E l'uva, quanto costa?	
	FRUTTIVENDOLO:	Due euro. È dolce come il miele°. Prenda, assaggi.	*honey*
10	GABRIELLA:	Sì, grazie. ... Veramente buona, ma mi sembra un po' cara.	
	FRUTTIVENDOLO:	Signorina, in tutto il mercato non c'è di meglio.	
	GABRIELLA:	Se lo dice lei. ... Allora faccia° anche un chilo d'uva, per favore.	*give me*
15	FRUTTIVENDOLO:	Bene, desidera qualche altra cosa?	
	GABRIELLA:	No, grazie. Per oggi è tutto.	
	FRUTTIVENDOLO:	Allora, sono tre euro e settanta centesimi. (*Alla moglie*) Maria, sii gentile, da' anche degli odori° alla signorina!	*herbs*
20	GABRIELLA:	Grazie, ecco i soldi.	

> In Italy, weight is measured in kilograms (*il chilo*). A *chilo* equals 2.2 pounds.

> Vendors at open-air markets generally give herbs (*odori*) to their customers for free.

Domande

Read the dialogue or play the recording while students listen with books open. Then have students role-play the dialogue.

1. Di solito a che ora si sveglia Gabriella Marchi il sabato mattina?
2. Che cosa fa dopo colazione?
3. Dove va a fare la spesa?
4. Che cosa assaggia Gabriella al mercato?
5. Cosa compra Gabriella dal fruttivendolo? Quanto costano gli spinaci? Quanto costa l'uva?
6. Quanto spende in tutto Gabriella?

> As of January 2002, the euro, whose symbol is €, is the official currency of all the member nations of the European Union (EU). In Italy the euro takes the place of the lira. Similar to the American dollar, the euro is made up of 100 cents (*centesimi*).

After students answer the *Domande*, write a few key phrases on the board and challenge them to summarize the action. Prompt them with questions as necessary.

Describe your own typical Saturday morning, using the present tense *io* form and reflexives where possible. Ask a few students to do the same.

Domande personali

1. Lei a che ora si sveglia la mattina? A che ora si alza?
2. A lei piace alzarsi presto o tardi? E il sabato? E la domenica?
3. Che cosa beve la mattina a colazione? Latte? Caffè? Tè? Spremuta d'arancia?
4. Lei quando va a fare la spesa? Ogni giorno? Una volta alla settimana? Due o tre volte alla settimana?
5. C'è un mercato all'aperto o un supermercato vicino a casa sua?
6. Lei esce a fare acquisti il sabato? Quali acquisti fa? Dove?

 Model the reflexive *io* form before the *Domande personali*.

Have students ask each other the *Domande personali* using *tu*. Encourage them to ask additional questions and to use other verbs: *Che cosa mangi la mattina a colazione? Che cosa compri al mercato? Vai a fare la spesa da solo/a? Preferisci il mercato all'aperto o il supermercato?*

Il mercato rionale[1]

Particolare invitante di una salumeria di Courmayeur nella Valle d'Aosta.

I mercati rionali all'aperto o coperti sono opportunamente[2] distribuiti in varie zone centrali e periferiche delle città italiane. Essi hanno una funzione importante nella vendita di ortaggi[3], frutta, carne e pesce[4]. Alcuni di questi mercati una volta erano[5] specializzati nella vendita di prodotti particolari che hanno dato il nome al mercato stesso[6]. Un esempio è Campo de' Fiori a Roma, dove, molti decenni fa, ogni martedì le donne arrivavano[7] in città dalla campagna per vendere fiori[8].

Con lo sviluppo[9] del supermercato, l'importanza del mercato rionale è diminuita. La donna moderna, che è entrata nel mondo del lavoro, non ha più tempo per andare al mercato ogni giorno ed ha trovato più conveniente fare la spesa al supermercato una volta alla settimana. Ma per molta gente il mercato rionale, oltre[10] ad esercitare un certo fascino folcloristico, rimane il luogo dov'è ancora possibile comprare cibi freschi[11] e a buon mercato.

Tell students that Italian men, especially those retired from work, often do the food shopping.

• Chi fa la spesa nella sua famiglia?

• Ci sono mercati all'aperto di frutta e verdura nella sua città? Ci sono anche negozi di alimentari specializzati?

1. local, neighborhood   2. conveniently   3. vegetables   4. meat and fish   5. were   6. itself   7. used to arrive   8. flowers
9. development   10. besides   11. fresh food

Situazioni

1. In coppia: Domandi ad un amico/un'amica a che ora si alza il sabato.

   ▶ — A che ora ti alzi il sabato?
     — Mi alzo alle dieci (presto/molto tardi/a mezzogiorno).

Sit. 1: Expand by having pairs of students ask *A che ora fai colazione (esci da casa, ecc.) la mattina?*

2. In coppia: Suggerisca qualcosa al suo compagno/alla sua compagna che desidera sapere cosa fare stasera.

   ▶ — Che si fa stasera?
     — Perché non andiamo al cinema (incontriamo gli amici al bar/guardiamo la televisione/andiamo in discoteca)?

Pratica

1. Dica cosa fa una persona che abita con lei da quando si sveglia la mattina fino a quando esce di casa. A che ora si sveglia? È di buon umore (*mood*) o di cattivo umore? Legge il giornale? Ascolta la radio?

Prat. 1: You may want to have students write a brief description.

Prat. 2: Set prices with students before beginning. Tell students they must start with a greeting, then ask if the fruit is fresh and how much it is. Give pairs two to three minutes to prepare. Allow notes but discourage writing out dialogues in full.

2. In coppia: Lei è ad un mercato all'aperto di Genova e chiede a un fruttivendolo un chilo di patate, un chilo d'uva e due chili di arance. Preparate un dialogo appropriato e presentatelo alla classe.

Prat. 2: Point out the plural of nouns like *arancia (arance)* and *ciliegia (ciliege)*.

Vocabolario

Parole analoghe
l'euro
la frutta
spendere
gli spinaci

Nomi
l'arancia orange
la bancarella stall
il centesimo cent
la colazione breakfast
il fruttivendolo fruit vendor
gli odori herbs
il quartiere neighborhood
la scelta choice
i soldi money
l'uva grape(s)
la verdura green vegetables

Aggettivo
dolce sweet

Verbi
alzarsi to get up
assaggiare to taste
costare to cost
dare to give; da' give
fermarsi to stop
lavarsi to wash (oneself)
prepararsi to get ready
svegliarsi to wake up
vestirsi to get dressed

Altre parole ed espressioni
poi then, afterwards
presto early
veramente really
a buon mercato inexpensive
al chilo per kilo (metric weight)
fare la spesa to shop (for food)
in tutto all together
mi sembra it seems to me, I think
quanto costa (costano)? How
    much is it (are they)?

> In Italian, *euro* is an invariable masculine noun: *l'euro/gli euro.*

> Have students make up sentences using *poi, presto, tardi.*

> *Soldi* is the most common way to say "money." Other words are *il denaro* and *la moneta. La moneta* also means "coin" and "currency."

Pronuncia

I suoni della s

The letter **s** has two sounds in Italian, /s/ as in *sing* and /z/ as in *rose*. The sound /s/ is represented by the letters **s** and **ss**. The sound /z/ is represented by the letter **s**. In standard Italian, **s** is pronounced /z/ when it appears between two vowels (intervocalic **s**) and before **b, d, g, l, m, n, r,** and **v**.

> Remember that in most common Italian words the intervocalic *s* is pronounced /z/.

(A) Ascolti e ripeta le seguenti parole.

sabato	cosa	assaggiare	mese
soldi	spesa	essere	centesimo
spendere	confusione	stesso	svegliare
spinaci	desidera	indossare	sgarbato

(B) **Proverbi.** Ascolti e ripeta i seguenti proverbi.

Sbagliando s'impara.
One learns by one's mistakes.

Non c'è rosa senza spine.
Life is not a bed of roses.
(*Literally: There is no rose without thorns.*)

> Ex. A: Have one or two students spell these words aloud while you write them on the board.
>
> Have students create three logical or absurd sentences using as many words as possible containing *s* or *ss.* Then have them compare sentences with another student, read sentences aloud, or dictate them to another student.
>
> Ex. B: Encourage students to explain what the proverbs mean to them or to describe simple situations to which they apply.

Ampliamento del vocabolario

I cibi

Gli alimentari (*food products*)

l'aceto vinegar
il brodo broth
il burro butter
il formaggio cheese
il latte milk
l'insalata (*f.*) salad
la minestra soup
l'olio d'oliva olive oil
il pane bread
la pasta pasta
la pastasciutta pasta dish
il pepe pepper
il prosciutto cured ham
il riso rice
il salame salami
il sale salt
l'uovo (*m.*), le uova
  (*f. pl.*) egg
lo zucchero sugar

La carne (*meat*)

l'agnello lamb
la bistecca steak
il maiale pork
il pollo chicken
il tacchino turkey
il vitello veal

Il pesce (*fish*)

l'aragosta lobster
i calamari squid
i gamberi shrimp
il merluzzo cod
gli scampi prawns
la sogliola sole
le vongole clams

La frutta

l'albicocca apricot
l'ananas (*m.*) pineapple
l'arancia orange
la banana banana
la ciliegia cherry
la fragola strawberry
il limone lemon
la mela apple
la pera pear
la pesca peach
il pompelmo grapefruit
l'uva grape(s)

Il dolce (*dessert*)

la crostata pie
il gelato ice cream
la pasta pastry
il tiramisù cake with coffee,
  mascarpone cheese, cream,
  and chocolate
la torta cake

La verdura

l'aglio (*m.*) garlic
gli asparagi asparagus
i broccoli broccoli
il carciofo artichoke
la carota carrot
la cipolla onion
i fagiolini string beans
i funghi mushrooms
la lattuga lettuce
la melanzana eggplant
la patata potato
il peperone green pepper
i piselli peas
il pomodoro tomato
gli spinaci spinach
gli zucchini zucchini squash

Practice food vocabulary when eating and shopping.

Practice foods by asking students which foods they have never eaten. Ask them if they eat certain foods often (*Mangi spesso i calamari?*).

Pasta is the general name for every type of cooked and uncooked pasta. *Pastasciutta* refers to an already cooked pasta dish such as spaghetti, fettuccine, linguine, etc.

Gli zucchini can also be feminine, *le zucchine*.

A In coppia: Risponda ad un amico/un'amica che vuole sapere se lei mangia questi cibi.

► carciofi S1: Mangi i carciofi?
  S2: Sì, mangio i carciofi qualche volta./No, non ho mai mangiato i carciofi.

i calamari	l'aragosta
il tiramisù	i broccoli
il prosciutto	le carote

B In coppia: Domandi ad un amico/un'amica cosa preferisce mangiare e bere a pranzo e a cena (*at lunch and dinner*). Prenda appunti e poi riferisca le informazioni alla classe.

► S1: Cosa preferisci mangiare e bere a pranzo?
  S2: A pranzo preferisco …
  S1: E a cena?

Before doing Ex. B, review words students already know (*panini, spremuta d'arancia, prosciutto,* etc.).

C In coppia: Faccia le seguenti domande personali ad un altro studente/un'altra studentessa.

1. Preferisci la carne o il pesce?
2. Quale tipo di carne preferisci?
3. Quante volte alla settimana mangi il pesce?
4. Qual è il tuo pesce preferito?
5. Mangi la verdura? Quali verdure preferisci?
6. Che frutta mangi di solito? Mangi la frutta ogni giorno?
7. Preferisci la spremuta d'arancia o di pompelmo?
8. Se stai a dieta per un giorno, che cosa mangi?
9. Di solito usi il burro, la margarina o l'olio d'oliva?
10. Ti piacciono i dolci? Quali dolci preferisci?

Ex. C: Have students supply five more questions to ask each other.

Have students ask you the questions, using *lei.*

D In gruppi di tre: Preparate una cena a due persone che avete conosciuto in Italia. Decidete il menù includendo l'antipasto, il piatto principale, il dolce, la frutta e le bevande (*drinks*). Poi fate una lista delle cose da comprare.

Ex. D: Tell students the courses an Italian meal may include: *l'antipasto* (appetizer), *il primo piatto* (first course), *il secondo piatto* (second course) or *piatto principale* (main course), and *il dolce* (dessert).

Una grande varietà di pesce è in vendita in questa bancarella di un mercato di zona.

I numeri da 100 in poi

100 = **cento**	1.000 = **mille**
101 = **centouno**	1.100 = **millecento**
120 = **centoventi**	1.420 = **millequattrocentoventi**
150 = **centocinquanta**	2.000 = **duemila**
200 = **duecento**	3.000 = **tremila**
300 = **trecento**	4.000 = **quattromila**
400 = **quattrocento**	5.000 = **cinquemila**
500 = **cinquecento**	10.000 = **diecimila**
600 = **seicento**	15.000 = **quindicimila**
700 = **settecento**	100.000 = **centomila**
800 = **ottocento**	200.000 = **duecentomila**
900 = **novecento**	1.000.000 = **un milione**

> A period is used instead of a comma in numbers in the thousands: *English: 10,500; Italian: 10.500.*

> A comma is used instead of a decimal point to express fractional amounts: *English: 1.5; Italian: 1,5.*

Point out 1.420 in the list of numbers and explain that numbers are written as one word in Italian.

1. The plural of **mille** is **mila.** It is attached to the preceding number.

   duemila   *two thousand*
   tremila   *three thousand*

Ask students how many students are at their school or college and the populations of their hometowns.

2. **Milione (milioni)** requires **di** plus a noun when no other number follows **milione (milioni).**

   un milione **di euro**   *a million euros*
   due milioni **di persone**   *two million people*

   But: un milione duecentomila   *one million two hundred thousand*
      dollari   *dollars*

Practice numbers by writing numerals on the board for students to call out. Then dictate numbers, having students write numerals.

	UN CUCCHIAINO DI OLIO *(oliva, mais, girasole)*	UN CUCCHIAINO DI ZUCCHERO	QUATTRO BISCOTTI SECCHI	UNA BRIOCHE NON RIPIENA	UNA FETTA DI CROSTATA CON MARMELLATA	UNA LATTINA DI ARANCIATA O ALTRA BIBITA	UNA LATTINA DI BIRRA	UN QUARTO DI LITRO DI VINO
C I B I								
CALORIE	**45**	**20**	**123**	**206**	**339**	**127**	**112**	**190**

E Legga ad alta voce.

▶ 150 biglietti   centocinquanta biglietti

1. 365 giorni
2. 1.000 dollari
3. 400 orologi
4. 15.000 persone
5. 950 negozi
6. 1.000.000 di euro
7. 2.000 anni
8. 1.420 studenti

> *Quante calorie ci sono in un cucchiaino di zucchero? E in una fetta di crostata con marmellata? E in una lattina di aranciata? Dove sono più calorie, in quattro biscotti secchi o in una fetta di crostata con marmellata?*

Have students guess the meaning of *il cucchiaino, la fetta, la crostata,* and *la lattina* based on drawings.

F In coppia: Risponda ad un compagno/una compagna che le domanda quanto costano queste cose in Italia. Usi i prezzi suggeriti per rispondere alle domande.

▶ un televisore / €400   — Quanto costa un televisore?
                          — Costa quattrocento euro.

1. un motorino Piaggio / €1.750
2. una macchina Fiat / €15.000
3. un'automobile Ferrari / €160.000
4. un buon telefonino / €380
5. uno stereo / €250
6. un buon computer / €2.500
7. un pranzo per due in un ristorante elegante / €150
8. una settimana in una buona pensione / €800

Ex. F: Tell students that the dollar exchange rate fluctuates and that during the last few years the dollar's equivalent has been between 1.25 and 1.34 euros. Suggest that they check the newspaper for the latest exchange rate.

Have students repeat, giving prices in dollars. Model a few prices in dollars and cents: $17.50.

Struttura ed uso

Verbi riflessivi

La mamma prima veste il suo bambino e poi **si veste**.

1. A reflexive verb is a verb whose action refers back to the subject, such as *I hurt myself* or *They enjoyed themselves.* Reflexive verbs are always accompanied by a reflexive pronoun: **mi, ti, si, ci, vi, si.** The verb itself is conjugated according to the tense and the subject. Here is the present tense of the verb **divertirsi.**

divertirsi *to enjoy oneself, have fun*	
io **mi diverto**	noi **ci divertiamo**
tu **ti diverti**	voi **vi divertite**
lui/lei **si diverte**	loro **si divertono**

— **Vi divertite** in classe?   — *Do you enjoy yourselves in class?*
— **Ci divertiamo** quando   — *We have fun when we talk.*
   parliamo.

2. Reflexive verbs are more common in Italian than in English. Many Italian reflexives express ideas that are not normally expressed reflexively in English.

Gianni **si alza** alle otto.	*Gianni gets up (raises himself) at eight o'clock.*
Poi **si veste**.	*Then he gets dressed (dresses himself).*
Poi **si mette** a studiare.	*Then he begins to study.*

> Practice the reflexive verbs as you go about your daily routine: *Sono le otto; mi alzo. Adesso mi lavo*, etc.

3. Here is a list of some common reflexive verbs in Italian.

addormentarsi to fall asleep	**mettersi a** + *infinitive* to begin to, start to
alzarsi to get up	
annoiarsi to be bored	**preoccuparsi (di)** to worry (about)
chiamarsi to be called (call oneself), be named	
	prepararsi to get ready
divertirsi to enjoy oneself, have fun	**prepararsi per** + *infinitive* to prepare oneself to, get ready to
fermarsi to stop	**sentirsi** to feel
lavarsi to wash (oneself)	**svegliarsi** to wake up
mettersi to put on (*clothing*)	**vestirsi** to get dressed

Point out to students that many verbs have both a nonreflexive and a reflexive use. *Chiamare*, for instance, means "to call someone or something," but *chiamarsi* means "to call oneself (be called)." Give *alzare* and *alzarsi* as another example.

— Come **vi sentite**, signori?
— **Ci sentiamo** molto meglio, grazie.

— *How are you feeling?*
— *We're feeling much better, thank you.*

Mi preoccupo di mio figlio, che **si annoia** a scuola.

I'm worried about my son, who gets bored at school.

4. The reflexive pronoun generally comes before the conjugated verb. In the infinitive form, it is usually attached to the end of the infinitive, which drops the final **-e.**

Claudia non **si ferma** a Padova.
Preferisce **fermarsi** a Ferrara.
Vi addormentate presto?
Cercate di **addormentarvi** presto.

Claudia is not stopping in Padova.
She prefers to stop in Ferrara.
Do you fall asleep early?
Try to fall asleep early.

5. In the **passato prossimo**, reflexive verbs always take the auxiliary verb **essere.** The past participle agrees with the subject.

Claudia **si è fermata** a Ferrara.
Le ragazze **si sono lavate.**
Ci siamo messi a studiare.

Claudia stopped in Ferrara.
The girls washed themselves.
We started studying.

A Cambi il soggetto della seguente descrizione tre volte, prima ad **Alessia,** poi a **noi** e poi ai **miei fratelli.** Faccia tutti i cambiamenti necessari ai verbi e ai pronomi riflessivi.

To prepare for Ex. A, read the paragraph aloud and ask students to identify and give an English equivalent for the reflexive verbs.

Ogni giorno mi alzo alle sette. Mi lavo e mi vesto velocemente: mi metto i jeans e una T-shirt e mi preparo per uscire. Torno a casa alle quattro e mi metto a studiare. La sera mi diverto a guardare la televisione. Vado a letto (*bed*) alle dieci e mi addormento subito.

Ogni giorno Alessia …

B Formuli frasi originali nel presente con le parole ed espressioni delle colonne A, B e C.

▶ Mio padre si annoia a casa.

A	B	C
mio padre	svegliarsi	prima di uscire
un'amica ed io	vestirsi	un appuntamento importante
tu	annoiarsi	comprare il latte
voi	addormentarsi	a mezzogiorno
io	dimenticarsi di	i jeans di Armani
gli amici	prepararsi per	rapidamente
	mettersi	a casa
	sentirsi	dopo David Letterman
		in biblioteca
		male dopo la festa

Have students do Ex. B in pairs, taking turns saying logical sentences. Then have them put the sentences in the *passato prossimo*.

C In coppia: Dica ad un compagno/una compagna tre luoghi dove lei è andato/a la settimana scorsa (a una festa, al cinema, ad un concerto, a casa, ecc.). Poi dica se si è divertito/a o annoiato/a là.

▶ S1: La settimana scorsa sono andato/a in discoteca.
   S2: Ah sì? Ti sei divertito/a?
   S1: Sì, mi sono divertito/a molto! / No, mi sono annoiato/a.
   S2: Perché ti sei divertito/a? (ecc.)

Remember that *divertirsi* means "to have fun." *Ti sei divertito/a?* means "Did you have fun?"

Review the meaning and forms of *divertirsi* and *annoiarsi* before doing Ex. C. Ask several students where they went last week and if they had fun. Encourage pairs to ask each other why they had fun or were bored.

D In coppia: Dica ad un compagno/una compagna a che ora di solito lei fa le seguenti cose, e a che ora le ha fatte ieri. Poi chieda al compagno/alla compagna le stesse informazioni.

▶ svegliarsi   S1: Di solito mi sveglio alle …
                Ieri mi sono svegliato/a alle … E tu, a che ora ti svegli?
             S2: Di solito …

1. alzarsi
2. lavarsi
3. vestirsi
4. fare colazione
5. mettersi a studiare
6. tornare a casa
7. addormentarsi

Ex. E: Allow students a minute to refer to the introduction to the dialogue on p. 149 and make some notes before describing their activities.

E Dica ad un compagno/una compagna che cosa lei fa di solito il sabato mattina. Cerchi di usare i verbi riflessivi dove appropriato.

▶ Il sabato mattina mi sveglio alle… , mi alzo …

Assign Ex. E as written homework. Students can tell what they normally do on Saturday mornings and what they did last Saturday.

F In coppia: Rispondete alle seguenti domande personali.

1. Come si chiamano tua madre e tuo padre? Hai sorelle o fratelli? Come si chiamano?
2. Ti addormenti sempre facilmente? Cosa fai se non puoi (*if you can't*) addormentarti?
3. Ti senti bene quando ti alzi presto? A che ora ti alzi normalmente?
4. Ti annoi o ti diverti quando stai solo/a?
5. Ti metti i jeans ogni giorno? Gli studenti di quest'università si mettono spesso i jeans?
6. Ti piace vestirti elegantemente? Quando? Ogni giorno, o in occasioni speciali?
7. Come ti prepari per un esame importante? Per un appuntamento importante?
8. Di che cosa ti preoccupi? Degli esami? Della famiglia?

Imperativo informale (*tu, noi, voi*)

Al Foro Romano? **Andate** a destra; **continuate** per mezzo chilometro. **Prendete** l'autobus e **scendete** al Colosseo. Poi **chiedete** a un poliziotto!

1. The imperative is used for commands, pleas, and appeals. In the imperative, the **tu, noi,** and **voi** forms of regular verbs are identical to the corresponding present tense forms with one difference: the final **-i** of the **tu** form of **-are** verbs changes to **-a.**

affirmative commands			
	tu	**noi**	**voi**
-are verbs	Guarda!	Guardiamo!	Guardate!
-ere verbs	Prendi!	Prendiamo!	Prendete!
-ire verbs	Senti!	Sentiamo!	Sentite!
-ire verbs (-isc)	Finisci!	Finiamo!	Finite!

2. Negative **tu** commands are formed with **non** + *infinitive*. Negative **noi** and **voi** commands use the present tense, as in affirmative commands.

negative commands			
	tu	**noi**	**voi**
-are verbs	Non guardare!	Non guardiamo!	Non guardate!
-ere verbs	Non prendere!	Non prendiamo!	Non prendete!
-ire verbs	Non finire!	Non finiamo!	Non finite!

Gabriella, **compra** un chilo di spinaci, ma non **comprare** gli asparagi.

Gabriella, buy a kilo of spinach, but don't buy any asparagus.

— **Andiamo** a prendere un film in DVD!

— Let's go pick up a DVD!

— Sì, ma non **prendiamo** un film dell'orrore.

— Yes, but let's not get a horror film.

Ragazzi, **ascoltate** attentamente. Non **parlate!**

Guys, listen closely. Don't talk!

3. When a reflexive verb is used in a command, the reflexive pronoun follows and is attached to the verb. In negative **tu** commands of reflexive verbs, the infinitive drops the final **-e** before the pronoun **ti**.

Adesso **lavatevi** e poi **vestitevi!**
Giulia, **svegliati!** Non **addormentarti** in classe!

Wash up now and then get dressed. Giulia, wake up! Don't fall asleep in class!

4. **Essere** and **avere** are irregular in the **tu** and **voi** forms of the imperative. Five other verbs — **andare, dare, dire, fare,** and **stare** — have irregular **tu** imperatives. The other imperative forms of these verbs are regular, including the negative forms.

andare	**va'** (vai)		*essere*	**sii**
	andiamo			siamo
	andate			**siate**
avere	**abbi**		*fare*	**fa'** (fai)
	abbiamo			facciamo
	abbiate			fate
dare	**da'** (dai)		*stare*	**sta'** (stai)
	diamo			stiamo
	date			state
dire	**di'**			
	diciamo			
	dite			

Note the apostrophe after *va', da', di', fa',* and *sta'*. The longer forms *vai, dai, fai,* and *stai* can also be used as *tu* commands.

Bring some plastic or real fruit and vegetables to class. Have students complete commands like *Bruno, da' questa mela a Suzi. Metti la pera sul tavolo*, etc. Have students make up other commands for their classmates using these or other props.

Nerone, **sta'** fermo!

Da' la scarpa a papà!

Nerone, **sii** buono!

G Dica alle persone indicate fra parentesi di fare le azioni che seguono.

▶ (la sua amica Marta) guardare questa rivista   Marta, guarda questa rivista!

1. (il suo amico Sandro)   venire al ballo in maschera con noi
arrivare verso le otto
metterti un bel costume
portare Lidia con te

2. (lei e due amici [noi])   fare una gita domani
andare ai Castelli Romani
mangiare in un ristorante caratteristico
bere il vino locale

3. (i suoi fratelli)   pulire bene l'appartamento
preparare l'insalata
mettere in ordine la cucina
aspettare la telefonata di papà

4. (sua sorella Marina)   non uscire senza l'ombrello
non stare fuori tutta la notte
tornare prima delle undici
telefonare se ci sono problemi

H In gruppi di tre: S1 dice a S2 di fare le cose indicate. Poi, S3 dice di non fare quelle cose.

▶ scrivere la data di oggi   S1: (Cristina), scrivi la data di oggi!
S2: (comincia a scrivere)
S3: (Cristina), non scrivere la data di oggi!
S2: (non scrive più o scrive un'altra data)

1. parlare italiano
2. prendere la penna da …
3. dare la penna a …
4. alzarsi subito
5. fare una passeggiata

6. venire qua
7. mettersi a leggere
8. aprire le finestre
9. aspettare qui
10. andare alla porta

I Lei fa delle domande e dà dei consigli a un amico/un'amica che desidera perdere peso (*to lose weight*).

▶ mangiare le verdure   S1: Tu mangi le verdure?
S2: No, non mangio le verdure.
S1: Male! Mangia molte verdure!

1. mangiare la frutta fresca / le verdure / i dolci / il salame
2. bere il latte / gli alcolici / la birra / l'acqua minerale
3. fumare
4. usare lo zucchero / l'olio / il sale / il burro
5. praticare lo sport
6. dormire poco / molto
7. fare ginnastica
8. stare a dieta

Before doing Ex. I, model with a student so that class hears several types of answers: *Molto bene! Non fumare mai! / Male! Non mangiare carne! Mangia pesce o pollo!*, etc.

Ex. I can be recycled in the next section, *Imperativo formale:* a doctor is giving advice to a patient.

J Dica ad un amico/un'amica di fare le seguenti cose, usando la forma **tu** dell'imperativo dei verbi indicati.

▶ fare una foto   Fa' una foto (Fai una foto)!

1. essere generoso/a
2. andare a sciare
3. stare zitto/a (*quiet*)
4. dare un dollaro ad un amico/un'amica
5. avere pazienza
6. addormentarsi
7. fare colazione
8. dire qualcosa in italiano
9. mangiare un gelato

Ex. J: Have students work in pairs, taking turns giving and acting out orders.

K In gruppi di tre: Una persona del gruppo fa la parte di uno studente/una studentessa che è recentemente arrivato/a alla vostra università e vuole sapere come comportarsi (*to behave*). Date consigli al nuovo studente/alla nuova studentessa, usando l'imperativo.

▶ S1: Dove devo mangiare?
S2: Mangia a ...
S3: No, non mangiare a ... , mangia a ... !

1. Dove devo mangiare?
2. Quali corsi devo seguire?
3. Cosa devo fare il fine settimana?
4. Dove posso studiare?
5. Dov'è possibile trovare un lavoro a tempo parziale?
6. Cosa devo fare per prendere buoni voti (*to get good grades*)?
7. Dove devo fare gli acquisti?
8. Come posso conoscere nuovi amici?

Ex. K: Have the "new" student take notes on the advice given and report it to the class. Ask others in the group why they gave this advice: *Avete detto "mangia a ..." Perché?*

Dove devo ... ?:
Where should I ... ?
Come posso ... ?:
How can I ... ?

L In coppia: Dica ad un compagno/una compagna di fare una serie di tre cose specifiche. Se esegue (*carries out*) bene i suoi ordini, tocca a lui/lei (*it's his/her turn*) dare ordini a lei!

▶ Judy, prendi questa fotografia. Metti la fotografia nello zaino di Francesco, e poi va' fuori.

Ex. L: Prepare students by modeling the activity with a student who must follow your three orders. If he/she performs them correctly (ask for affirmation from the class), let him/her tell you (perhaps with class suggestions) to do three things.

Imperativo formale (*lei*)

Scusi, mi **dia** una mano, per favore.

Formal commands with **lei** are used less frequently than other command forms. The imperative of regular and many irregular verbs is formed by dropping the final **-o** from the present tense of the **io** form and adding **-i** to the stem of **-are** verbs and **-a** to the stem of **-ere** and **-ire** verbs.

> You have seen these forms since *Lezione 4* in the instructions for activities and exercises.

infinitive	present tense *io* form	imperative with *lei*
scusare	scuso	scusi
prendere	prendo	prenda
sentire	sento	senta
finire	finisco	finisca

You may want to introduce some courtesy phrases with the conditional (*Vorrei ... Potrebbe fare ... ?*) during this section for use in paired work.

Here are some useful formal commands of regular and irregular verbs.

Mi dia	*Give me*	Mi dia un chilo di mele, per favore.
Mi scusi	*Excuse me*	Mi scusi, mi dispiace molto.
Venga	*Come*	Venga con noi, signora!
Vada	*Go*	Vada alla stazione, e poi ...
Faccia	*Make/Do*	Non faccia così, signora.
Mi dica	*Say/Tell me*	Mi dica quanto costa, per cortesia.
Senta	*Listen*	Senta, che ore sono?
Guardi	*Look*	Guardi, signorina, per me va bene.
Prenda	*Take*	Prenda questa mela; è buonissima.

M Le seguenti frasi con l'imperativo sono informali. Come cambiano in una situazione formale?

▶ Vieni con noi alla festa!   Venga con noi alla festa!

1. Senti, come sta tua sorella?
2. Vai a destra (*right*) e segui via Napoleone.
3. Fai una passeggiata!
4. Prendi un bicchiere e prova questo vino.
5. Di' il tuo nome alla professoressa!
6. Guarda, Antonio, non è un problema.
7. Scusa, Caterina. Non ho tempo oggi.

N Lei è in Italia e parla con le seguenti persone. Crei imperativi logici per ogni situazione.

una commessa (*salesperson*) in un negozio di alimentari
un cameriere ad un bar all'aperto
il professore alla lezione d'italiano
un agente ad un'agenzia di viaggi
il bigliettaio (*ticket seller*) all'acquario di Genova

O In coppia: Uno studente/Una studentessa è andato/a al mercato all'aperto per comprare frutta e verdura per una cena. L'altro studente è il fruttivendolo. Create un dialogo usando imperativi formali come i seguenti.

Mi dica che cosa ...
Guardi ...
Prenda ...
Mi dia un chilo di ...
ecc.

La Piantina dell'Acquario di Genova.

ACQUARIO DI GENOVA

Ex. M: Have students add courtesy phrases such as per favore, per piacere and make all necessary changes. They could also change first names to titles (Antonio → signor Barbi).

Use Ex. N to brainstorm with the class on a variety of appropriate commands. Paired students can then create short dialogues based on a chosen situation.

Partitivo con *di*

— Nonna, cosa metti nel tiramisù?
— Ci metto **del** caffè, **dei** biscottini, **del** mascarpone e **degli** ingredienti segreti.

Ask students if they have ever had *tiramisù*. Explain that the principal ingredients are cookies, coffee or coffee liqueur, and *mascarpone* cheese.

1. The concept *some* (known as the partitive) is usually expressed in Italian by **di** + *definite article*.

Per la cena di stasera devo comprare **del** prosciutto, **dello** zucchero, **dell'**olio d'oliva, **della** carne, **dell'**insalata, **dei** piselli, **degli** spinaci e **delle** patate.	*For dinner tonight I have to buy some ham, some sugar, some olive oil, some meat, some salad greens, some peas, some spinach, and some potatoes.*

> Remember that *di* combines with a definite article:
> *di* + *il* = *del*

Ask students the gender and number of each item, and what the definite article would be in each case.

The partitive is not used if the quantity is specified.

Mi dia **mezzo chilo di** spinaci, per favore.
Mangiano **molta** insalata.

2. The partitive is never used in negative sentences and is often omitted in questions.

Qui non vendono pane.	*They don't sell bread here.*
I miei amici non bevono vino.	*My friends don't drink wine.*
Vuoi **(dell')** acqua minerale?	*Would you like some mineral water?*

3. The partitive can also be expressed with **un po' di** with singular nouns and **alcuni/e** with plural nouns.

Devo comprare **un po' di** frutta e **alcune** patate.

P Cambi le seguenti frasi al plurale.

▶ Ho visto un film.
   Ho visto dei film.

1. Ho scritto una e-mail.
2. Desidero una matita e una penna.
3. Ho passato un giorno con un'amica.
4. Ho preso un gelato nel bar qui vicino.
5. Ho comprato un CD di musica italiana.
6. E poi ho comprato un'altra cassetta.
7. Ho chiamato un amico.
8. Abbiamo passato un'ora insieme.

Q Una signora ordina da mangiare in un ristorante. Completi la conversazione con la forma corretta del partitivo dove necessario.

— Che cosa desidera la signora?
— Per antipasto, mi dia _____ prosciutto della casa. Poi come primo piatto prendo _____ spaghetti al sugo. Per secondo prendo _____ vitello. E che verdura avete?
— Abbiamo _____ insalata ...
— Avete _____ spinaci?
— No, mi dispiace. Non ci sono più _____ spinaci. Però abbiamo _____ broccoli e _____ carote.
— Allora no, non prendo _____ verdura.
— Da bere, desidera _____ vino rosso, signora?
— No, grazie. Non bevo _____ vino. Piuttosto mi porti _____ acqua minerale, per favore.

R Cosa le serve (*do you need*) per preparare le seguenti cose?

▶ una buona pizza
   Mi servono del formaggio, dei pomodori ...

1. una buona pizza
2. un'insalata capricciosa
3. un panino enorme
4. un minestrone
5. una macedonia di frutta (*fruit salad*)
6. una sua specialità

 Ex R. Ask students to list necessary ingredients for other dishes they know how to prepare.

Un'insalata capricciosa is a mixed salad with variable ingredients. If you see the word *capricciosa* on a menu, the ingredients are probably a result of both availability and the whim of the cook.

  For further practice of lesson topics, log on to the *Oggi in Italia* website and/or do the CD-ROM activities.

Parliamo un po'

Act. A: Model some of the questions before having students conduct their survey. Have them stand up and talk to classmates in different parts of the room. Then tally the results of favorite and least favorite fruits, vegetables, etc., on the board.

A **Un sondaggio.** Faccia una breve intervista a tre studenti per sapere:

	Studente		
	1	2	3
la frutta che preferiscono	___	___	___
quella che non mangiano	___	___	___
le verdure che preferiscono	___	___	___
quelle che non mangiano	___	___	___
la cucina (cinese, italiana, ecc.) che preferiscono	___	___	___
i cibi che non mangiano	___	___	___
i piatti (*dishes*) che preferiscono	___	___	___
quelli che non piacciono	___	___	___

B **Una festa fra amici.** In gruppi di quattro: Voi desiderate organizzare una festa per dodici amici. Desiderate offrire panini, insalata, pizza e bibite analcoliche (*nonalcoholic drinks*). Fate una lista dei prodotti necessari e delle quantità di essi per tutte le persone.

▶ (panini) un chilo di prosciutto, 24 panini, della lattuga ...

panini	pizza	insalata	bibite
___	___	___	___
___	___	___	___
___	___	___	___
___	___	___	___

Act. B: Circulate to provide needed vocabulary. If enough time remains, have representatives from one or two groups tell, in the *passato prossimo*, what their group decided to buy.

Act. C: Make sure students are aware of when to use formal address.

C. Agli ordini!

C Agli ordini! In coppia: Con un compagno/una compagna, dia almeno tre forme dell'imperativo per ogni situazione indicata.

▶ Una madre parla al bambino cattivo.
Finisci gli spinaci! Non parlare!, ecc.

- ✦ Una madre parla al bambino cattivo.
- ✦ Lei parla al compagno/alla compagna di camera (*roommate*) molto pigro/a.
- ✦ Un turista chiede informazioni per andare alla stazione.
- ✦ Un medico parla al paziente.
- ✦ Una professoressa parla agli studenti.
- ✦ Lei parla agli amici. È venerdì sera e desiderate uscire.
- ✦ I genitori parlano alla figlia che parte per l'università.

D. Agli ordini (cont.)

D Agli ordini (cont.). In coppia: Con lo stesso compagno/la stessa compagna, scegliete una delle situazioni dell'attività C e create un dialogo incorporando gli imperativi dell'attività C.

Make sure that Act. C has been completed and reviewed before going on to Act. D. Have students act out their dialogues for the class. The last three situations would also work well in groups of three.

▶ Una madre parla al bambino cattivo.
BAMBINO: Mamma, posso andare a giocare?
MADRE: Pippo, finisci gli spinaci!
BAMBINO: Ma non ho fame!
MADRE: Non parlare! … , ecc.

E. Un furto misterioso

E Un furto misterioso. In gruppi di quattro: C'è stato un furto (*robbery*) nella casa di una famiglia ricca della sua città. Il furto è accaduto (*took place*) tra le otto e le dieci di ieri sera. Create la scena dell'interrogatorio secondo i suggerimenti indicati.

Model Act. E with one or two students before splitting into groups. Encourage the "private investigator" to ask each "suspect" as many questions as possible. Encourage overacting and extravagant answers. After activity is completed, have groups decide who, if anyone, committed the robbery.

S1: È l'investigatore privato che interroga le tre persone sospette. Domanda ad ognuna delle tre persone dov'è stata ieri sera, con chi e che cosa ha fatto.
S2: È andato/a ad una festa con un compagno/una compagna, ma si è sentito/a male ed è andato/a via presto senza il compagno/la compagna.
S3: È rimasto/a a casa a lavorare su un articolo e si è addormentato/a presto.
S4: È andato/a a vedere un film con un amico. È tornato/a a casa dopo mezzanotte.

▶ S1: E lei che cosa ha fatto ieri sera?
S2: Sono andata ad una festa a casa di amici.
S1: È andata da sola? ecc.

Conoscere l'Italia

Ask these questions: 1. *Quali sono alcune caratteristiche geografiche di questa zona?* 2. *Com'è il terreno in questa regione? È collinoso, montuoso o pianeggiante (flat)?* 3. *Ci sono fiori o piante tropicali in questa zona? Perché?* 4. *Ci sono attrazioni turistiche in questa regione? Quali sono?*

(A) **In cerca di aggettivi.** Nel brano che segue, cerchi l'aggettivo derivato da ciascuna delle parole indicate. Poi inserisca nella frase la forma appropriata dell'aggettivo.

▶ (collina) Questo paese è molto _____ .
   Questo paese è molto collinoso.

1. (Liguria) Il golfo di Genova è nel Mare _____ .
2. (fama) Uno dei personaggi _____ della Liguria è Cristoforo Colombo.
3. (geografia) Gli aspetti _____ di questa regione sono interessanti.
4. (tropico) Qui ci sono molti fiori _____ .
5. (costa) Le cittadine _____ della regione sono spettacolari.
6. (monte) I terreni _____ sono difficili da coltivare.
7. (turismo) La zona è ricca di attrazioni _____ .

Point out to the students that *levante* (east) corresponds to the rising of the sun and *ponente* to the setting of the sun.

Tell students about the *Festival della Canzone* (Song Festival), which takes place in Sanremo in February and attracts both Italian and international singers.

LA LIGURIA

Piazzetta e porticciolo di Portofino, pittoresca cittadina della Liguria.

La Liguria è una regione con caratteristiche geografiche molto particolari. A sud della Liguria c'è il Mare Ligure; ad ovest la Francia, a nord il Piemonte e ad est ci sono l'Emilia-Romagna e la Toscana. In questa regione la catena delle Alpi si unisce con gli Appennini così che il territorio ligure è molto montuoso e collinoso. Coltivato a terrazze[1], il terreno dà prodotti di tipo mediterraneo. Sulle terrazze si coltivano ulivi, vigneti[2], frutta e agrumi[3]. Sulla costa invece si coltivano fiori[4] e piante tropicali.

La zona costiera della Liguria è stretta[5] e piena di scogli[6]. Genova, il capoluogo regionale, divide la costa in Riviera di Levante e Riviera di Ponente[7]. Con le sue spiagge sabbiose[8] e i suoi golfi pittoreschi, la riviera ligure è una delle più famose località turistiche d'Italia. Il clima mite[9] della zona favorisce il turismo anche nei mesi invernali. Portofino, Portovenere, Rapallo e Sanremo sono cittadine liguri che attraggono sempre molti visitatori. Portofino è un promontorio molto suggestivo, con i suoi piccoli porti e strade panoramiche. Sanremo, con i suoi fiori, grandi alberghi e bellissime ville, grazie al suo clima favorevole, è il luogo di villeggiatura preferito di molti europei. Il mare è certamente la ricchezza della Liguria; rende il clima della regione mite e attrae annualmente milioni di turisti. Il Mare Ligure è anche un'eccellente via di comunicazione ed è molto ricco di pesce.

1. terraces 2. vineyards 3. citrus fruit 4. flowers 5. narrow 6. cliffs
7. Eastern Riviera and Western Riviera 8. sandy 9. mild

Locate Liguria, Mare Ligure, and Genova on the map of Italy on p. 14. *Quale paese straniero confina con la Liguria? Con quali regioni italiane confina la Liguria?*

Look at the physical map of Italy on p. 12. Notice how the Alps run into the Apennines in Liguria.

Look again at the map of Italy on p. 14 and find the locations of the two Rivieras.

Have students read the passage silently. Then, with books closed, have some of them tell you three facts they recall about Liguria.

 Domande. Risponda alle seguenti domande basate sulla lettura.

1. Come si chiama il mare della Liguria?
2. Come si chiamano le catene montuose che si uniscono in Liguria?
3. Qual è il capoluogo della Liguria?
4. Che cosa si coltiva sulle terrazze liguri? E sulla costa?
5. Quali sono le caratteristiche della zona costiera ligure?
6. Quali sono alcune cittadine pittoresche della costa ligure?
7. Quale cittadina di villeggiatura preferiscono molti europei? Perché?
8. Perché è caratteristica Portofino?
9. Che cosa rappresenta il mare per la Liguria? Perché?

Ask students the questions with their books closed. Then challenge students to summarize the reading on Liguria.

 Definizioni. Prima di leggere il seguente brano, abbini le definizioni con una parola della lista di destra. Ci sono due parole in più nella lista.

1. aggettivo di Genova
2. persone che praticano il commercio
3. un periodo della storia
4. persone che si occupano di finanza
5. persone che vanno per mari e oceani
6. persone che possiedono banche
7. gli abitanti di Genova
8. un'erba aromatica
9. un tipo di formaggio

a. il basilico
b. i navigatori
c. il condimento
d. i genovesi
e. il Medioevo
f. i banchieri
g. genovese
h. l'oliva
i. i finanzieri
j. il parmigiano
k. i commercianti

Have students read the next passage silently and then prepare four or five questions about it. With books closed, have some of them pose their questions to the class.

The term "blue jeans" may derive from the blue cloth trousers that Genoese sailors used to wear.

UN GRANDE PORTO DI MARE

Genova, chiamata "la Superba"[1], ha una gloriosa tradizione storica legata[2] principalmente alla sua posizione geografica. La fortuna e il prestigio di Genova sono associati con il mare. I genovesi sono sempre stati gente di mare[3]. Nel Medioevo hanno già una grande flotta[4] navale e sono bravi navigatori, commercianti, finanzieri e banchieri. Oggi Genova è il più importante porto di mare d'Italia ed è anche un grande centro commerciale e industriale. Genova è la città natale[5] di molti personaggi famosi quali Simone Boccanegra, Cristoforo Colombo, Goffredo Mameli, Giuseppe Mazzini, Eugenio Montale e Niccolò Paganini.

La Liguria, e Genova in particolare, hanno contribuito anche alla bontà[6] e alla varietà della cucina italiana. Un contributo particolare è il pesto alla genovese[7]. Questo condimento è fatto di foglie di basilico, pinoli e aglio pestati[8], formaggio pecorino[9], parmigiano e olio d'oliva. Il pesto è utilizzato principalmente per condire i piatti di pasta[10].

1. "the Proud One"   2. tied   3. seafaring people   4. fleet   5. birthplace
6. goodness   7. Genoese style   8. basil leaves, pine nuts, and garlic pounded together
9. sheep's milk cheese   10. to dress pasta dishes

Simone Boccanegra (1339–1363) was doge of the Republic of Genoa. His life inspired Giuseppe Verdi's opera of the same name.

Cristoforo Colombo (1451–1506) was an explorer, credited with the discovery of America.

Goffredo Mameli (1827–1849) was a patriot and poet. He is the author of the Italian national anthem.

Giuseppe Mazzini (1805–1872) was a patriot whose actions and writings contributed to the unification of Italy.

Eugenio Montale (1896–1981) was a poet who received the Nobel Prize for Literature in 1975.

Niccolò Paganini (1782–1840) was a violinist and a composer.

B **Che cosa ricorda?** Dia il nome o la descrizione delle seguenti caratteristiche di Genova.

1. nome dato a Genova
2. a che cosa è legata la storia genovese
3. lo sono i genovesi
4. attività dei genovesi fin dal Medioevo
5. tre personaggi famosi nati a Genova
6. condimento tipico di Genova e come viene utilizzato
7. quattro ingredienti del pesto alla genovese

Have students find ten cognates in the reading and point out spelling differences between Italian and English.

Lezione 8

A colazione, genitori e figli parlano delle attività in programma per la giornata di oggi.

In famiglia

Communicative Objectives

- Express wants and obligations
- Describe and talk about family
- Talk about travel wants and plans

 Show the *Oggi in Italia* video segment and do the activities.

La famiglia Orlandi è a cena. A tavola sono seduti il padre Carlo, la madre Luciana e i due figli Stefano e Alessandra. Stefano ha appena° ottenuto il diploma di maturità scientifica e Alessandra frequenta il liceo classico.

just

> In Italy the main meal (*il pranzo*) is eaten between 1 and 2:30 P.M. *La cena* is a lighter meal eaten between 8 and 10 P.M.

ALESSANDRA:	Papà, ti devo dire una cosa. L'ho già detta alla mamma e lei è d'accordo.
IL PADRE:	Di che cosa si tratta?
ALESSANDRA:	A luglio la mia amica Giuliana parte in macchina per il Veneto e mi ha chiesto di andare con lei. Tu la conosci, non è vero?
IL PADRE:	Giuliana? Ma non è quella tua amica che ha appena preso la patente? No, non se ne parla proprio°!
LA MADRE:	Ma, Carlo, Giuliana è una brava ragazza ed è molto responsabile!
IL PADRE:	Luciana, ti prego. Alessandra viene in montagna con noi. E tu, Stefano, hai deciso quale facoltà universitaria vuoi frequentare?
STEFANO:	Veramente no, non l'ho ancora scelta. Anzi°, a dire la verità, penso di non iscrivermi per quest'anno.
IL PADRE:	Che cosa hai detto? Ho sentito bene?
STEFANO:	Sì, papà. Voglio andare un anno in Inghilterra per imparare meglio l'inglese.
LA MADRE:	Stefano, questa idea è nuova. Tu sei sempre stato in famiglia e non sei mai andato all'estero. Sei sicuro di poter stare da solo e lontano da casa per un anno intero?
IL PADRE:	E poi come pensi di pagare tutte le spese?
STEFANO:	Ho già messo da parte° un bel po' di soldi e poi posso sempre cercare lavoro.
LA MADRE:	Stefano, ti sembra proprio una buona idea?
IL PADRE:	Ma sì, Luciana, non è un'idea cattiva. Vivere all'estero per un anno, il contatto con altri giovani e un'esperienza di lavoro gli faranno certamente bene°.

Line numbers in left margin: 5, 10, 15, 20, 25

Have students role-play the dialogue.

Look at the map of Italy on p. 14 and locate the region of *Veneto*.

Let's forget it!

Review the cultural note *L'università italiana* in *Lezione 2*, p. 41.

Indeed

Help students to describe the personalities of the characters in the dialogue and to take sides with the mother, the father, or the children. Put a few phrases on the board to stimulate conversation: *avere ragione, avere voglia di, avere bisogno di, simpatico, antipatico, egoista*, etc.

I've already saved

Have students describe how their parents might respond in similar circumstances.

will certainly do him good

Domande

1. Dov'è la famiglia Orlandi?
2. Cosa fanno i figli?
3. Dove vuole andare Alessandra? Con chi vuole andare?
4. Che cosa pensa di fare Stefano? Perché?
5. Il padre è d'accordo con i programmi dei figli? Perché?
6. E che cosa pensa la madre?

Domande personali

1. Lei lavora durante l'anno accademico? Dove? Perché?
2. Cosa fa di solito durante l'estate?
3. Che programma ha fatto lei per l'estate prossima? E per l'anno prossimo?
4. I suoi genitori che cosa dicono dei suoi programmi?
5. Lei discute spesso con i suoi genitori? Di che cosa discute?

Have pairs of students ask each other the *Domande* and *Domande personali*, using *tu* when appropriate. Have them add a few questions of their own.

Point out that *discutere* means both "to argue" and "to discuss."

La famiglia italiana

N egli ultimi anni la società italiana ha subito[1] molti cambiamenti[2]. Secondo l'Eurispes (l'Istituto di studi politici, economici e sociali), questi cambiamenti sono molto evidenti nell'istituzione famigliare. Nel suo "Rapporto Italia 2000", l'Eurispes presenta un panorama completamente nuovo della famiglia italiana, dove solo il 50 per cento segue il modello tradizionale: padre e madre regolarmente sposati che vivono con i loro figli nella stessa casa.

L'altra metà[3] delle famiglie è composta di conviventi[4], persone single, nuclei monoparentali[5] e coppie[6] senza figli. Un aspetto demografico importante della famiglia italiana contemporanea è la crescita[7] zero delle nascite. Molte coppie sposate o conviventi preferiscono non avere figli o avere solo un figlio. Difatti la maggior parte dei bambini nati negli ultimi anni sono figli di coppie di immigrati extracomunitari che contribuiscono a fare dell'Italia un paese sempre più multirazziale, multietnico e multiculturale.

- La famiglia nel suo paese ha caratteristiche simili a quelle della famiglia italiana? Spieghi le similarità e le differenze.

Venezia: Una giovane famiglia passeggia tra la gente in Piazza San Marco.

1. has undergone   2. changes   3. half   4. couples living together   5. single parent   6. couples   7. growth

Situazioni

1. Domandi ad un amico/un'amica cosa vuole fare stasera.

   ▶ — Cosa vuoi fare stasera?
   — Voglio andare al cinema (fare due passi/fare acquisti/fare quattro salti in discoteca).

Sit. 1: Provide new vocabulary for evening activities if requested.

2. Reagisca a quello che dice un suo compagno/una sua compagna di scuola sui suoi programmi.

   ▶ — Penso di non lavorare quest'estate (lavorare un anno in Italia/non finire l'università/cambiare facoltà).
   — Che cosa hai detto? (Ho sentito bene?/Sei sicuro/a di poterlo fare?/Perché?)

Pratica

1. In coppia: Domandi ad un amico/un'amica perché ha scelto questa università e quale facoltà ha scelto o pensa di scegliere. Poi si prepari a spiegare i motivi (*reasons*) delle sue scelte.

2. In coppia: Reagisca alla notizia (*news*) di un amico/un'amica che ha appena trovato un lavoro come bagnino (*lifeguard*) e che la invita a cercare un lavoro estivo. Preparate un dialogo appropriato.

   ▶ S1: Ho appena …
   S2: Davvero? Sono …
   S1: Perché non cerchi …
   S2: …

Prat. 1: You may want to assign students to prepare the dialogue as homework, and have them rehearse and act out their dialogues with a partner the next day.

Prat. 2: Vary by having students talk to two or three classmates. Follow up by asking students to report to the class.

Vocabolario

Parole analoghe

il contatto   la mamma
l'esperienza   responsabile

Nomi

la cena   supper
la cosa   thing
la facoltà   school (*of medicine, law, etc.*)
i genitori   parents
il programma   plan
la spesa   expense
la tavola   table

Verbi

discutere   to argue, discuss
dovere   to have to, must
iscriversi   to enroll
ottenere   to obtain, get
pensare di   to intend to, to think to
scegliere (*p.p.* scelto)   to choose
trattarsi (di)   to be about
vivere (*p.p.* vissuto)   to live

Aggettivi

intero/a   entire, whole
prossimo/a   next
quello/a   that

Altre parole ed espressioni

meglio   better
troppo   too
essere d'accordo   to agree
con lei   with her
lontano da   far from
in montagna   to the mountains
la patente di guida   driver's license
non … ancora   not . . . yet
non … mai   never
un bel po' di   quite a lot of
ti prego   I beg you

Have students make up questions or statements using the expressions *essere d'accordo, lontano da,* and *un bel po' di soldi.*

La tavola refers mainly to the dinner table; *il tavolo* refers to the object itself: *La famiglia è a tavola* but *Il tavolo è troppo piccolo.*

Point out how *non ... ancora* and *non ... mai* are used by giving examples such as *Non ho ancora scelto il ristorante; Non discuto mai con lei.*

Pronuncia

I suoni delle combinazioni *sc* e *sch*

Sc is pronounced in two ways, depending on the vowel that follows it: soft /ʃ/, as in **pesce**, before **e** and **i**; and hard /**sk**/, as in **pesca**, before **a, o,** and **u. Sch** is always pronounced hard /**sk**/, as in **freschi**. Thus some words have an **h** in the plural to retain the hard pronunciation: **tedesco** → **tedeschi**.

 Ascolti e ripeta le seguenti parole.

scientifico	**sci**are	a**sc**oltare	di**sc**utere	di**sch**i
scelta	na**sc**ere	**sc**usa	cono**sc**o	tede**sch**e
cono**sc**ere	preferi**sc**e	**sc**ortese	i**sc**riversi	pe**sch**e

Ex. A: Send two students to the board and ask the class to dictate words containing the letters **sc** and **sch**. Challenge the students at the board to create sentences using these words.

 Proverbio. Ascolti e ripeta il seguente proverbio.

Da cosa nasce cosa.
One thing leads to another.
(*Literally: From something, something is born.*)

Ex. B: In what situations could you use this proverb?

Ex. B: Teach students: *Il mondo è fatto a scale; chi le scende e chi le sale.* (The world is made of stairs. There are those who go up and those who go down.)

Ex. B: Have one student write the proverb on the board while another dictates it.

Ampliamento del vocabolario

La famiglia e i parenti

i genitori	parents	**la nipote**	granddaughter; niece
il nonno	grandfather	**il patrigno**	stepfather
la nonna	grandmother	**la matrigna**	stepmother
i nonni	grandparents	**il suocero**	father-in-law
i parenti	relatives	**la suocera**	mother-in-law
lo zio	uncle	**il genero**	son-in-law
la zia	aunt	**la nuora**	daughter-in-law
il cugino	(male) cousin	**il cognato**	brother-in-law
la cugina	(female) cousin	**la cognata**	sister-in-law
il nipote	grandson; nephew		

Ask students about the relationship (*parentela*) of members of the Orlandi family (p. 173). *Qual è la parentela fra il signor Orlandi e Alessandra? E fra Stefano ed Alessandra? E fra Alessandra e la signora Orlandi?*

Give students the equivalent of stepsister (*sorellastra*) and stepbrother (*fratellastro*).

Note: Masculine plural nouns such as **gli zii** and **i cugini** may refer to all-male groups or to a mixed group of males and females. Context usually makes the meaning clear.

Altre espressioni utili

la coppia   couple
innamorarsi   to fall in love
fidanzarsi   to become engaged
sposarsi   to get married
convivere   to live together

essere sposato/a   to be married
essere separato/a   to be separated
divorziare   to divorce
essere divorziato/a   to be
  divorced

Tell students that "to be single" is widely expressed with *essere single*. The Italian expressions *essere celibe/scapolo* (for men) and *essere nubile* (for women) are used only in legal and bureaucratic communication.

A Risponda alle seguenti domande personali.

1. Lei è fidanzato/a? È sposato/a?
2. Pensa di sposarsi?
3. Secondo lei, è bene sposarsi molto giovane? Perché?
4. Ha un cognato? Quando si è sposata sua sorella?
5. Ha una cognata? Quando si è sposato suo fratello?
6. Ha uno zio/una zia? Dove abita? È single o sposato/a?
7. Lei ha cugini? Quanti? Dove abitano?

Ex. A: Have pairs of students ask each other the questions using *tu*.

B In coppia: Assuma il ruolo di Marisa o di Luigi ed indichi al suo compagno/alla sua compagna il grado di parentela (*relationship*) con gli altri membri della famiglia, secondo l'albero genealogico che segue.

▶ Paolo Martinelli è mio nonno.

Ex. B: Remind students that since 1975, married women keep their maiden names as their legal name.

La famiglia Martinelli

Maria Salvatorelli   Paolo   Martinelli

Franca Baresi   Mario Martinelli   Giuseppe Martinelli   Matilde Ratiglia

Silvia   Luigi   Marisa   Antonio   Gianni   Elena

In coppia: Immagini di conoscere Matilde Ratiglia e di rispondere al suo compagno/alla sua compagna che fa alcune domande sulla famiglia di Matilde. Cerchi le risposte nell'albero genealogico presentato nell'esercizio B.

1. Come si chiama il marito di Matilde?
2. Chi sono i suoi figli?
3. Chi è Paolo Martinelli?
4. Chi sono Silvia e Luigi?
5. Chi è Franca Baresi? E Mario Martinelli?
6. Chi è Marisa? E Maria Salvatorelli?
7. Com'è la famiglia di Matilde, piccola o grande?

Lei viaggia?

La guida

guidare (velocemente/lentamente) to drive (fast/slowly)
noleggiare un'automobile, una macchina to rent a car
parcheggiare to park
il parcheggio a pagamento pay parking
la stazione di servizio gas station
la benzina gasoline
fare controllare l'olio (le gomme, i freni) to have the oil (tires, brakes) checked
fare il pieno to fill it up

Viaggiare

l'agenzia di viaggi travel agency
fare le prenotazioni (prenotare) to make reservations
il biglietto aereo (ferroviario) airline (train) ticket
il passaporto passport
il viaggio trip
il volo flight
la valigia suitcase
i bagagli luggage
fare le valige to pack the suitcases

D In coppia: Lei va in montagna per tre giorni con un amico/un'amica. Telefoni all'albergo Stella Alpina e faccia le prenotazioni.

▶ S1: Albergo Stella Alpina, buon giorno.
  S2: Buon giorno. Desidero fare …

Ex. D: Have students ask for *una camera per una o due persone* and indicate the number of days. Have them include dates in their reservations. Give additional vocabulary if requested.

E In coppia: Lei è arrivato/a in macchina in un albergo di Pisa. Domandi al portiere dov'è una stazione di servizio perché deve fare il pieno. Poi vuole anche sapere dove può parcheggiare la macchina. Il portiere risponde che c'è una stazione di servizio vicino all'albergo e il parcheggio a pagamento è tra la chiesa e l'ufficio postale. Preparate un dialogo appropriato.

▶ — Scusi, mi può dire …
  — C'è …

F In coppia: Lei deve andare all'estero. Telefoni ad un'agenzia di viaggi per prenotare un volo diretto per Roma. L'agente le risponde che solo il sabato c'è un volo diretto per Roma e le domanda se lei ha già il passaporto. Prima di fare le valige, lei vuole sapere quanti bagagli può portare e se può noleggiare una macchina in anticipo.

▶ — Buon giorno, signore (signora, signorina). Mi dica.
  — Buon giorno. Ho bisogno di …

Struttura ed uso

Dovere, potere e volere

Dobbiamo pulire la casa.   Ma non **vogliamo!**

1. The verbs **dovere** (*to have to*), **potere** (*to be able*), and **volere** (*to want*) are modal verbs; that is, they are usually followed by a dependent infinitive.

   — Papà, ti **dobbiamo dire** una cosa.
   — Cosa **dovete dirmi?**

   Alessandra **può venire** in montagna con noi.
   Stefano **può andare** a studiare in Inghilterra.

   — Tu **vuoi andare** a lavorare?
   — Sì, **voglio lavorare** in un campeggio nel Veneto.

2. **Dovere, potere,** and **volere** have irregular forms in the present tense.

	dovere *must, to have to, ought*	potere *can, to be able*	volere *to want; to wish*
io	devo	posso	voglio
tu	devi	puoi	vuoi
lui/lei	deve	può	vuole
noi	dobbiamo	possiamo	vogliamo
voi	dovete	potete	volete
loro	devono	possono	vogliono

Practice the verb forms by doing verb-substitution drills. Use the examples given and new subjects, including names of people in the class. Model pronunciation of *puoi* and *vuoi*.

> Remember that triphthongs, as in *vuoi* and *puoi*, are pronounced as a single syllable. Notice that *può* has a written accent.

3. The past participles of **dovere, potere,** and **volere** are regular. The **passato prossimo** of **dovere, potere,** and **volere** is formed with either **avere** or **essere,** depending on the infinitive that follows. If the infinitive is transitive (can take a direct object), use **avere.** If it is intransitive (cannot take a direct object), use **essere** and make the past participle agree with the subject. If there is no infinitive, **avere** is used.

Practice the *passato prossimo.* Have students transform sentences from the present to the past: *T: Linda non può dormire molto. S: Linda non ha potuto ...*

Maria **ha dovuto finire** i compiti.	*Maria had to finish her homework.*
È dovuta stare a casa.	*She had to stay (at) home.*
Non **hanno voluto pagare** i biglietti.	*They didn't want to pay for the tickets.*
Sono potuti uscire con voi?	*Were they able to go out with you?*
Non **hanno voluto.**	*They didn't want to.*

> The use of the auxiliary *avere* with all verbs is increasing: *Hanno voluto uscire con noi.*

Ask students to tell the class what they have to do today and what they want to do next weekend.

(A) Dica che le seguenti persone non possono fare certe attività. Usi la forma appropriata del presente di **potere.**

Ex. A: Have students complete the sentences with reasons why the wishes cannot be fulfilled. *Vuole uscire ma non può perché è tardi.*

> ▶ Vogliono uscire ...   ma non possono.
> Vuole mangiare ...   ma non può.

1. Voglio fare una passeggiata ...
2. Vuoi comprare una moto ...
3. Vuole andare a piedi in centro ...
4. Le sorelle vogliono fare colazione ...
5. Mia cognata vuole visitare Venezia ...
6. Volete vedere un film ...

(B) Formuli frasi logiche con un soggetto dalla prima colonna, un verbo modale dalla seconda e una frase dipendente dall'ultima.

Assign Ex. B as written homework. Tell students to refer to the dialogue to formulate appropriate sentences.

> ▶ Alessandra vuole passare le vacanze con un'amica.

Stefano	volere	passare le vacanze con un'amica
Alessandra	non volere	scegliere una facoltà universitaria
i figli	potere	andare nel Veneto da sola
la madre	non potere	chiedere un favore al papà
il padre	dovere	venire in montagna con i genitori
i genitori	non dovere	iscriversi all'università
Giuliana		imparare l'inglese
		permettere ad Alessandra di viaggiare
		prendere una decisione
		pagare le spese del viaggio
		vivere all'estero

(C) Metta tutto il paragrafo al passato prossimo.

Ex. C: Have students identify all the modal verbs in the paragraph; then ask whether each dependent verb is transitive or intransitive. Then have them complete entire exercise.

Giuliana non vuole passare l'estate a casa. Vuole lavorare in un campeggio per bambini nel Veneto. Può andare da sola o può viaggiare con un gruppo di altri studenti. Deve chiedere il permesso al papà. Deve avere anche il permesso della mamma.

D In coppia: Parlate di un viaggio che volete fare in Italia. Decidete:

quando potete partire
come volete viaggiare (in treno? in aereo? quale linea? noleggiare una
  macchina?)
le città che volete visitare in Italia
cosa volete vedere (musei? monumenti? come vivono gli italiani?)
cosa volete fare (mangiare? comprare? andare a trovare parenti?)
quando dovete tornare negli Stati Uniti

Dopo, riferite i vostri progetti alla classe.

▶ Noi vogliamo andare in Italia. Possiamo partire il 3 marzo con l'Alitalia ...

Follow up Ex. D by asking pairs to tell the class about their travel plans, using *noi*.

E In coppia: Dica ad un altro studente/un'altra studentessa:

tre cose che ha dovuto fare la settimana scorsa e quando le ha fatte
tre cose che non ha potuto fare l'anno scorso e perché

▶ La settimana scorsa ho dovuto scegliere i corsi per il prossimo semestre. Ho
scelto i corsi mercoledì mattina.
L'anno scorso non sono potuto/a andare in California perché ...

Pronomi diretti

— Hai visto Luciano?
Abbiamo un appuntamento
e non **lo** posso trovare.
— Io non **l'**ho visto.

1. The direct object of a verb is the thing or person directly affected by the action of the verb. It answers the question *what?* or *whom?* The direct object can be replaced by a pronoun to avoid repetition.

— Luciana, conosci **Angelo?**
— Sì, **lo** conosco.

— *Luciana, do you know Angelo?*
— *Yes, I know him.*

— Stefano ordina **la pizza?**
— Sì, **la** ordina.

— *Is Stefano ordering the pizza?*
— *Yes, he's ordering it.*

— Chi invita **i parenti?**
— Mariella **li** invita.

— *Who is inviting the relatives?*
— *Mariella is inviting them.*

2. This chart shows the forms of the direct object pronouns.

singular		plural	
mi	me	ci	us
ti	you	vi	you
lo	him, it	li	them (*m.*)
la	her, it, you (*formal*)	le	them (*f.*)

> The direct object pronouns *lo* and *la* often contract before verbs that begin with a vowel sound: *Amo Roberto; L'amo.*

3. The direct object pronoun usually precedes a conjugated verb.

— **Mi** aspetti dopo la lezione?   — *Will you wait for me after class?*
— Sì, **ti** aspetto.   — *Yes, I'll wait for you.*

However, when a direct object pronoun is used in an infinitive phrase, the infinitive drops its final **-e** and the pronoun is attached.

La televisione? La guardo spesso.   *Television? I watch it often. I like*
   Mi piace **guardarla**.   *to watch it.*
I genitori? Li vedo spesso. Ho   *My parents? I see them often. I*
   voglia di **vederli** adesso.   *feel like seeing them now.*

When direct object pronouns are used with the modal verbs **dovere**, **potere**, or **volere** followed by an infinitive, the pronoun may either precede the conjugated verb or be attached to the infinitive.

> Both positions are common, but current usage seems to favor the pronoun before the verb: *Ti devo dire una cosa.*

Ho studiato l'inglese, ma **lo**
   voglio imparare meglio.   *I've studied English, but I want*
Ho studiato l'inglese, ma voglio   *to learn it better.*
   imparar**lo** meglio.

Ho sentito le parole, ma non **le**
   posso capire.   *I heard the words, but I can't*
Ho sentito le parole, ma non   *understand them.*
   posso capir**le**.

Direct object pronouns are attached to the end of **tu**, **noi**, and **voi** imperatives and the word **ecco**.

Dove sei? Ah, ecco**ti**!   *Where are you? Oh, there you are!*
Vuoi il panino? Prendi**lo**!   *Do you want the sandwich? Take it!*
Ascoltate**mi**!   *Listen to me!*

4. When the direct object pronouns **lo**, **la**, **li**, and **le** precede a verb in the **passato prossimo**, the past participle of the verb agrees with the direct object pronoun.

> The direct object pronouns *la* and *lo* normally elide with forms of the auxiliary verb *avere*. *Le* and *li* do not.

Ha scritto la lettera e **l'ha**
   spedit**a**.   *She wrote the letter and she sent it.*
Ha cercato lavoro e **l'ha** trovat**o**. *He looked for a job and he found it.*
Abbiamo visto le amiche e **le**   *We saw our friends and we greeted*
   abbiamo salutat**e**.   *them.*
Hanno preparato gli spaghetti e   *They prepared spaghetti and they*
   li hanno mangiat**i**.   *ate it.*

> Note that *spaghetti*, considered singular in English, is plural in Italian and requires a plural pronoun.

Agreement of the past participle is optional with the direct object pronouns
mi, ti, ci, vi.

— Ragazzi, **vi** ha $\left\{ \begin{array}{l} \textbf{invitato} \\ \textbf{invitati} \end{array} \right.$ Filippo?

— Sì, **ci** ha $\left\{ \begin{array}{l} \textbf{invitato.} \\ \textbf{invitati.} \end{array} \right.$

Vedi quella statua? **L'ho fatta** io!

F In coppia: Domandi ad un compagno/una compagna se mangia o beve le seguenti cose.

Ex. F: After paired work is completed, check with individual students. Encourage them to expand their answers: *Mangi gli spinaci? / Sì, li mangio. / Ti piace mangiarli? / Sì, mi piace mangiarli.* or *No, non posso mangiarli.*

▶ gli spinaci   S1: Mangi gli spinaci?
                S2: Sì, li mangio./No, non li mangio.

  il caffè   S1: Bevi il caffè?
                S2: Sì, lo bevo./No, non lo bevo.

1. la carne	4. il latte	7. la birra messicana
2. il tè	5. gli asparagi	8. i carciofi
3. le vongole	6. le melanzane	9. il pesce

G Nei seguenti paragrafi, il complemento diretto è ripetuto molte volte. Lo sostituisca con il pronome diretto dove appropriato per evitare (*avoid*) questa ripetizione inutile.

Ex. G: Read the paragraphs to the class. The absurd repetition of the object phrase will illustrate the usefulness of object pronouns.

1. Giuliana è una mia amica. Conosci Giuliana? Chiamo Giuliana ogni giorno. Incontro Giuliana sempre all'università. Vedo Giuliana ogni pomeriggio dopo la lezione d'inglese. Quando esco la sera, invito sempre Giuliana. A volte trovo Giuliana piuttosto noiosa, ma considero Giuliana una buona amica.

2. Ogni giorno Piero mangia due tramezzini al tonno. Prepara i tramezzini al tonno prima di uscire. Mette i tramezzini al tonno nello zaino e porta i tramezzini al tonno a scuola. Mangia i tramezzini al tonno a mezzogiorno e quando finisce di mangiare i tramezzini al tonno, si sente soddisfatto.

Change *Ogni giorno* in the second paragraph to *Ieri* and have students change the verbs to the *passato prossimo*.

In questo dipinto del 1855,
l'artista inglese Dante Gabriel
Rossetti rappresenta l'incontro fra Dante e Beatrice.

H Il giovane poeta Dante ama Beatrice ma, come sempre in amore, ci sono
problemi. Qui Dante parla con un suo amico dei suoi problemi amorosi.
Legga tutto il dialogo per vedere cosa dicono. Poi completi la conversazione con i pronomi appropriati.

— Non so che cosa succede a Beatrice. Non _____ ama più. Non
_____ chiama più. Ogni volta che _____ incontro per strada, lei
non _____ saluta. E io _____ amo tanto!

— Dante, Dante! Certo che Beatrice _____ ama. Forse (*Maybe*)
suo padre non le permette di chiamar _____ . E forse non vuole
salutar _____ per strada perché è sempre in compagnia delle
amiche. Perché non scrivi una poesia e _____ mandi a Beatrice?

— Buona idea!

I In coppia: Voi organizzate una festa per il prossimo sabato e dovete
dividere il lavoro. Una persona chiede all'altra se può fare le seguenti
cose. L'altra risponde sì o no, usando un pronome diretto.

Ex. I: Vary by having students use
imperatives followed by object
pronouns for their answers:
Invitali!

▶ invitare gli amici   S1: Puoi invitare gli amici?
                        S2: Sì, li posso invitare./Sì, posso invitarli.
                            No, non li posso invitare./No, non posso
                            invitarli.
                        S1: Allora li invito io.

1. comprare le bibite   3. portare un lettore CD   5. arredare la casa
2. preparare i panini   4. portare i CD   6. organizzare i giochi

J Lei ed un compagno/una compagna siete in partenza per un breve viaggio. Chieda al compagno/alla compagna se ha preso le seguenti cose necessarie per il viaggio.

▶ la valigia   S1: Hai preso la valigia?
                  S2: Sì, l'ho presa.

1. il biglietto
2. il passaporto
3. i panini
4. la guida turistica
5. la videocamera
6. i bagagli
7. la macchina fotografica

K Piccolo quiz su italiani famosi.

1. Chi ha scritto la *Divina Commedia?*
2. Chi ha scoperto (*discovered*) l'America?
3. Chi ha inventato la radio?
4. Chi ha fatto il primo telescopio?
5. Chi ha portato gli spaghetti dall'Oriente?
6. Chi ha scritto la musica de *La Traviata?*
7. Chi ha dipinto gli affreschi (*painted the frescoes*) della Cappella Sistina?
8. Chi ha scoperto la fissione atomica?

L Trovi nella sua classe una persona che ha fatto le seguenti cose.

▶ studiare la storia dell'arte   S1: Hai mai studiato la storia dell'arte?
                                       S2: Sì, l'ho studiata./No, non l'ho mai studiata.

1. ascoltare *Le quattro stagioni* di Vivaldi
2. mangiare la pizza bianca
3. vedere il film *Il postino*
4. visitare le isole Hawaii
5. leggere la *Divina Commedia* di Dante
6. conoscere un uomo politico importante

> *Le quattro stagioni* are four violin concertos by Venetian composer Antonio Vivaldi (1678–1741), each representing a different season.

Ex. J: Encourage students to vary their answers: *No, ho deciso di non portarla./No, l'ho dimenticata.*

Ex. K: Make sure students answer the questions using direct object pronouns. Divide the class into two teams to see which can answer more questions correctly. A tie-breaking question could be *Chi ha scritto* il Decameron? (Boccaccio)
Answers:
1. Dante Alighieri
2. Cristoforo Colombo
3. Guglielmo Marconi
4. Galileo Galilei
5. Marco Polo
6. Giuseppe Verdi
7. Michelangelo Buonarroti
8. Enrico Fermi

Point out that when a preposition precedes a definite article, it changes form accordingly: de *La Traviata*; ne *I signori degli anelli*.

Ex. L: Have students circulate. Set a time limit (2–3 minutes) and see who can collect the most positive responses.

Aggettivi e pronomi dimostrativi
questo e *quello*

1. The demonstratives **questo** (*this/these*) and **quello** (*that/those*) can function as either adjectives or pronouns. As adjectives, they modify nouns. As pronouns, they replace the nouns and stand alone. In either case, they agree with the noun in gender and number.

— **Questa valigia** è troppo piccola.   — *This suitcase is too small.*
— **Quella** è abbastanza grande.   — *That one is big enough.*

— Conosci **quei ragazzi?**   — *Do you know those guys?*
— Quali? **Quelli?**   — *Which ones? Those?*

Point to several nearby things/people in the classroom (*tavolo, studentessa,* etc.), saying: *il tavolo qui,* etc., and have students provide the correct form of *questo* (*questo tavolo*). Do the same for *quello* with more distant objects/people, saying: *i ragazzi là.* Exaggerate the closeness or distance with your actions. Then review silently, pointing to the same things but mixing up *questo* and *quello* phrases.

2. The adjective **questo** has the four regular forms of an adjective ending in **-o.** It can be shortened to **quest'** before singular nouns beginning with a vowel.

Vedi **questa** fotografia? **Queste** ragazze sono le mie nipoti e **quest'**uomo è mio nonno.

See this picture? These girls are my nieces and this man is my grandfather.

3. The adjective **quello** follows the same pattern of agreement as the adjective **bello.**

Remind students that when *bello* precedes a noun, its forms are similar to those of the definite article (*Lezione 5*).

demonstrative adjective *quello*	
singular	**plural**
quel ragazzo	**quei** ragazzi
quello studente	**quegli** studenti
quell'amico	**quegli** amici
quella ragazza	**quelle** ragazze
quell'amica	**quelle** amiche

Quella signora è la moglie dell'ambasciatore francese.

Quegli americani sono amici di Umberto Eco.

Quel ragazzo è il figlio del primo ministro.

Quei giovani sono giornalisti.

That woman is the wife of the French ambassador.

Those Americans are friends of Umberto Eco's.

That boy is the prime minister's son.

Those young people are journalists.

4. As pronouns, **questo** and **quello** each have four regular forms.

demonstrative pronouns *questo* and *quello*			
singular	**plural**	**singular**	**plural**
questo	questi	quello	quelli
questa	queste	quella	quelle

Quel passaporto è mio, ma **quello** è di mia moglie.

Questa moto è italiana, ma **queste** sono giapponesi.

Quest'orologio è di marca svizzera, ma **quello** è un Timex.

Quel CD è nuovo, ma **questo** è uscito due anni fa.

That passport is mine, but that one is my wife's.

This motorcycle is Italian, but these are Japanese.

This watch is a Swiss brand, but that one is a Timex.

That CD is new, but this one came out two years ago.

(M) In coppia: Lei è in una cartolibreria (*book/stationery store*) e chiede il prezzo di vari articoli al commesso.

Ex. M: To help reinforce the relationship between *questo* and *quello*, have students display as many objects as possible on S2's desk and then point to objects as they ask and answer the questions.

▶ matite (€2,25) S1: Quanto costano quelle matite?
    S2: Queste matite costano due euro e venticinque centesimi.

1. rivista (€2,50)
2. dizionario (€30)
3. penne (€2,35)
4. carta telefonica (€5)
5. giornali (€1,10)
6. calcolatrice (€7,50)
7. calendario (€12,75)
8. quaderni (€4,50)

N In coppia: Mentre guarda un teleromanzo (*soap opera*) con un amico/un'amica, spieghi (*explain*) chi sono i personaggi (*characters*) secondo il modello.

▶ Questa ragazza è buona ma quella è cattiva.
Quel signore è ricco ma questo ha perduto tutti i soldi.

1. Quel giovane è simpatico ma …
2. Questa donna è sposata ma …
3. Quei bambini abitano con la madre ma …
4. Quell'uomo è molto generoso ma …
5. Queste ragazze lavorano in un ospedale ma …
6. Quella signora soffre di amnesia ma …
7. Quel ragazzo è il figlio di quella signora ma …

Ex. N: Soap operas are known for their absurd scenarios, so allow students freedom in completing the sentences. Assign Ex. N as written homework and let students read their solutions to the class.

O In coppia: Lei è al mercato all'aperto e desidera comprare le seguenti cose. Con un compagno/una compagna che fa la parte del venditore, dica che cosa desidera secondo il modello.

▶ ciliege / mezzo chilo   S1: Mezzo chilo di ciliege, per favore.
S2: Queste ciliege o quelle?
S1: Queste, per favore.

1. fagiolini / un chilo
2. prosciutto / un etto (*100 grams*)
3. spinaci / mezzo chilo
4. uva / due chili
5. pane / un po' di
6. funghi / un cestino (*basket*)
7. pere / due chili
8. pomodori / tre chili

Ex. O: Model the example with a student, acting out and exaggerating *these* and *those*. Then have paired students stand to do the exercise, pointing appropriately for *questo* and *quello*. If possible, provide pictures of food items listed on p. 152 and let pairs extend the exercise using these pictures.

P In coppia: Domandi ad un altro studente/un'altra studentessa dove ha comprato almeno quattro cose che lui/lei ha.

▶ S1: Dove hai comprato quello zaino?
S2: Questo? In libreria.

Q In gruppi di quattro: Faccia vedere agli altri studenti del gruppo una fotografia di famiglia o di amici. Dica chi sono le persone nella foto, usando i dimostrativi dove possibile, e risponda alle domande degli altri studenti.

▶ — Ecco una foto di tre amici. Questo ragazzo si chiama Franco e quello si chiama Tim. Questo abita nella mia città ma quello adesso abita in California …
— E chi è questa ragazza? ecc.

Ex. Q: Ask students at the end of the previous class to bring in a photograph of family or friends and prepare four to five sentences explaining who the people are and using demonstratives when possible. Or use magazine photos or photos from the book. Encourage other students in the group to ask questions: *Quanti anni ha quella signora?*

 For further practice of lesson topics, log on to the *Oggi in Italia* website and/or do the CD-ROM activities.

Parliamo un po'

A **La famiglia.** In coppia: Prepari un albero genealogico come a pagina 177 con tre generazioni della sua famiglia (con zii, cugini, ecc.). Poi dica ad un compagno/una compagna il nome e l'età di ogni membro della famiglia.

▶ Questo è mio nonno. Si chiama Paolo e ha sessantadue anni.

B **Conoscere un amico/un'amica.** In coppia.

S1

Lei lavora per il giornale della sua università e deve intervistare uno studente straniero/una studentessa straniera. Lei vuole sapere:

il suo nome
dove abita la sua famiglia
il numero di fratelli e sorelle
nomi ed età di fratelli e sorelle
che lavoro fanno i suoi genitori
da quanto tempo è negli Stati Uniti
perché è venuto/a a quest'università
se gli piace essere qui

S2

Lei è uno studente italiano/una studentessa italiana venuto/a negli Stati Uniti per mezzo di un programma di scambio (*exchange*) culturale. Un/a giornalista vuole farle alcune domande per un articolo che scrive sul giornale dell'università. Risponda con le informazioni indicate.

nome: Francesco/a De Sia
abita a: Verona
famiglia: padre: presidente di banca; madre: farmacista; un fratello: 20 anni, Dante; due sorelle: Eugenia e Bettina, 16 e 15 anni
negli Stati Uniti da: settembre
perché?: studiare informatica, praticare l'inglese

Act. A: Remind students to use the phrase *è morto/a* about people who have died. Have students ask each other where and when family members were born. Encourage students to add an interesting fact about each family member.

Act. B: Have students cover up their partner's prompts. Encourage more in-depth questions and original answers from those who finish quickly. Have students switch roles and invent new answers.

C **Un viaggio all'estero.** In gruppi di tre: Una persona del gruppo è uno studente/una studentessa che vuole passare l'estate all'estero. Le altre due sono i genitori, che non sono d'accordo con il figlio/la figlia.

Act. C: Give students a few minutes to prepare. Have individual groups act out their scenes in front of the class and solicit other possible responses or arguments.

> STUDENTE/STUDENTESSA: Dica dove vuole andare e spieghi ai genitori perché vuole fare questo viaggio, cosa vuole fare esattamente e i vantaggi del viaggio. Deve convincere i genitori a dare il loro permesso.
>
> GENITORI: Volete sapere tutti i dettagli di questo viaggio, anche se non vi piace l'idea. Se quello che vi dice vostro figlio/vostra figlia non vi piace, dovete convincere il figlio/la figlia a rimanere a casa per l'estate.

D **Vi piace viaggiare?** Parli con altri tre studenti per sapere:

se viaggiano spesso o raramente   ____   ____   ____
dove preferiscono andare   ____   ____   ____
come preferiscono viaggiare   ____   ____   ____
con chi viaggiano   ____   ____   ____
se portano molti bagagli   ____   ____   ____
la destinazione dell'ultimo viaggio fatto ____   ____   ____

Act. D: Have students circulate. Follow up by finding out which travel destinations are the most popular.

E **La famiglia a Venezia.** In coppia: Ecco alcune fotografie che lei ha fatto durante un viaggio a Venezia con la sua famiglia. Racconti ad un compagno/una compagna alcune cose che sono successe durante il viaggio.

Assign Act. E as homework. Students can use information from Conoscere l'Italia *or do some extra research about Venice online to add details to their descriptions.*

— Siamo arrivati a Venezia il …   — Mio fratello ha …
— I miei genitori hanno …   — Abbiamo dovuto …
— Abbiamo fatto un giro in …   — Il gondoliere ha …
— Mia sorella non ha voluto …   — Siamo stati a …

> *Non volere* in the *passato prossimo* often means "refused to."

Conoscere l'Italia

 Definizioni. Abbini le definizioni con una parola della lista di destra. Ci sono due parole in più nella lista.

1. abitante di una città
2. persone che visitano città e paesi stranieri
3. aggettivo derivato da *mare*
4. una forma di governo
5. un animale feroce
6. un tipo di chiesa
7. sinonimo di *bar*
8. sinonimo di *ricco*
9. nome derivato da *bello*
10. disegno decorativo di vari colori

a. la repubblica
b. la bellezza
c. la basilica
d. splendido/a
e. marinaro/a
f. il mosaico
g. il cittadino
h. prospero/a
i. i turisti
j. il canale
k. il leone
l. il caffè

Have students work in pairs. Then have one member of each pair provide the correct word for each definition with books closed.

Have students read the passage silently and prepare five questions about it. Then, with books closed, have them answer their own questions.

Locate Venezia on the map of Italy on p. 14.

Venezia

Piazza San Marco, il salotto di Venezia, è sempre affollata da turisti italiani e stranieri.

Venezia, una delle più belle e affascinanti città del mondo, è costruita su centodiciotto isole. In questa città non ci sono automobili, autobus o motorini. Le vie di Venezia sono i canali. Barche[1], motoscafi[2], vaporetti[3] e bellissime e romantiche gondole sono i mezzi[4] che portano la gente da una parte all'altra della città. A Venezia ci sono centocinquanta canali e quattrocento ponti[5]. I veneziani chiamano il canale "rio", la piazza "campo", una piccola piazza "campiello" e la via "calle". Il ponte più famoso è l'elegante Ponte del Rialto che attraversa il Canal Grande, il più largo[6] canale della città. C'è poi il Ponte dei Sospiri[7] che collega il Palazzo Ducale con il Palazzo delle Prigioni[8]. In questo palazzo è stato prigioniero Giacomo Casanova.

1. Boats   2. motorboats   3. steamboats   4. means
5. bridges   6. wide   7. Sighs   8. Prisons

Giacomo Casanova (1725–1798) was a Venetian adventurer and libertine whose last name has become synonymous with "don Juan." (*Quel ragazzo è un vero casanova.*)

Chiamata "la Serenissima[9]", o la città di San Marco o del Leone alato[10], Venezia è stata una delle più prospere repubbliche marinare del Medioevo. Oggi questa città attrae molti turisti e visitatori italiani e stranieri che vengono a vedere le sue bellezze artistiche e a partecipare alle sue varie attività culturali. Il centro della vita veneziana è Piazza San Marco, uno splendido salotto[11] all'aria aperta, dove i cittadini e i turisti vanno a socializzare e ad ammirare la meravigliosa architettura della città. In questa piazza sono situati la basilica di San Marco con i suoi bei mosaici, il Campanile[12] e il Palazzo Ducale. In Piazza San Marco ci sono molti bei negozi e caffè. Qui c'è anche il famoso Caffè Florian, frequentato nel passato da artisti e scrittori stranieri.

9. the most Serene   10. winged   11. living room   12. Belltower

 Vero o falso? Indichi se le seguenti frasi sono vere o false secondo il brano precedente. Corregga le frasi false.

Have students correct the false statements without looking at the reading.

1. Le città italiane sono costruite sull'acqua.
2. A Venezia ci sono molte automobili.
3. La gondola è un tipo di barca usata a Venezia.
4. A Venezia ci sono molti ponti.
5. Le vie di Venezia si chiamano "campi".
6. Un nome di Venezia è "la Superba".
7. Una bella basilica veneziana è dedicata a San Marco.
8. Nel passato il Caffè Florian è stato frequentato da studenti.

 La parola giusta. Prima di leggere il seguente brano sul Veneto, completi le seguenti frasi con le parole appropriate fra quelle indicate tra parentesi.

1. Nel Veneto ci sono belle località (montagne / montane).
2. In questo territorio ci sono (industriale / pianure) e colline.
3. Questi vigneti danno (un vino / un'agricoltura) speciale.
4. C'è solamente una (collina / raffineria) di petrolio in questa zona.
5. I (prodotti / nomi) delle industrie locali sono esportati in tutto il mondo.
6. Le industrie (turisti / venete) danno ricchezza agli abitanti della regione.

Have students read this passage silently and identify seven or eight cognates.
Then, with books closed, ask them to name six features of the Veneto.

Una regione ricca

Il Veneto è una delle regioni più ricche d'Italia. Nella pianura[1] del Po domina l'agricoltura e sulle colline venete si producono vini famosi quali[2] il Valpolicella, il Soave e il Bardolino. Vicino a Venezia, sulla terra ferma[3], si trovano molte industrie chimiche e siderurgiche[4] e raffinerie di petrolio. Nelle aziende[5] venete si producono tessuti[6] e abbigliamento[7], calzature[8] e articoli in pelle[9]. Missoni e Benetton, due nomi molto conosciuti nel mondo della moda[10] internazionale, sono veneti. Nel Veneto sono fabbricati anche mobili[11] e occhiali di marca[12] venduti in tutto il mondo. Negli ultimi venti anni molte piccole aziende sono nate nel Veneto e i loro prodotti sono esportati in paesi europei ed extraeuropei. Anche gli articoli dell'artigianato[13] veneto, come i vetri[14] di Murano e i merletti[15] di Burano, sono molto ricercati[16].

La regione veneta attrae molto turismo; ogni anno il Veneto riceve un gran numero di visitatori italiani e stranieri. Oltre a Venezia, anche Verona, Vicenza e Padova richiamano l'attenzione dei turisti. Gli eroi shakespeariani,

Giulietta e Romeo, e l'Arena, il meraviglioso anfiteatro romano, sono le due maggiori attrazioni di Verona. I numerosi capolavori architettonici[17] di Andrea Palladio invece sono le attrazioni di Vicenza, chiamata anche la città palladiana. A Padova poi c'è il Santuario[18] di Sant'Antonio. In questa città si possono anche ammirare gli stupendi affreschi di Giotto e di Mantegna. Nel Veneto ci sono anche belle spiagge e montagne. Il Lido di Venezia è la spiaggia più elegante dell'Adriatico. Cortina d'Ampezzo, centro di villeggiatura invernale ed estiva[19] delle Dolomiti, è una delle più belle località montane d'Italia.

Verona: Interno dello splendido anfiteatro romano (I secolo d.C.).

1. plain   2. such as   3. mainland
4. ironworking   5. business
companies   6. textiles   7. clothing
8. footwear   9. leather   10. fashion
11. furniture   12. brand-name
eyeglasses   13. craftsmanship
14. glassworks   15. laces   16. sought
after   17. architectural masterpieces
18. Shrine   19. winter and summer

Locate Veneto on the map of Italy on p. 14. *Con quali regioni confina il Veneto? Con quale paese straniero confina? Come si chiama il mare a sud-est del Veneto? Che cos'è il Po? Dov'è il Po, nel nord o nel sud del Veneto?*

Locate Verona and Padova on the map of Italy on p. 14.

Murano and Burano are two small islands in the Venetian lagoon.

Andrea Palladio (1508–1580) was a Renaissance architect, greatly admired by Thomas Jefferson.

Sant'Antonio (1195–1231) was a Franciscan monk from Lisbon who died near Padova.

Giotto (1267–1337) was a painter whose frescoes can be admired also in Florence, Rome, and Assisi.

Andrea Mantegna (1431–1506) was a Renaissance painter.

The **Dolomiti** are a characteristic group of Alpine mountains.

Susanna Di Palma è una studentessa universitaria di Bari. Oggi, 25 gennaio 2005, manda un messaggio di posta elettronica al suo amico Roberto, un giovane di Milano.

Locate Bari and Civitavecchia, two important port cities, on the map of Italy on p. 14.

The @ symbol in e-mail addresses is called **chiocciola** in Italian. The dot is called **punto.**

Da: Susanna Di Palma
A: robertobiondi@vento.it
Oggetto: Viva° l'Erasmus

Long live

Caro Roberto,

5 pensavo di scriverti prima, ma finora° sono stata molto occupata.   *until now*
Ti ricordi di quando l'estate scorsa mi consigliavi di andare a
studiare un anno all'estero con il Programma Erasmus? Ebbene,
grazie a° te e al tuo incoraggiamento, vado a trascorrere il   *Well, thanks to*
prossimo anno accademico in Spagna, e precisamente a Barcellona.

10 Ieri mi ha telefonato il mio professore per darmi la bella notizia.
Siccome° non sono mai stata in Spagna sono contenta di poter   *Since*
fare questa esperienza. Ho in mente di fare un viaggio a Barcellona
a giugno per conoscere un po' la città. C'è una nave che due volte
alla settimana parte la sera da Civitavecchia e arriva a Barcellona il

15 pomeriggio del giorno seguente. Che ne dici di venire con me?
Tutti dicono che Barcellona è molto bella. È ricca di opere
d'arte e di monumenti antichi e moderni, di attività sociali e
culturali e i suoi abitanti sono veramente simpatici. Ci sono anche
molti giovani stranieri che come me ogni anno vanno a studiare

20 alle accademie e all'università di questa città. Di solito lì fa bel
tempo. C'è sempre il sole e d'inverno non fa molto freddo.
Tu come stai? Che tempo fa lì? Piove e c'è la nebbia come
sempre? Ieri ricordavo i giorni passati con te in agosto sulle
spiagge del Gargano e provavo molta nostalgia … A proposito non

25 mi hai ancora mandato le foto fatte alle Isole Tremiti. Perché non
le mandi come allegato in un tuo prossimo messaggio?
Per ora ti lascio e ti saluto con affetto. Un abbraccio.

Susanna

Read about the Erasmus program in the cultural note on p. 198.

Barcellona: a major Spanish city on the Mediterranean, located in the region of Catalonia.

Choose two students to retell the contents of Susanna's message in narrative form, one paragraph each. Provide help with indirect object pronouns.

Domande

1. Chi è Susanna e di dov'è?
2. Perché manda un messaggio al suo amico Roberto?
3. Che cosa consigliava Roberto a Susanna l'estate scorsa?
4. Che cosa desidera fare Susanna a giugno? Perché?
5. Che cosa dicono tutti di Barcellona?
6. Che tempo fa di solito a Barcellona?
7. Che cosa ricordava ieri Susanna?

Domande personali

1. Lei manda messaggi di posta elettronica? A chi?
2. Qual è il suo indirizzo elettronico?
3. Riceve spesso messaggi? Da chi?
4. Lei scrive in italiano qualche volta? Cosa scrive?
5. Conosce una città antica e bella? Quale?
6. Oggi fa bel tempo o cattivo tempo?
7. A volte lei prova nostalgia? Di chi o di che cosa?

Situazioni

1. Domandi ad un amico/un'amica che tempo fa nella sua città in ogni stagione dell'anno.

   ▶ — Che tempo fa nella tua città in primavera (d'estate/in autunno/d'inverno)?
   — Fa fresco (freddo/cattivo tempo/caldo/bel tempo).

2. Domandi ad un amico/un'amica che cosa pensava di fare ieri sera.

   ▶ — Che cosa pensavi di fare ieri sera?
   — Pensavo di fare una passeggiata nel parco (fare due passi con gli amici/fare quattro salti in discoteca/prendere un gelato con te), ma dovevo studiare.

Pratica

1. Lei frequenta un corso estivo all'università. Scriva ad un amico italiano/ un'amica italiana e parli di queste cose nel suo messaggio.

   come sta
   che cosa studia
   che tempo fa
   quello che fa di bello
   di che cosa o di chi prova nostalgia
   se ha conosciuto qualche persona interessante

2. Lei è in vacanza. Scriva una cartolina (*postcard*) ad un amico italiano/ un'amica italiana. Dica da quanto tempo è lì e racconti (*tell*) quello che ha visto e ha fatto finora.

Challenge students to work together in class on Roberto's reply to Susanna, telling her what he is doing and responding to her request for photographs.

Tell students that in formal writing *gentile* and *egregio/a* are used as salutations. Formal closings are *Distinti saluti, In fede,* and *Con ossequio.*

Have students ask you the *Domande personali* and encourage them to pose related questions: *Scrive qualche volta lettere? Lei scrive con la penna o con il computer?*

Sit. 1: Prepare students before starting. Review seasons by having students associate months with each season. Convey weather expressions using mime and asking *Fa fresco oggi?*, etc.

Sit. 2: Ask students to say what they had in mind to do last night. You may want to brainstorm some activities and then ask *Lei che cosa pensava di fare ieri sera?*

Prat. 1 and 2: Call on some students to read their e-mails and postcards.

Tell students they can write about their last vacation or about a fantasy vacation for Prat. 2.

Studiare all'estero

Per conoscere un altro paese e per imparare bene una lingua straniera non c'è niente di meglio del contatto diretto con la gente del luogo dove si parla la lingua. Oggi per i giovani italiani è più facile fare un'esperienza all'estero grazie a una serie di programmi di sostegno[1] istituiti dall'Unione europea. Questi programmi permettono a tutti i giovani europei di studiare, ricevere una formazione[2] o fare ricerca[3] in un altro paese dell'Unione di loro scelta[4]. Sotto l'ombrello del programma Socrates, istituito per sviluppare l'istruzione europea, si trova l'Erasmus che prevede gli scambi[5] di studenti universitari fra i vari paesi dell'Unione. Gli studenti ammessi all'Erasmus ricevono una borsa di studio[6] che permette di vivere e studiare all'estero.

Ma in Italia esistono anche accademie, istituti e università che organizzano corsi di lingua, arte e cultura per tutti gli stranieri. Ogni anno giovani da tutte le parti del mondo arrivano in Italia per imparare l'italiano e conoscere l'Italia. Mentre trascorrono un soggiorno piacevole in questo paese, essi imparano ad apprezzare i costumi[7] e la vita sociale degli italiani.

In una piazza di Firenze, studenti stranieri disegnano un antico palazzo rinascimentale.

• Lei conosce qualcuno che ha studiato all'estero? Le piacerebbe studiare un giorno in una scuola di un paese straniero?

1. support   2. training   3. research   4. choice   5. exchange   6. scholarship   7. appreciate the customs

UNIVERSITA' PER STRANIERI
PERUGIA

CERTIFICAZIONE DI CONOSCENZA
DELLA LINGUA ITALIANA

Alliance Française
Generalitat de Catalunya
Goethe Institut
Instituto Cervantes
University of Cambridge Local Examinations
Syndicate (UCLES)
Università per Stranieri di Perugia
Universidade de Lisboa
National Institute for Educational Measurement (CITO)
Danish Consortium

The *Università per Stranieri* is also in Siena. Both Perugia and Siena attract a large number of foreign students who come from all over the world to study the language and culture of Italy.

Look up the web page of the *Università per Stranieri di Perugia* at www.unistrapg.it and find a language course appropriate for you. Look for the university's e-mail address and ask for further information if necessary.

Vocabolario

Parole analoghe

l'accademia
accademico/a
culturale
elettronico/a
la foto(grafia)
l'incoraggiamento
il messaggio
il monumento
occupato/a
precisamente
sociale
la Spagna

Nomi

l'abbraccio   hug
l'affetto   affection
l'allegato   attachment
il/la giovane   young person
l'indirizzo   address
la nave   ship
la nebbia   fog
la notizia   news
la posta   mail
il tempo   weather

Aggettivi

antico/a   old, ancient
contento/a   glad
straniero/a   foreign

Verbi

consigliare   to advise
lasciare   to leave (behind)
provare   to feel; to experience
salutare   to greet
trascorrere (*p.p.* **trascorso**)   to spend (*time*)

Altre parole ed espressioni

piove   it rains, it is raining
prima   before
tutti   everybody
a proposito   by the way
avere in mente   to intend; to have in mind
c'è il sole   it's sunny
che tempo fa lì?   what's the weather like there?
come sempre   as usual
due volte   twice
fa bel tempo   it's nice weather
fa caldo   it's hot
fa cattivo tempo   it's bad weather
fa freddo   it's cold
fa fresco   it's cool
l'indirizzo elettronico   e-mail address
l'opera d'arte   work of art
pensare di (+ *infinitive*)   to plan to (do something)
la posta elettronica   e-mail
provare nostalgia (di)   to be homesick

Elicit or point out word families, such as *fotografo, fotografare, fotografia*.

Like *la moto, la foto* is a feminine noun. It is a shortened form of *fotografia*.

ph = f in many Italian words: *fotografia, filosofia, Filadelfia,* etc.

Remind students that to take pictures is *fare le foto*. Ask: *Lei ama fare le foto? In quali occasioni fa le foto? A chi o a che cosa fa le foto?* Also point out that *fare le foto* is a synonym of *fotografare*.

Have students create questions or statements using *avere in mente, a proposito, provare nostalgia (di)*.

Pronuncia

I suoni della g

The letter **g** (or **gg**) is pronounced hard (/g/), as in **gatto,** before the letters **a, o,** and **u.** The combination **gh** is always pronounced hard. Before **e** and **i, g** (or **gg**) is pronounced soft (/ǧ/), as in **gennaio.**

(A) Ascolti e ripeta le seguenti parole.

in**g**lese	spa**gh**etti	messa**gg**io	**g**iovane
guardare	la**gh**i	pomeri**gg**io	**g**ente
godere	pa**gh**iamo	su**gg**erire	nostal**g**ia
lin**g**ua	lar**gh**e	spia**gg**ia	Peru**g**ia

Ex. A: Have students create two or three sentences with as many words as possible containing *g, gg.* Then have them dictate sentences to a partner; e.g., *Giuseppe non guida e viaggia poco.*

(B) **Proverbio.** Ascolti e ripeta il seguente proverbio.

Diligenza passa scienza.
Persistence is sometimes more important than knowledge.
(*Literally: Diligence surpasses science.*)

Ex. B: Teach students: *La bugia ha le gambe corte.* (The liar may easily trip over his own lies. *Literally: Lies have short legs.*)

Ampliamento del vocabolario

Che tempo fa?

Ask students what season of the year is depicted in each drawing.

Have some students describe the weather in their hometowns in different months.

Point out that the verbs *nevicare* and *piovere* take either *essere* or *avere* as auxiliaries: *È / Ha piovuto (nevicato) tutto il giorno.*

È il primo maggio. Fa bel tempo. C'è il sole ed è sereno.

È il sette gennaio. Fa freddo. Nevica e tira molto vento.

È il quindici agosto. Fa caldo. È molto umido.

È il dieci ottobre. Fa fresco ed è nuvoloso.

Espressioni utili

Che tempo fa? What's the weather like?	**Nevica.** It's snowing.	*la neve* = snow
Fa bel tempo. It's nice weather.	**Piove.** It's raining.	*la pioggia* = rain
Fa caldo. It's hot.	**Tira (molto) vento.** It's (very) windy.	

Che tempo fa? What's the weather like?

Fa bel tempo. It's nice weather.

Fa caldo. It's hot.

Fa cattivo tempo. It's terrible weather.

Fa freddo. It's cold.

Fa fresco. It's cool.

Fa molto caldo (freddo, fresco). It's very hot (cold, cool).

Nevica. It's snowing.

Piove. It's raining.

Tira (molto) vento. It's (very) windy.

C'è la nebbia. It's foggy.

C'è il sole. It's sunny.

È afoso. C'è afa. It's sultry (muggy).

È nuvoloso. It's cloudy.

È sereno. It's clear.

la neve = snow
la pioggia = rain

Point out that the verb *fare* is used in many weather expressions. Remind students of the difference between *fare freddo/caldo* and *avere freddo/caldo.* You might mention that *Com'è il tempo? È freddo (caldo/fresco, ecc.)* are also used instead of *Che tempo fa? Fa freddo (caldo/fresco,* etc.).

 In coppia: Un giovane italiano/Una giovane italiana che desidera visitare la sua città vuole sapere com'è il clima (*climate*) lì. Gli/Le spieghi com'è.

1. Che tempo fa ad agosto nella tua città?
2. In quali mesi fa molto freddo?
3. Nevica spesso d'inverno?

4. Com'è l'estate lì?
5. Tira vento qualche volta?
6. In quali mesi c'è la nebbia?
7. In quali mesi piove di più?

Ex. A: Ask students to describe today's weather and tomorrow's forecast. Have students switch roles and repeat the exercise.

TEMPO	SOLE	NUVOLOSO	COPERTO	PIOGGIA	ROVESCI	TEMPORALI	NEVE	NEBBIA

Tell students that *sorgere* = "to rise," and *tramontare* = "to set." Then ask *Secondo la cartina del tempo, a che ora sorge il sole oggi? A che ora tramonta? E domani?*

B In coppia: Domani il suo compagno/la sua compagna di camera va a fare una gita e vuole sapere le previsioni del tempo. Gli/Le dica come sarà il tempo nei prossimi tre giorni.

> ▶ — Sai che tempo fa domani?
> — Sì, domani ...

> Look up the names of five or six regions on the map of Italy on p. 14. Then describe the weather in each according to the weather map.

C In coppia: Domandi ad un altro studente/un'altra studentessa che cosa fa in condizioni di tempo diverse.

> ▶ — Cosa fai quando (fa bel tempo)?
> — Quando fa bel tempo ...
> — E quando (piove)?

> *coperto* = overcast
> *rovesci* = showers
> *temporali* = storms

Alcune espressioni di tempo con *ogni, volta, di, tutti/e*

Ogni

ogni anno (mese, settimana, giorno)   each year (month, week, day)
ogni estate (autunno, inverno, primavera)   each summer (fall, winter, spring)
ogni lunedì (martedì, ecc.)   each Monday (Tuesday, etc.)
ogni tanto   once in a while

Volta

a volte   at times, sometimes
una volta (due volte) al giorno (alla settimana, al mese, all'anno)   once (twice) a day (a week, a month, a year)
qualche volta   sometimes

Di

di quando in quando   from time to time
di rado   seldom
di solito   usually
di tanto in tanto   every now and then

Tutti/Tutte

tutti i giorni (i mesi)   every day (month)
tutte le sere (le settimane)   every evening (week)

> To remember these expressions, name things you do *una volta al giorno, di rado, ogni estate, tutte le sere, ogni sabato,* etc.

D In coppia: Risponda brevemente alle domande che le fa un altro studente/un'altra studentessa. Nelle risposte usi un'espressione di tempo appropriata come **volta, di, ogni** o **tutti/e**.

> ▶ fare la spesa   — Fai la spesa?
>   — Sì, ogni settimana./No, non la faccio mai.

1. studiare in biblioteca
2. alzarsi presto la domenica
3. andare allo stadio con i tuoi amici
4. telefonare ai tuoi genitori
5. guardare la televisione
6. ascoltare la musica
7. leggere il giornale
8. fare gite con gli amici
9. sciare

la neve
❄
la natura

Struttura ed uso

Imperfetto

Quando **ero** bambina, **abitavo** in una bella casa ed **avevo** un gatto e un cane.

1. The imperfect is a past tense used to talk about things that used to happen or that were going on over a period of time in the past. The following chart shows the imperfect forms of regular verbs in **-are, -ere,** and **-ire.**

	provare	**scrivere**	**sentire**
io	provavo	scrivevo	sentivo
tu	provavi	scrivevi	sentivi
lui/lei	provava	scriveva	sentiva
noi	provavamo	scrivevamo	sentivamo
voi	provavate	scrivevate	sentivate
loro	provavano	scrivevano	sentivano

Be sure to model the forms of the imperfect orally and have students repeat them before doing exercises. Highlight the stress changes in the *noi* and *voi* forms.

2. The verbs **essere, bere, dire,** and **fare** are irregular in the imperfect.

essere	**bere**	**dire**	**fare**
ero	bevevo	dicevo	facevo
eri	bevevi	dicevi	facevi
era	beveva	diceva	faceva
eravamo	bevevamo	dicevamo	facevamo
eravate	bevevate	dicevate	facevate
erano	bevevano	dicevano	facevano

Note that *essere* is really the only verb that is irregular in the imperfect. *Bere, dire,* and *fare* use irregular stems that you have already seen.

3. The imperfect is used to describe:

a. the way things or people were.

Lisa **era** una bella bambina.	*Lisa was a beautiful child.*
Non **aveva** problemi a scuola.	*She had no problems at school.*
Aveva i capelli lunghi.	*She had long hair.*

b. habitual actions in the past.

Andavamo ogni anno al mare.	*We used to go to the shore every year.*
Facevamo passeggiate con la mamma mentre papà **si addormentava** sulla spiaggia.	*We would take walks with Mom while Dad would fall asleep on the beach.*
A volte **venivano** anche i nostri cugini.	*Sometimes our cousins would come as well.*
Ci divertivamo molto insieme.	*We used to have a lot of fun together.*

Point out the various ways that the imperfect is expressed in English: *used to, would, was + . . . ing, past tense + time expression indicating repetition.* Tell students that they will learn more about the use of the imperfect in *Lezione 10.*

> Reflexive pronouns precede reflexive verbs conjugated in the imperfect.

c. actions in progress in the past when something else happened or while something else was happening.

Dormivamo quando è entrato.	*We were sleeping when he came in.*
Pensavo al nostro viaggio quando mi hai chiamato.	*I was thinking about our trip when you called me.*
Susanna **leggeva** mentre Roberto **faceva** fotografie.	*Susanna was reading while Roberto was taking pictures.*

Point out the use of *quando* and *mentre.* Be sure students understand that the actions in the last example were happening simultaneously.

d. weather, time of day, age, health, and mental and psychological states in the past.

Faceva cattivo tempo ieri e non siamo usciti.	*The weather was bad yesterday and we didn't go out.*
Erano le otto e mezzo quando è tornata a casa.	*It was eight-thirty when she came home.*
Avevo diciannove anni quando sono andata a Barcellona.	*I was nineteen years old when I went to Barcelona.*
Si sentiva male ieri sera.	*He felt sick last night.*
I genitori **si preoccupavano** per i loro bambini.	*The parents were worried about their children.*

Explain that some of these actions can also be expressed in the *passato prossimo* as well: *Ha fatto cattivo tempo ieri.*

Ⓐ La nonna descrive com'era la vita quando lei era giovane. Faccia la parte della nonna, sostituendo il soggetto delle frasi con i nuovi soggetti indicati tra parentesi.

1. Ai miei tempi, i treni arrivavano in orario. (la posta / gli studenti)
2. La gente aveva pochi soldi. (noi / la mia famiglia / io)
3. I generi alimentari non costavano tanto. (l'università / le case / le macchine)
4. I politici non dicevano bugie (*lies*). (il governo / noi bambini / io)
5. Le donne stavano in casa. (mia madre / i ragazzi piccoli)
6. La vita era più semplice allora. (le cose / l'amore)

Ask students if their grandparents or parents make comments like those in Ex. A. What kinds of things do they say about the past? Encourage students to overact when answering, and also during the exercise if done in pairs.

B In coppia: Domandi ad un compagno/una compagna dov'era e cosa faceva ieri nelle ore indicate.

Follow up Ex. B by asking individuals about unusual or interesting things their partners were doing yesterday.

▶ alle 8.45 di sera   S1: Dov'eri e cosa facevi alle nove meno un quarto ieri sera?

S2: Ero nella camera di un amico. Guardavamo un film stupido.

1. alle 6.50 di mattina
2. alle 9.00 di mattina
3. a mezzogiorno in punto
4. alle 4.06 del pomeriggio
5. alle 11.10 di sera
6. a mezzanotte

C In coppia: Chieda ad un altro studente/un'altra studentessa se faceva le seguenti cose quando aveva tredici anni.

Follow up Ex. C by asking individuals to tell the class what their partners did when they were thirteen.

Ask students to elaborate with more details: *Amavo la scuola perché avevo molti amici e mi divertivo.*

▶ amare la scuola   S1: Quando avevi tredici anni amavi la scuola?

S2: Sì, amavo la scuola./No, non l'amavo.

1. frequentare il liceo
2. dovere pulire la tua camera
3. avere un amico preferito/un'amica preferita
4. discutere con i tuoi genitori
5. mangiare volentieri le verdure
6. praticare uno sport
7. uscire con i ragazzi/le ragazze
8. ubbidire sempre ai genitori

D Intervisti un altro studente/un'altra studentessa per sapere com'era e cosa preferiva fare quando aveva sei anni. Prenda appunti e poi riferisca le informazioni alla classe. Lei vuole sapere:

Model Ex. D with a well-prepared student before splitting class into pairs.

se era timido/a o disinvolto/a; pigro/a o dinamico/a;
    gentile o sgarbato/a, ecc.
se aveva molti o pochi amici e come si chiamavano
se gli/le piaceva la scuola e quale materia preferiva
quali trasmissioni televisive guardava
come si divertiva e se aveva un giocattolo (*toy*) preferito

Encourage students to ask follow-up questions: *Eri bravo/a in matematica?*

▶ — Com'eri quando avevi sei anni? Eri timida?
— No, non ero timida. Non avevo paura di niente ...

E In coppia: Susan è andata a Perugia per un corso intensivo all'Università per Stranieri. È arrivata a Perugia due settimane prima dell'inizio delle lezioni. Guardate i disegni in basso e a turno dite che cosa faceva Susan durante la sua prima settimana a Perugia.

Ex. E: Ask students to describe each scene in detail.

F Ricorda la sua prima settimana all'università? Com'era? Descriva ad un amico/un'amica questa prima settimana. Gli dica:

quanti anni aveva
dove abitava
che tempo faceva
se conosceva altri studenti
cosa faceva nel tempo libero
se era contento/a e perché
se aveva paura e di che cosa
se provava nostalgia per la famiglia

Ex. F: Explain to students that if they wish to describe specific events that occurred during this week, they should use the *passato prossimo*.

Espressioni negative

Non dirlo a **nessuno, neanche** al tuo ragazzo!

Non dirlo a **nessuno, nemmeno** a tua sorella!

1. The following chart shows some commonly used negative expressions in Italian. You have already learned some of them.

non ... affatto not at all	**Non** mi piace **affatto** questa città.	
non ... mai never	**Non** parliamo **mai** inglese in classe.	
non ... niente (nulla) nothing	E **non** capisco **niente.**	
non ... nessuno nobody	**Non** conosco **nessuno** qui a Bari.	
non ... { **neanche** / **nemmeno** / **neppure** } not even	**Non** c'è stata **nemmeno (neanche, neppure)** una giornata di sole.	
non ... più not any more	**Non** provo **più** nostalgia del mio paese.	
non ... ancora not yet	**Non** ho **ancora** ricevuto le fotografie.	
non ... né ... né neither . . . nor	**Non** fa **né** caldo **né** freddo qui.	

Tell students that **nessuno** can function as a pronoun or an adjective. As a pronoun it means *nobody*. As an adjective it has the same endings as the indefinite article **uno** and means *not any, not a single;* e.g., *Non c'è nessuna possibilità.*

2. Non + *verb* + *second negative* is the usual construction for a negative expression.

Non hai capito **nulla!**   *You didn't understand anything!*
Non arrivi **mai** in orario.   *You never arrive on time.*

3. Niente or **nessuno** can precede the verb. When they do, **non** is omitted.

Niente è impossibile.   *Nothing is impossible.*
Nessuno vuole venire.   *Nobody wants to come.*

G Le cose possono cambiare molto nel corso di un anno. Legga il seguente brano che parla di come andavano una volta le cose per Daniele, e di come gli vanno adesso. Poi rilegga il brano, dando l'espressione negativa appropriata.

After completing Ex. G, have students compare their current lives to their lives five years ago.

Quest'anno le cose vanno bene per Daniele, ma l'anno scorso non andavano _____ bene. Recentemente ha trovato un lavoro, ma l'anno scorso non lavorava _____ . Adesso esce sempre, ma prima non usciva _____ . Adesso ha un televisore e un videoregistratore, ma l'anno scorso non aveva _____ il televisore _____ il videoregistratore. Adesso si compra anche vestiti alla moda, ma l'anno scorso non si comprava _____ . Adesso tutti lo chiamano, ma l'anno scorso _____ lo chiamava. Prima aveva molti problemi e preoccupazioni, ma quest'anno non ha _____ problemi _____ preoccupazioni. Prima era sempre sfortunato (*unlucky*), ma adesso non è _____ sfortunato.

Siena: Artistica facciata del Duomo.

H Lei ha ricevuto il seguente messaggio elettronico da una sua amica che studia questo semestre a Siena. Quest'amica le fa molte domande su come vanno le cose all'università. Risponda al messaggio con un'espressione negativa per ogni domanda.

Caro/a —

Come stai? Qui in Italia sto tanto bene ma penso spesso alla nostra università. Qui piove quasi ogni giorno. Fa ancora bel tempo lì? Ma dimmi, cosa fai per le vacanze di Natale? Vedi spesso i nostri amici? Hai già trovato un lavoro per l'anno prossimo? Studi ancora filosofia? Vai spesso alle feste? E con chi esci, con Monica o con Daria? Hai ricevuto le foto e le cartoline che ti ho mandato? Quante partite ha vinto la nostra squadra (*team*) di hockey? E quando puoi venire in Italia?

Ci sentiamo,
Melissa

Ex. H: For homework, have students imagine they are in Italy writing to another student in the class. Have them include as many questions as they can think of about life on campus. In class students can exchange e-mails and respond with negative expressions where appropriate.

I Dica se lei fa ancora queste cose o se non le fa più.

► Vive con i suoi genitori?
No, non vivo più con i miei genitori./Sì, vivo ancora con i miei genitori.

1. Va in vacanza con la famiglia?
2. Guarda i cartoni animati (*cartoons*)?
3. Dorme con l'orsacchiotto (*teddy bear*)?
4. Vede gli amici della scuola elementare?
5. Frequenta ancora il liceo?
6. Ha ancora paura del buio (*dark*)?
7. Crede a Babbo Natale (*Santa Claus*)?

Have students do Ex. I in pairs, taking turns asking and answering questions. Encourage them to expand the list of things they don't do anymore.

Have students expand negative answers by saying *Una volta vivevo con i miei genitori, ma adesso non vivo più con loro*, etc.

J In coppia: Decidete se le seguenti frasi descrivono accuratamente la vostra classe d'italiano. Se una frase non è vera, cambiatela.

► Parlate sempre inglese durante la lezione.
Sì, parliamo sempre inglese durante la lezione./No, non parliamo sempre inglese durante la lezione./No, non parliamo mai inglese durante la lezione.

1. Tutti hanno paura di parlare durante la lezione.
2. Gli studenti trovano molto facile (*easy*) la grammatica.
3. Finite sempre tutti gli esercizi della lezione.
4. Ascoltate canzoni e poesie durante la lezione.
5. Avete visto film italiani durante la lezione.
6. Avete finito la lezione undici.
7. Avete carte geografiche e poster turistici nell'aula (*classroom*).
8. C'è uno studente che parla perfettamente l'italiano.

K In coppia: Intervisti un altro studente/un'altra studentessa per sapere due cose

che non fa mai
che una volta faceva ma che non fa più
che non ha mai fatto ma che vuole fare

Pronomi personali di forma tonica

—Vuoi ballare con **me?**
—No, preferisco ballare
con **lui.**

1. Disjunctive or stressed pronouns are used as objects of prepositions. They are
also used instead of direct object pronouns for emphasis or clarity.

— È per **me** la telefonata?
— No, non è per **te;** è per **me.**

— Vuoi uscire con **noi?**
— No, mi dispiace. Arriva una mia amica e devo parlare con **lei.**

— Mi hai visto ieri con Claudio?
— No, ho visto **lui,** ma non ho visto **te.**

Point out the position of the
pronoun in the examples *Mi hai
visto* and *Non ho visto te.*

2. The following chart shows the disjunctive pronouns with the preposition **con.**

singular		plural	
con **me**	with me	con **noi**	with us
con **te**	with you	con **voi**	with you
con **lui**	with him	con **loro**	with them, with
con **lei**	with her, with you		you

Notice that except for *me* and
te, the disjunctive pronouns
are identical to subject
pronouns.

3. Da + *disjunctive pronoun* can mean *on one's own* or *by oneself.*

Devo fare tutto **da me.**   *I have to do everything by myself.*
Fa' i compiti **da te.**   *Do the homework on your own.*

The disjunctive pronoun **sé** is used instead of **lui/lei** and **loro** to mean *himself/herself/themselves* and the formal *yourself.*

Il bambino si veste **da sé.**   *The child gets dressed on his own.*
Signorina Luzzi, faccia l'esercizio   *Miss Luzzi, do the exercise*
  da sé.   *yourself.*

 Risponda alle domande con pronomi di forma tonica.

Personalize Ex. L by using names of people in the class: È vero che abiti vicino a Sandy?

▶ È vero che abiti vicino al professore?   Sì, abito vicino a lui.

1. È vero che vieni con noi?
2. È vero che hai ricevuto una lettera dal tuo ragazzo?
3. È vero che vai in montagna con i tuoi genitori?
4. È vero che pensavi a me?
5. È vero che lavori con mia zia?
6. È vero che non ci sono altri studenti come te?
7. È vero che arrivi prima dei tuoi compagni?
8. È vero che hai comprato qualcosa per me?

M I ragazzi della Scuola Elementare Maria Montessori sono tutti molto indipendenti. Uno studente descrive cosa facevano gli studenti della scuola la settimana scorsa. Faccia la parte dello studente e dica che i bambini facevano le varie attività da sé.

> Italian educator and psychiatrist Maria Montessori (1870–1952) developed a method of preschool and elementary education that stresses physical freedom and individual initiative.

▶ Carlo: studiare la matematica   Carlo studiava la matematica da sé.

1. Angelina: pulire la lavagna
2. Gilda e Susi: imparare l'inglese
3. io: fare i disegni
4. i bambini: preparare da mangiare
5. Tonino: usare il computer
6. tu: giocare con i videogiochi
7. noi: fare tutto

N In coppia: Domandi al compagno/alla compagna se conosce queste persone. Il compagno/La compagna risponde con pronomi tonici.

▶ Andrea Bocelli / Sophia Loren
   S1: Conosci Andrea Bocelli e Sophia Loren?
   S2: Conosco lui ma non lei/lei ma non lui/loro./Non conosco né lui né lei.

1. Cecilia Bartoli / Luciano Pavarotti
2. Nanni Moretti / Liliana Cavani
3. Celine Dion / i Cavalieri della Notte
4. Roberto Benigni / Nicoletta Braschi
5. Hillary Clinton / Giorgio Armani
6. Ellen DeGeneres / Pippo Baudo

> Nanni Moretti and Liliana Cavani are both renowned film directors. The actor and director Roberto Benigni often costars with his wife, Nicoletta Braschi. Pippo Baudo is a long-popular TV host.

  For further practice of lesson topics, log on to the *Oggi in Italia* website and/or do the CD-ROM activities.

Parliamo un po'

A **Roma oggi e ieri.** In gruppi di tre o quattro: Immaginate la vita degli antichi romani. Che cosa mangiavano? Che cosa bevevano? Come si divertivano? Quale lingua parlavano? Che altro facevano?

> See also the photo of the Colosseum in *Lezione 1.*

Quello che rimane di un'antica strada romana nella città di Pompei.

Alcuni turisti passeggiano tra le rovine del Forum di Pompei.

Affreschi alle pareti e un pavimento caratteristico sono visibili all'interno di una casa patrizia di Pompei.

B **La previsione meteorologica.** In gruppi di due o tre: Voi lavorate per la radio della vostra università e dovete preparare una previsione del tempo per oggi e i prossimi due giorni nella vostra città o regione. Spiegate le condizioni meteorologiche attuali e che tempo fa domani e dopodomani. Potete anche dare qualche consiglio utile.

> Act. B: Remind students they can use the present tense to talk about actions that will occur soon. Have a few groups present their weather reports to the class.

▶ Stasera fa fresco con una temperatura massima di … con la possibilità di …
Allora non dimenticate di …
Domani invece …
È una buona occasione per …

L'Università per Stranieri. In coppia: A Perugia e a Siena ci sono università statali per studenti non italiani che desiderano imparare e perfezionare il loro italiano. Guardate le seguenti informazioni e programmate un periodo di studio a Perugia. Poi riferite i vostri programmi alla classe. Potete parlare:

✦ del corso che volete seguire
✦ perché avete scelto questo corso particolare
✦ in quale stagione potete fare il corso
✦ quando volete dare l'esame CELI
✦ a quale livello pensate di dare l'esame

 Un messaggio elettronico da Perugia. Da quattro settimane lei è a Perugia, dove segue un corso intensivo di lingua e cultura italiana in preparazione per l'esame CELI 3. Scriva un e-mail ad un amico/un'amica nella classe per descrivere come va il programma, che cosa studia, se le piace la città, e alcune cose che ha fatto finora. Quando ha finito di scrivere il messaggio, lo dia ad un'altra persona nella classe, che risponde al suo messaggio con un'altra e-mail.

Have students do Act. D at home on a computer. Ask each student to exchange his or her message with another student in the class by e-mail and then respond to the new response.

BENVENUTI all'UNIVERSITÀ PER STRANIERI DI PERUGIA!

L'Università per Stranieri di Perugia è la più antica e prestigiosa istituzione italiana nell'attività di ricerca e insegnamento dell'italiano L2, rilascia certificati linguistici dal 1987 ed è stata la prima istituzione italiana a certificare la conoscenza dell'italiano L2.

Gli esami di certificazione dell'italiano generale CELI dell'Università per Stranieri di Perugia valutano l'abilità dei candidati nell'**italiano generale**, vale a dire l'italiano in uso non solo nell'interazione sociale, ma anche in ambienti di studio e/o di lavoro.

Gli esami CELI prevedono cinque livelli progressivi: dall'elementare all'avanzato, dove per avanzato si intende il parlante eccellente del CELI 5.

Il Ministero dell'Istruzione, dell'Università e della Ricerca ha riconosciuto il CELI 3 come titolo valido per attestare la conoscenza della lingua necessaria per iscriversi all'università in Italia e il CELI 5 come titolo valido per attestare la conoscenza della lingua italiana necessaria per insegnare nelle scuole ed istituti statali.

Gli esami CELI si svolgono due volte all'anno: a **giugno** e a **novembre**.

Corsi di Laurea (di 1° livello – 180 crediti formativi)

Comunicazione Internazionale
Promozione della Lingua e della Cultura Italiana nel mondo
Lingua e Cultura Italiana (L2)

Master

Master in Didattica dell'Italiano lingua non materna (Corso di prova)

Corsi di perfezionamento e aggiornamento

Corsi di aggiornamento per insegnanti di italiano all'estero
Corso di lingua italiana contemporanea
Corso di storia dell'arte

la ricerca investigation; **rilasciare** to issue; **valutare** to evaluate; **corso di aggiornamento** refresher course

If you are interested in this program, see its website at http://www.unistrapg.it/.

Dove hai conosciuto il tuo partner? In gruppi di tre: Discutete i tre luoghi o modi migliori (*best*) e peggiori (*worst*) per incontrare un/una partner. Poi comparate i vostri risultati con quelli dell'inchiesta pubblicata a fianco. Qual è il luogo più popolare dove gli italiani possono conoscere le altre persone?

As a warm-up to Act. E, ask students: *Hai conosciuto una persona interessante recentemente? Hai mai conosciuto una persona con l'Internet? Hai mai letto gli annunci personali sui giornali?*

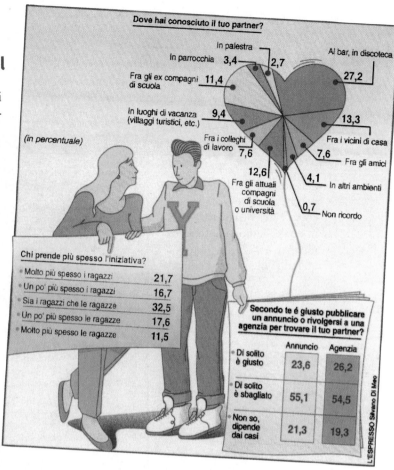

Dove hai conosciuto il tuo partner?

(in percentuale)

In parrocchia 3,4

In palestra 2,7

Al bar, in discoteca 27,2

Fra gli ex compagni di scuola 11,4

In luoghi di vacanza (villaggi turistici, etc.) 9,4

Fra i vicini di casa 13,3

Fra i colleghi di lavoro 7,6

Fra gli amici 7,6

Fra gli attuali compagni di scuola o università 12,6

In altri ambienti 4,1

Non ricordo 0,7

Chi prende più spesso l'iniziativa?

• Molto più spesso i ragazzi	21,7
• Un po' più spesso i ragazzi	16,7
• Sia i ragazzi che le ragazze	32,5
• Un po' più spesso le ragazze	17,6
• Molto più spesso le ragazze	11,5

Secondo te é giusto pubblicare un annuncio o rivolgersi a una agenzia per trovare il tuo partner?

	Annuncio	Agenzia
• Di solito è giusto	23,6	26,2
• Di solito è sbagliato	55,1	54,5
• Non so, dipende dai casi	21,3	19,3

L'ESPRESSO Silvano Di Meo

Conoscere l'Italia

 Definizioni. Prima di leggere il seguente brano, abbini le definizioni con una parola della lista a destra. Ci sono due parole in più nella lista.

1. lo è l'Italia
2. lo sembra la forma dell'Italia
3. il contrario di *moderno*
4. un terreno senza colline, una pianura
5. è determinato dal tempo che fa
6. una stagione dell'anno
7. è un insieme di isole
8. è circondata dal mare
9. è un territorio molto alto
10. parte di terra che va verso il mare

a. l'estate
b. la montagna
c. il clima
d. la posizione
e. l'arcipelago
f. l'isola
g. una penisola
h. il promontorio
i. antico
j. il villaggio
k. pianeggiante
l. uno stivale

Have students work in pairs. Then have one member of each pair provide the correct word for each definition with books closed.

La Puglia

Nella configurazione della penisola italiana, la Puglia occupa una posizione particolare: quella che va dallo sperone[1] (il Gargano) al tallone[2] dello stivale. Il territorio di questa regione è prevalentemente pianeggiante[3] e permette la coltivazione della vite[4], dell'olivo e dei cereali. Un'altra attività importante del luogo è la pastorizia[5]. Grazie al suo clima mite e ai suoi pascoli[6], fin dai tempi antichi la Puglia era la meta della transumanza[7] dei pastori[8] d'Abruzzo. Alla fine di ogni estate, questi lasciavano le loro montagne e portavano le loro greggi di pecore[9] a pascolare[10] nei ricchi campi[11] della pianura pugliese. La sua posizione strategica sul Mediterraneo fu un'attrazione prima per gli antichi Greci e poi per i Romani che la colonizzarono. Diventò di nuovo importante nel Medioevo perché dai porti di questa regione partirono le prime crociate verso la Terra Santa.

Una veduta dei trulli di Alberobello, pittoresco paese della Puglia.

Oggi la Puglia attrae molti turisti. D'estate molta gente va a trascorrere le vacanze nei villaggi turistici sulle coste del Gargano. Da qui partono i battelli[12] per le pittoresche Isole Tremiti, piccolissimo arcipelago nell'Adriatico al largo del promontorio del Gargano. Un'altra attrazione di questa regione è l'ottagonale Castel del Monte fatto costruire nel 1240 dall'imperatore Federico II di Svevia al ritorno dalla crociata. Di particolare interesse poi è la terra dei "trulli", abitazioni tipiche di alcuni paesi pugliesi. Oltre a Fasano, Ostuni e Martina Franca, c'è Alberobello dove si trova un intero quartiere[13] di queste case caratteristiche, alcune delle quali sono aperte al pubblico.

1. spur 2. heel 3. flat 4. vines 5. sheep-raising 6. pastures 7. transhumance (movement to other pastures) 8. shepherds 9. flocks of sheep 10. to graze 11. fields 12. boats 13. neighborhood

Un'incantevole spiaggia del promontorio del Gargano nella Puglia.

Have students read the passage silently and prepare four or five questions about it. Then, with books closed, have some of them pose their questions to the class.

Locate La Puglia on the map on p. 14, and then locate the Gargano Promontory and the Tremiti Islands.

Medioevo = Middle Ages. Historical period from 476, year of the fall of the Roman Empire, to 1492.

Terra Santa = Holy Land. Places in Palestine where Jesus Christ lived.

crociate = crusades. Military expeditions carried out in the Middle Ages by European Christians in order to conquer the Holy Land.

Castel del Monte: gothic-style castle in the province of Bari.

Svevia = Swabia. Name given by the Romans to a historic region in southwestern Germany.

Because both Castel del Monte and the "trulli" of Alberobello deserve special protection due to their importance, in 1996, UNESCO declared them World Heritage Sites.

Informazioni. Dia le seguenti informazioni basate sul brano precedente.

1. la posizione della Puglia
2. caratteristica del terreno pugliese
3. coltivazioni della Puglia
4. lo è il clima della Puglia
5. perché, in tempi antichi, i pastori d'Abruzzo venivano nella Puglia
6. popoli che colonizzarono la Puglia
7. attrazioni turistiche della Puglia
8. quando e chi ha fatto costruire il Castel del Monte
9. nome di abitazioni peculiari di alcuni paesi della Puglia

· ·

A **Alla ricerca di vocaboli.** Legga il brano che segue e cerchi i seguenti vocaboli.

1. aggettivi derivati da *economia, agricoltura, industria* e *commercio*
2. è sinonimo di *nazione*
3. è sinonimo di *capitale*
4. parte di mare protetta dove le navi possono fermarsi
5. è una forma geometrica

Bari, Brindisi e Taranto

Parziale veduta del porto di Taranto.

Bari, Brindisi e Taranto sono tre città di mare della Puglia e le loro attività economiche sono legate al porto di ciascuna[1] di esse. Il porto di Bari, sull'Adriatico, è ben collegato[2] con la Grecia e con i paesi balcani. Capoluogo della regione, Bari è anche un centro agricolo e industriale. Ogni anno a settembre ha luogo in questa città la Fiera di Levante[3]. Con

1. each one   2. connected
3. Fair of the East

Have students read this passage silently and identify seven or eight cognates. Then, with books closed, ask them to name the main features that the three cities have in common.

la presentazione di molti prodotti agricoli e industriali, questa fiera favorisce gli scambi commerciali con i paesi del Mediterraneo. Brindisi, sull'Adriatico, e Taranto, nell'omonimo[4] golfo sul mar Ionio, sono importanti porti militari. Anche da Brindisi, come da Bari, ci sono collegamenti giornalieri[5] con la Grecia. Oggi tutte e tre queste città formano il triangolo di sviluppo[6] industriale del Mezzogiorno[7] grazie alle varie industrie chimiche, petrolifere, siderurgiche[8], tessili e alimentari della zona.

4. homonymous (same name)   5. daily connections   6. development   7. South
8. steel

 Informazioni. Dia le seguenti informazioni basate sul brano precedente.

1. il nome del mare che circonda la penisola italiana
2. lo è Bari
3. quello che hanno in comune Bari, Brindisi e Taranto
4. hanno collegamenti giornalieri con la Grecia
5. mare sul quale è situata la città di Taranto
6. importanza della Fiera di Levante
7. attività presenti nel triangolo industriale del Mezzogiorno

Lezione 10

Venezia: Palazzo del Cinema dove ogni anno ha luogo la Mostra Internazionale d'Arte Cinematografica.

Ad una mostra cinematografica

Communicative Objectives

- Talk about cinema, fashion, and clothing
- Describe movies
- Describe the color, size, and fabric of clothing
- Narrate and describe events in the past
- Talk about people and places you know and what you know how to do

Show the *Oggi in Italia* video segment and do the video activities.

Marco e Giuliana incontrano il loro amico Alessandro.

MARCO: Ciao Alessandro, la settimana scorsa ti ho cercato, ma non eri mai in casa. Dove sei andato?

ALESSANDRO: A Venezia, alla Mostra Internazionale del Cinema.

GIULIANA: Davvero? Quanti personaggi famosi hai visto? Erano simpatici gli attori? E le attrici indossavano abiti eleganti?

ALESSANDRO: So che c'erano registi internazionali e stelle del cinema americano, ma io non ho avuto l'occasione di vederli.

MARCO: E allora cosa facevi lì se non hai visto nessuno?

ALESSANDRO: Ero con mia sorella che con i suoi compagni di classe ha vinto un concorso con un documentario sulla moda italiana.

GIULIANA: Che cosa interessante! Tu sai bene che la moda, i vestiti e gli accessori sono la mia passione!

ALESSANDRO: Allora ti piacerà° il nostro documentario dove le giacche e i pantaloni neri di Armani sono presentati in contrasto con i colori sgargianti delle gonne e delle camicette di Versace.

MARCO: Anch'io sono curioso di vedere questo documentario. Ma dimmi, hai visto qualche bel film italiano o straniero? Dopo l'Oscar assegnato° a Benigni per *La vita è bella*, il cinema italiano è in ripresa, non è vero?

ALESSANDRO: Sì, certo. Sono andato a vedere un film molto bello di Giuseppe Tornatore. Ho visto anche un film cinese con i sottotitoli in inglese. Però per leggere l'inglese non ho seguito bene le immagini e alla fine non ci° ho capito proprio un bel niente.

(line numbers: 5, 10, 15, 20, 25)

Since 1935 the *Mostra Internazionale del Cinema di Venezia* has taken place every year for two weeks in the latter part of August and early September. During this festival, many Italian and foreign pictures are shown and the best film is awarded *Il Leone d'Oro* (the Gold Lion).

you'll like

Armani and Versace are important fashion houses located in Milan.

awarded

Roberto Benigni is an actor and entertainer. Giuseppe Tornatore is a film director.

about it

Domande

1. Perché Alessandro non era mai in casa la settimana scorsa?
2. Con chi era Alessandro alla Mostra Internazionale del Cinema? Perché?
3. Di che cosa tratta il documentario della sorella di Alessandro?
4. Quanti film ha visto Alessandro a Venezia?
5. Quali film italiani ha visto? Ha visto anche qualche film straniero? Quale?

Ask students about Italian movies they have seen and what they know of Benigni. Have they seen *La vita è bella*? What did they think of it?

Help students summarize the dialogue by asking leading questions: *Dove è stato Alessandro? Perché? Che vogliono sapere i suoi amici?*

Domande personali

1. A lei piacciono i film americani? E i film stranieri? Perché?
2. Lei conosce il nome di qualche altro festival del cinema? Quale?
3. Come si chiama il suo attore preferito? E la sua attrice preferita? Ha un/una regista preferito/a?
4. Le piace vedere film doppiati o in lingua originale con i sottotitoli in inglese?
5. Che cosa pensa lei della moda? La segue? Conosce il nome di alcuni stilisti famosi del suo paese?
6. Quale città è la capitale della moda nel suo paese?

Encourage students to talk about fashions in clothing. Ask if they feel they have to dress a certain way: *È importante la marca dei capi di abbigliamento che mette? E delle scarpette da ginnastica?*

Situazioni

1. Domandi ad un compagno/una compagna che cosa indossava ieri.

   ► — Che cosa indossavi ieri?
      — Indossavo una gonna e una giacca molto semplici (un vestito elegante/i pantaloni e la camicetta/la maglia e i jeans).

2. Domandi ad un amico/un'amica che tipi di film gli/le piacciono.

   ► — Che tipi di film ti piacciono?
      — Mi piacciono (i film drammatici/le commedie musicali/i film dell'orrore/i film d'azione).

Pratica

1. Scriva cinque o sei frasi basate su quello che dicono i tre amici nel dialogo a pagina 219. Per esempio:

   ► La settimana scorsa Marco ha cercato Alessandro ma ...

   Prat. 1: Assign as homework and call on some students to read their summaries the next day.

2. In coppia: Immagini di essere andato/a ad un festival del cinema. Adesso racconti al suo amico/alla sua amica:

   quando e dove si è svolto il festival
   con chi è andato/a lei
   che cosa avete visto
   se si è divertito/a

   Prat. 2: After the pairs have worked on it together, have some act it out in front of the class.

Il cinema italiano

*D*urante gli anni '80 e '90 il cinema italiano ha avuto un periodo di crisi profonda. La concorrenza[1] della televisione, i prezzi alti dei biglietti, la televisione via cavo[2], i film in cassette e i DVD hanno allontanato[3] gli spettatori dalle sale cinematografiche. Come conseguenza, molti cinema sono stati chiusi e tutta l'industria cinematografica ne ha sofferto.

Durante la crisi però alcuni film italiani hanno avuto riconoscimenti[4] a livello internazionale. Hanno ricevuto l'Oscar per il miglior film

straniero *Nuovo Cinema Paradiso* (1990) di Giuseppe Tornatore, *Mediterraneo* (1992) di Gabriele Salvatores e *La vita è bella* (1999) di Roberto Benigni. Il Festival di Cannes ha invece premiato[5] *La vita è bella* (1998), *Il ladro[6] di bambini* (1992) e il regista Nanni Moretti per il suo film autobiografico *Caro diario* (1994) e per *La stanza del figlio* (2001). Infine *La Bestia nel Cuore* di Francesca Comencini è stato scelto come uno dei migliori film stranieri per gli Oscar del 2006.

Da qualche anno il cinema italiano è in ripresa e comincia a riacquistare[7] una sua identità. Andare al cinema è tornato di moda, grazie anche alla creazione di centri multisale che in locali nuovi, piccoli e accoglienti[8] offrono allo spettatore la possibilità di scegliere film e orari diversi. Gli italiani amano vedere soprattutto[9] i film americani, naturalmente in versione doppiata. Anche i film italiani sono molto popolari, specialmente quelli comici, che sono per lo più interpretati da attori conosciuti per mezzo della televisione.

- Lei sa in che condizione è il cinema americano? È in crisi, in ripresa o gode (*is enjoying*) di molta popolarità negli Stati Uniti e all'estero?

L'attore-regista Roberto Benigni durante la lavorazione del film *La vita è bella*.

1. competition   2. cable   3. kept away   4. recognition   5. awarded a prize   6. thief   7. regain   8. comfortable   9. above all

Numerous Italian film artists work in the American motion picture industry. Among recipients of Oscars are the costume designer Milena Canonero, composer Ennio Morricone, scene designer Dante Ferretti, and photography directors such as Vittorio Storaro, Peppino Rotunno, and Dante Spinotti.

I vestiti and *gli abiti* both mean "clothing."

l'abito = *il vestito*. *L'abito* is more formal; *il vestito* is more commonly used. Both refer to a woman's dress or a man's suit.

Parole analoghe

l'accessorio
l'attore
l'attrice
l'azione
il cinema
il colore
la commedia
il contrasto
curioso/a
il documentario
drammatico/a
il festival
il film
l'immagine
i jeans
la passione
presentare

Nomi

l'abito   dress
la camicetta   blouse
il concorso   contest
la giacca   jacket
la gonna   skirt
la maglia   sweater
la moda   fashion
la mostra   exhibit
i pantaloni   trousers, pants
il personaggio   celebrity
il/la regista   (film) director
il sottotitolo   subtitle
la stella   star
lo/la stilista   designer
i vestiti (*pl.*)   clothing
il vestito   dress, suit
la vita   life

Aggettivi

doppiato/a   dubbed
nero/a   black
sgargiante   gaudy
preferito/a   favorite

Verbi

indossare   to wear
trattare (di)   to be about, to deal with

Altre parole ed espressioni

perciò   therefore
la commedia musicale   musical comedy
i film dell'orrore   horror movies
alla fine   in the end
proprio un bel niente   absolutely nothing
il compagno di classe   classmate
essere in ripresa   to have a revival

Pronuncia

Il suono di *gl* + *i*

The sound of the letters **gli** is like the *lli* in *million*. It is articulated with the top of the tongue against the hard palate or roof of the mouth.

 A Ascolti e ripeta le seguenti parole.

gli	bi**gli**etto	abbi**gli**amento
fi**gli**	ma**gli**a	botti**gli**a
a**gli**	me**gli**o	Ca**gli**ari
de**gli**	lu**gli**o	vo**gli**o

B **Proverbi.** Ascolti e ripeta i seguenti proverbi.

Meglio tardi che mai.
Better late than never.

Il buono è buono, ma il migliore è meglio.
Good is good, but best is better.

Ex. A: Ask students to compose two or three sentences using words that contain the letters *gli*. Then have pairs dictate these sentences to each other.

Ex. B: Encourage students to invent a dialogue between two people (a mother and child, two friends, etc.) in which the last line is *Meglio tardi che mai.*

Ampliamento del vocabolario

L'abbigliamento, i tessuti e i colori

Have students cover the list and quiz them, or have pairs quiz each other: *Cos'è il numero 8? (È una maglietta).*

1. la camicetta	6. la cravatta	11. la giacca	16. il cappello
2. la gonna	7. la maglia	12. il cappotto	17. le scarpette da
3. il vestito	8. la maglietta	13. i guanti	ginnastica
4. il giaccone	9. i jeans	14. i calzini	18. i sandali
5. la camicia	10. i pantaloni	15. gli stivali	19. le scarpe

Altri articoli di abbigliamento

la borsa handbag, purse
le calze (*f. pl.*) stockings, hose
i calzoncini shorts

il costume da bagno bathing suit
l'impermeabile (*m.*) raincoat

Espressioni utili

calzare to fit (*shoes, gloves*)
indossare to wear; to put on
levarsi to take off (*clothing*)
la misura size (*clothing, shoes*)
spogliarsi to undress
il numero size (*shoes*)

portare to wear
la taglia size (*clothing*)
a quadri checked
a righe striped
a tinta unita solid-color

Due to American influence, many English words related to fashion and clothing are used in Italy: "casual," "jeans," "top," "blazer," etc.

Practice clothing vocabulary by associating specific clothes with seasons and weather expressions.

Ask students to name articles of clothing in their closets that are *a quadri, a righe, a tinta unita, di cuoio,* etc.

I tessuti e i materiali

il cotone cotton
il cuoio (la pelle)   leather, hide
la lana wool
il lino linen

il poliestere polyester
il rayon rayon
la seta silk
il velluto a coste   corduroy

I colori

arancione   azzurro/a   bianco/a   blu   giallo/a   grigio/a

marrone   nero/a   rosso/a   rosa   verde   viola

Here is some optional vocabulary you may want to present: *la calzamaglia* (tights), *la sciarpa* (scarf), *la flanella* (flannel), *il velluto* (velvet). Tell students that the French word *collant* is used for "pantyhose."

Point out that the plural of *grigio* is *grigi* with masculine nouns, and *grige* or *grigie* with feminine nouns. Point out the difference between *azzurro* and *blu*.

1. The definite article is used with articles of clothing (not the possessive adjective, as in English). The possessive adjective is used only when necessary to clarify ownership.

Mi metto **la** camicia.	*I put on my shirt.*
Scusa, quella è la **mia** giacca, non la tua!	*Excuse me, that's my jacket, not yours!*

When describing more than one person putting on or taking off the same article of clothing, the piece of clothing is in the singular.

I ragazzi si levano **il cappotto.**	*The boys take off their coats.*
Maria e Giulia indossano **il costume da bagno.**	*Maria and Giulia are wearing their bathing suits.*

2. Adjectives of color whose masculine singular form ends in **-o** agree in number and gender with the nouns they modify. The adjectives **arancione, blu, marrone, rosa,** and **viola** are invariable.

With books closed, ask questions such as *Si mette i sandali? Quando? Ha un impermeabile? Quando lo indossa? Quante cravatte ha lei? Ha un cappotto?*

Point out the difference between *Non ti metti il cappotto per uscire?* and *Vuoi metterti il mio cappotto per uscire?*

Ask students to describe a favorite article of clothing. *Di che cosa è fatto/a? Di che colore è? Quando lo (la) indossi?*

A In coppia: Risponda ad un compagno/una compagna che vuole sapere che cosa lei preferisce mettersi nelle seguenti occasioni.

▶ per andare ad una festa elegante

—Che cosa ti metti per andare ad una festa elegante?
—Mi metto un vestito di seta.

1. domani quando vai a fare una gita al mare
2. questo pomeriggio se piove
3. stasera per andare a mangiare una pizza con gli amici
4. sabato sera per andare ad un concerto di musica classica
5. domenica per andare ad un concerto rock allo stadio

Ex. A: Ask students to name other occasions and describe what they might wear.

B In coppia: A turno, identificate due o tre articoli di abbigliamento che indossate oggi.

▶ Io porto una gonna di cotone, una camicetta di lino e i sandali neri.

Ex. B: Vary by having students describe what their partners are wearing as if announcing a fashion show. Or, tell students they are at the Oscars. Have pairs describe what different stars are wearing.

C In gruppi di tre o quattro: Domandi a ciascuno studente di che colore è l'abbigliamento degli altri studenti del gruppo.

▶ — (Jennifer), di che colore è la camicia di (John)?
— È (azzurra).

Ex. C: Vary by having students describe what their partners are wearing, including colors.

Ex. C and D: Before doing the exercises, have students identify the colors you are wearing and the colors of various classroom objects.

D In coppia: Lei ha bisogno di scarpe e stivali ed entra in un negozio di calzature. Insieme ad un compagno/una compagna completi il seguente dialogo fra lei e il commesso/la commessa (*salesclerk*), usando le seguenti parole o espressioni. Ci sono due parole in più nella lista.

Ex. D: Have a pair act out the completed dialogue.

metto	pelle
la misura	un paio
i pantaloni	nere
marrone	lana
scarpe	la borsa
42	

LEI: Buon giorno!
COMMESSO/A: Buon giorno. Desidera?
LEI: Ho bisogno di un paio di _____ di _____ .
COMMESSO/A: Di che colore?
LEI: Mah, _____ . Il nero va bene con tutto.
COMMESSO/A: E _____ ?
LEI: Il 42.
COMMESSO/A: Vuole altro?
LEI: Sì, _____ di stivali _____ .
COMMESSO/A: Sempre il numero _____ ?
LEI: No, il 42 e mezzo perché con gli stivali _____ sempre i calzini di _____ .
COMMESSO/A: Bene. Si accomodi, prego. Torno subito.

E In coppia: Lei è in un negozio per comprare un vestito. Insieme a un compagno/una compagna prepari un dialogo appropriato fra lei e il commesso/la commessa. Ricordate di includere la taglia, il tessuto, il colore e il prezzo.

Ex. E: Have students refer to dialogue in Ex. D (as needed). Remind students to use appropriate expressions of courtesy.

▶ COMMESSO/A: Buona sera! In che cosa posso servirla?
LEI: Buona sera. Ho bisogno di ...

Il cinema

doppiare to dub	**lo sceneggiatore/la sceneggiatrice**
girare to film	screenwriter
l'attore actor	**i cartoni animati** cartoons
l'attrice actress	**la commedia musicale** musical comedy
la colonna sonora soundtrack	**il film d'azione** action movie
gli effetti speciali special effects	**il film di fantascienza** science fiction
la sceneggiatura screenplay	movie
il produttore producer	**il film giallo** thriller, mystery
il/la regista director	**il film dell'orrore** horror movie

Have students vote on the best soundtrack, special effects, screenplay, and female and male actors of the year.

"Thrillers" are called *film gialli* because of the yellow covers that have traditionally identified mystery and crime novels.

F In coppia: Risponda alle domande che le fa un amico/un'amica per sapere le sue preferenze sul cinema.

1. Hai visto un film di fantascienza di recente? Quale? Com'erano gli effetti speciali?
2. Ti piacciono i film gialli? Qual è il tuo preferito? Sai il nome di qualche regista di film gialli? Che film ha diretto?
3. Qual è l'ultimo film di cartoni animati che hai visto? Quali sono tre film di cartoni animati che preferisci? Perché?
4. Hai dei CD della colonna sonora di alcuni film? Quali sono?
5. Quali film non ti piacciono? I film dell'orrore? Le commedie musicali? Perché?

G In coppia: Racconti ad un amico/un'amica l'ultimo film che ha visto. Oltre alla trama (*plot*) dica anche i nomi dello sceneggiatore/della sceneggiatrice, del produttore, del/della regista e dove il film è stato girato.

```
Cinema EURCINE
Via Listz, 32
00144-Roma
Sala 2
LE CROCIATE
Data:  20/05/2005
Orario: 16:15
Prezzo: 5,00 eur
Suppl.: 0,00 eur
Totale: 5,00 eur

Circuito Cinema Srl
P.iva 05099391004
Cod. Sistema: 00027793
Emesso da: gabriella
In data:20/05/2005 16:04
S/F  12-ED-C2-F0-44-6B-FE-E2
Card A0020976 - Prog. 27800
Tipo Evento: Cinema / PT-PLATEA

I1-Intero

Lo spettatore che da una verifica di controllo venisse trovato sprovvisto del
presente tagliando dovrà corrispondere nuovamente il prezzo del biglietto.
E/101376
```

Write Italian titles of recent and well-known movies on the board and have students identify each by type: *Il re leone, Buffy l'ammazzavampiri, 2001: Odissea nello spazio, Il gladiatore,* etc. You may want to introduce *il film d'animazione* as an alternative to *cartoni animati.*

Le chiavi di casa, un film di Gianni Amelio, presentato alla Mostra del Cinema di Venezia nel 2004.

Struttura ed uso

Contrasto fra l'imperfetto ed il passato prossimo

1. The imperfect and the **passato prossimo** describe two different types of past actions. Compare the sentences on the left, which use the imperfect, and those on the right, which use the **passato prossimo.**

> Ogni anno **andava** alla mostra del cinema a Venezia.
> Qualche volta **vedeva** delle stelle del cinema.

> La settimana scorsa **è andata** a vedere una mostra di documentari.
> Questa volta **ha visto** Monica Bellucci.

Explain that the sentences on the left refer to unspecific events. Those on the right refer to specific events that took place last week.

2. The imperfect describes habitual, recurring, or ongoing actions, whereas the **passato prossimo** describes specific completed actions. Time expressions such as **ogni anno, sempre, spesso,** and **di solito** often signal recurring actions. Expressions such as **la settimana scorsa, ieri sera, due ore fa,** and **stamattina** often signal specific past actions.

> Si alzavano **sempre** presto.
> **Spesso** guardavo la televisione.
> Si sono alzati tardi **stamattina.**
> **Ieri sera** ho guardato un bel programma alla televisione.

> *They always used to get up early.*
> *I often watched television.*
> *They got up late this morning.*
> *Last night I saw a good program on television.*

3. When both tenses occur in the same sentence, the imperfect describes an action in progress when another event happened. The other event is expressed in the **passato prossimo.**

> Giancarlo **controllava** la posta elettronica quando le amiche **sono arrivate.**

> *Giancarlo was checking his e-mail when his friends arrived.*

> **Giravano** un film in centro e **mi sono fermato** a guardare.

> *They were making a movie downtown and I stopped to watch.*

Point out to students the use of English was ... ing to express interrupted or ongoing action.

La commessa **ha aperto** la porta mentre mi **spogliavo!**

4. In narratives, the imperfect describes the characters' qualities and habitual actions, their emotions and thoughts, the setting, time, weather, and other background. The **passato prossimo** is used to relate specific events or actions that took place.

Cappuccetto Rosso (*Little Red Riding Hood*) **era** una brava bambina che **andava** spesso a trovare la nonna che **abitava** dall'altra parte del bosco (*woods*). Un giorno **ha preparato** un cestino (*basket*) con dei panini ed **è partita** di buon'ora ...

Salvatore **era** un bravo bambino siciliano che **abitava** con sua madre. **Passava** tutte le ore libere al cinema invece di andare a scuola. Un giorno sua madre l'**ha trovato** lì: l'**ha portato** a casa e **ha detto** ...

A In coppia: Domandi ad un compagno/una compagna che cosa faceva quando gli/le ha telefonato. Il compagno/La compagna risponde secondo i suggerimenti.

▶ spogliarsi   S1: Cosa facevi quando ti ho telefonato?
　　　　　　　　S2: Quando mi hai telefonato mi spogliavo.

1. leggere un romanzo (*novel*) emozionante
2. discutere con mia sorella
3. fare una torta
4. vestirsi
5. guardare un bel programma alla televisione
6. dormire tranquillamente
7. parlare con il mio ragazzo/la mia ragazza
8. prepararsi per la lezione di storia

Ex. A: Have students take turns asking and answering questions. Have them mention a specific time of day and ask for real answers:
S1: *Cosa facevi quando ti ho telefonato alle dieci ieri sera?*
S2: *Studiavo per ...*

B In coppia: Dica ad un compagno/una compagna una o due cose che sono successe ieri mentre lei faceva le seguenti attività.

▶ lavorare   Ieri mentre lavoravo ho visto Marco e Paola.

1. uscire di casa　　　　4. mangiare
2. studiare　　　　　　　5. guardare la televisione
3. guidare la macchina　6. dormire

C Tiziana spiega ad una sua collega che cosa ha fatto ieri sera con il fidanzato Carlo. Dia la forma appropriata del passato prossimo o dell'imperfetto dei verbi indicati tra parentesi, secondo il contesto.

Ieri sera? Niente, ieri sera io e Carlo _____ (essere) a casa, _____ (annoiarsi), e finalmente _____ (decidere) di andare al cinema. Veramente io non _____ (avere) nessuna voglia di uscire: _____ (piovere) a catinelle (*it was raining cats and dogs*). Ma Carlo _____ (guardare) sul giornale e alla fine _____ (scegliere) un film giapponese.
　Quando _____ (arrivare) al cinema non c'_____ (essere) nessuno. Pensa! Noi _____ (essere) soli in questo cinema. E non solo: il film _____ (essere) in lingua originale; cioè il giapponese. Io non _____ (capire) un bel niente!

D In coppia: Dica ad un amico/un'amica quanti anni aveva quando ha fatto le seguenti cose.

▶ cominciare a frequentare la scuola
  S1: Quanti anni avevi quando hai cominciato a frequentare la scuola?
  S2: Avevo quattro anni quando ho cominciato a frequentare la scuola.

1. imparare ad andare in bicicletta
2. innamorarsi (*to fall in love*) per la prima volta
3. uscire per la prima volta con un ragazzo/una ragazza
4. andare al primo ballo
5. prendere la patente di guida
6. viaggiare da solo/a per la prima volta

E Racconti la storia di Pinocchio, completando le frasi con la forma appropriata dell'imperfetto o del passato prossimo del verbo in corsivo.

1. C'era una volta un uomo di nome Geppetto che *volere* avere un figlio.
2. Desiderava tanto questo figlio che un giorno *fare* un burattino di legno (*wooden puppet*).
3. Amava il burattino di legno, ma purtroppo il burattino non *essere* un vero bambino.
4. Una notte, mentre Geppetto dormiva, *venire* una fata (*fairy*) azzurra.
5. La fata azzurra voleva aiutare Geppetto, e *dare* vita a Pinocchio.
6. Geppetto era contentissimo quando *alzarsi* quella mattina e *vedere* un vero bambino al posto del burattino.
7. Pinocchio era un bravo ragazzo, e ogni mattina *uscire* di buon'ora per andare a scuola.
8. Un giorno, mentre Pinocchio andava a scuola, (Pinocchio) *incontrare* il Gatto e la Volpe (*fox*).

F In coppia: Ricorda il giorno più bello della sua vita? Forse era una gita fatta con la famiglia, un appuntamento con una persona speciale o una vittoria sportiva. Prepari almeno sei frasi per descrivere quest'avvenimento, e poi racconti la storia ad un altro studente/un'altra studentessa. Lei può parlare di:

quanti anni aveva   che tempo faceva   perché era contento/a
dove e con chi era   cosa è successo

G In coppia.   ▶ S1: Scusi, ieri ho lasciato qui qualcosa.
                      S2: ...

S1	**S2**
Ieri mattina alle 8.45 lei si è fermato/a ad un bar vicino al suo posto di lavoro per prendere un caffè. Si è seduto/a ad un tavolino vicino alla porta. Quando più tardi è arrivato/a al lavoro, ha notato che non aveva più i guanti. Erano guanti di pelle nera e molto costosi. Ora, torni al bar e chieda al barista se ha trovato i suoi guanti. Risponda alle sue domande.	Lei lavora in un bar del centro. Questa mattina, una persona entra e dice che ha perso i guanti nel bar. Aiuti questa persona e domandi com'erano i guanti, dov'era seduto/a quando li ha perduti, come li ha perduti e che ora era.

Follow up Ex. D by asking students to report to the class. If one topic elicits a lot of discussion in pairs, ask students to elaborate, describing further background (imperfect), how they felt (imperfect), and to relate specific actions (*passato prossimo*).

Ex. E: If students are familiar with the story of Pinocchio, have them finish the story as a written assignment.

> *Le avventure di Pinocchio* by Carlo Collodi (1826–1890) was published in 1881 in an Italian magazine for children. Since then it has become a favorite story around the world.

As a short in-class writing assignment, have students write the first paragraph of an invented fairy tale, using the imperfect to describe characters and setting. Have them begin the second paragraph with *Un giorno ... .* Then have them exchange stories with classmates and finish each other's stories with actions in the *passato prossimo*.

Ex. F: Allow students instead to describe the worst or most embarrassing moment in their lives. Be ready to assist with needed vocabulary. Encourage students to create simple sentences. Assign as written homework, and let students read their stories to each other or to the class.

Ex. G: Have students read only their own part and cover up their partner's. Encourage students to resolve the problem in different ways: the object is found where expected or somewhere else; the object is not found and S1 must recall what else he/she had done the day before, etc.

Plurale di alcuni nomi ed aggettivi

1. Feminine nouns and adjectives that end in **-ca** and **-ga** form the plural in **-che** and **-ghe.**

—Che bella **giacca bianca!** Ma non è molto **pratica.**
—È vero. Le **giacche bianche** non sono **pratiche.**

—Guarda! Una **manica** (*sleeve*) è più **lunga** dell'altra.
—È vero! Ma tutt'e due le **maniche** sono troppo **lunghe.**

2. Feminine nouns ending in **-cia** and **-gia** whose stress falls on the **i** form the plural in **-cie** and **-gie.**

—La **farmacia** è aperta?
—No, tutte le **farmacie** sono chiuse.

—Hai detto una **bugia** (*lie*)?
—No, non dico mai **bugie.**

Feminine nouns ending in **-cia** and **-gia** that are stressed on any other syllable generally drop the **i** and form the plural in **-ce** and **-ge.**

la **faccia** grigia	le **facce** grige
la lunga **spiaggia**	le lunghe **spiagge**
Exception: la **camicia**	le **camicie**

> The *i* in words like *faccia* or *spiaggia* is not pronounced: it is included to give a soft *c* or *g* sound. In the plural (*-ce*, *-ge*) the *i* is no longer necessary and is generally dropped.

Una **faccia simpatica.**

Alcune **facce** meno **simpatiche.**

3. Some masculine nouns and adjectives ending in **-co** form the plural in **-chi,** and others form the plural in **-ci.** If the stress is on the next-to-last syllable, use **-chi.**

un **parco tedesco**	i **parchi tedeschi**
il **gioco** divertente	i **giochi** divertenti
il bambino **stanco** (*tired*)	i bambini **stanchi**

If the stress is on the third-to-last syllable, use **-ci.**

un **medico simpatico**	due **medici simpatici**

Exceptions to this rule are:

un **amico**	tre **amici**
il **greco** (*Greek*)	i **greci**
il **nemico** (*enemy*)	i **nemici**
un **porco** (*pig*)	molti **porci**

4. Masculine nouns and adjectives ending in **-go** generally form the plural in **-ghi,** regardless of stress.

Questo **dialogo** è **lungo.**   Questi **dialoghi** sono **lunghi.**

But nouns ending in **-ologo,** referring to professions, form the plural in **-ologi.**

il **radiologo**	i **radiologi**
uno **psicologo**	molti **psicologi**

H Dia il plurale delle seguenti espressioni.

▶ il parco nazionale   i parchi nazionali

1. la farmacia moderna
2. la spiaggia bianca
3. la biblioteca magnifica
4. il viaggio lungo
5. la ciliegia dolce
6. lo psicologo tedesco
7. la conversazione telefonica
8. l'unico luogo

I Completi le seguenti osservazioni con la forma appropriata dei nomi o aggettivi in **-go** e in **-co** della lista.

lungo	psicologo	nemico	albergo
analogo	biologo	lago	simpatico

1. Quegli _____ seguono le teorie (*theories*) di Freud.
2. Quei _____ lavorano nello stesso laboratorio.
3. I _____ italiani sono magnifici!
4. *Sistema* e *system* sono parole _____ .
5. Tutti gli _____ della città sono vicino alla stazione.
6. — Ti piacciono i miei amici? — Sì, sono molto _____ .
7. A volte cari amici possono diventare (*become*) _____ .
8. È ottobre e le notti diventano più _____ .

J In coppia: S1 formula frasi con le cose e gli aggettivi che seguono. S2 risponde che per S1, tutte quelle cose sono come dice lui/lei.

▶ luogo / romantico   S1: Questo luogo è romantico.
                        S2: Per te, tutti i luoghi sono romantici!

1. lezione / lungo
2. spiaggia / bello
3. medico / antipatico
4. gioco / simpatico
5. domanda / logico
6. film / artistico

K Domandi ad un compagno/una compagna se ha le seguenti cose.

▶ giacca / di lino S1: Hai una giacca di lino?
S2: Sì, ho due giacche di lino./No, non ho nessuna
giacca di lino.

1. un paio di pantaloni / bianco
2. un abito / da sera
3. una camicia / con le maniche lunghe
4. una camicia / con le maniche corte
5. un paio di jeans / classico
6. calzini / a righe
7. una maglia / di poliestere
8. una cravatta / eccentrico

> Use the word *paio* (pair) for pants, socks, and shoes. The plural of *paio* is *paia: Ho un paio di jeans e tre paia di pantaloni di lana.*

Sapere e conoscere

— **Conosci** mio fratello?
— Siete fratelli? Non lo **sapevo!**

1. The verbs **conoscere** and **sapere** both mean *to know* in Italian, but they describe different types of knowledge. **Conoscere** means *to be acquainted* or *familiar with* someone or something. It is often used when talking about knowing people or places, and can also be used with languages. **Conoscere** used in the **passato prossimo** means *to meet.*

— **Conosci** l'Inghilterra?

— Sì, la **conosco** molto bene. Purtroppo non **conosco** l'inglese.

— I tuoi genitori **conoscono** Valeria?

— No, non l'**hanno** ancora **conosciuta.**

— *Do you know England?* (*Have you been there?*)

— *Yes, I know it very well. Unfortunately I don't know English.*

— *Do your parents know Valeria?*

— *No, they haven't met her yet.*

> Point out to students that *sapere* and *conoscere* have different meanings in the imperfect and the *passato prossimo*. This is a good illustration of the use of these two tenses: *Già lo sapevo.* (I already knew it.) *L'ho saputo ieri.* (I found out yesterday.)

2. Sapere means *to have knowledge of something* or *to know certain information*.

Sai chi è Giuseppe Tornatore?	*Do you know who Giuseppe Tornatore is?*
Sapete dove hanno girato quella scena?	*Do you know where they filmed that scene?*
No, non lo **sappiamo.**	*No, we don't know.*

Sapere + *infinitive* means *to know how to do something*.

Mio figlio ha solo tre anni e già **sa leggere** e **scrivere.**	*My son is only three and he already knows how to read and write.*

> Notice that there is no word corresponding to the English *how* in *to know how*. All you need is *sapere* + infinitive.

3. Sapere is irregular in the present tense. Here are its forms.

sapere	
so	sappiamo
sai	sapete
sa	sanno

L Scelga la forma corretta di **conoscere** o **sapere** secondo il contesto.

1. — (Conosci/Sai) chi ha vinto il premio alla mostra del cinema?
   — Sì, lo (conosco/so). Giuliano Forini l'ha vinto.
   — Fantastico!
   — Perché fantastico? Lo (conosci/sai)?
   — Sì che lo (conosco/so); è un mio amico.

2. — È vero che tutti i giovani italiani (conoscono/sanno) l'inglese?
   — Beh, molti lo studiano. Spesso (conoscono/sanno) leggere e scrivere l'inglese.
   — E lo (conoscono/sanno) parlare?
   — Questo è il problema. (Conoscono/Sanno) la grammatica, ma pochi lo (conoscono/sanno) parlare bene.

3. — Scusi, per caso lei (conosce/sa) il ristorante Il Gabbiano?
   — Sì, è qui vicino. Ma Il Gabbiano è chiuso il lunedì.
   — Ah, non lo (conoscevo/sapevo). Lei (conosce/sa) un altro buon ristorante qui vicino?
   — Sì, c'è il ristorante Zi' Luisa, ma non (conosco/so) se è aperto.

> Have students do Ex. L in pairs. Then have them practice the minidialogues and act them out in front of the class. Students could personalize the dialogues to talk about who won a sporting event or arts award, whether one of their friends knows a foreign language, etc.

> Restaurants in Italy are required by law to be closed one day a week for what is called a *riposo settimanale*.

M In coppia: Scegliete un'altra persona nella vostra classe e poi parlate di questa persona. Domandi al compagno/alla compagna se ha queste informazioni sull'altra persona, se conosce i suoi amici, ecc.

Ex. M works best if students know one another quite well by this point. If this is not the case, allow students to ask the questions about a variety of people in the class.

▶ come si chiama   S1: Sai come si chiama quel ragazzo?
                    S2: No, non lo so./Sì, lo so. Si chiama Jeff.

  i suoi amici   S1: Conosci i suoi amici?
                    S2: No, non li conosco./Sì, li conosco. Sono tutti simpatici.

Encourage students to expand their answers as in the examples.

1. dove abita
2. il suo numero di telefono
3. se ha il ragazzo/la ragazza
4. che cosa studia
5. se ha sorelle
6. la sua famiglia
7. il suo migliore amico/la sua migliore amica (*best friend*)
8. che fa questo fine settimana

N Intervista: Scriva se lei conosce le seguenti persone, cose o luoghi, o se sa fare le seguenti attività. Poi, domandi ad altri tre studenti se sanno fare le stesse cose o conoscono le stesse persone. Alla fine, confrontate le liste per vedere quale delle tre persone ha il maggior numero di risposte uguali alle sue.

Model Ex. N for the whole class before splitting up for group work. Encourage students to circulate and speak to people they don't normally work with.

▶ ballare il valzer   S1: Sai ballare il valzer?
                       S2: Sì, so ballare il valzer, ma non troppo bene./No, non so ballare ma voglio imparare, ecc.

	io	*1*	*2*	*3*
1. suonare la chitarra	___	___	___	___
2. molte persone italiane	___	___	___	___
3. il francese	___	___	___	___
4. giocare a scacchi (*chess*)	___	___	___	___
5. una pittura di Botticelli	___	___	___	___
6. un paese europeo	___	___	___	___
7. guidare una motocicletta	___	___	___	___
8. una persona famosa	___	___	___	___

Sandro Botticelli (1445–1510) was a Florentine painter. Two of his most famous works are *Primavera* and *The Birth of Venus*.

O In coppia: Dica ad un compagno/una compagna tre cose che lei sa fare molto bene, tre cose che non sa fare e tre cose che lei vuole imparare a fare.

▶ Io so guidare molto bene la macchina.
  Non so parlare cinese.
  Voglio imparare a sciare.

Ex. O: Have students write three answers for each category, then share with a partner. Follow up by asking individuals to name something their partners do or do not know how to do. Ask: *Ah, Bob sa ... . Chi altro sa ... ?* and take a show of hands.

 For further practice of lesson topics, log on to the *Oggi in Italia* website and/or do the CD-ROM activities.

Parliamo un po'

A **Un film preferito.** In coppia: Racconti ad un compagno/una compagna la storia di un film che le piace molto. Dica:

chi sono il/la regista e gli attori
chi sono i personaggi principali
dove ha luogo (*takes place*) il film
che cosa succede nel film
perché le piace

> The stills are from *Il gatto-pardo* (*The Leopard*), *La Dolce Vita*, and *La vita è bella.*

B **Raccontiamo un film!** In coppia: Guardate le foto da alcuni film italiani molto famosi, e cercate di immaginare una storia che va con una di esse. Potete usare la fantasia per inventare i nomi dei personaggi, caratteristiche personali e altre informazioni. Usate i tempi passati appropriati.

▶ C'era una ragazza bellissima che si chiamava … Aveva … Le piaceva molto … Un giorno ha incontrato … e poi ha deciso …

Gli attori Burt Lancaster e Claudia Cardinale in una bella scena del film *Il gattopardo* (1963) diretto da Luchino Visconti.

Roberto Benigni bacia la sua principessa (Nicoletta Braschi) in una suggestiva scena del film *La vita è bella.*

Marcello Mastroianni e Anita Eckberg davanti alla Fontana di Trevi nel film *La Dolce Vita* (1960) di Federico Fellini.

C **Quale film vedere?** In coppia: Lei desidera andare al cinema e chiama una sua amica/un suo amico per invitarla/lo a venire con lei. L'unico problema è che a lei piacciono i film romantici e all'amica/o piacciono i film di fantascienza o i film gialli. Usando questo programma, decidete quale film volete vedere, dove, e a che ora.

▶ — Pronto, chi parla?
— Ciao, sono ... Senti, vuoi andare al cinema con me stasera?
— Sì, volentieri! Quali film danno? (*What's playing?*) ecc.

CINEMA	EDEN SALA 1
	Via Cola di Rienzo 74
	Una lunga lunga lunga notte di amore
	di F. Ferzetti, con Ornella Muti
	16,15 – 18,20 – 20,30 – 22,40
ALCAZAR	**GIULIO CESARE**
Via Merry del Val 14	Via Giulio Cesare 15
Uomini senza donne	**Omicidio al telefono**
di A. Longini, con Alessandro Gassman	di Frank Klox, con Antonio Zequila
16,45 – 18,40 – 20,35 – 22,30	16 – 19 – 22
ANDROMEDA	**PASQUINO**
Via Mattia Battistini 195	Piazza S. Egidio 1
Innamorata	**Il signore degli anelli**
di N. Grassia, con Saverio Vallone	di P. Jackson, con Elijah Wood
16,00 – 18,15 – 20,30 – 22,30	10,30 – 13,45 – 16,00 – 18,15 – 20,30
BARBERINI	**QUIRINETTA**
Piazza Barberini 52	Via Marco Minghetti 4
L'invasione degli extracorti:	**La strana storia di Olga 'O'**
festival di cortometraggi giapponesi	di A. Bonifacio, con Serena Grandi
15,30 – 17,50 – 20 – 22,30	15,30 – 17,50 – 20,10 – 22,30
DELLE PROVINCE	**TIBUR**
Via delle Province 41/45	Via degli Etruschi 36
Il mostro	**Guerre stellari: episodio 3**
di R. Benigni, con Benigni, Nicoletta Braschi	di S. Spielberg
16,20 – 18,20 – 20,30	15 – 17,30 – 20 – 22,30

D **Che cosa indossava?** In coppia: Descriva ad un compagno/una compagna i vestiti che lei indossava l'ultima volta che

ha studiato in biblioteca
è uscito/a con gli amici
è andato/a ad un matrimonio

▶ L'ultima volta che ho studiato in biblioteca indossavo i calzoncini di cotone, una maglietta bianca e le scarpette da ginnastica ...

Gli stilisti. In coppia: Voi siete due stilisti abbastanza moderni ed eccentrici. Per una grande festa a Hollywood, quattro persone vi hanno chiesto di creare vestiti originali. Sono:

Act. E: Encourage students to be original in their creations. If they seem interested in this exercise, have them make labeled drawings at home and present their creations to the class.

Un regista
eccentrico

Un'attrice non più
giovane

Un attore
popolare

Una cantante
scandalosa

Create nuovi "look" per i vostri clienti famosi. Indicate abbigliamento, tessuti e colori. Poi preparate una descrizione delle creazioni per la classe.

Conoscere l'Italia

 Definizioni. Abbini le definizioni con una parola della lista di destra. Ci sono due parole in più nella lista.

1. aggettivo derivato da *Lombardia*
2. nome da cui deriva l'aggettivo *famoso*
3. il contrario di *brutto/a*
4. luogo dove si rappresentano commedie, tragedie e opere
5. una scuola di belle arti
6. sinonimo di *nazione*
7. luogo dove si possono ammirare pitture e altre opere d'arte
8. sinonimo di *via*
9. sinonimo di *caro/a*
10. persona che crea articoli di abbigliamento
11. sinonimo di *molto*

a. il museo
b. il teatro
c. costoso/a
d. il paese
e. il negozio
f. bello/a
g. lombardo/a
h. la strada
i. la fama
j. lo stilista
k. l'accademia
l. estremamente
m. splendido/a

Milano

L'elegante Galleria di Milano è un rinomato luogo d'incontro.

Una splendida natura morta del Caravaggio (1571–1610).

Milano è il capoluogo della Lombardia. Con quasi due milioni di abitanti, è la città più popolosa d'Italia dopo Roma. Milano è il centro commerciale, industriale e bancario d'Italia e allo stesso tempo svolge un ruolo[1] molto importante nell'arte e nella cultura del paese. Prestigiosi istituti universitari quali il Politecnico, l'Università statale, l'Università Cattolica e l'Università Commerciale Bocconi si trovano a Milano. Riviste di ogni categoria e importanti giornali come *Il Corriere della Sera, La Gazzetta dello Sport* e *Il Sole-24 Ore* sono pubblicati in questa città. E mentre Roma è il centro del cinema, Milano è la sede[2] dei migliori spettacoli teatrali e dell'opera. Qui si trova il Teatro alla Scala, il più famoso teatro lirico[3] del mondo. L'attrazione artistica più bella di Milano è il Duomo, un capolavoro di architettura gotica. Brera, una delle migliori[4] accademie di belle arti d'Italia, è a Milano. Nel palazzo dell'accademia c'è la Pinacoteca[5] di Brera, una delle collezioni di dipinti[6] più ricche d'Italia. In questo museo si possono ammirare, oltre alle opere[7] di Tintoretto, Mantegna, Tiepolo, Caravaggio ed altri, anche i dipinti di pittori[8] più moderni come Modigliani, Boccioni, Carrà e Morandi.

Ma il capoluogo lombardo è anche la capitale della moda italiana. A Milano hanno luogo sfilate di moda[9] che sono prestigiose come quelle di Parigi. Nella zona milanese intorno a via Monte Napoleone, conosciuta con il nome di "Montenapo," si trovano negozi di moda che sono tra i più belli del mondo. Altre eleganti strade di questa zona sono via della Spiga, via Sant'Andrea e via Alessandro Manzoni. In queste strade sono situati i negozi di stilisti di fama internazionale come Ferré, Versace, Armani, Krizia e molti altri. Le creazioni vendute in questi negozi sono veramente splendide, ma esse sono anche estremamente costose.

1. plays a role   2. seat   3. opera house   4. best   5. art gallery   6. paintings   7. works
8. painters   9. fashion shows

Have students locate Milan on the map of Italy on p. 14. Then ask *Con quale paese straniero confina la Lombardia? Con quali regioni confina? Come si chiama il fiume che attraversa il sud della Lombardia?*

Tintoretto (1518–1594), **Tiepolo** (1736–1776), and **Caravaggio** (1573–1610) were painters.

Amedeo Modigliani (1884–1920) was a painter and sculptor.

Umberto Boccioni (1882–1916) was a futurist painter and sculptor.

Carlo Carrà (1881–1966) and **Giorgio Morandi** (1890–1964) were painters.

Informazioni. Dia le seguenti informazioni basate sul brano precedente.

1. tre caratteristiche di Milano
2. tre università milanesi
3. due giornali pubblicati a Milano
4. il nome del teatro lirico milanese
5. la più bella attrazione artistica di Milano
6. il nome dell'accademia di belle arti di Milano
7. tre pittori le cui opere sono nella Pinacoteca di Brera
8. come sono le sfilate di Milano
9. vie milanesi dove ci sono eleganti negozi di moda
10. tre stilisti italiani di fama internazionale

Tell students that Rome, Florence, and Turin are also important in the world of Italian fashion and that the fashion industry plays a major role in Italy's economy. Products such as shoes, shirts, handbags, and other leather accessories, as well as articles of clothing, are very sought after in the global market.

Have students look for reproductions of paintings by artists mentioned in the reading. Have them discuss paintings. Give them new words if needed.

Have students prepare five questions based on the reading. Then have groups of four ask each other their questions.

 La parola giusta. Prima di leggere il seguente brano, completi l'attività che segue con le parole appropriate fra quelle indicate. Ci sono tre parole in più nella lista.

vestire
gusto
indossare
sportiva
abbigliamento
accessori
moda
cambiamenti

A Tiziana piace _____ elegantemente. Va spesso ai negozi di _____ e legge anche molte riviste di _____ . Veste sempre con molto _____ e compra _____ moderni ma semplici che vanno molto bene con i suoi vestiti.

Vestire bene

P er quasi tutti gli italiani, vestire bene
è molto importante. Essi prestano
molta attenzione allo stile del loro abbigliamento, alla qualità della stoffa e degli
accessori e alla combinazione dei colori.

Gli uomini e le donne di una certa età[1]
vestono con un gusto classico e raffinato
che non segue molto i cambiamenti
stagionali della moda.

I giovani invece vivono con la moda e la seguono di pari passo[2]. Ad ogni cambiamento
di stagione, nuovi articoli d'abbigliamento,
nuove linee e nuovi colori appaiono sul

Eleganti vestiti sono in mostra in questo classico negozio di Armani.

mercato. I giovani li accettano subito e talvolta[3] aggiungono alcune variazioni più o meno
personali. Infatti non dobbiamo dimenticare che la moda giovanile rimane pur sempre[4]
una moda semplice, spigliata[5] e sportiva.

1. middle-aged   2. keep up with it   3. sometimes   4. always   5. carefree

---

B **Un titolo adatto.** Fra i seguenti scelga il titolo adatto al brano
appena letto.

Have students prepare three
questions based on the reading.
Then have them answer their own
questions.

1. La moda giovanile
2. Gli stilisti italiani
3. L'importanza del vestire
4. La moda e le donne

C **Domande.** Risponda alle seguenti domande sulla moda.

Before doing Ex. C, have students
discuss differences and similarities
in dress between Italy and your
country.

1. Di solito come veste la gente in Italia? E nel suo paese?
2. Com'è la moda giovanile in Italia? E nel suo paese?
3. Dove si presta più attenzione alla moda, in Italia o nel suo paese?
   Perché?
4. Agli anziani interessa la moda sportiva? Perché?
5. Nella sua città ci sono molti o pochi negozi di moda giovanile?
   Perché?

Lezione 11

Courmayeur è una famosa località sciistica della Valle d'Aosta.

La settimana bianca

Communicative Objectives

- Make plans for recreation
- Refer to parts of the body
- Express likes and dislikes
- Make polite requests and commands

Discuss photo with students:
Dov'è questo paese? Che tempo fa in questo paese? Come lo sappiamo? Quali sport si praticano lì?

 Show the *Oggi in Italia* video segment and do the video activities.

Flavia Mellini e Patrizia Carboni, due ragazze torinesi, si incontrano per programmare un breve soggiorno sulla neve.

Locate Torino on the map on p. 14.

	FLAVIA:	Allora, Patrizia, andiamo a sciare?
	PATRIZIA:	Sì. Ma ho bisogno di un nuovo paio di sci.
	FLAVIA:	Ti posso mostrare i miei sci? Se ti piacciono, puoi andare a comprarli dove li ho comprati io.
5	PATRIZIA:	Se non costano molto, vanno bene anche per me.
	FLAVIA:	Allora sei d'accordo per una settimana bianca al Sestriere?
	PATRIZIA:	Certo. In quale albergo andiamo a stare? Trovare un posto a buon prezzo non è facile.
	FLAVIA:	Lo so. Tutta la zona è molto cara, ma ho un'idea.
10		Recentemente mio zio ha comprato un appartamento non molto lontano dalle piste. Forse possiamo stare lì per una settimana.
	PATRIZIA:	Che fortuna! Perché non gli telefoni allora? Ecco, prendi il mio telefonino.
15	FLAVIA:	Ma come andiamo, in treno o in macchina?
	PATRIZIA:	Forse possiamo prendere la macchina di mio fratello. Stasera gli chiedo se ce la presta°. Lui, poverino°, si è rotto un braccio due giorni fa e non può guidare.
	FLAVIA:	Mi dispiace, non lo sapevo.
20	PATRIZIA:	Niente di grave, sono cose che capitano. Ma adesso telefona a tuo zio, così possiamo definire tutto il programma.
	FLAVIA:	Va bene. Dammi il tuo telefonino. ... Non risponde. Gli telefono più tardi e noi ci sentiamo stasera. D'accordo?

Young Italians customarily spend *una settimana bianca* in the Alps or Apennines during the winter.

Sestriere, an internationally famous mountain resort, is not far from Torino.

Point out *Che fortuna!* and have students replace *fortuna* with words such as *casa, appartamento, piste, bella macchina.*

lends it to us / poor thing

Explain that *che* means "What a (an) . . . !" and that the indefinite article is not used in Italian: *Che casa! Che appartamento!* etc.

Domande

1. Perché si incontrano Flavia e Patrizia?
2. Di che cosa ha bisogno Patrizia?
3. Dove può comprare gli sci Patrizia?
4. Dove decidono di andare a sciare le due amiche?
5. Dove pensano di andare a stare?
6. Perché pensano di potere prendere la macchina del fratello di Patrizia?

Have students create a dialogue in the form of a phone call from Flavia to her uncle asking if she and Patrizia can spend a week at his apartment.

After students have answered the questions, have them summarize the dialogue in five or six sentences with their books open, using their responses to the questions as a guide.

Domande personali

1. Lei è andato/a a sciare qualche volta? Dove? Con chi?
2. Lei preferisce gli sport estivi o invernali?
3. Lei pensa di andare a sciare presto? Ha bisogno di comprare qualche cosa prima di partire? Che cosa?
4. Le piace andare in montagna o preferisce andare al mare? Perché?
5. Ha la macchina o la moto? Lei presta volentieri la sua macchina o la sua moto a suo fratello, a sua sorella o ad un amico/un'amica?
6. Si è mai rotto/a un piede (*foot*) o un braccio? Quando? Dove?

Have students ask you the questions. Supply new information with each response to reinforce listening-comprehension skills. Check that students have understood you.

Situazioni

1. Domandi ad un amico/un'amica se gli/le piacciono gli sport.

   ▶ — Ti piacciono gli sport?
   — Sì, mi piace sciare e nuotare. (Sì, mi piacciono tutti gli sport./No, non mi piacciono gli sport./No, non sono molto sportivo/a.) E a te?

Sit. 1: Remind students that *piacciono* is used with a plural subject and *piace* with a singular subject or an infinitive.

2. Risponda ad un compagno/una compagna che vuole sapere se lei e il suo amico/la sua amica vi sentite spesso.

   ▶ — Tu e il tuo amico/la tua amica vi sentite spesso?
   — Sì, ci sentiamo spesso. (No, non ci sentiamo spesso./Ci sentiamo tutti i giorni./Ci sentiamo ogni fine settimana.)

Lo sci in Italia

*I*n Italia moltissimi giovani praticano lo sci. D'inverno, intere famiglie approfittano[1] del fine settimana e di periodi di vacanza per passare con piacere qualche giorno sulla neve.

Molte sono le località italiane famose conosciute anche all'estero. Sulle Alpi, hanno fama internazionale il Sestriere, Madonna di Campiglio e Cortina d'Ampezzo. Grazie alla sua posizione vicino a centri sportivi alpini di grande importanza, la città di Torino è stata la sede delle Olimpiadi invernali nel febbraio 2006. Sugli Appennini, nell'Italia centrale, i centri di sci più frequentati sono Campo Felice, Roccaraso e Campo Imperatore, che è situato alle pendici[2] del Gran Sasso, la vetta[3] più alta degli Appennini.

Anche la scuola incoraggia[4] lo studente verso lo sci. Durante l'inverno, "settimane bianche" sulla neve sono organizzate per gli studenti più giovani. In speciali centri sportivi e sotto la guida[5] di maestri di sci[6], questi giovani vengono a contatto con la neve ed imparano a sciare.

• Si usa fare la settimana bianca nel suo paese? Quali sono i luoghi preferiti per le vacanze d'inverno?

La settimana bianca sulla neve è anche una buona occasione per incontrarsi con gli amici.

1. take advantage   2. slopes   3. peak   4. encourages   5. guidance   6. ski instructors

After reading, have students locate *le Alpi* and *gli Appennini* on the physical map of Italy on p. 12. Then have them look at the political map on p. 14 and tell them that Sestriere is in Piemonte; Madonna di Campiglio in Trentino-Alto Adige; Cortina d'Ampezzo in Veneto; and Campo Felice, Roccaraso, and Campo Imperatore in Abruzzo.

Pratica

1. In coppia: Componete un dialogo basato sulle seguenti informazioni. È una giornata molto calda di agosto a Torino. La temperatura è di 34 gradi centigradi e lei vuole andare a fare una gita in montagna. Lei telefona ad un amico/un'amica per sapere se viene in montagna con lei. Non avete la macchina e quindi decidete di andare in montagna con il treno. Partite alle 11.30 e arrivate alle 12.00. La sera tornate a casa alle 20.00. Presentate il vostro dialogo alla classe.

Prat. 1: Ask students what to say when answering phone calls. Then model with a student.

2. Usi la fantasia per descrivere in dieci frasi quello che può essere successo a lei e a un amico/un'amica quando siete andati/e al Sestriere. Dica come siete andati/e, per quanto tempo, dove avete dormito, che tempo faceva, chi avete conosciuto e se vi siete divertiti/e facendo qualche cosa.

Prat. 2: Assign as homework. Or have students work in pairs; allow five minutes; and then call on some pairs to read their descriptions aloud.

> Val di Fassa is a mountain resort in Trentino-Alto Adige. Locate this region on the map on p. 14. *Con quali paesi stranieri confina questa regione? Con quali altre regioni italiane confina il Trentino-Alto Adige?*

Tell students that Gran Sasso is the highest peak of the Apennines, located near the city of L'Aquila in central Italy. Ask *Come si chiama la regione dov'è situata L'Aquila? Come si chiamano i due mari tra cui è situato il Gran Sasso?* Tell students that on clear days both seas are visible from these very high mountains.

Vocabolario

With books open, elicit or point out word families such as *sci, sciare, sciatore; programmare, programmatore, programma; neve, nevicare, nevicata.*

With books closed, have students create two-line conversational exchanges using *volentieri, che fortuna!* and *a buon prezzo.*

Parole analoghe

definire   **sportivo/a**
lo sport

Nomi

il braccio (le braccia)   arm(s)
la fortuna   luck, fortune
la neve   snow
il paio (le paia)   pair
la pista   trail
il posto   place
il prezzo   price
lo sci   ski, skiing
il soggiorno   stay
il telefonino   cell phone
la zona   area

> *Il braccio* and *il paio* become feminine in the plural: *le braccia, le paia.*

Verbi

capitare   to happen
incontrarsi   to meet each other
nuotare   to swim
prestare   to lend, loan
programmare   to plan; to program
rompere (*p.p.* **rotto**)   to break
rompersi (**un braccio**, ecc.)   to break (an arm, etc.)
sciare   to ski
sentirsi   to talk to each other
stare   to stay

Aggettivi

breve   short
facile   easy
grave   serious
torinese   from Turin

Altre parole ed espressioni

appena   as soon as
ci   to us
forse   perhaps
gli   to him
recentemente   recently
ti   to you
volentieri   gladly
dammi   give me
a buon prezzo   at a good price
fare una telefonata   to make a phone call
Che fortuna!   What luck!

 Pronuncia

Il suono della combinazione *gn*

In Italian, the letters **gn** are pronounced with a nasal palatal sound much like *ny* in *canyon*. Most English speakers are familiar with this sound in the word **lasagne**.

 A Ascolti e ripeta le seguenti parole.

o**gn**i	monta**gn**a	co**gn**ome	compa**gn**o
si**gn**orina	biso**gn**o	giu**gn**o	Spa**gn**a
si**gn**ora	o**gn**uno	ma**gn**ifico	compa**gn**a

Ex. A: With books closed, have students spell aloud each word listed and others that contain *gn* (*ingegnere, insegnare, impegnato*, etc.).

B **Proverbi.** Ascolti e ripeta i seguenti proverbi.

Al bisogno si conosce l'amico.
A friend in need is a friend indeed.
(*Literally: In need one recognizes a friend.*)

Ogni medaglia ha il suo rovescio.
There are two sides to every coin.
(*Literally: Every medal has its other side.*)

Ex. B: Have groups discuss the meanings of the proverbs.

Ampliamento del vocabolario

Il corpo umano

la testa
la spalla
il gomito
il braccio
lo stomaco
la gamba
il ginocchio
la caviglia
la mano
il dito
il piede

i capelli
l'occhio
il viso (la faccia)
il naso
i denti
la bocca
le labbra
l'orecchio
la gola
il collo

1. Note that **il braccio** and **il dito** are irregular in the plural.

il braccio   le braccia
il dito   le dita

2. Although the noun **mano** ends in **-o,** it is feminine. The plural ending is **-i: la mano, le mani.** The noun **capelli** (*hair*) is used in the plural in Italian:

Ho **i capelli** biondi.   *I have blond hair.*

Altre parole ed espressioni

Ti (Le) fa male la testa?   Do you have a headache?

Mi fa male la gola.   My throat hurts.

Mi fanno male i piedi.   My feet hurt.

Mi sono fatto male al piede sinistro (destro).   I hurt my left (right) foot.

Ho la febbre.   I have a fever.

i capelli biondi (castani, neri, grigi)   blond (brown, black, gray) hair

i capelli lunghi (corti)   long (short) hair

gli occhi blu (verdi, castani)   blue (green, brown) eyes

Other words like *il braccio* are *il ciglio/le ciglia, il labbro/le labbra.* The plural of *il ginocchio* can be *i ginocchi* or *le ginocchia.*

Practice the vocabulary by having students associate clothing with parts of the body: *il cappello/la testa, le scarpe/i piedi,* etc.

Using a drawing or overhead projection of a person, have students call out parts of the body as you point to them.

Point out the difference between *fare male* (to hurt) and *farsi male* (to get hurt). Tell students that *fare male* has a construction similar to that of *piacere.*

Ask students about famous people or students in class. *Di che colore sono i capelli (gli occhi) di (nome) … ? Ha i capelli lunghi o corti? A te piacciono i capelli lunghi (biondi) o corti (castani)?* etc.

A In coppia: Domandi ad un altro studente/un'altra studentessa quali parti del corpo associa con le seguenti attività fisiche. L'articolo appropriato deve essere usato con le parole.

▶ giocare a pallone (*soccer*)　　— Quale parte del corpo associ con il
　　　　　　　　　　　　　　　　giocare a pallone?
　　　　　　　　　　　　　　　— Il piede (i piedi/la gamba/le gambe) …

1. ascoltare la musica
2. suonare la chitarra
3. pensare agli esami
4. vedere uno spettacolo
5. fare una passeggiata
6. parlare con gli amici
7. giocare a tennis
8. mangiare una pizza
9. odorare (*to smell*) un profumo
10. salutare un amico

B In coppia: Domandi al suo amico/alla sua amica perché ieri ha o non ha fatto alcune cose.

▶ — Perché ieri non hai potuto pensare a niente?
　 — Perché mi faceva male la testa.

1. Perché ieri non sei venuto/a a lezione?
2. Perché ieri non hai mangiato niente?
3. Perché ieri non hai fatto una passeggiata nel parco?
4. Perché ieri sei dovuto/a andare dal dentista?
5. Perché ieri non hai potuto cantare?
6. Perché ieri non hai fatto i compiti?
7. Perché ieri sei stato/a a letto tutto il giorno?
8. Perché ieri non sei andato/a a sciare?

Ex. B: Briefly explain the use of *gli* and *le*. Tell students *mi fa/fanno* functions like *mi piace/piacciono*. *Paolo (Sandra) non è venuto/a a lezione perché gli (le) faceva male la testa*. Then check by having students report some of the excuses they heard.

C In coppia: Preparate la descrizione di un personaggio storico o celebre usando solo le sue caratteristiche fisiche e personali. Sfidate (*Challenge*) un'altra coppia ad identificarlo.

Ex. C: Have some pairs challenge the whole class with their descriptions.

▶ Non era molto giovane. Aveva i capelli neri ed era alto e magro. Aveva un aspetto serio e intelligente. È stato presidente degli Stati Uniti più di cento anni fa. (*Abraham Lincoln*)

Oggetti personali utili

1. l'asciugacapelli (*m.*)
2. l'asciugamano
3. il dentifricio
4. le forbici
5. il pettine
6. il rasoio (elettrico)
7. il sapone
8. lo shampoo
9. la spazzola per capelli
10. lo spazzolino da denti
11. lo specchio
12. la spugna

Espressioni utili

asciugarsi le mani (la faccia)   to dry one's hands (face)

fare/farsi il bagno   to take a bath

fare/farsi la doccia   to take a shower

guardarsi allo specchio   to look at oneself in the mirror

lavarsi i denti   to brush one's teeth

lavarsi le mani (la faccia)   to wash one's hands (face)

radersi (la barba)   to shave (one's beard)

pettinarsi i capelli   to comb one's hair

tagliarsi i capelli (le unghie)   to cut one's hair (nails)

Point out that *asciugacapelli* and *asciugamano* are compound nouns of *asciugare* (to dry) + *capelli* (*mano*). Review briefly the reflexive verbs on p. 157, in *Lezione 7*. Then ask questions such as *Con che cosa si asciuga le mani? Ha fatto la doccia o il bagno stamattina? Quando si guarda allo specchio? Si rade la barba con il rasoio tradizionale o con il rasoio elettrico? Quanto tempo fa si è tagliato/a i capelli? Preferisce pettinarsi con il pettine o con la spazzola per capelli?*

D   Dica di che cosa lei ha bisogno in queste circostanze.

▶ Lei vuole tagliarsi le unghie perché sono molto lunghe.
   Ho bisogno delle forbici.

1. Lei deve andare a mangiare e vuole lavarsi le mani.
2. Lei deve uscire subito, ma ha i capelli bagnati (*wet*).
3. Si è messo/a un vestito nuovo e vuole guardarsi per vedere come le sta.
4. Ha finito di mangiare e vuole lavarsi i denti.
5. Desidera tagliarsi i capelli che sono troppo lunghi.
6. Ha la barba lunga e ha bisogno di radersi.
7. Tira vento e i suoi capelli sono in disordine.
8. Ha fatto la doccia e desidera asciugarsi.

Ex. D: Expand on Ex. D. Call on some students and ask, *Perché (Gina) ha bisogno di un paio di forbici (dell'asciugacapelli, del sapone, ecc.)?*

E In coppia: Insieme ad un suo amico/una sua amica lei va a passare un fine settimana di ottobre a New York. Per non portare oggetti uguali, decidete quali cose ognuno di voi porta nella borsa da viaggio (*travel bag*).

▶ — Allora, per questo fine settimana a New York, io porto …
— Io invece porto …

Pronomi indiretti

— Papà, **mi presti** cinquanta euro?
— Perché?
— Domani è il compleanno della nonna e voglio **farle** un bel regalo.

Tell students that with verbs of giving, the thing given is the direct object and the person to whom it is given is the indirect object. With verbs of communication, the message is the direct object and the person to whom it is addressed is the indirect object.

1. The indirect object of a verb is a person or thing that indirectly receives the action of the verb. Many verbs of giving and doing (**dare, offrire, mandare, portare, preparare, regalare**) and verbs of communication (**parlare, dire, domandare, rispondere, telefonare, scrivere, insegnare**) take indirect objects.

Regalo un paio di sci **a Gianluca** e do una camicetta **a Carla.**	*I'm giving a pair of skis to Gianluca and I'm giving Carla a blouse.*
Scrivo una lettera **a mio zio** per vedere se può prestare la macchina **a noi.**	*I'll write a letter to my uncle to see if he can lend us his car.*

> Indirect objects in Italian always use a preposition: usually *a*, but sometimes *per*. Notice that English does not always use a preposition.

Have students identify the direct and indirect objects in the examples.

2. An indirect object can be replaced by a pronoun. Here are the forms of the indirect object pronouns.

singular		plural	
mi	to/for me	**ci**	to/for us
ti	to/for you	**vi**	to/for you
gli	to/for him	**loro** or **gli**	to/for them
le	to/for her	**loro**	to/for you (*formal*)
le	to/for you (*formal*)		

3. Like direct object pronouns, indirect object pronouns generally precede a conjugated verb. In a phrase that includes an infinitive, they attach to the end of the infinitive. In a phrase with the modal verbs **dovere, potere,** or **volere,** the pronoun can either precede the conjugated verb or be attached to the infinitive.

Gli telefono appena torno a casa.	*I'll call him as soon as I get home.*
Ho una cosa importante da chieder**gli**.	*I have something important to ask him.*
Forse **ci** può prestare la macchina.⎫ Forse può prestar**ci** la macchina.⎭	*Maybe he can lend us his car.*

Indirect object pronouns follow and combine with **tu, noi,** and **voi** imperatives but precede the verb in formal commands.

Datemi una mano!	**Mi dia** una mano!	*Give me a hand!*
Digli la verità.	**Gli dica** la verità.	*Tell him the truth.*

4. The indirect object pronoun **loro** always follows the verb. In conversational Italian, **gli** is used more commonly than **loro** to mean *to (for) them.*

Have students use the indirect object pronoun *loro* in writing, but let them use *gli* in conversation.

— Quando hai parlato con i tuoi genitori?	— *When did you speak to your parents?*
— Ho parlato **loro** (**Gli** ho parlato) sabato scorso.	— *I talked to them last Saturday.*
— Come risponde alle persone che **le** dicono "Buon appetito!"?	— *How do you answer people who wish you "Buon appetito!"?*
— Dico **loro** (**Gli** dico) "Grazie, altrettanto!"	— *I tell them, "Thank you, same to you!"*

Italians often say "*Buon appetito!*" ("Enjoy your meal!") at the beginning of a meal. The usual response is "*Grazie, altrettanto!*"

5. In the **passato prossimo,** the past participle does not agree with a preceding indirect object pronoun as it does with direct object pronouns.

— Hai telefonato alla signora dell'ufficio per il turismo?	— *Did you phone the woman at the tourist agency?*
— Sì, **le** ho **telefonato.**	— *Yes, I called her.*

6. The following verbs require indirect object pronouns to specify to whom or for whom something is done, said, etc. You know most of these verbs already.

chiedere	*to ask for*	Gli chiedo informazioni.
consigliare	*to advise*	Non le consiglio questo libro.
dare	*to give*	Mi ha dato un CD per Natale.
dire	*to say*	Gli dico "Grazie."
dispiacere	*to be sorry; to mind*	Le dispiace ripetere?
domandare	*to ask*	Domandiamo loro dove vanno.
insegnare	*to teach*	La professoressa ci insegna i pronomi.
mandare	*to send*	Mando loro un fax.
offrire	*to offer*	Posso offrirvi un caffè?
parlare	*to speak*	Le parlavo ieri del viaggio.
prestare	*to lend*	Mio fratello ci presta la sua macchina.
regalare	*to give as a gift*	Cosa vi ha regalato la nonna?
rispondere	*to answer*	Non gli ha risposto ancora?
scrivere	*to write*	La mia ragazza mi scrive ogni giorno.
spedire	*to send*	Lei può spedirci il suo curriculum.
spiegare	*to explain*	Non le posso spiegare perché è così.
telefonare	*to call*	Gli telefono appena arrivo.

 A Lei è molto gentile, ed è sempre pronto/a a prestare le sue cose agli altri studenti del suo dormitorio. Guardi quello che dicono gli altri, e poi offra loro uno degli articoli della colonna di destra.

Act. A: Review vocabulary on p. 248. Ask students *Cosa si usa per lavarsi i denti?* etc.

Make sure students note the subject changes: *Patrizia ha le mani sporche. Allora le presto ...*

▶ Devo radermi la barba.
   Allora ti presto il mio rasoio.

1. Ho voglia di tagliarmi i capelli.
2. Andiamo a lavarci i denti.
3. Patrizia ha le mani sporche. Deve lavarle.
4. Sergio ha bisogno di fare la doccia.
5. Mi fa male la testa!
6. Abbiamo comprato un CD e vogliamo ascoltarlo.
7. Ho i capelli in disordine.
8. Mariangela ha freddo.

l'asciugamano
il dentifricio
il sapone
il rasoio
il lettore
la spazzola
la maglia di lana
le forbici
l'aspirina

B Lei parte per una settimana bianca, ma ha bisogno di varie cose prima di partire. Dica che telefona alle seguenti persone, e che chiede loro le cose indicate.

Ex. B: Make sure students provide the preposition *a* for each sentence.

▶ il mio amico / una maglia   Telefono al mio amico e gli chiedo una maglia.

1. mia sorella / un paio di sci
2. i genitori / soldi
3. la mia amica / una valigia
4. un compagno di scuola / i pantaloni da sci
5. i miei amici / la macchina
6. lo zio / l'appartamento in montagna

Sulle piste innevate gli sciatori risalgono in seggiovia, mentre altri sciano dolcemente a valle.

C Risponda alle domande usando pronomi diretti o indiretti.

▶ —Parli agli amici?   — Sì, parlo loro./Sì, gli parlo.
—Vedi gli amici?   — Sì, li vedo.

1. Scrivi al tuo ragazzo?
2. Parli a me?
3. Vedi gli altri ragazzi?
4. Usi il dentifricio Colgate?
5. Hai risposto alla professoressa?
6. Hai mandato le lettere?
7. Hai fatto i compiti?
8. Hai telefonato ai tuoi genitori?

Ex. C: Have students identify the sentences with direct objects and those with indirect objects. Point out the preposition *a* in sentences with indirect objects. Remind them that in nos. 6 and 7 the past participle agrees with the direct object.

D In coppia: Parli con un amico/un'amica per sapere se è generoso/a o no. Indichi se lui/lei fa le seguenti cose spesso, ogni tanto o mai.

▶ prestare la macchina al tuo amico/alla tua amica
S1: Presti la macchina alla tua amica?
S2: Le presto la macchina ogni tanto./Non le presto mai la macchina.

Ex. D: Have students keep track of their partners' answers. Then have them give their partners 3 points for every "*spesso*," 2 for every "*ogni tanto*," and 1 for every "*mai*."

	spesso	*ogni tanto*	*mai*
1. regalare vestiti vecchi ai poveri	_____	_____	_____
2. scrivere e-mail ai tuoi genitori	_____	_____	_____
3. telefonare regolarmente a tua madre	_____	_____	_____
4. offrire aiuto agli altri studenti	_____	_____	_____
5. prestare soldi agli amici	_____	_____	_____
6. dare soldi ai poveri	_____	_____	_____

E Dica come lei risponde nelle seguenti situazioni.

▶ Le persone le dicono "Grazie."
Quando le persone mi dicono "Grazie," io rispondo loro "Prego."

1. Le persone le dicono "Buon appetito!"
2. Le persone le domandano "Che ore sono?"
3. Il professore le dice "Capisce?"
4. Sua madre le domanda "Dove vai?"
5. Un amico le dice "Salute!"
6. Un'amica le chiede "Puoi prestarmi 20 dollari?"
7. Gli amici le dicono "In bocca al lupo!"

You may want to do Ex. E in pairs, with students taking turns questioning (*Cosa rispondi quando le persone ti dicono ...*) and answering.

"*Salute*" is said to someone who sneezes. "*In bocca al lupo*" (in the wolf's mouth) is said to wish someone good luck on a test. The usual response is "*Crepi il lupo!*" (May the wolf die!).

F Lei è una persona romantica? Faccia il seguente quiz per scoprire se lei è molto o poco romantico/a in amore.

1. Per San Valentino:

   a. gli/le dà un libro di poesie.
   b. gli/le dà una scatola (*box*) di Baci.
   c. gli/le dà una cartolina con Garfield.

2. Quando non siete insieme:

   a. gli/le telefona cinque volte al giorno.
   b. gli/le telefona una volta al giorno.
   c. gli/le manda un messaggio elettronico.

3. Quando siete usciti per la prima volta:

   a. gli/le ha parlato di arte e di viaggi.
   b. gli/le ha parlato di sport e della famiglia.
   c. gli/le ha parlato di disastri ecologici.

4. Quando lui/lei le chiede "Tu mi ami veramente?" lei:

   a. gli/le risponde, "Con tutto il cuore (*heart*)!"
   b. gli/le risponde, "Sì, perché?"
   c. gli/le risponde, "Sì, come una sorella/un fratello!"

> *Baci* are chocolate-hazelnut candies made by the Perugina company. *Baci* also means *kisses*.

> Ex. F: Have volunteers give full answers for each question: *Per S. Valentino gli/le do un libro di poesie.* Give students a few moments to choose their own answers. Have them score 5 points for each A answer, 3 points for B, and 1 point for C; 20 points is the most romantic, 4 points the least. Ask students how they scored.

Costruzioni con *piacere*

> **Mi piace** gennaio ...
> e **mi piace** febbraio ...
> ma non **mi piacciono** i mesi estivi!

> Practice using *piacere* with items you see around you: *Mi piace la televisione. Non mi piace la fotografia.* Then do the same with plural items: *Mi piacciono le tue scarpe,* etc.

1. The verb **piacere** expresses the English concept *to like*, but literally means *to be pleasing to* or *to give pleasure to*. In order to say that you like Italian cinema, for example, you must say literally that Italian cinema is pleasing to you. In the following sentence, **il cinema italiano** is the subject of the verb. The person to whom it gives pleasure is the indirect object **mi**.

> Remember that *piacere* is almost always used in the third person, singular or plural. To tell someone you like him/her, you can use *Tu mi piaci*. It is more common to say *Tu mi sei molto simpatico/a*.

Mi piace il cinema italiano.   *Italian cinema pleases me. (I like Italian cinema.)*

A plural subject requires a plural verb.

Mi piacciono i film italiani.   *Italian films please me. (I like Italian films.)*

2. When the subject is an infinitive, the singular form of **piacere** is used.

— **Vi piace dormire** in albergo?   — *Do you like sleeping in a hotel?*
— No, **ci piace dormire** nel   — *No, we like to sleep in our own bed.*
nostro letto.

3. When the indirect object of **piacere** is a noun or a disjunctive pronoun, the preposition **a** is used.

— **A Marisa** e **ad Angelo** piace   — *Do Marisa and Angelo like to ski?*
sciare?
— Piace **a lui** ma **a lei** non piace   — *He likes it, but she doesn't*
affatto.   *like it at all.*

4. Piacere is conjugated with **essere** in the **passato prossimo.** The past participle agrees with the subject.

— Signora, le **è piaciuta** la   — *Did you enjoy the fashion*
sfilata di ieri sera?   *show last night, ma'am?*
— Sì, alcuni **vestiti** mi **sono**   — *Yes, I liked some of the*
piaciuti molto.   *dresses very much.*
— Le **sono piaciute** le **creazioni**   — *Did you like the designs by*
di Versace?   *Versace?*
— A me no, ma a mia figlia **sono**   — *I didn't, but my daughter*
piaciute molto.   *liked them a lot.*

G In coppia: Dica se queste cose piacciono o non piacciono alle persone indicate.

▶ Elizabeth Taylor / i diamanti   S1: A Elizabeth Taylor piacciono i diamanti?
    S2: Sì, le piacciono./No, non le piacciono.

1. Donatella Versace / i vestiti tradizionali
2. Bart Simpson / il suo skateboard
3. Braccio di Ferro (*Popeye*) / gli spinaci
4. David Beckham / giocare a pallone
5. Emeril / cucinare
6. i cani / i gatti
7. Pinocchio / le bugie
8. gli studenti universitari / gli esami

H Dica perché le persone non hanno fatto le attività indicate secondo il modello.

▶ Gli amici non sono andati in discoteca …
    Gli amici non sono andati in discoteca perché a loro non piace (non gli piace) ballare.

1. I miei nonni non hanno viaggiato in aereo perché …
2. La tua amica non ha visitato i musei perché …
3. I suoi genitori non hanno sciato perché …
4. Gli studenti non hanno finito i compiti perché …
5. Voi non siete andati/e al ristorante cinese perché …
6. La zia non ha comprato la camicia di lino perché …
7. Noi non abbiamo preparato la cena perché …

Point out the irregular form *piacciono*. Make sure that students can identify the subject and indirect object of the verbs in the examples. Try to avoid translating phrases using English *to like.*

To say that someone doesn't like something, use *non + piacere. Non mi piace* = I don't like . . . ; *Mi dispiace* = I'm sorry.

Remind students that they have been using *piacere* mainly with singular pronouns. Point out plurals and practice.

Expand Ex. G by using people in the news. Have paired students come up with new sentences of the same type.

Point out that the questions in Ex. H can be answered in more than one way: *I miei nonni non hanno viaggiato in aereo perché non gli piacciono gli aerei / non gli piace viaggiare.*

I In gruppi di tre: Uno di voi lavora in un'agenzia di viaggi e deve capire i gusti dei suoi clienti. Gli altri due sono marito (S3) e moglie (S2) che non vanno mai d'accordo. Domandate e rispondete come nel modello.

▶ gli alberghi di lusso   S1: Vi piacciono gli alberghi di lusso?
                              S2: A me piacciono, ma a lui no.

    viaggiare in treno   S1: Vi piace viaggiare in treno?
                              S3: A me non piace, ma a lei sì.

1. viaggiare in Europa
2. i paesi del Mediterraneo
3. i grandi musei
4. i monumenti storici
5. prendere il sole su una spiaggia tranquilla
6. le crociere (*cruises*)
7. la cucina esotica
8. sciare

J In coppia: Racconti ad un amico/un'amica l'ultima volta che lei è andato/a a mangiare in un ristorante. L'amico/a chiederà se le è piaciuto il ristorante e se le sono piaciute le cose che ha ordinato.

▶ — Sono andato al ristorante ...
   — Ah, e ti è piaciuto?
   — Sì, (No, non) mi è piaciuto molto/abbastanza/affatto.
   — E che cosa hai mangiato?
   — Ho ordinato i tortellini, la ...
   — I tortellini ti sono piaciuti? ecc.

K In coppia: Con un compagno/una compagna, dica tre cose che piacciono e due cose che non piacciono alle persone indicate.

1. Pina è una ragazza molto romantica e sentimentale. Legge sempre libri tristi ed è sempre con la testa fra le nuvole.
2. Daria è una ragazza che ama le avventure e il pericolo (*danger*). Non rimane mai in un posto per molto tempo. Preferisce essere sempre in movimento.
3. Giorgio e Nadia sono due vegetariani che mangiano sempre prodotti naturali e genuini. Pensano spesso all'ambiente (*environment*).
4. Antonio è un signore molto tradizionale e non vuole mai vedere cambiamenti e innovazioni. Preferisce il mondo di cinquant'anni fa.
5. Pit e Gigi sono due ragazzi moderni e trasgressivi (*rebellious*) che amano solo le cose più recenti e scandalose. Odiano (*They hate*) tutte le cose del passato.

Verbi riflessivi con significato di reciprocità

1. To express reciprocal actions, expressed in English using *each other* and *one another*, Italian uses the reflexive pronouns **ci, vi,** and **si** with the plural forms of the verb. As with reflexive verbs, the pronoun generally precedes the verb or is attached to the end of an infinitive.

Review reflexive verbs, especially the placement of the reflexive pronoun and the construction of reflexives in the *passato prossimo.*

Flavia e Patrizia **si aiutano** a fare i compiti.	*Flavia and Patrizia help each other with their homework.*
Vi incontrate spesso in biblioteca?	*Do you often meet (each other) at the library?*
Abbiamo bisogno di **vederci.**	*We need to see each other.*

2. Reciprocal verbs are conjugated with **essere** in the **passato prossimo.** The past participle agrees with the subject of the verb.

— Dove **si sono conosciuti** i tuoi genitori?	*— Where did your parents meet?*
— Ad una festa. **Si sono innamorati** immediatamente.	*— At a party. They fell in love with each other immediately.*

3. Here are a few common verbs with reciprocal meaning.

aiutarsi	*to help each other*
amarsi	*to love each other*
conoscersi	*to know each other, to meet (for the first time)*
incontrarsi	*to meet each other (at a place)*
innamorarsi	*to fall in love with each other*
odiarsi	*to hate each other*
parlarsi	*to speak to each other*
salutarsi	*to greet each other*
scriversi	*to write to each other*
sposarsi	*to marry each other*
vedersi	*to see each other*

Quando **ci siamo incontrati** la prima volta **ci odiavamo.**	*When we met each other the first time, we hated each other.*
Poi **ci vedevamo** piuttosto spesso e ad un certo punto **ci siamo innamorati. Ci sposiamo** a giugno.	*Then we would see each other fairly often and at a certain point we fell in love with each other. We're getting married (to each other) in June.*

L Formuli frasi al presente con le parole indicate.

Have students repeat Ex. L in the *passato prossimo;* adjust time expressions accordingly.

▶ noi / incontrarsi / questo pomeriggio
Noi ci incontriamo questo pomeriggio.

1. Paolo e Susanna / scriversi / spesso
2. tu ed io / amarsi / da un anno
3. voi / incontrarsi al bar / il venerdì
4. i nostri compagni / vedersi / al Caffè Italia
5. Franco e Mirella / non odiarsi / affatto
6. io ed Alberto / incontrarsi / a Milano
7. tu e Stefano / aiutarsi / a studiare la chimica
8. Carla e Vera / vedersi / ogni settimana

M In coppia: Chieda ad un compagno/una compagna alcune informazioni sul suo migliore amico/sulla sua migliore amica.

Ex. M: Have students take notes while interviewing partners. Then ask individuals to tell the class what they found out.

1. Come si chiama il tuo migliore amico/la tua migliore amica?
2. Da quanto tempo vi conoscete?
3. Vi vedete spesso?
4. Vi telefonate ogni giorno?
5. Vi dite tutto quello che vi preoccupa?
6. Vi aiutate quando avete problemi?
7. Vi capite bene?

N Ora racconti al compagno/alla compagna come lei e il suo migliore amico/la sua migliore amica vi siete conosciuti.

Ci siamo conosciuti dieci anni fa. Frequentavamo la stessa scuola. Ci parlavamo qualche volta e poi ...

O Guardi la serie di disegni in basso e racconti la storia di Enzo ed Emilia usando strutture reciproche.

Ex. O: Have students relate the story in the present tense. Then have the whole class retell the story in the *passato prossimo.*

For further practice of lesson topics, log on to the *Oggi in Italia* website and/or do the CD-ROM activities.

Parliamo un po'

A **Un sondaggio.** In coppia: Lei lavora per una grande ditta (*firm*) che produce prodotti igienici, e fa un sondaggio per sentire le opinioni dei consumatori. Intervisti un altro studente/un'altra studentessa per sapere i prodotti che preferisce.

Quali prodotti usa:

per lavarsi i capelli _____

per lavarsi i denti _____

per radersi (la barba o le gambe) _____

quando fa il bagno/la doccia _____

Altri commenti: perché sceglie questi prodotti particolari?

_____

B **Che cosa regalare?** In gruppi di tre: Arriva il periodo di Natale, e lei deve fare regali (*gifts*) a tre amici o parenti. Dica ai compagni/alle compagne le caratteristiche e gli interessi di ognuno, e loro le suggeriscono i regali appropriati per ciascuna di queste persone.

▶ S1: Il mio fratellino Pino ha cinque anni ed è molto intelligente. Gli piace la matematica.

S2: Puoi regalargli una calcolatrice!

S3: Dagli il gioco di "Jeopardy!"

nome, rapporto, età	caratteristiche	gli/le piace/ piacciono	regali appropriati
▶ Pino fratello 5 anni	intelligente	la matematica	una calcolatrice, il gioco di "Jeopardy"
1. _____ _____ _____	_____	_____	_____ _____
2. _____ _____ _____	_____ _____	_____ _____	_____ _____
3. _____ _____ _____	_____ _____	_____ _____	_____ _____

C **Conosce bene gli amici?** In coppia:
Prima, indichi se le piacciono o no le cose della
lista. Poi, pensi al suo compagno/alla sua
compagna, e cerchi di indovinare se a lui/lei
piacciono o no. Poi, chieda se ha indovinato
o no.

	io	lui/lei
sciare	sì / no	sì / no
le motociclette	sì / no	sì / no
la musica classica	sì / no	sì / no
i campeggi (*camping*)	sì / no	sì / no
viaggiare in aereoplano	sì / no	sì / no
i vestiti firmati	sì / no	sì / no
alzarsi presto la mattina	sì / no	sì / no
i mesi caldi	sì / no	sì / no
il pesce	sì / no	sì / no
parlare al telefonino	sì / no	sì / no
la neve	sì / no	sì / no

▶ sciare   S1: Ti piace sciare.
             S2: Sì, hai ragione. Mi piace./No,
                  non mi piace per niente.

Vestiti firmati: Designer-label clothing, both American
and Italian, is very popular among Italian young people.

D **Sestriere On-Line.** In coppia: Voi desiderate andare a sciare
in Italia e uno di voi (S1) ha cercato informazioni sulla rete internazionale (*Internet*). Adesso S2 fa alcune domande su Sestriere, la
destinazione scelta. S1 risponde usando informazioni trovate sulla
pagina Sestriere on-line.

Model Act. C with one student.
Ask the class to guess if he/she
likes the things listed. Then ask
him/her if the class guessed
correctly.

Allow time for students to
prepare questions about
Sestriere while partners
study the "website" in
order to answer the
questions. Have students
go online to answer
additional questions.

Netscape: Comune di Sestriere
Location: http://www.sestriere.it/comune.htm

Sestriere On-Line
Alla scoperta della neve

I link di Sestriere

- Cenni storici
- Comune di Sestriere
- Luoghi di interesse
- Servizi
- Cucina e divertimento
- Escursioni

Cenni storici
Anticamente denominato Lapis Sixtraria perché situata
al sessantesimo miglio da Torino. Tra il 1928 e il 1932 il
senatore Gianni Agnelli ha fatto costruire sulle vaste e
panoramiche praterie del colle di Sestriere due alberghi
grandi e le prime due funivie. È nato così un centro di
sport invernali che si è sviluppato rapidamente
assumendo in breve tempo fama internazionale.

Comune di Sestriere
Provincia: Torino   Altitudine: mt 2035
Abitanti: 797   Distanza da Torino: Km 93

Luoghi di interesse turistico
Chiesa di Sant'Edoardo
Escursioni alle montagne circostanti

Eventi
Dicembre: gara automobilistica
               sul ghiaccio
Gennaio: Pradalunga: gara di fondo
Febbraio: Carnevale sulla neve

Sciare a Sestriere
Piste di fondo
    Percorsi di difficoltà variabile
    Scuola di sci
Piste di discesa
    Piste innevate artificialmente
    Pista baby
    Seggiovie
    Maestri per lo sci

di fondo = *cross-country*   discesa = *downhill*   seggiovie = *ski lifts*

E Alla stazione sciistica.

S1

Lei è appena arrivato/a alla stazione di una famosa località sciistica. Vada all'ufficio informazioni della stazione e

chieda una piantina (*map*) del paese
domandi come trovare l'Albergo Gardena Palace
come arrivare alle piste di sci
se possono consigliare un buon ristorante caratteristico

S2

Lei lavora all'ufficio informazioni della stazione di una località sciistica. Un turista arriva e le fa varie domande. Risponda alle sue domande, usando la piantina (*map*) in basso. Alcune espressioni utili:

girare a destra/a sinistra — *to turn right/ left*

andare dritto — *to go straight*
prendere l'autobus — *to take the bus*

Conoscere l'Italia

A **Definizioni.** Abbini le definizioni con una parola della lista di destra. Ci sono due parole in più nella lista.

1. aggettivo che si riferisce alla *città*
2. abbreviazione di *automobile*
3. viene dopo *primo/a*
4. nome derivato da *abitare*
5. nome che comprende vestiti, gonne, giacche, ecc.
6. aggettivo derivato da *industria*
7. luogo dove ci sono piante verdi e fiori
8. un nome derivato da *importante*
9. una grande città
10. le persone che vivono a Torino

a. la metropoli
b. i torinesi
c. l'abitante
d. industriale
e. secondo/a
f. l'importanza
g. la struttura
h. l'abbigliamento
i. l'auto
j. urbano/a
k. enorme
l. il parco

Torino

La città di Torino con l'imponente Mole Antonelliana, originariamente un tempio ebreo costruito nel diciannovesimo secolo.

Torino, capoluogo del Piemonte, è il secondo centro industriale italiano dopo Milano. La città, situata nel nordovest d'Italia, ha oggi più di un milione di abitanti. Antica colonia romana, Torino ha una struttura urbana moderna, ampliata e perfezionata dai Savoia nel XVI (sedicesimo) secolo[1]. Grandi vie, ampie[2] piazze e molti parchi verdi sono le caratteristiche di questa metropoli elegante e ricca di attività lavorative e culturali. I negozi più belli e raffinati[3] si trovano sotto i portici di via Roma. E piazza San Carlo, a metà di[4] via Roma, è il luogo dove i torinesi preferiscono incontrarsi.

Dopo la seconda guerra mondiale[5], Torino ha avuto uno sviluppo industriale enorme. Dire Torino è dire Fiat (Fabbrica italiana automobili Torino). L'automobile italiana è nata proprio in questa città nel 1899. Di notevole importanza è anche l'industria tessile e dell'abbigliamento. A Torino, città colta[6], ci sono numerose case editrici[7]. C'è anche una buona università e un altrettanto[8] buon conservatorio musicale. A Torino è pubblicato il giornale *La Stampa*, uno dei più autorevoli quotidiani[9] d'Italia.

1. century 2. wide 3. refined 4. halfway along 5. World War II
6. learned 7. publishing houses 8. just as 9. influential dailies

Locate Piemonte and Torino on the map on p. 14.

The Savoia royal family ruled in Italy from 1860 to 1946.

Vero o falso? Indichi se le seguenti frasi sono vere o false secondo il brano precedente. Corregga le frasi false.

Have students prepare five questions based on the reading. Then have groups of four ask each other their questions.

1. La prima città industriale d'Italia è Torino.
2. La struttura urbana del capoluogo del Piemonte è moderna.
3. Torino è una città elegante e piena di attività.
4. La Fiat è una grande fabbrica di automobili di Torino.
5. A Torino c'è solo l'industria delle automobili.
6. Il giornale pubblicato a Torino si chiama *La Repubblica*.

A **Definizioni.** Prima di leggere il seguente brano, abbini le definizioni con una parola della lista di destra. Ci sono due parole in più nella lista.

1. aggettivo derivato da *Alpi*
2. sinonimo di *ostacolo*
3. passaggio sotterraneo sinonimo di *tunnel*
4. aggettivo derivato da *Piemonte*
5. sinonimo di *essere umano*
6. tipo di formaggio
7. un cereale
8. un tipo di vino
9. contrario di *corto/a*
10. contrario di *piccolo/a*

a. lo spumante
b. piemontese
c. la fontina
d. grande
e. lungo/a
f. l'uomo
g. alpino/a
h. il riso
i. accessibile
j. la barriera
k. il fiume
l. la galleria

Have students read this passage silently and identify seven or eight cognates. Then, with books closed, ask them to name six features of Piemonte.

IL PIEMONTE

Al lavoro in una risaia del Piemonte.

Ad ovest e a nord, il Piemonte è circondato dall'arco alpino che divide questa regione dalla Francia e dalla Svizzera. In questa zona, le Alpi rappresentano una grande barriera, ma valichi[1] più o meno accessibili e gallerie scavate[2] dall'uomo permettono il passaggio dal Piemonte ai paesi oltralpe[3]. La galleria ferroviaria[4] del Frejus, lunga più di 13.000 metri, unisce l'Italia con la Francia, e quella del Sempione, lunga più di 19.800 metri, la unisce con la Svizzera.

1. mountain passes   2. dug
3. beyond the Alps   4. railroad

Can you guess the meaning of Piemonte? (Piemonte is a compound of two words: *piede* and *monte*.)

Sulle Alpi nascono molti fiumi che attraversano[5] il Piemonte. Il più importante è il Po, lungo 652 km (chilometri). Questo fiume che passa per Torino, dopo il Piemonte, bagna[6] anche la Lombardia, l'Emilia-Romagna e il Veneto, e sbocca[7] poi nel mare Adriatico. Uno dei laghi alpini, il pittoresco lago Maggiore, separa il Piemonte dalla Lombardia.

La ricchezza delle acque rendono la terra piemontese molto fertile. Le risaie[8] intorno a Vercelli e Novara danno la maggiore produzione di riso in Europa. Il Piemonte produce anche buoni vini di fama internazionale. Il Barbera, il Barolo e lo spumante d'Asti sono alcuni dei vini prodotti sulle colline piemontesi.

Questi e altri vini pregiati[9] accompagnano spesso i piatti[10] tipici della regione come la bagna cauda, la fonduta[11] con fontina e il riso con i costosissimi e rinomati tartufi[12] bianchi di Alba.

5. cross   6. runs through   7. flows into   8. rice fields   9. rare   10. dishes
11. fondue   12. truffles

On the map on p. 12, follow the course of the Po River to the Adriatic. On the same map, find Lake Maggiore.

On a more detailed map of Italy, locate Vercelli, Novara, Asti, and Alba. Alba is famous for its truffles.

Bagna cauda is a sauce used as antipasto.

 Informazioni. Dia le seguenti informazioni basate sul brano precedente.

1. paesi stranieri che confinano con il Piemonte
2. due gallerie ferroviarie che uniscono il Piemonte con i paesi oltralpe
3. il fiume che passa per Torino
4. il lago che divide il Piemonte dalla Lombardia
5. città piemontesi intorno alle quali ci sono molte risaie
6. tre vini piemontesi
7. tre piatti tipici del Piemonte

Lezione 12

Francesco Totti, un campione del calcio italiano, esulta dopo aver segnato un gol in una partita internazionale.

Chi gioca?

Communicative Objectives

- Talk about sports
- Express preferences related to sports
- Talk about future plans and actions
- Express probability in the future
- Discuss past events

 Show the *Oggi in Italia* video segment and do the video activities.

Tell students that nouns ending in **-ma**, like *programma, problema, tema, dramma, sistema,* are masculine. Point out that the final **a** changes to **i** in the plural: *programmi, problemi,* etc. These nouns have easily recognizable English cognates.

A Reggio Calabria Alberto Manzini e Daniela Poli fanno programmi per il fine settimana.

Have students locate Reggio Calabria on the map on p. 14.

ALBERTO: Daniela, vieni allo stadio con me domenica! Andiamo a vedere una bella partita di calcio. Che ne dici?

DANIELA: Non so se posso venirci. Chi gioca con la Reggina?

ALBERTO: Il Napoli. Fa' la brava e vieni. Sarà un incontro interessante e
5   spettacolare, ne sono sicuro.

la Reggina = name of the Reggio Calabria soccer team.

DANIELA: D'accordo. Verrò. Ma ci verranno anche Luciano e i suoi amici?

ALBERTO: Non lo so. Perché?

il Napoli: The article *il* is used to indicate the name of the Naples soccer team.

DANIELA: Sono un gruppo di ragazzi molto simpatici e durante la partita
10   fanno sempre un tifo tremendo per la Reggina. È proprio° un divertimento andare allo stadio con loro.

really

ALBERTO: Sì, però qualche volta esagerano. Fare il tifo per la propria squadra è bello, ma non è necessario insultare o litigare con i tifosi dell'altra squadra.

15 DANIELA: Hai ragione. Ma dimmi°, a che ora dovremo essere allo stadio?

tell me

ALBERTO: Verso l'una. I posti non sono riservati e ci saranno quasi trentamila persone.

DANIELA: Allora bisogna comprare subito i biglietti!

20 ALBERTO: Eh°, sì. Ci avevo pensato anch'io. Posso comprarli oggi pomeriggio da un rivenditore vicino a casa mia.

Well

DANIELA: Ah, il denaro! Adesso ne ho poco con me. Ho degli euro. Ne ho solo dieci però. Ti darò il resto domenica pomeriggio. Va bene?

25 ALBERTO: Non essere sciocca. Li pagherò io per tutti e due.

DANIELA: Grazie. Sei sempre molto gentile.

ALBERTO: Allora, questa sera telefono a Luciano e poi ti farò sapere se anche lui verrà allo stadio con noi.

Every major Italian city has a professional soccer team, and large cities such as Turin, Milan, and Rome have two teams.

Domande

1. Dove andranno domenica Alberto e Daniela? Chi gioca?
2. Come sono Luciano e i suoi amici?
3. Cosa fanno durante la partita?
4. A che ora dovranno essere allo stadio gli amici? Perché?
5. Chi comprerà i biglietti? Dove li comprerà?
6. Che cosa farà stasera Alberto?

Ask students to use their imaginations to describe Alberto's, Daniela's, and Luciano's ages, interests, and personalities.

Domande personali

1. Che programma ha fatto lei per il fine settimana?
2. Si giocano (*Are played*) partite di calcio o di football nella sua città?
3. Preferisce assistere ad un incontro di calcio, ad una partita di tennis o ad una di baseball?
4. A lei piace andare allo stadio o preferisce vedere le partite alla televisione?
5. Per quale squadra di calcio (pallacanestro/hockey/baseball) fa il tifo lei?

Situazioni

1. Inviti un compagno/una compagna ad andare con lei ed altri amici in qualche luogo.

   ▶ — Verrai allo stadio (in discoteca/a mangiare una pizza/alla partita di pallacanestro) con noi?
   — Sì, volentieri. (Mi dispiace, ma non posso./Forse. Vi telefonerò./Dipende dai miei impegni./Perché no?)

2. Domandi ad un amico/un'amica se ha fatto programmi per il fine settimana.

   ▶ — Hai fatto programmi per il fine settimana (le vacanze/l'estate prossima)?
   — Sì, uscirò (farò una gita/andrò al mare) con gli amici.

Firenze: In una domenica di primavera le strade della città ospitano una gara di maratona.

Gli sport in Italia

*I*n Italia parlare di sport significa discutere spesso di calcio. Il calcio è lo sport e il passatempo nazionale per nove mesi all'anno, da settembre a giugno. Durante questo periodo molti italiani passano la sera o il pomeriggio allo stadio o davanti al televisore per vedere la partita e fare il tifo per la propria squadra. Il calcio è stato sempre uno sport per uomini, ma oggi molte donne seguono con interesse questo sport e vanno spesso allo stadio. Da qualche anno si sono formate anche squadre di calcio femminili, che a livello semiprofessionale ricevono molta attenzione da parte del pubblico italiano.

Il secondo sport più popolare è il ciclismo[1]. I giovani specialmente praticano questo sport con passione durante i mesi caldi dell'anno, fra maggio e settembre. Ogni anno poi il Giro d'Italia[2] attrae[3] l'interesse della gente e della stampa[4] nazionale ed estera[5]. Molti ciclisti italiani e stranieri partecipano a questa corsa[6] ciclistica, che inizia verso la metà di maggio e dura circa venti giorni. Facendo tappa[7] in differenti città italiane, ogni anno il Giro attraversa tutta la penisola e porta con sé un'atmosfera di allegria e di gioventù.

- Chi pratica principalmente il calcio nel suo paese?

- Il ciclismo è uno sport popolare? Ci sono gare (*competitions*) di ciclismo nel suo paese?

 Il vincitore del Giro d'Italia del 2005 bacia felicemente la coppa.

1. bicycle racing   2. Tour of Italy   3. attracts   4. press   5. foreign   6. race   7. pausing

Have students talk about sports in the United States by asking *Che cosa è più popolare negli Stati Uniti, il baseball o il football?*

Pratica

1. In coppia: Lei ha intenzione di andare alla partita di calcio con un amico/un'amica, ma ancora non ha potuto comprare i biglietti. Chieda all'amico/a di comprarli e dica che gli/le darà i soldi quando lo/la vedrà.

Call on some pairs to act out their dialogues.

2. In coppia: Lei ha due biglietti per la partita di domenica prossima, ma altri impegni non le permettono di andare allo stadio. Allora lei telefona ad un amico/un'amica, gli/le offre i biglietti e gli/le spiega perché non può andare a vedere la partita.

A In coppia: A turno domandate quali sport possono essere associati con le seguenti cose.

Ex. A: Name players and teams and have students identify the sport.

▶ — Quale sport associ con la piscina?
— Il nuoto.

1. la montagna
2. il cavallo
3. il mare
4. la neve
5. il lago
6. lo stadio
7. il freddo e il ghiaccio (*ice*)
8. le gomme (*tires*), i freni (*brakes*) e i pedali

B Domandi ad alcuni studenti se e quando praticano i seguenti sport.

Ex. B: Have students name other sports.

Have students circulate, asking and answering one question per person. Follow up by asking *Chi pratica il nuoto (lo sci), ecc.?* S1: *(Andrea) pratica ...* S2: *Anche (Tom) pratica ...*

▶ — Pratichi il ciclismo?
— Sì, lo pratico./No, non ...
— Quando lo pratichi?
— In primavera e d'estate.

1. l'equitazione
2. il nuoto
3. l'alpinismo
4. il pattinaggio
5. la vela
6. lo sci
7. il calcio
8. la pallavolo
9. il tennis
10. la pallacanestro

C In coppia: Intervisti un compagno/una compagna e gli/le chieda quali sono i suoi interessi sportivi.

Ex. C: Follow up by having students write five sentences describing what they learned about their partners. Also have students ask you these questions using *lei.*

1. Fai qualche sport? Quali sport pratichi?
2. Quale sport preferisci? Perché?
3. Ti piace pattinare? Dove vai a pattinare?
4. Sei andato/a a cavallo qualche volta? Dove?
5. Preferisci nuotare al lago, al mare o in piscina?
6. Sei mai andato/a a vedere una partita di calcio? Dove?
7. Vai in barca qualche volta? Dove? Vai da solo/a o con gli amici?
8. Hai mai scalato una montagna? Quale?
9. Hai mai fatto qualche gara sportiva? In quale sport?

D In gruppi di tre o quattro: Scrivete brevi descrizioni di cinque personaggi sportivi. Poi, leggendo ogni descrizione, fate identificare i personaggi da un altro gruppo di studenti.

Struttura ed uso

Futuro semplice

—Sono sicura che ti **piacerà** Alberto. Lo **troverai** molto divertente!

1. The future tense is used to talk about future actions. In English the future is usually expressed with the auxiliary *will* or with *to be going to.* In Italian the simple future tense consists of one word.

Daniela e Alberto **andranno** alla partita di calcio.	*Daniela and Alberto are going to go to the soccer game.*
Alberto **dovrà** comprare i biglietti una settimana prima.	*Alberto will have to buy the tickets a week ahead.*
Come al solito **sarà** un incontro spettacolare.	*As usual, it will be a spectacular match.*
Sono sicuro che **ci divertiremo.**	*I'm sure we'll have fun.*

2. The future is formed by dropping the final **-e** from the infinitive and adding the endings **-ò, -ai, -à, -emo, -ete, -anno.** In **-are** verbs, the **a** of the infinitive changes to **e.** Notice that the endings are the same for all verbs.

	comprare	prendere	partire
io	comprerò	prenderò	partirò
tu	comprerai	prenderai	partirai
lui/lei	comprerà	prenderà	partirà
noi	compreremo	prenderemo	partiremo
voi	comprerete	prenderete	partirete
loro	compreranno	prenderanno	partiranno

3. Verbs ending in **-care** and **-gare** add an **h** to the future tense stem after the **c** or **g** in order to retain the hard pronunciation. Verbs ending in **-ciare** or **-giare** drop the **i** from the ending.

> Remember the spelling change necessary in present tense *-care* and *-gare* verbs.

Le due squadre **giocheranno** con vigore.	*The two teams will play with all their might.*
Quando mi **ripagherai** i venti euro?	*When are you going to pay me back the twenty euros?*
L'incontro **comincerà** all'una e mezzo.	*The match will begin at one-thirty.*
Dopo la partita **mangeremo** da Luciano.	*After the game we are eating at Luciano's.*

4. The following verbs have irregular future stems. Their endings are regular.

infinitive	future stem	future tense
andare	**andr-**	andrò, andrai ...
avere	**avr-**	avrò, avrai ...
bere	**berr-**	berrò, berrai ...
dare	**dar-**	darò, darai ...
dovere	**dovr-**	dovrò, dovrai ...
essere	**sar-**	sarò, sarai ...
fare	**far-**	farò, farai ...
potere	**potr-**	potrò, potrai ...
sapere	**sapr-**	saprò, saprai ...
stare	**star-**	starò, starai ...
vedere	**vedr-**	vedrò, vedrai ...
venire	**verr-**	verrò, verrai ...
volere	**vorr-**	vorrò, vorrai ...

> Notice that many of these verbs simply drop a vowel from their infinitive ending to form the future stem: *andare, andr-; avere, avr-;* etc.

> Remind students that *dovere, potere,* and *volere* are usually followed by verbs in the infinitive. Ask students to name things they will have to do tonight, and that they will want to do during vacation.

5. The future tense is used to talk about future actions and intentions and to predict future actions. The present tense is also used to talk about future actions, especially if they are certain or about to happen.

Se possibile **andremo** a trovare la zia fra qualche mese.	*If possible we'll go visit our aunt in a few months.*
Sono sicura che la nostra squadra **vincerà** il prossimo campionato.	*I'm sure our team will win the next championship.*
Sabato **andiamo** a cavallo. **Vieni** anche tu?	*On Saturday we're going horseback riding. Are you coming too?*
Comprami il biglietto e ti **pago** domani.	*Buy me a ticket and I'll pay you tomorrow.*

6. The future tense is also used in Italian to guess or conjecture about circumstances in the present. This use of the future is called future of probability.

— Di chi è questo zaino?	*— Whose backpack is this?*
— **Sarà** di Fulvio.	*— It's probably Fulvio's.*
— Quanti anni ha il tuo professore?	*— How old is your professor?*
— Non so! **Avrà** almeno quarant'anni.	*— I don't know! He must be at least forty.*
— Che ore **saranno?**	*— What time do you think it is?*
— **Saranno** le dieci.	*— It must be around ten.*

> Restate the examples in the present indicative, sounding certain of the answers. Then reread using the future, sounding uncertain and using expressions such as *Non so* and *Non sono sicuro/a.* Have the students repeat, imitating your intonation.

7. The future tense is used after **quando** (*when*), **appena** (*as soon as*), and **se** (*if*) when the action of the main verb takes place in the future. In English, the present tense is used in parallel situations.

Quando **andremo** in montagna, staremo all'albergo Principe Vittorio.

Le telefonerò appena **arriveremo**.

Se gli altri **porteranno** i loro sci, io porterò i miei.

When we go to the mountains, we'll stay at the Hotel Principe Vittorio.

I'll call you as soon as we arrive.

If the others bring their skis, I'll bring mine.

 Dica quello che le seguenti persone faranno domenica.

▶ noi / andare a sciare
   Noi andremo a sciare domenica.

1. i miei fratelli / giocare al calcio
2. un mio amico / pattinare nel parco
3. io / andare a cavallo
4. mia sorella / praticare la vela
5. voi / fare dell'alpinismo
6. tu / assistere ad un concorso di equitazione
7. mio padre ed io / vedere la partita alla televisione
8. mia zia / volere giocare a tennis

Ex. A: Ask if anyone is planning on practicing a sport this coming Sunday. Ask others what they are going to do Sunday.

 È sabato, e oggi lei non ha voglia di fare niente. Farà tutto domani, o forse dopodomani o la settimana prossima … Risponda alle domande, e dica quando farà ogni cosa.

▶ Hai spedito le lettere?   Non ancora. Le spedirò domani (dopodomani, ecc.).

1. Hai chiamato i tuoi genitori?
2. Hai letto l'articolo sulla rivista?
3. Hai studiato la lezione d'italiano?
4. Hai finito i compiti di matematica?
5. Sei andato/a al supermercato?
6. Hai fatto gli acquisti per la festa?
7. Hai dato gli appunti agli amici?
8. Hai incontrato la professoressa d'inglese?

Before doing Ex. B, quickly review direct object pronouns.

Ask students if they often put off tasks or errands. Elicit sentences like *Oggi non voglio studiare la lezione. La studierò domani.*

 In coppia: Un compagno/Una compagna vuole sapere se lei farà le seguenti cose il prossimo fine settimana. Risponda che le farà se succederanno le cose indicate.

▶ andare alla partita / se trovare un biglietto

— Andrai alla partita?
— Sì, andrò alla partita se troverò un biglietto.

1. fare una passeggiata / se fare bel tempo
2. mangiare in un ristorante elegante / se avere i soldi
3. parlare con i tuoi genitori / se loro essere a casa
4. vedere un film / se tu venire con me al cinema
5. andare ad una festa / se gli amici invitarmi
6. divertirti / se non dovere studiare troppo

Ex. C: Have students give the English equivalent of the new sentences in the future. Highlight the English use of the present tense in the *if* clauses.

D In coppia: Risponda alle domande con il futuro di probabilità.

▶ S1: Che ore sono?
  S2: Saranno le undici e mezzo.

1. Cosa c'è in quello zaino?
2. Quanti studenti ci sono in quest'università?
3. Qual è la data di oggi?
4. Quanti dollari hai con te?
5. Quanti anni ha la professoressa/il professore?
6. Quando è il prossimo quiz?
7. Di chi è quella borsa?
8. Dove abita quel ragazzo?

Ex. D: Act out the example by showing that you have no watch and are just guessing at the time. Be sure students "guess" even if they know the answer.

Teach students the word *Boh!* to indicate lack of knowledge.

E È domenica, e tutti i canali televisivi trasmettono programmi sportivi. Mentre lei cambia canale, sente alcune frasi. Lei si chiede: Che tipo di programma sarà? Sarà un programma sul tennis, sul pattinaggio? ...

1. Ecco! Finalmente siamo arrivati alla vetta (*peak*)!
2. Siamo al diciottesimo giorno del Giro d'Italia e i partecipanti cominciano a sentire la fatica (*hardship*) di questa corsa tanto difficile.
3. Gol!!!
4. Dopo le finali emozionanti dello slalom gigante vi porteremo alle piste secondarie per vedere un'altra gara molto contesa (*contested*).
5. Con il caldo inaspettato, il ghiaccio si scioglie (*the ice is melting*) e non ci sarà nessun record oggi.
6. È una bellissima giornata qui sulla spiaggia di San Remo e fra pochissimo tempo s'incontreranno due squadre che sembrano quasi imbattibili.
7. Fa il primo salto in perfetta forma. Ma il fantino cade. È caduto il fantino! Il cavallo continua a correre!
8. E la vincitrice esce dalla piscina. ...

Ex. E: Tell students that they don't need to understand every word in order to guess the type of program. After students have finished, you may want to go over sentences for meaning.

F In coppia: Dica ad un compagno/una compagna le seguenti cose.

tre cose che lei farà il prossimo fine settimana
tre cose che lei farà durante le prossime vacanze
tre cose che lei farà appena finirà l'università
tre cose che lei dovrà fare domani
tre cose che lei non farà mai

Ex. F: Have students take notes and write three to five sentences about their partners' plans.

Encourage students to use questions to find out more about their partners' plans.

G In coppia: Lei ha vinto un milione di euro alla lotteria ma dovrà aspettare due mesi prima di ricevere i soldi. Dica ad un amico/un'amica cinque cose che farà appena avrà i soldi.

▶ Appena avrò i soldi, comprerò ... , andrò ... , darò ... , ecc.

H In gruppi di tre: Secondo voi, come sarà il mondo fra cinquant'anni? Discutete le seguenti domande nel vostro gruppo, usando il futuro dove appropriato.

Ex. H: Ask students to think of other aspects of life that might be different in fifty years.

1. Ci sarà la pace (*peace*) nel mondo o ci saranno più guerre (*wars*)? Dove? Fra quali paesi?
2. Quali saranno le nazioni più importanti fra cinquant'anni?
3. Le donne avranno più potere (*power*) politico ed economico fra cinquant'anni? Ci sarà una donna presidente degli Stati Uniti?
4. L'Europa unita sarà più grande? Quale sarà la lingua dominante?
5. Troveranno una cura per l'AIDS? Per il cancro (*cancer*)? Per il raffreddore (*cold*)?
6. La gente guiderà macchine elettriche? Ci saranno nuovi mezzi di trasporto? Quali?
7. Le persone si vestiranno come oggi? Come cambierà la moda?
8. Quale sarà lo sport più popolare?
9. Come cambierà la vostra università? Sarà più grande? Costerà di più?

Trapassato

Quando gli altri sono arrivati al traguardo, … Alberto **era** già **arrivato** da cinque minuti!

1. The **trapassato** is used to talk about an action that *had taken place* before another past event. The more recent past event may be expressed in the **passato prossimo** or the **imperfetto**.

Review the forms of the *passato prossimo*, including irregular past participles. Call out verbs and ask which auxiliary verb is needed. Then ask for imperfect forms of *avere* and *essere* from the whole class in chorus.

Non voleva mangiare con noi perché **aveva** già **mangiato** a casa.

He didn't want to eat with us because he had already eaten at home.

Non mi **ero** ancora **svegliata** quando hai telefonato alle otto.

I hadn't woken up yet when you called at eight o'clock.

Già nel 1348 Giovanni Boccaccio **aveva scritto** vari libri.

By 1348 Giovanni Boccaccio had already written several books.

Quando Alberto Tomba aveva trent'anni, **aveva** già **vinto** tre medaglie olimpiche.

When Alberto Tomba was thirty, he had already won three Olympic medals.

2. The **trapassato** is formed with the imperfect of the auxiliary verb **avere** or **essere** + *the past participle*. As in the **passato prossimo**, the past participle agrees with the subject when the verb is conjugated with **essere**.

	dire	arrivare
io	avevo detto	ero arrivato/a
tu	avevi detto	eri arrivato/a
lui/lei	aveva detto	era arrivato/a
noi	avevamo detto	eravamo arrivati/e
voi	avevate detto	eravate arrivati/e
loro	avevano detto	erano arrivati/e

If your students are interested in grammar, you may want to explain at this point that nearly every simple tense in Italian has a corresponding compound tense whose auxiliary is in the simple tense (present and *passato prossimo*, imperfect and *trapassato*). The action of the compound verb is always prior to the action of the simple verb.

(I) Dica che le persone indicate non avevano mai fatto prima certe cose, come nel modello.

▶ Ieri mia sorella ha visto una partita di calcio.
  Non aveva mai visto prima una partita di calcio.

1. Sabato scorso i miei genitori sono andati a sciare.
2. Ieri i due amici sono arrivati a lezione in orario.
3. Domenica io sono andato/a a cavallo.
4. Il mese scorso mia nonna ha usato il computer.
5. Ieri il dentista mi ha fatto male.
6. Giovedì la professoressa ha cancellato la lezione.
7. Stamattina hai giocato a pallavolo.
8. Una settimana fa gli studenti hanno visto un film italiano.

Ex. I: Practice the *trapassato* by having students finish sentences like *Non ha mangiato ...* (*perché aveva già mangiato*), *Non ha nuotato perché ...* , *Non è andato a sciare perché ...* Use other subjects as well.

(J) In coppia: Domandi ad un amico/un'amica se stamattina alle otto aveva già fatto queste cose.

▶ svegliarsi   S1: Stamattina alle otto ti eri già svegliato/a?
             S2: Sì, mi ero già svegliato/a. / No, non mi ero ancora
                 svegliato/a.

1. alzarsi dal letto
2. fare la prima colazione
3. prendere il caffè
4. parlare con qualcuno
5. vestirsi
6. lavarsi i denti
7. uscire

Remember that in compound forms, the past participles of verbs conjugated with *essere* agree with the subject.

(K) Domandi ad un compagno/una compagna tre cose che aveva già fatto a quindici anni, e tre cose che non aveva ancora fatto.

▶ S1: Che cosa avevi già fatto a quindici anni?
  S2: Quando avevo quindici anni, avevo già imparato a guidare, ero già anda-
      to/a all'estero e avevo già finito la scuola media. Non avevo ancora …

Ex. K: If students have trouble answering, ask them if at fifteen they had already gone out on a date, shaved, chosen a profession, etc.

L Completi la descrizione, mettendo i verbi tra parentesi nel passato prossimo o nel trapassato, secondo il contesto.

Ieri sera una mia amica (preparare) _____ una cena per alcuni amici che lei (conoscere) _____ all'università. Purtroppo, la cena (andare) _____ male perché tutti gli invitati (avere) _____ problemi durante il giorno. Francesco (arrivare) _____ di cattivo umore perché (discutere) _____ con la ragazza. Io (arrivare) _____ tardi perché il mio direttore mi (dare) _____ un sacco di lavoro da fare alle tre del pomeriggio. Cecilia non (venire) _____ perché (rompersi) _____ un braccio mentre sciava.

If students have trouble with Ex. L, point out that the first verb in every sentence relates to the dinner: *ieri sera*. The second verb recounts something that happened before last night.

M In coppia: Decidete quale avvenimento storico è accaduto prima. Combinate le due frasi mettendo un verbo al passato prossimo e l'altro nel trapassato, secondo le date degli avvenimenti.

> A few dates to help you:
> Dante Alighieri (1265–1321),
> Giuseppe Garibaldi (1807–1882),
> Benito Mussolini (1883–1945),
> Cristoforo Colombo (1451–1506),
> Marco Polo (1254–1324).

▶ Cristoforo Colombo ha scoperto (*discovered*) il nuovo mondo. / È nato Michelangelo.

Quando Cristoforo Colombo ha scoperto il nuovo mondo, Michelangelo era già nato.

1. Dante ha scritto la *Divina Commedia*. / Shakespeare ha scritto *Romeo e Giulietta*.
2. Garibaldi ha unificato l'Italia. / Gli Stati Uniti si sono separati dall'Inghilterra.
3. Il Presidente Kennedy è morto. / Neil Armstrong ha messo piede sulla luna.
4. È cominciata la seconda guerra mondiale. / Mussolini è morto.
5. Cristoforo Colombo ha portato i pomodori dalle Americhe. / Marco Polo ha portato gli spaghetti dalla Cina.

Before doing Ex. M, you may want to ask the class which event took place first. Give clues if needed.

Point out that the clauses can be reversed: *Michelangelo era già nato quando …*

Il pronome *ne* e l'avverbio *ci*

— Mi sono ricordato che ti piace il peperoncino piccante. **Ne** ho messo abbastanza?

1. The pronoun **ne** (*of it, of them*) is used when referring back to a phrase introduced by the partitive or the preposition **di**, or a complete idea meaning *about* or *of* a certain thing.

> — Avete comprato **del pane?**   — *Did you buy some bread?*
> — Sì, **ne** abbiamo comprato.   — *Yes, we bought some (of it).*
>
> — Desidera **delle carote?**   — *Do you want some carrots?*
> — Sì, **ne** prendo un chilo.   — *Yes, I'll take a kilo (of them).*
>
> — Discutete spesso **di politica?**   — *Do you often discuss politics?*
> — No, non ci piace parlar**ne.**   — *No, we don't like to talk about it.*
>
> — Ma sei sicura che la partita è domani?   — *Are you sure the game is tomorrow?*
> — Sì, sì; **ne** sono sicura.   — *Yes, I'm sure (of it).*

> Note that English often omits *of it* and *of them,* whereas Italian requires the use of *ne.*

Point out that *ne,* like object pronouns, precedes a conjugated verb and attaches to an infinitive. Point out its position in each example.

Refer to *Lezione 7* to review the partitive.

2. **Ne** is also used to replace a direct object introduced by a number or an expression of quantity.

> — Quanti **anni** ha lui?   — *How old is he?*
> — **Ne** ha quasi **trenta.**   — *He's almost thirty.*
>
> — Desidera **dei** fagiolini?   — *Would you like some green beans?*
> — Sì, **ne** prendo un po'.   — *Yes, I'll take some.*

> Remember that *Quanti anni ha?* means *How many years does he have?* The answer means literally *He has almost thirty (of them).*

If this occurs in the **passato prossimo,** the past participle agrees with the noun that it refers to.

> — Quanti **CD** avete comprato?   — *How many CDs did you buy?*
> — **Ne** abbiamo comprati sei.   — *We bought six (of them).*

Point out that agreement occurs only when *ne* replaces a direct object, but not when it means *about* or *of.*

3. The adverb **ci** (meaning either *here* or *there*) is used to refer to a previously mentioned place, particularly a phrase preceded by **a, da,** or **in.** Its position in a sentence is that of a direct object pronoun.

> — Vai spesso **dal dentista?**   — *Do you often go to the dentist?*
> — Sì, **ci** vado tre volte all'anno.   — *Yes, I go (there) three times a year.*
>
> — Volete venire **alla partita?**   — *Do you want to come to the game?*
> — No, non possiamo venir**ci.**   — *No, we can't come (there).*
>
> — Sei mai stato **in Alaska?**   — *Have you ever been to Alaska?*
> — Sì, **ci** sono andato da piccolo.   — *Yes, I went there when I was small.*

4. **Ci** is also used to replace **a** + *phrase* after the verbs **pensare, credere,** and **riuscire** (*to succeed in, manage to*).

> — Pensi **alla tua ragazza?**   — *Are you thinking about your girlfriend?*
> — Sì, **ci** penso.   — *Yes, I'm thinking about her.*
>
> — Credi **all'oroscopo?**   — *Do you believe in the horoscope?*
> — No, veramente non **ci** credo.   — *No, I really don't believe in it.*
>
> — Sei riuscita **a pattinare** senza cadere?   — *Did you manage to skate without falling?*
> — Sì, **ci** sono riuscita con grande difficoltà.   — *Yes, I managed (to do it) with great difficulty.*

> *Riuscire* is conjugated like *uscire* and uses *essere* as its auxiliary verb: *Non riesco a … Siamo riusciti a …*

N Risponda con **ne** e un numero alle seguenti domande.

Ex. N: Have students ask each other the questions using *tu*.

▶ — Quanti fratelli ha?
— Ne ho due./Non ne ho.

1. Quante sorelle ha?
2. Quanti cugini ha?
3. Quante lezioni ha oggi?
4. Quante lingue parla?
5. Quanti corsi segue questo semestre?
6. Quanti compagni/Quante compagne di camera ha?
7. Quanti anni ha?
8. Quanti anni aveva quando ha imparato a guidare?

O Chieda ad un altro studente/un'altra studentessa se ha alcuni degli oggetti indicati.

▶ CD italiani   S1: Hai dei CD italiani?
                  S2: Sì, ne ho molti/pochi/due. / No, non ne ho.

1. giornali italiani
2. libri di poesie
3. fotografie della tua famiglia
4. scarpe italiane
5. amici che parlano italiano
6. animali domestici
7. riviste di moda
8. esami questa settimana
9. indirizzi e-mail

P In coppia: Chieda ad un altro studente/un'altra studentessa se va spesso, mai, qualche volta, sempre, ecc., nei seguenti luoghi. Chi risponde deve usare **ci** nelle risposte.

▶ da McDonald's   S1: Vai spesso da McDonald's?
                    S2: Sì, ci vado spesso/qualche volta/una volta al
                        mese/ecc. / No, non ci vado mai.

1. dal dentista
2. a sciare
3. al laboratorio di lingue
4. ai ristoranti cinesi
5. al cinema
6. in discoteca
7. al supermercato
8. alle partite di pallacanestro
9. ai concerti

Q Risponda alle seguenti domande, sostituendo i pronomi **ne** o **ci** alle parole in corsivo.

Ex. Q: Have the class identify the preposition that begins each italicized phrase. You may want to have them ask each other the questions in pairs, using *tu* forms.

▶ — Ha bisogno *di aiuto?* — Sì, ne ho bisogno./No, non ne ho bisogno.
— Riesce *a capire la* — Sì, ci riesco facilmente./No, non ci riesco.
grammatica?

1. Lei discute *di politica* con i suoi amici?
2. Ha voglia *di un cappuccino* adesso?
3. Pensa spesso *alle vacanze estive?*
4. Ha bisogno *di aiuto con la grammatica?*
5. Crede *agli extraterrestri?*
6. Parla mai *di sport?*
7. Riesce *ad arrivare sempre puntuale a lezione?*
8. Ha bisogno *di soldi?*
9. È mai stato/a *in Sardegna?*

R Chieda ad un altro studente/un'altra studentessa se è mai stato/a in questi luoghi. Se risponde di sì, gli chieda in quali circostanze.

▶ in Italia S1: Sei mai stato/a in Italia?
S2: No, non ci sono mai stato/a, ma vorrei andarci./
Sì, ci sono stato/a.
S1: Quando ci sei andato/a? (Con chi? Perché?
Ti è piaciuta?, ecc.)

1. in Africa
2. in Australia
3. sulla Statua della Libertà
4. in elicottero
5. a Disney World
6. alle Cascate del Niagara
7. a Pompei
8. a Las Vegas
9. in Messico
10. all'Hard Rock Café

  For further practice of lesson topics, log on to the *Oggi in Italia* website and/or do the CD-ROM activities.

Parliamo un po'

 Chi saranno? In gruppi di tre o quattro: Guardate le persone in queste foto e cercate di stabilire l'identità di ciascuna: Come si chiamerà? Di dove sarà? Quanti anni avrà? Che tipo di lavoro farà?

Act. A: Make sure students realize they are using the *futuro di probabilità* to make conjectures.

 Credi all'oroscopo? In coppia: Legga l'oroscopo per la settimana. Poi chieda ad un compagno/una compagna il suo segno zodiacale e gli/le prepari un oroscopo per la prossima settimana.

OROSCOPO PER LA SETTIMANA

Sarà una settimana interessante, ricca di novità in diversi settori della tua vita. Riuscirai a superare un ostacolo che ti preoccupa da molto tempo.

Lavoro: Inizierà un bellissimo periodo, che potrà avere anche interessanti sviluppi sotto il profilo economico. Non potrete contare troppo sull'aiuto degli altri: dovrete riuscire a fare da soli. Novità in vista per i più giovani alla ricerca di lavoro: troveranno quello che cercano.

Amore: Sarete straordinariamente comunicativi e passionali sul piano affettivo, e questo vi porterà vantaggi nel rapporto di coppia. Non mancheranno le avventure, per i single, e non solo … Tutto quello che avete sempre desiderato ottenere in amore e non avete mai avuto il coraggio di chiedere, sarà possibile avere in questo delizioso periodo.

Ariete	**Toro**
Gemelli	**Cancro**
Leone	**Vergine**
Bilancia	**Scorpione**
Sagittario	**Capricorno**
Acquario	**Pesci**

Act. B: Point out how the future is used in the horoscope and encourage students to do the same in theirs. Have students look for cognates and use the context to help them understand the horoscope.

C **Andiamo alla partita?** C'è la possibilità di assistere a eventi sportivi nella vostra scuola o nella vostra città? Lei fa il tifo per la squadra locale e venerdì sera c'è la partita. Chiami un compagno/una compagna per invitarlo/la a questo incontro eccezionale.

Act. C: The next class, have students narrate the sporting events they "attended," using past tenses.

▶ — Ti piace la pallacanestro?
   — Sì, la mia squadra preferita è …
   — Vuoi andare alla partita di …
   — Quando c'è?/A che ora?/Dove?/Dove si comprano i biglietti?/ …

D **Siete sportivi?** Intervisti alcuni studenti nella classe per sapere se sono sportivi o no. Poi riferisca le informazioni alla classe.

▶ Jenna è molto sportiva. Gioca a pallacanestro tre volte la settimana. Le piace guardare … Alessandro invece non è …

	1	2	3	4
Nome				
Attività sportive che pratica				
Quante volte alla settimana?				
Sport preferito da giocare				
Sport preferito da guardare				
Squadra preferita				
Se guarda sport alla TV?				
Se va allo stadio? Quando?				

Giovani allo stadio fanno il tifo per la squadra nazionale italiana.

E **Gli italiani e lo sport.** In coppia: Prima fate una lista delle attività sportive più popolari tra i giovani americani, maschi e femmine. Poi leggete l'articolo e la statistica e paragonate le preferenze americane con le informazioni presentate sugli italiani.

I giovani italiani fanno attività sportive per mantenersi in forma e migliorare il loro aspetto fisico. Frequentano centri sportivi, palestre e piscine. Nei luoghi dove non ci sono molti impianti[1] pubblici o privati, come nel sud d'italia, i giovani non si preoccupano più di tanto. C'è sempre il calcio, che è uno sport non difficile da praticare. Basta uno spazio aperto, un pallone, qualche amico e ... un po' d'ingegno.

A fianco è riportata una statistica delle attività sportive praticate dai giovani uomini e donne italiani.

1. establishments

5- LA TESTA È NEL PALLONE

	Maschi	Femmine
Calcio	47,9	2,1
Atletica leggera	4,5	5,1
Podismo[1], footing[2]	2,2	3,7
Ciclismo	3,2	2,5
Ginnastica, danza	10,2	39,0
Basket, pallavolo	10,4	16,4
Nuoto, tuffi[3]	10,5	19,2
Tennis	19,5	13,6
Sport invernali	6,4	11,0
Caccia	1,2	–
Pesca	2,4	–
Altri sport	11,3	7,6
Non indicato	2,8	3,6

1. Walking   2. jogging   3. diving

Conoscere l'Italia

A **Definizioni.** Prima di leggere il seguente brano, abbini le definizioni con una parola della lista di destra. Ci sono due parole in più nella lista.

1. la forma dell'Italia
2. aggettivo derivato da *montagna*
3. contrario di *basso/a*
4. catena di montagne
5. contrario di *accessibile*
6. persone che vivono in un paese
7. città capitale di una regione
8. un vulcano italiano

a. inaccessibile
b. Gran Sasso
c. gli abitanti
d. il capoluogo
e. lo stivale
f. gli Appennini
g. alto/a
h. la penisola
i. montuoso/a
j. l'Etna

La Calabria

Un bel teatro moderno all'aperto vicino al mare a Reggio Calabria.

Situata sulla punta[1] dello stivale, la Calabria è una penisola che al nord confina con la Basilicata, ad est è circondata dal mar Ionio e ad ovest dal mar Tirreno. In questa regione montuosa degli Appennini calabresi sono situati il Parco Nazionale della Calabria e il Parco Nazionale dell'Aspromonte.

Per molto tempo la Calabria è stata una regione inaccessibile dovuto alla mancanza[2] di vie di comunicazione. Ma oggi l'accesso è più facile, grazie al prolungamento[3] dell'Autostrada del Sole fino a Reggio Calabria, completato nel 1970. Essenzialmente povera di industrie e di risorse, la Calabria ha subito[4] un'emigrazione molto intensa specialmente dagli anni '50 agli anni '70. Oggi in questa regione vivono un po' meno di due milioni di abitanti dei quali quasi duecentomila risiedono nel capoluogo, Reggio Calabria.

Questa città ha un aspetto molto moderno e si trova lungo[5] lo stretto di Messina. Dal porto di Reggio partono navi e traghetti[6] per la Sicilia. La Calabria e la Sicilia sono così vicine che dalla passeggiata del Lungomare[7] di questa città si possono vedere le coste siciliane e l'Etna. Non lontano da Reggio Calabria c'è Gioia Tauro, uno dei porti più importanti del Mediterraneo, modernamente attrezzato[8] e specializzato nel traffico dei container.

1. tip   2. due to the lack   3. extension   4. underwent   5. along
6. ships and ferries   7. seafront promenade   8. equipped

Have students look at the map on p. 14 and locate: Calabria, Basilicata, mar Ionio, and mar Tirreno.

The *Autostrada del Sole* begins in Milan and crosses the whole boot as far as Reggio Calabria.

Have students locate Reggio Calabria on the map on p. 14. Then have them identify the Strait of Messina and locate the volcano Etna.

B   **Vero o falso?** In coppia: A turno identificate le seguenti frasi come vere o false secondo il brano precedente. Correggete le frasi false.

1. La Calabria è un'isola.
2. In Calabria ci sono molte montagne.
3. L'Autostrada del Sole arriva fino a Gioia Tauro.
4. In Calabria vivono quasi duecentomila abitanti.
5. Il capoluogo della Calabria è Catanzaro.
6. Lo stretto di Messina separa la Calabria dalla Sardegna.
7. Gioia Tauro è un porto della Calabria.

La parola giusta. Prima di leggere il seguente brano, completi ciascuna (*each*) di queste frasi con la parola appropriata fra quelle indicate tra parentesi.

1. Il problema di quel luogo è (l'aeroporto/l'inaccessibilità/l'autostrada); non è proprio possibile entrare.
2. Dicono che non ci sono (difficoltà/attrazioni/regioni) e che è facile risolvere il problema.
3. C'è (un'autostrada/un turismo/un aeroporto) nuovo/a a Crotone e si può benissimo raggiungere la città in aereo.
4. L'estate è (la stagione/il mese/la presenza) più caldo/a dell'anno.
5. Lungo le coste della Calabria ci sono molte belle (mare/spiagge/acqua).
6. Qui c'è un bel (teatro/prolungamento/museo) archeologico.
7. È evidente che in questa regione sono state presenti molte (civiltà/mare/stagioni) antiche.
8. Ho visitato un museo dove ci sono alcune (spiagge/statue/bronzi) romane.

Le attrazioni della Calabria

Una veduta della stupenda costa calabrese.

A causa della sua inaccessibilità e della sua lontananza[1] dalle grandi città del nord e dell'Europa centrale, la Calabria ha incontrato delle difficoltà nello sviluppo[2] del turismo. Negli ultimi decenni[3] però, grazie al prolungamento dell'autostrada e alla creazione di nuovi aeroporti, questa regione è diventata un luogo di villeggiatura[4] frequentato da turisti italiani e stranieri. Durante la stagione estiva, molti di essi frequentano le belle e tranquille spiagge calabresi dove l'acqua è pulita[5] e i servizi sono molto buoni.

1. distance   2. development   3. decades   4. vacation   5. clean

Alcuni amici di Cagliari festeggiano il compleanno di Giulio Forattini, che oggi compie venti anni. Franco Bresciani va alla festa con Paola Marullo.

Scena 1

	FRANCO:	Paola, ecco i miei amici. Vieni che te li presento. Ragazzi, vi presento mia cugina Paola.
	LUCIANA:	Io sono Luciana. Lieta di conoscerti, Paola. Sei la cugina che viene da Napoli, vero?
5	PAOLA:	Sì, e tu sei l'amica di cui Franco mi parla molto spesso.
	LUCIANA:	Ah, sì? Ne sono lusingata. Sentite, vorreste bere qualcosa adesso?
	FRANCO:	Sì, io berrei qualcosa di fresco.
	LUCIANA:	Là ci sono i piatti e i bicchieri. Sul tavolo ci sono gli antipasti, e le bevande sono nel frigorifero. Potete servirvi da soli.
10	PAOLA:	Grazie, sei molto gentile.
	LUCIANA:	Più tardi poi come primo piatto mangeremo gli spaghetti al pesto.
	FRANCO:	Al solo pensiero mi viene l'acquolina in bocca°.

Scena 2

A tavola.

15	FRANCO:	Che spaghetti squisiti! Complimenti, Luciana!
	LUCIANA:	Ringraziate anche Marisa, che mi ha aiutata in cucina.
	FRANCO:	Ho proprio ragione io quando dico che solo le donne devono occuparsi della cucina.
	LUCIANA:	Sì, ma anche gli uomini dovrebbero saper cucinare.
20	FRANCO:	Scusa Luciana, io sto solo scherzando°.
	LUCIANA:	Sei sempre il solito spiritoso, tu!
	MARISA:	Ragazzi, ecco la torta! Viene da una pasticceria favolosa.
	FRANCO:	Ed ecco lo spumante! Facciamo un bel brindisi a Giulio.
	LUCIANA:	Tanti auguri, Giulio! Buon compleanno!
25	PAOLA:	Cento di questi giorni!

Have students look at the map on p. 14 and locate Cagliari. Ask *Dov'è Cagliari? È al nord o al sud della Sardegna?*

Ask students to use their imaginations to describe briefly what Franco, Luciana, Paola, and Marisa look like, what clothes they are wearing, what kinds of presents they brought Giulio, etc. Ask if they think Franco is really joking when he says that cooking is a woman's occupation.

Il pesto is a green sauce made with basil leaves, garlic, olive oil, pine nuts, and Parmesan cheese.

Just thinking about it makes my mouth water.

I'm only joking

It is customary in Italy to eat fresh fruit at the end of a meal. Sweet desserts are eaten mostly on special occasions.

Domande

1. Perché si sono riuniti gli amici?
2. Chi è Paola? Di dov'è?
3. Che cosa possono mangiare gli invitati?
4. Che dice Franco delle donne? Parla sul serio o scherza?
5. Cosa ha portato Marisa per la festa?
6. Che cosa bevono gli amici per fare il brindisi?
7. Quali espressioni usano per fare gli auguri a Giulio?

Call on some students to narrate what happens in the dialogue, using the questions as a guide.

In Italian the lyrics to "Happy Birthday" are *"Tanti auguri a te, Tanti auguri a te, Tanti auguri a (Giulio), Tanti auguri a te."*

Domande personali

1. Quando lei fa una festa, quante persone invita? Chi invita? Preferisce le feste con molta gente o con pochi amici?
2. Quali sono le occasioni di queste feste: compleanni, visite di amici o parenti, o niente di speciale?
3. Che cosa serve lei ai suoi invitati?
4. Quando sarà il suo compleanno?
5. Le piace festeggiare il suo compleanno? Come lo festeggia? Invita gli amici a casa? Va a mangiare al ristorante con la sua famiglia o con i suoi amici?
6. Cosa le piace fare alle feste? Cantare? Ascoltare la musica? Ballare?

Ask several students to describe a birthday party they recently gave or attended, using the questions as a guide.

Supply words such as *patatine fritte, tramezzini, succhi di frutta,* etc. for item 3.

Ask students: *Conoscete qualcuno/a a cui non piace festeggiare il proprio compleanno?*

Pratica

1. In coppia: Mandate un messaggio di posta elettronica ai vostri amici per invitarli ad una festa. Indicate l'occasione della festa, dove e quando avrà luogo, cosa indossare, se si può portare un amico/un'amica e se si deve portare qualcosa da bere o da mangiare.

Prat. 1: Call on some pairs of students to read their messages.

2. È l'anniversario di matrimonio dei suoi genitori. Prepari un piccolo discorso per fare il brindisi in onore della mamma e del papà. Usi alcune delle seguenti espressioni: **Buon anniversario! Auguri! Cento di questi giorni!** Reciti il suo discorso ad alta voce ad un amico/un'amica.

Prat. 2: Introduce *Congratulazioni! In bocca al lupo! Crepi il lupo! Buona fortuna! Buone vacanze! Buon viaggio! Alla salute! Buon anno! Buon appetito!* Give or elicit statements such as *Domani parto per l'Italia* and have students respond appropriately.

La gastronomia italiana

Cucinare bene e mangiare meglio è una buona regola[1] di tutti gli italiani. Ogni regione d'Italia è famosa per le sue specialità gastronomiche, e visitando il paese si possono assaggiare molte cucine diverse. Dalla carne al pesce, dalla pasta ai contorni[2], dall'antipasto al dolce, è tutta una serie di piatti squisiti preparati con prodotti genuini.

Fra le tante specialità, ricordiamo il pesto alla genovese, la cotoletta[3] alla milanese, il ragù e i tortellini alla bolognese, gli strangozzi[4] al tartufo dell'Umbria, la pizza napoletana, le orecchiette[5] con i broccoli alla pugliese e i cannoli alla siciliana.

Il tipico pranzo festivo italiano è molto lungo e laborioso. Di solito, il pranzo inizia con un antipasto di prosciutto, salame e sottaceti[6]. Poi arriva il primo piatto costituito da pastasciutta o minestra. Segue il secondo piatto con carne o pesce e vari contorni di verdure crude o cotte[7]. Formaggio, frutta e dolce annunciano la fine del pranzo. Acqua minerale, vino bianco o rosso e qualche volta birra accompagnano questi piatti abbondanti e deliziosi. Chiude il pranzo un caffè espresso, spesso seguito da un digestivo[8], … che a questo punto è veramente necessario.

 Piatti squisiti sono in bella mostra in questo tipico ristorante italiano.

A *digestivo* isn't just a liqueur, but one thought to aid in the digestion of rich meals. Some *digestivi* are *il Fernet Branca, la China Martini, l'Amaretto, la Sambuca,* etc.

• Quali sono i piatti tipici del suo paese? Com'è un tipico pranzo festivo americano?

1. rule   2. side dishes   3. cutlet   4. a type of thick, heavy pasta (from the verb "to strangle")   5. = "little ears" (a small, round pasta)
6. pickled vegetables   7. raw or cooked   8. liqueur

BUON COMPLEANNO!

Vocabolario

Elicit or point out word families such as *aiutare, aiuto, aiutante; scherzare, scherzo, scherzoso; festa, festeggiare, festivo.* Use these words in complete sentences.

Parole analoghe

il merito
l'occasione (*f.*)
la scena
la visita

Nomi

l'antipasto hors d'oeuvre, appetizer
l'aiuto help
la bevanda drink
il brindisi toast (*a drink in someone's honor*)
il compleanno birthday
la cucina cooking
il frigorifero refrigerator
la pasticceria pastry shop
il piatto dish
lo/la spiritoso/a wise guy
lo spumante sparkling wine

Aggettivi

lieto/a glad
lusingato/a flattered
solito/a usual, same old
squisito/a delicious

Verbi

aiutare to help
compiere to complete
cucinare to cook
festeggiare to celebrate
occuparsi (di) to attend to
ringraziare to thank
riunirsi to get together
rivolgersi (a) to turn (to)
scherzare to joke
scusare to excuse
servirsi to help oneself

Altre parole ed espressioni

che who, that
complimenti! (my) compliments! congratulations!
cui whom; **di cui** about whom
proprio really
buon compleanno! happy birthday!
cento di questi giorni! many happy returns!
fare gli auguri to wish someone well
fare una festa to have a party
il primo piatto first course
tanti auguri! lots of good wishes!

Pronuncia

Intonazione

Italian declarative sentences usually follow a smooth, rhythmic pattern. As in English, each syllable is pronounced evenly. Generally, the voice drops toward the end of a declarative sentence when the meaning is completed. In a question, however, the voice rises on the last syllable.

Declarative sentence: Le signorine sono di Cagliari.

Interrogative sentence: Le signorine sono di Cagliari?

 A Ascolti e ripeta le frasi. Faccia attenzione al ritmo.

Sono Giulio Forattini.
I miei amici frequentano il liceo.
Michele prende un espresso, non è vero?
Comprano qualcosa gli studenti.

B   Ascolti e ripeta le seguenti frasi. Faccia attenzione all'intonazione.

L'antipasto di ieri era squisito.
Dove sono andati i ragazzi?
Alberto, ti presento il mio amico Tonio.
Il nipote di quella signora, dov'è?
Anche gli uomini dovrebbero saper cucinare.
Sei la cugina che viene da Napoli, vero?
Ho visto Gianni alla festa di Gabriella.
Che cosa avete celebrato sabato scorso?

Ampliamento del vocabolario

I pasti e le stoviglie

Here are more terms related to food (**i cibi**) and meals (**i pasti**) to add to those you learned in **Lezione 7**.

> *i pasti* = meals
> *le stoviglie* = utensils

I pasti

l'antipasto   appetizer
il primo piatto   main course
il secondo piatto   second course
il contorno   side dish
il dolce   dessert

la (prima) colazione   breakfast
il pranzo   dinner, lunch (*main meal between noon and 2 P.M.*)
la cena   supper (*light meal in the evening*)

> *fare colazione* = to have breakfast
> *pranzare* = to dine, to have dinner or lunch
> *cenare* = to have supper

> The main meal (*il pranzo*) is eaten between 1 and 2 P.M. in most Italian households. Supper (*la cena*) is eaten between 8 and 9 P.M.

Un posto a tavola

il bicchiere
la tazza, il piattino e il cucchiaino
la scodella e il cucchiaio
la forchetta
il piatto
il tovagliolo
il coltello

A Dica il nome degli oggetti che si usano per fare le seguenti cose.

▶ per mangiare il gelato   Uso il cucchiaino.

1. per bere il vino
2. per tagliare (*cut*) la carne
3. per mangiare la minestra
4. per pulirsi la bocca e le mani
5. per mangiare l'insalata
6. per portare il pesce a tavola
7. per bere il caffè

B Faccia le seguenti domande a due o tre studenti.

1. A che ora fai la prima colazione? Cosa mangi?
2. A che ora pranzi? Quali piatti compongono (*make up*) il tuo pranzo?
3. A che ora ceni? Quali piatti compongono la tua cena?
4. Che cosa bevi durante i pasti?
5. Tra un pasto e l'altro che cosa mangi?

Have students compare Italian meal times and eating habits with their own.

C In coppia: Pensi ad un pasto speciale che lei ha fatto con la sua famiglia o con gli amici. Poi risponda alle domande di un amico/un'amica che vuole sapere l'occasione del pranzo o della cena, chi era presente e quello che avete mangiato.

1. Che cosa avete celebrato?
2. Quante persone c'erano a pranzo (a cena)?
3. Che tipo di antipasto avete mangiato?
4. Quale e com'era il primo piatto?
5. E il secondo piatto? C'era solo un secondo piatto?
6. Cosa avete bevuto durante il pranzo (la cena)?
7. Cosa avete mangiato alla fine del pranzo (della cena)? Cosa avete bevuto?
8. C'era il dolce? Che tipo?

Ex. C: Review food vocabulary from *Lezione 7* before doing Ex. C.

Call on some students to tell the class what they found out about their partners.

Rivenditori e negozi

Ancora oggi alcuni italiani preferiscono fare la spesa ogni giorno nei piccoli negozi del proprio quartiere. In questi negozi la gente riceve più attenzione e un miglior servizio da parte dei rivenditori.

Name some products and have students tell you where they are sold and who sells them. For example, *latte: latteria, lattaio*.

Rivenditori	Negozi
il/la lattaio/a milkman, milkwoman	**la latteria** dairy shop
il/la macellaio/a butcher	**la macelleria** butcher shop
il/la panettiere/a baker	**la panetteria** bakery
il/la pasticciere/a confectioner	**la pasticceria** pastry shop
il/la pescivendolo/a fish vendor	**la pescheria** fish market
il/la salumiere/a delicatessen owner	**la salumeria** delicatessen

D Completi il seguente brano con una parola appropriata scelta dal precedente gruppo di parole.

Ex. D: Explain that one says *dal macellaio* but *nella macelleria*.

Stamattina sono andata a vari negozi. Prima sono andata dal _____ per comprare il pane fresco. Mentre ero nella _____ ho incontrato la mia vicina e sono andata con lei in una _____ per comprare il latte. Poi dal _____ ho comprato un chilo di carne. Mentre ero nella _____ , è entrato il _____ e mi ha detto che aveva del pesce fresco. Quindi sono andata con lui alla _____ dove ho comprato mezzo chilo di scampi e una sogliola (*sole*). Dopo mi sono ricordata che avevo bisogno di prosciutto e sono andata alla _____ . Prima di rientrare a casa, sono andata nella _____ di mio cugino dove ho comprato mezza dozzina di paste. Mio cugino è un bravo _____ e fa delle paste squisite.

Struttura ed uso

Condizionale

— Che cosa **vorrebbe**, signore?
— **Vorrei** un polpo, per favore. È fresco oggi?

1. The conditional is used to express what would occur under certain conditions or circumstances.

Berrei qualcosa di fresco.   *I would drink something cold (if you have it).*
Sarebbe una festa divertente.   *It would be a fun party (if it were to take place).*

Non **direi** quelle cose.   *I wouldn't say those things (if I were you).*

Review the future tense of irregular verbs. Then compare the future forms with the conditional forms. Translate each verb into English, stressing the difference between *he will go* and *he would go*. Emphasize the sound difference between *andremo* and *andremmo*, and the pronunciation of *andrebbero*.

2. The conditional is also used to add politeness to requests, offers, and advice.

Vorrebbe un caffè?	*Would you like a coffee?*
Vorremmo vedere la casa.	*We'd like to see the house.*
Dovreste lavorare di più.	*You should (ought to) work more.*
Mi **aiuteresti** in cucina?	*Would you help me in the kitchen?*
Potresti passare dal lattaio?	*Could you stop by the dairy shop?*

> Three useful forms:
> *vorrei* = I would like
> *potrei* = I could
> *dovrei* = I should

3. The conditional is formed with the future stem (see page 271) of the verb plus the conditional endings **-ei, -esti, -ebbe, -emmo, -este,** and **-ebbero.**

> Be sure to pronounce the double consonants in the conditional forms. Pay particular attention to the *noi* form: future = *-emo,* conditional = *-emmo.*

	abitare	prendere	finire
io	abiter**ei**	prender**ei**	finir**ei**
tu	abiter**esti**	prender**esti**	finir**esti**
lui/lei	abiter**ebbe**	prender**ebbe**	finir**ebbe**
noi	abiter**emmo**	prender**emmo**	finir**emmo**
voi	abiter**este**	prender**este**	finir**este**
loro	abiter**ebbero**	prender**ebbero**	finir**ebbero**

4. The rules for the formation of the future that you learned in **Lezione 12** are also true for the conditional. Verbs ending in **-care** and **-gare** add **h** to the conditional forms. All verbs that have an irregular future stem use the same stem for the conditional.

> Remember that many verbs with an irregular future stem drop a vowel from the infinitive ending: *andare* → *andr-.*

— **Dimentichereste** la vostra promessa?	— *Would you forget your promise?*
— Non **potremmo** mai dimenticarla.	— *We could never forget it.*
— **Sarebbe** possibile rimandare l'appuntamento a domani?	— *Would it be possible to postpone our appointment until tomorrow?*
— Lo **farei** volentieri, ma domani sono occupato.	— *I would do it gladly, but I'm busy tomorrow.*

> For more practice with the conditional, ask students if they would do the following things for $1,000: *radersi la testa, mangiare polpi, mangiare cervelli di vitello* (calf's brains), *indossare vestiti da donna/da uomo al lavoro, telefonare al Papa al Vaticano, nuotare nell'Oceano Artico.*

A Dica che queste persone farebbero le azioni indicate, e spieghi poi perché non le fanno.

▶ Enzo / giocare a pallacanestro
  Enzo giocherebbe a pallacanestro ma non ha tempo/ma deve lavorare/ma non è possibile/ecc.

1. Roberta / prendere un caffè
2. i bambini / servire le bevande
3. io / accompagnare Luciana alla festa
4. noi / passare dalla nonna
5. voi / essere con la famiglia ogni fine settimana
6. mia sorella / aiutarmi in cucina
7. loro / fare una passeggiata
8. io / restare a casa con Piero

B Lei è in una trattoria della Costa Smeralda. Come potrebbe dire le seguenti frasi in maniera più cortese?

Ex. B: Point out that many of the less polite sentences are commands, which can be softened by using the conditional in the form of a question.

▶ Portami il pane!   Mi porterebbe il pane, per piacere?

1. Avete un tavolo per due con vista sul mare?
2. Venga qui un momento.
3. Mi porti il menù!
4. Che cosa vuol dire *sottaceti?*
5. Preferisco il vino rosso.
6. Voglio gli spaghetti alle vongole.
7. È possibile farmi il conto (*check*)?
8. Dov'è il bagno (*restroom*)?

C In coppia: Dica al compagno/alla compagna che cosa farebbe con le seguenti cose o persone.

▶ un aeroplano privato   S1: Che cosa faresti con un aeroplano privato?
S2: Ogni fine settimana tornerei a casa. Per le vacanze potrei … E tu che cosa faresti?
S1: Andrei …

un milione di dollari
una Lamborghini
un cavallo
un ristorante elegante
un fratello gemello (*twin*) identico/una sorella gemella identica
un appartamento a Roma
le risposte per il prossimo esame d'italiano

D Intervisti un compagno/una compagna per sapere cosa farebbe se tutto fosse (*were*) possibile. Gli/Le chieda:

Ex. D: Make sure students understand that they are to say what they would do if there were no obstacles. Have students vary the questions by using *piacere* and *volere: Dove ti piacerebbe vivere? Quale macchina vorresti guidare?*

dove andare in vacanza   quale lavoro fare
quale macchina guidare   che tipo di persona sposare
quale università frequentare

▶ vivere   S1: Dove vivresti?
S2: Vivrei in California. Avrei una casa …

Numerose specialità gastronomiche sono in vendita in questo grande negozio di alimentari.

E In coppia: Cosa fareste voi in queste situazioni?

1. La macchina non funziona e dovete arrivare a scuola in tempo per un esame.
2. Non siete soddisfatti del vostro voto (*grade*) in un esame.
3. Non potete dormire perché il vostro compagno di camera russa (*snores*).
4. Avete tre esami e un lungo progetto da finire nello stesso giorno.
5. Il vostro migliore amico parte per un anno in Australia.
6. In un ristorante, un piatto che avete ordinato non è buono.
7. Per il vostro compleanno un amico vi regala una maglia che non vi piace per niente.

Ex. E: Brainstorm responses to the first two or three situations with the whole class. Then have groups come up with several answers in the *noi* form: *prenderemmo un tassi, chiederemmo un passaggio ad amici,* etc. Have students report their decisions to the class. Then pose other conditions: *E se non arriva il tassì? Cosa fareste allora?*

F In gruppi di tre: Chieda alle altre persone del gruppo se farebbero queste cose.

Ex. F: Make sure students take turns asking and answering. Encourage them to expand on their answers, giving reasons.

▶ dire che le piace un regalo anche se non è vero
  S1: Tu diresti che ti piace un regalo anche se non è vero?
  S2: Sì, direi che mi piace.
  S3: No, direi la verità: direi che non mi piace.

1. uscire con la ragazza/il ragazzo del suo migliore amico/della sua migliore amica
2. prestare molti soldi al suo compagno/alla sua compagna di camera
3. sposarsi con una donna/un uomo molto ricca/o ma antipatica/o
4. andare a vivere all'estero da solo/a
5. dire una bugia per aiutare un amico
6. regalare una cosa ricevuta in regalo
7. fare l'autostop (*hitchhike*) da solo/a
8. dare ad un amico/un'amica le risposte per un esame
9. andare ad una spiaggia per i nudisti

Pronomi combinati

1. When direct and indirect object pronouns are both used in a sentence, the indirect object pronoun precedes the direct object pronoun, except for **loro**. The following chart shows indirect object pronouns combined with direct object pronouns as well as with the particle **ne.**

indirect object pronouns	direct object pronouns				particle *ne*
	+ lo	**+ la**	**+ li**	**+ le**	**+ ne**
mi	me lo	me la	me li	me le	me ne
ti	te lo	te la	te li	te le	te ne
gli } le	glielo	gliela	glieli	gliele	gliene
ci	ce lo	ce la	ce li	ce le	ce ne
vi	ve lo	ve la	ve li	ve le	ve ne
loro	lo ... loro	la ... loro	li ... loro	le ... loro	ne ... loro

2. The indirect object pronouns **mi, ti, ci,** and **vi** become **me, te, ce,** and **ve** before **lo, la, li, le,** and **ne.**

Anna mi chiede un favore.	*Anna asks me for a favor.*
Me lo chiede.	*She asks me for it.*
Roberto ti ha comprato il biglietto.	*Roberto bought you the ticket.*
Te l'ha comprato.	*He bought it for you.*
Ci preparano i dolci.	*They are preparing desserts for us.*
Ce li preparano.	*They're preparing them for us.*
Vi scrive le poesie.	*He writes you poems.*
Ve le scrive.	*He writes them for you.*

The indirect object pronouns **gli** and **le** become **glie** when combined with the direct object pronouns **lo, la, li, le,** and **ne.**

Gli spedirò il questionario.	*I'll send him the questionnaire.*
Glielo spedirò.	*I'll send it to him.*
Le ho comprato il libro.	*I bought her the book.*
Gliel'ho comprato.	*I bought it for her.*
Gli abbiamo parlato della festa.	*We spoke to them about the party.*
Gliene abbiamo parlato.	*We spoke to them about it.*

— Come secondo piatto
l'agnello è molto buono.
Glielo posso consigliare.

3. The combined object pronouns, like single pronouns, generally precede a conjugated verb. In infinitive constructions, the combined pronouns are attached to the end of the infinitive. In constructions with the modal verbs **dovere, potere, volere,** the pronouns may either precede the conjugated verb or attach to the infinitive.

> Remember that when pronouns attach to an infinitive, the infinitive drops its final -*e: dire* → *dirglielo.*

— Vendi la tua macchina a Giuliana?	— *Are you selling your car to Giuliana?*
— Sì, forse **gliela** vendo.	— *Yes, maybe I'll sell it to her.*
Penso di vender**gliela.**	*I'm thinking of selling it to her.*
Vorrei vender**gliela** (*or* **Gliela** vorrei vendere).	*I'd like to sell it to her.*

4. The indirect object pronoun **loro** always follows the verb. It never attaches to the direct object pronoun or to an infinitive.

Mando **loro** il pacco.	*I'm sending them the package.*
Lo mando **loro.**	*I'm sending it to them.*
Devo mandar**lo loro.**	*I have to send it to them.*

> Remember that *gli* is increasingly replacing *loro* in conversational Italian to mean "to them." You can express "I'm sending it to them" as *Lo mando loro* or *Glielo mando.*

5. In **tu, noi,** and **voi** commands with two object pronouns, both pronouns follow the verb and are attached to it.

| Porta**melo!** | *Bring it to me!* |
| Spedite**cela!** | *Send it to us!* |

In negative **tu, noi,** and **voi** commands, the pronouns usually precede the verb, though many Italians attach them to the end of the verb.

| Non **me lo** portare. | *or* | Non portar**melo.** |
| Non **ce la** spedite. | *or* | Non spedite**cela.** |

> In formal commands, the pronouns precede the verb: **Me lo** porti, signora (Bring it to me, ma'am); *Non* **ce la** spedisca, per favore (Please don't send it to us).

G In coppia: In un ristorante, lei chiede al cameriere le seguenti cose. Il cameriere dice che gliele porterà subito.

▶ il menù   S1: Mi potrebbe portare il menù?
              S2: Certo. Glielo porto subito.

1. il sale
2. la lista dei vini
3. gli spaghetti alle vongole
4. un bicchiere d'acqua
5. una bistecca alla fiorentina
6. gli spinaci
7. un'altra forchetta
8. il conto

H Nelle seguenti conversazioni completi le risposte, usando le forme appropriate dei pronomi combinati.

Ex. H: Ask students where else the pronouns might be placed (before the conjugated verb).

1. — Mi puoi comprare i biglietti?
     — Sì, posso _____ domani.

2. — Vuole offrire le bevande ai ragazzi?
     — No, voglio _____ quando arrivano tutti.

3. — Quando devi dare i regali a Giulio?
     — Devo _____ più tardi.

4. — Potete preparare il caffè per il signore?
     — Sì, possiamo _____ ora.

5. — Vogliono presentare Elena agli amici?
     — Sì, vogliamo _____ .

I Lei è molto generoso/a, e ogni volta che una persona ha bisogno di una cosa sua, gliela presta volentieri. Finisca le frasi come nel modello.

Have students expand Ex. I using their own possessions and acting out the sentences.

▶ Avete bisogno di questo dizionario? Allora, ve lo presterò.
Ha bisogno di queste cassette? Allora, gliele presterò.

1. Hai bisogno dello shampoo?
2. Avete bisogno del mio computer?
3. Ha bisogno delle forbici?
4. Hanno bisogno della macchina?
5. Avete bisogno dei miei libri di arte?
6. Ha bisogno del mio telefonino?
7. Hanno bisogno del registratore?

Use items in the classroom to illustrate Ex. I: *Hai bisogno del gesso?*

J In coppia: Un suo amico/Una sua amica non vuole fare le cose che lei gli/le suggerisce. Ordini che le faccia, usando i pronomi con l'imperativo.

Have students repeat Ex. J using *voi/noi* instead of *tu/io*.

▶ S1: Da' il tuo zaino a Roberto!
S2: Non voglio darglielo.
S1: Daglielo!

1. Spiega il problema a noi!
2. Scrivi la lettera alla tua amica!
3. Spedisci i libri a Giorgio e a Tina!
4. Presenta tua sorella a me!
5. Chiedi le informazioni a Sandra!
6. Fa' la domanda al professore!
7. Prepara il pranzo ai ragazzi!

K In coppia: Faccia le seguenti domande ad un altro studente/un'altra studentessa. Poi invertite i ruoli.

1. Fai molti regali a Natale ed a Hannukah? A chi? Fai regali agli amici? Che cosa regali loro? E alla ragazza/al ragazzo?
2. Lasci sempre la mancia (*tip*) al cameriere quando vai al ristorante? Anche quando il servizio è stato mediocre?
3. Scrivi messaggi elettronici agli amici? Alla mamma?
4. Ti lavi i capelli ogni giorno? Quante volte al giorno ti lavi i denti?
5. Quando ti metti i guanti? E il cappotto? E il costume da bagno?
6. Quando è il compleanno di un tuo amico gli prepari una torta? Gli fai un regalo?

L In coppia: Ecco una lista di tutte le cose che oggi lei doveva fare in ufficio, ma lei è riuscito/a a farne solo alcune. Quando alla fine della giornata il suo capoufficio (*boss*) le chiede se ha fatto le varie cose, risponda in maniera appropriata usando i pronomi.

> Even when attached to an indirect object pronoun, a preceding direct object pronoun will cause agreement of the past participle.

1.) scrivere la lettera alla direttrice
2.) mandare il messaggio elettronico al signor Tonfi
3.) spedire i libri ai clienti ✓
4.) spiegare il problema alla signorina Campo ✓
5.) presentare l'amica al direttore
6.) chiedere le informazioni alle segretarie ✓
7.) portare il registratore a Tonino ✓
8.) comprare una torta per la direttrice ✓

▶ S1: Ha scritto la lettera alla direttrice?
   S2: Sì, gliel'ho scritta./No, non gliel'ho ancora scritta.

Pronomi relativi *che* e *cui*

— Ho un gruppo di amici con **cui** discuto le grandi opere letterarie.

1. Relative pronouns like **che** and **cui** connect a dependent clause to a main clause. A relative pronoun refers to a specific noun in the main clause.

main clause	dependent clause
Lisa è una giovane	**che** studia pittura a Firenze.
Tu sei l'amica	di **cui** Franco mi parla spesso.

2. The most common relative pronoun in Italian is **che** (*who, whom, that, which*). It can refer to either the subject or the direct object of the main clause. Notice that English often omits the relative pronoun. In Italian it is necessary.

Non mi piacciono le persone **che** fanno le spiritose.	*I don't like people who think they are funny.*
Conosco alcuni uomini **che** sanno cucinare.	*I know some men who know how to cook.*
Ho ricevuto il biglietto **che** mi hai mandato.	*I received the card (that) you sent me.*

Show students that in the third example, *che* is the direct object of the dependent clause. In such constructions, English often omits the relative pronoun.

3. The relative pronoun **cui** is used when the dependent clause is introduced by a preposition.

Alberto Moravia è lo scrittore **di cui** parlava la professoressa.	*Alberto Moravia is the writer about whom the professor was talking.*
Un cavatappi è una cosa **con cui** puoi aprire le bottiglie.	*A cavatappi is something with which you can open bottles.*
Questa è la porta **da cui** è uscita la signora.	*This is the door through which the lady left.*
Ecco il ristorante **in cui** ho conosciuto mio marito.	*Here's the restaurant in which I met my husband.*

Point out that prepositions are often placed at the end of phrases in colloquial English, omitting the relative pronoun: Alberto Moravia is the writer the professor was talking about. Italian requires use of the relative pronoun.

In conversation, **dove** is often used instead of **in cui** to refer to places.

Ecco il ristorante **dove** ho conosciuto mio marito.

M Completi il brano con i pronomi relativi **che** o **cui**.

Signori e signore, benvenuti (*welcome*) a Verona e benvenuti alla casa di Romeo e Giulietta. Questa è la casa in _____ viveva la famiglia Cappelletti. Se saliamo al piano di sopra, troviamo la camera in _____ Giulietta dormiva. Guardate a destra: lì c'è il vestito _____ Giulietta si è messa per andare alla festa in _____ ha conosciuto Romeo. Sulla sinistra potete vedere il balcone da _____ Giulietta parlava con Romeo. E fuori c'è l'albero su _____ Romeo è salito per essere più vicino alla ragazza. Notate che sulla tavola c'è ancora la penna con _____ Giulietta ha scritto la famosa lettera, e la bottiglia di medicina _____ Giulietta ha preso per sembrare morta. Se uscite da quella porta, vedrete il telefono _____ la madre di Giulietta ha usato per chiamare l'ambulanza.

Completi le frasi con il pronome relativo corretto: **che, in cui, con cui** o **di cui.**

1. Mi piacciono le ragazze _____ vestono elegantemente.
2. Conosco una signora _____ lavora in quella pasticceria.
3. Ho trovato una borsa _____ c'erano 200 euro.
4. Abbiamo visto il film _____ ci hai consigliato.
5. È quel film _____ tutti parlano.
6. Ho un amico _____ gioca a pallacanestro.
7. Ecco Paolo, il ragazzo _____ noi giochiamo a pallacanestro.
8. Ecco la discoteca _____ ho conosciuto il mio ragazzo.
9. Ho ricevuto la fotografia _____ mi hai spedito dalla Grecia.

Ex. N: You may find it helpful to split the sentence into its two clauses to show students whether the subordinate clause is dependent on a preposition: Mi piacciono le ragazze. Le ragazze vestono elegantemente.

In coppia: Dica ad un compagno/una compagna le cose che le piacciono, usando le frasi in basso.

▶ Mi piacciono i bambini che ...

S1: Mi piacciono i bambini che dormono sempre.

S2: A me piacciono i bambini che non fanno rumore.

1. Mi piacciono i ragazzi/le ragazze che ...
2. Mi piacciono i professori che ...
3. Mi piacciono i ristoranti che ...
4. Mi piace l'arte che ...
5. Mi piacciono i film in cui ...
6. Mi piacciono le feste a cui ...
7. Mi piacciono i giorni in cui ...
8. Mi piacciono i negozi dove ...

Ex. P: Challenge students in pairs to give each other words to define.

Give groups words they do not know, like cannuccia, sordomuto, incubo, chiacchierone, squalo, pappardelle, etc., and have them come up with definitions, absurd or plausible.

Finite le frasi in maniera logica.

▶ Cos'è una valigia? È una cosa in cui ...
È una cosa in cui mettiamo i vestiti quando facciamo un viaggio.

1. Cos'è un giornale? È una cosa che ...
2. Chi sono i tedeschi? Sono persone che ...
3. Cos'è una forchetta? È una cosa che ...
4. Chi è Leonardo da Vinci? È l'uomo che ...
5. Cos'è Natale? È il giorno in cui ...
6. Cos'è il dentifricio? È una cosa con cui ...
7. Cos'è uno zaino? È una cosa in cui ...
8. Cos'è una macelleria? È un luogo dove ...

  For further practice of lesson topics, log on to the *Oggi in Italia* website and/or do the CD-ROM activities.

Parliamo un po'

A **Scegliere un ristorante.** In gruppi di tre: Sono finiti tutti i vostri esami e stasera avete voglia di celebrare. Vorreste andare ad un nuovo ristorante. Guardate i menù in basso. Ognuno di voi sceglie il ristorante che gli/le interessa di più, poi decide con gli altri dove andare.

▶ S1: Mi piacerebbe andare ... perché mi piace ...
S2: No, io vorrei andare ... perché ...
S3: Io preferirei ...

RISTORANTE BIBÒ

P.za Santa Felicita 6/R
Chiuso il martedì

Tel. 045 2398554
Prezzo fisso: €22,00

1° **Penne alla fiesolana, Zuppa di verdura, Ravioli alla cardinale**
2° **Braciole alla fiorentina, Costola di maiale alla salvia, Trota al burro**
3° **Patate, Spinaci, Insalata**
4° **Frutta, Creme caramel, Gelato**

Bevande: non comprese nel prezzo fisso

Ristorante CINESE CITTÀ IMPERIALE

Via dei Banchi 30/R
Chiuso il lunedì

Tel. 045 218368
Prezzo fisso: €19,50

1° Involtini primavera, Ravioli al vapore, Wal-con fritti
2° Riso alla Cantonese, riso con gamberetti, Pasta cinese
3° Maiale, Stufato con funghi cinesi e bambù, Pollo alle mandorle, Pollo in salsa piccante
4° Frutta mista cinese, Frutta fritta

Bevande: Acqua, Tè cinese, Vino Tavoli all'aperto d'estate

TAVOLA CALDA DA ROCCO

Interno mercato di Sant'Ambrogio
Chiuso la domenica   Prezzo fisso: €16,00

• • • • • • • • • • • • •
1° Pasta fredda, Lasagne, Spaghetti, Penne
2° Trippa, Cotolette, Straccetti di vitella
3° Verdura, Insalata, Sformati
4° Macedonia, Creme caramel, Pere, Mele cotte
• • • • • • • • • • • • •

Bevande: Vino, Acqua minerale

Ristorante PIZZERIA CHARLIE'S

Via T. Alderotti 87/R
Tel. 045 4360470
Chiuso il mercoledì
Prezzo fisso: €21,50

1° Antipasto toscano	4° Piselli, Insalata, Patate
2° Penne alla boscaiola o strascicate, Rigatoni	5° Gelato, Macedonia
3° Roast beef, Arista al forno, Cotoletta alla milanese	Bevande: Vino, Acqua

Aria condizionata

B **Al ristorante.** Negli stessi gruppi di tre: Lei e un compagno/una compagna andate al ristorante scelto nell'attività A. Arriva il cameriere (il terzo membro del gruppo) e gli date le ordinazioni. Potete anche fargli domande se non capite una cosa sul menù.

▶ S3: Buona sera. Benvenuti al Ristorante Bibò. Che cosa desiderano i signori?
S1: Io vorrei .../Mi potrebbe dire per favore ... ?/Che cosa significa ... ?
S2: Il vino sarebbe incluso nel prezzo fisso?/Potrei avere ... ?

Act. C: Ask students how they would offer congratulations for each occasion. Have paired students choose one of the events and create a simple greeting card in honor of the happy occasion, perhaps including a two- or four-line poem.

Lezione 13   **305**

 Notizie liete. Legga le notizie liete (*happy news*) negli annunci riportati a fianco, e poi dia le informazioni indicate.

1. Chi compie diciotto anni?
2. Che tipo di messaggio c'è per Anna Maria?
3. A che ora e dove si sposano Tiziana e Renzo?
4. Che cosa festeggia Massimo?
5. Che cosa festeggiano Rosi e Roberto?
6. Chi sono appena nati?

> # NOTIZIE LIETE
>
> ### Anniversario
>
> ★ **A Rosi e Roberto** nel primo anniversario tanti auguri mamma papà Daniela Enrico zio Carlo e Anna.
>
> ### Compleanno
>
> ★ **Massimo** tantissimi auguri Gabri Gianni e mamma Clelia bacissimi.
>
> ### Compleanno
>
> ★ **Patrizia Santolamazza.** Oggi è un giorno da non dimenticare i tuoi meravigliosi 18 anni auguri Papà Mamma Catia.
>
> ### Culla
>
> ★ Clelia e famiglia augurano tanta felicità alla piccola **Claudia.**
>
> ### Culla
>
> ★ Finalmente è arrivato **Andrea** inondando il nostro cuore di gioia auguri gli amici di Licenza.
>
> ### Messaggio
>
> D'amore per **Anna Maria.** Non posso vivere senza di te.
>
> ### Nozze
>
> ★ Oggi, alle ore 17, nell'Abbazia S. Nilo di Grottaferrata, **Tiziana Simone** e **Renzo D'Alessandris** coronano il loro sogno d'amore. A Tiziana e Renzo giungano gli auguri più sinceri.

 Cosa servire? Cosa farebbe lei in una delle seguenti situazioni? Ne scelga una, scriva un menù con antipasto, un primo piatto e un secondo piatto e prenda appunti sulle altre cose da fare. Poi spieghi ad un compagno/una compagna che cosa farebbe.

Act. D: Give students about three minutes to choose a situation and make notes about the menu and other preparations. Then have them explain their plans to a partner. Encourage students to ask questions about their partners' menu, etc.

1. Ha invitato dieci amici a festeggiare il compleanno della sua migliore amica. Quali cibi servirebbe loro? Quali bibite comprerebbe? Quali attività organizzerebbe?
2. Lei invita nel suo appartamento il suo ragazzo/la sua ragazza per una cena intima a due. Che cosa gli/le preparerebbe? Come sarebbe l'appartamento?
3. I suoi futuri suoceri vengono a cena. Quali cibi servirebbe loro? Come si vestirebbe? Inviterebbe altre persone?

E **Prima della festa.** In coppia: Scegliete una delle situazioni dell'attività D. Poi S1 (il/la cliente) deve andare al negozio appropriato (la pasticceria, il mercato, la salumeria, ecc.) per comprare alcune delle cose necessarie. S2 fa la parte del/della negoziante.

Espressioni utili

Il/La negoziante	Il/La cliente
Mi dica signore (signorina).	Vorrei un chilo di …
Quanto ne vuole?	Mi dia un pacchetto di …
Costa/Costano …	Mi potrebbe dare una bottiglia di … ?
Desidera altro?	Quanto costa/costano?
	Quanto è in tutto?

Conoscere l'Italia

 Definizioni. Abbini le definizioni con una parola della lista di destra. Ci sono due parole in più nella lista.

1. gli abitanti della Sardegna
2. lo fa il vento
3. danno l'uva
4. la persona che scrive
5. aggettivo derivato da *Sardegna*
6. la lingua della Sardegna
7. alberi con frutti che danno olio
8. lavoro collegato al mare e ai pesci
9. gli abitanti della Spagna

a. gli ulivi
b. gli spagnoli
c. il sardo
d. la pesca
e. i vigneti
f. i monumenti
g. lo scrittore o la scrittrice
h. sardo/a
i. tira
j. i sardi
k. l'isola

Have students do Act. A in pairs, read the passage silently, and prepare five or six questions based on its content. Then, with books closed, have students ask questions of another pair.

Remind students about masculine nouns ending in -*tore* whose feminine form ends in -*trice*: *scrittore/scrittrice; attore/attrice; pittore/pittrice; autore/autrice*, etc.

Antica e caratteristica costruzione della Sardegna detta "nuraghe."

LA SARDEGNA

Dopo la Sicilia, la Sardegna è la seconda isola del Mediterraneo. Essa è situata a 200 km dalla penisola italiana e a solo 12 km dalla Corsica. La Sardegna è una terra antichissima dove si trovano vari monumenti preistorici. I nuraghi, per esempio, sono grandi strutture in pietra[1] che risalgono[2] a quasi duemila anni avanti Cristo.

1. stone   2. date back to

The strait that separates Corsica from Sardegna is called Bocche di Bonifacio.

I paesaggi[3] sardi sono molto diversi. Le coste, tra le più belle d'Italia, sono frastagliatissime[4]. Il territorio presenta monti, valli, qualche pianura e massicci[5] isolati con poca vegetazione. L'isola è molto ventosa[6], e molti alberi crescono nella direzione in cui tira il vento. In Sardegna crescono querce da sughero[7], ulivi, vigneti e alberi da frutta. L'economia dell'isola si basa sull'agricoltura, la pastorizia[8], la pesca[9], l'industria mineraria[10], l'artigianato e il turismo.

Gli abitanti dell'isola sono più di un milione e mezzo. Essi hanno una propria lingua, il sardo, che comprende vari dialetti. Nel lessico sardo si possono distinguere elementi latini, prelatini, greci, spagnoli e catalani. Le città principali della Sardegna sono Cagliari, Sassari e Nuoro. Cagliari, il capoluogo, ha l'aspetto di una città moderna con un bell'aeroporto e un porto molto attivo. A Cagliari è nato Antonio Gramsci (1891–1936), scrittore e figura politica di grande rilievo. Sassari, nel nord dell'isola, è una città con caratteristiche medievali. In questa città, in cui è nato il pittore Mario Sironi (1885–1961), ogni anno si svolge un'importante mostra dell'artigianato sardo. A Nuoro, una città della Sardegna centrale ai piedi del massiccio del Gennargentu, è nata la scrittrice Grazia Deledda (1871–1936), a cui fu assegnato il premio Nobel per la letteratura nel 1926.

3. landscapes 4. very winding 5. groups of mountain peaks 6. windy 7. cork trees 8. sheepherding 9. fishing 10. mining

Locate Sardegna on the map on p. 14. Then locate Corsica. *È vicina o lontana la Corsica dalla Sardegna? A quale paese straniero appartiene* (belongs) *la Corsica? Come si chiama il mare al nord della Corsica? E il mare ad est della Sardegna? È vicina o lontana la Sardegna dall'Italia? E dalla Sicilia?* Finally locate Cagliari. *Cagliari è nel nord o nel sud dell'isola?*

On the political map of Italy on p. 14, locate Sassari and Nuoro.

Gennargentu (1,834 m) is the highest peak in Sardegna.

B **Vero o falso?** Indichi se le seguenti frasi sono vere o false secondo il brano precedente. Correggete le frasi false.

1. La Sardegna è la più grande isola del Mediterraneo.
2. La Sardegna è a 12 km dall'Italia.
3. La Corsica è un'isola al nord della Sardegna.
4. I nuraghi sono monumenti preistorici.
5. Le coste sarde sono poco frastagliate.
6. In Sardegna tira sempre vento.
7. L'economia dell'isola si basa sul turismo.
8. Gli abitanti dell'isola parlano il sardo.
9. Il capoluogo della Sardegna è Sassari.
10. Grazia Deledda è una scrittrice sarda.

If possible, have students see the film *Padre padrone*, for a fuller portrait of Sardegna.

La parola giusta. Completi le seguenti frasi con le parole più logiche fra quelle indicate tra parentesi.

1. D' (inverno/estate) fa molto caldo in Sardegna.
2. Molte persone (sono ricche/ci vanno in vacanza) per riposare.
3. Di solito i turisti prendono (l'autobus/l'aereo) per andare in Sardegna da Roma.
4. Per prendere l'aereo bisogna andare (alle linee marittime/all'aeroporto).
5. I turisti ricchi vanno a stare in (pensioni modeste/ alberghi di lusso).
6. Quando fa caldo è bello stare (sulla spiaggia/in macchina).
7. In Sardegna ci sono bei posti (per sciare/di villeggiatura).

Una giovane donna indossa un tipico costume della Sardegna.

UNA BELLA META[1] TURISTICA

D'estate molti turisti italiani e stranieri vanno in vacanza in Sardegna. Se non sono così ricchi da avere una barca[2] privata, essi vanno in traghetto[3] o in aereo. Ci sono varie linee marittime con le quali si può raggiungere[4] l'isola, con traghetti che partono per Cagliari da Civitavecchia, Napoli e Palermo. Porto Torres, vicino a Sassari, può essere raggiunto da Genova e Livorno. E bisogna prenotare[5] con molto anticipo, altrimenti[6] non si trova posto, specialmente se uno vuole portare con sé la macchina. Nei mesi estivi anche il traffico aereo diventa particolarmente intenso nei moderni aeroporti di Cagliari ed Alghero.

Luogo di vacanza e di riposo è questa caratteristica località della Costa Smeralda in Sardegna.

1. destination 2. boat 3. ferry 4. to reach 5. to make reservations 6. otherwise

Un posto di villeggiatura molto esclusivo è la Costa Smeralda, nel nord-est della Sardegna. Questa zona ricca di alberghi di lusso, di porti turistici e di campi da golf[7] attrae anche turisti stranieri molto facoltosi[8]. Un'altra zona molto bella è Alghero, nel nord-ovest dell'isola. Alghero prende il nome dalla quantità di alghe che si accumulano sulle sue spiagge. In questo piccolo porto si pratica anche la pesca del corallo. Alghero ricorda[9] la Spagna. Infatti questo porto, occupato dai catalani[10] nel 1354, ha conservato la lingua e i costumi di quella regione spagnola. Per ricordare questo legame[11], ogni anno ha luogo uno scambio[12] culturale fra gli abitanti di Alghero e della Catalogna.

Il turismo è una grande industria per la Sardegna; i visitatori possono assistere anche a tante feste popolari dove i sardi indossano bei costumi regionali e cantano indimenticabili canti[13] tradizionali. Altri luoghi sardi molto visitati dai turisti sono le isole della Maddalena e di Caprera al sud della Corsica. A Caprera ci sono la casa e la tomba dell'eroe nazionale Giuseppe Garibaldi.

7. golf courses   8. wealthy   9. is reminiscent of   10. Catalonians   11. link
12. exchange   13. unforgettable songs

> On the political map of Italy on p. 14, locate Alghero and Porto Torres. Also locate Civitavecchia (*un porto vicino a Roma*) and Livorno (*un porto della Toscana*).

> On the political map of Italy on p. 14, locate the islands Maddalena and Caprera.

> Giuseppe Garibaldi fought for the unification of Italy during the second half of the nineteenth century.

B   Informazioni. Dia le seguenti informazioni basate sul brano precedente.

1. come si può raggiungere la Sardegna
2. da dove partono i traghetti che vanno a Cagliari
3. un bellissimo posto di villeggiatura della Sardegna
4. da che cosa deriva il nome di Alghero
5. pesca particolare praticata in Alghero
6. una regione spagnola che ha contatti con Alghero
7. due piccole isole vicino alla Sardegna
8. un eroe italiano la cui casa e tomba si trovano su una di queste piccole isole

Lezione 14

Piccoli e graziosi appartamenti si trovano in molti antichi palazzi del centro storico di Firenze.

In cerca di un appartamento

Communicative Objectives

- Discuss renting an apartment, its location, and cost
- Compare people, places, and things
- Describe rooms and their furnishings
- Express desires, demands, and hopes

Francesca Bellini è di Arezzo ma frequenta l'università di Firenze. Invece di fare la pendolare, Francesca vuole vivere a Firenze, ed è in cerca di un alloggio. Mentre legge diversi annunci attaccati in una bacheca dell'università, arriva la sua amica Roberta.

	ROBERTA:	Ciao, Francesca, cosa fai di bello? Cerchi qualcosa?
	FRANCESCA:	Guardo questi annunci perché cerco casa. Ho deciso di trasferirmi a Firenze.
	ROBERTA:	Sei già andata a un'agenzia immobiliare?
5	FRANCESCA:	Oh, no, è troppo costosa. E poi non ho intenzione di prendere in affitto un appartamento. Mi basta condividere un alloggio con altre ragazze.
	ROBERTA:	Vuoi che ti aiuti a leggere questi annunci?
	FRANCESCA:	Sì, grazie. Spero proprio che uno di questi annunci mi offra
10		qualcosa di buono.
	ROBERTA:	Ecco, leggi un po' qua! Quest'annuncio sembra più interessante degli altri e potrebbe fare al caso tuo°. (*Francesca legge l'annuncio.*)

> Cerco studentessa per condividere appartamentino
> grazioso con vista, zona tranquilla, non lontano
> dall'università. Due camere, cucina, bagno, balcone
> e riscaldamento autonomo. 400 euro mensili escluse
> le utenze. Contattare Mariangela ore pasti.
> Tel: 055-4974521

20	FRANCESCA:	Sì … e questa offerta sembra meno cara delle altre. Non credi? Forse è il posto che fa per me°.
	ROBERTA:	È perfetta, se l'offerta di Mariangela è ancora valida. Guarda che trovare casa a Firenze non è così semplice come ad Arezzo. E se vuoi veramente un alloggio, suggerisco che tu non perda molto tempo.
25		
	FRANCESCA:	Sì, hai proprio ragione. Non voglio fare più la pendolare. Quindi telefono subito a Mariangela. Spero solo che il mio telefonino funzioni. Ah, ecco … zero, cinque, cinque … mi detti il resto del numero, per favore?

Sidebar notes:

Arezzo: Tuscan city located about 60 km southwest of Florence.

Many students from towns and cities near major universities commute to the university by train, bus, or car. This is due to the scarcity of rental apartments and the expense of living away from home.

costoso = caro

could be right for you

Appartamentino is a diminutive of *appartamento*.

La vista also means "eyesight": *Se vedi quel segnale, hai una buona vista.*

is right for me

Domande

1. Di dov'è Francesca Bellini? Dove va all'università?
2. Che cosa vuole fare Francesca? Perché?
3. Che cosa cerca adesso Francesca?
4. Perché Francesca non va a un'agenzia immobiliare?
5. Che cosa dice l'annuncio che attrae l'attenzione di Francesca?
6. Com'è la situazione degli affitti a Firenze?

Have two students role-play the dialogue, but suggest changing it somewhat. For instance, Roberta is the author of the ad and would be happy to share her apartment with Francesca.

Ask students to summarize the dialogue in three or four sentences, using the questions as a guide.

i nostri servizi

- Affitti
- Vendite immobiliari
- Stime immobiliari
- Gestioni immobiliari
- Consulenze per successioni
- Consulenze per erogazione mutui

Per maggiori informazioni chiamateci saremo lieti di assistervi nelle vostre richieste
VIA DEI SERRAGLI, 66/R (FI) - 055 283896 - 347 2597253 - 339 7363290

Affitti Offerte

ZONA COVERCIANO I piano ingresso cucina soggiorno camera bagno arredato referenziati non residenti **Euro 800**

SANTO SPIRITO ampio monolocale con angolo cottura camera bagno arredato tutto nuovo a referenziati non residenti **Euro 650** incluso consumi

BORGO TEGOLAIO da aprile tutto nuovo soggiorno con angolo cottura camera bagno arredato a referenziati **Euro 850**

MASACCIO affittasi camera singola in appartamento con uso cucina e bagno arredata **Euro 375**

PONTE A GREVE ingresso-soggiorno cucina tinello camera bagno cantina posto auto non arredato libero da aprile **Euro 760**

MERCATO SAN LORENZO finemente ristrutturato e arredato soggiorno con angolo cottura in muratura 2 camere bagno a referenziatissimi **Euro 1.000**

PIAZZA INDIPENDENZA pressi affittasi camera singola con studentessa libera subito **Euro 330**

GRASSINA in antico castello ingresso sala mq. 40 cucina camera bagno posto auto giardino condominiale a referenziatissimi **Euro 800**

VIA GUELFA ingresso cucina camera bagno arredato a studenti/esse non residenti arredato lavatrice da aprile **Euro 650**

BORGO ALLEGRI II piano luminoso ingresso cucina-soggiorno, camera 2 bagni finemente arredato termosingolo **Euro 1.000**

Domande personali

1. Lei abita in un appartamento o in una villa? Com'è la sua casa?
2. Da quanto tempo lei abita lì? Le piacerebbe trasferirsi? Perché?
3. Lei abita vicino all'università o fa il/la pendolare?
4. Come sono gli affitti nella sua città?
5. Quanto costa al mese l'affitto di un appartamento vicino all'università?
6. Sarebbe meglio cercare un appartamento online, sui giornali, presso le agenzie immobiliari o nelle bacheche dell'università? Perché?

Have students ask each other these questions using tu.

Pratica

1. In coppia: Assuma il ruolo di Francesca e telefoni a Mariangela che ha messo l'annuncio dell'appartamento nella bacheca. Lei vuole sapere l'indirizzo, se e quando può vedere l'appartamento, chi altro lo occupa e se lei deve condividere la camera con un'altra persona.

   Prat. 1: Call on some pairs to act out their conversation.

2. Lei abita in un appartamento che desidera condividere con una o due persone durante l'anno accademico. Prepari un annuncio da attaccare alla bacheca dell'università.

   Prat. 2: Ask two or three students to read their ads aloud while other students listen and decide which apartment they want to rent.

I giornali italiani

*I*n Italia la stampa[1] è un mezzo d'informazione importante, nonostante la concorrenza[2] della televisione e della radio. Alcuni giornali sono indipendenti, ma molti sono finanziati da enti statali[3], gruppi privati, organizzazioni cattoliche e partiti politici. Ogni grande città italiana ha il suo quotidiano[4] e in alcune città si stampano[5] vari giornali. A Roma, per esempio, si pubblicano importanti giornali quali *Il Messaggero*, *La Repubblica*, *L'Unità* e *Il Tempo*. A Firenze si pubblica *La Nazione*, a Bologna, *Il Resto del Carlino*. Tra i giornali italiani più autorevoli[6] ricordiamo *Il Corriere della Sera* di Milano, *La Stampa* di Torino e *La Repubblica* di Roma.

Molto diffuse[7] sono anche le riviste illustrate settimanali, stampate quasi tutte a Milano, che è il principale centro editoriale italiano. Le più note riviste sono quelle di attualità[8] e varietà come *Oggi*, *Gente*, e quelle femminili come *Amica* e *Grazia*. Fra le riviste politiche, d'opinione e di cultura, le più lette sono *L'Espresso* e *Panorama*, che svolgono[9] una funzione di critica del costume[10] e di formazione[11] etico-politica.

L'edicola di giornali all'angolo della strada è una caratteristica delle città italiane.

- Quali sono i giornali più conosciuti in questo paese? Qual è il giornale più autorevole?

Ask La stampa americana è indipendente? Ci sono giornali influenzati dai partiti politici? Quali sono?

1. press   2. competition   3. government agencies   4. daily newspaper   5. are published   6. authoritative
7. widespread   8. current events   9. perform   10. customs   11. development

Vocabolario

Parole analoghe

autonomo/a
il balcone
contattare
dettare
l'offerta
tranquillo/a
la vista
valido/a

Nomi

l'affitto   rent
l'alloggio   apartment, lodging
l'annuncio   ad(vertisement)
la bacheca   bulletin board
il bagno   bathroom
la camera   room
il pasto   meal
il/la pendolare   commuter
il riscaldamento   heat
le utenze   utilities

Aggettivi

attaccato/a attached
costoso/a costly, expensive
grazioso/a charming
mensile monthly

Verbi

bastare to be enough
condividere to share
convenire to be convenient
funzionare to work
sembrare to seem
trasferirsi to move

Altre parole ed espressioni

qua here
l'agenzia immobiliare real estate
  agency
presso at, near
così ... come as ... as
in cerca di in search of
dare in affitto to rent
fare il/la pendolare to commute
meno ... di less ... than
più ... di more ... than
prendere in affitto to lease, rent

Elicit or point out word families like *tranquillo, tranquillità, tranquillizzare, tranquillizzarsi; mese, mensile; vedere, vista.* Use the words in complete sentences.

Tell students that *funzionare* (to work) is used only with machinery, technological objects, etc. Remind them that *lavorare* is the appropriate word for people's work.

Have students form sentences using expressions such as *in cerca di, dare in affitto, fare il/la pendolare,* and *prendere in affitto.*

Point out the difference between *dare in affitto* and *prendere in affitto.* Give examples such as *Non danno appartamenti in affitto in questa zona. Ho preso in affitto un appartamento vicino al fiume.*

Pronuncia

Consonanti doppie

In contrast to English, the sound of a double consonant in Italian is longer than the sound of a single consonant. To pronounce double consonants correctly, it is necessary to shorten the sound of the preceding vowel and hold the sound of the double consonant twice as long. It is important to pronounce correctly words with double consonants so that the meaning of such words is not misunderstood.

 A Ascolti e ripeta le parole. Faccia attenzione alla pronuncia delle consonanti.

tuta / tutta	rosa / rossa
sano / sanno	poco / pacco
sono / sonno	meta / metta
casa / cassa	cane / canna

 B Ascolti e ripeta. Faccia attenzione alla pronuncia delle consonanti doppie.

(cc)	*(nn)*	*(tt)*	*(ss)*
ricco	anno	tutto	adesso
accordo	fanno	letto	espresso
piccolo	hanno	salotto	basso
vecchio	gennaio	mattina	rosso
meccanico	autunno	sotto	prossimo

Ampliamento del vocabolario

La casa

In Italian cities people live mainly in apartments. Suburban living is uncommon in Italy, and single-family houses are found mostly in small towns and in the countryside.

Le stanze

1. **la camera da letto** bedroom
2. **il bagno** bathroom
3. **lo studio** study; den; home office
4. **la cucina** kitchen
5. **la sala da pranzo** dining room
6. **il salotto** living room

Fuori della casa

7. **il cortile** courtyard
8. **il giardino** garden
9. **il garage** garage

Altre parti della casa

a. **la soffitta** attic
b. **il soffitto** ceiling
c. **il camino** fireplace
d. **la cantina** cellar
e. **il pavimento** floor
f. **le scale** stairs
g. **la parete** wall

Name objects and events and have students tell which room(s) they associate with each: *la macchina, il televisore, la cena*, etc.

La parete is the inside wall; the outside wall is *il muro*.

A In coppia: Faccia le seguenti domande ad un altro studente/un'altra studentessa.

1. Quante stanze ci sono nella tua casa?
2. Fa' una lista delle stanze della tua casa.
3. Dove mangi di solito, in cucina o nella sala da pranzo? E quando hai invitati, dove mangi?
4. C'è un giardino intorno (*around*) alla tua casa?
5. Dove studi e fai i compiti?
6. Dove guardi la televisione? Dove ascolti la radio?
7. Dove ti lavi?

B In coppia: Chieda ad un altro studente/un'altra studentessa di descrivere la propria casa ideale.

— Secondo te, come dovrebbe essere la casa ideale?

— Secondo me, la casa ideale ...

I mobili e gli elettrodomestici

I mobili

l'armadio armoire, wardrobe, closet
il comò chest of drawers
la credenza sideboard
il divano sofa
il guardaroba closet
la lampada lamp
il letto bed
la libreria bookcase
la poltrona armchair
il quadro painting
lo scaffale shelf
la scrivania desk
il tavolo/la tavola table
il tappeto rug
la tenda curtain

Gli elettrodomestici

l'aspirapolvere (*m.*) vacuum cleaner
l'asciugatrice (*f.*) clothes dryer
il ferro da stiro iron
il forno (a microonde) (microwave) oven
il frigo(rifero) refrigerator
la lavastoviglie dishwasher
la lavatrice washing machine

Frasi utili

stirare to iron
pulire con l'aspirapolvere to vacuum

Point out compound nouns such as *il guardaroba, l'aspirapolvere,* and *la lavastoviglie*. Ask students to define the components of each word; e.g., *stoviglie* (in *lavastoviglie*) = dishes and cutlery.

La libreria can also mean "bookstore."

Stoviglie in *lavastoviglie* means "dishes and cutlery."

Have students describe the furnishings in the drawing on p. 315.

Have students draw floor plans of their houses and label the rooms in Italian. Ask them about their houses. Give them expressions such as *La mia casa è a un (due, tre) piano/i. Al primo (secondo, terzo) piano ci sono ...* , etc.

Poll the class to find out in which room(s) students prefer to eat, study, and watch television.

C In gruppi di tre o quattro: A turno descrivete un mobile o un elettrodomestico che gli altri studenti devono indovinare.

▶ — Questa cosa serve per vedere meglio. Dà luce. Può essere nello studio, in camera da letto o in salotto.
— La lampada.

Ex. C: Have students take a minute to write two or three definitions; then have group members take turns. Provide new vocabulary if requested.

D In coppia: Intervisti un altro studente/un'altra studentessa per sapere com'è la sua stanza. Gli/Le domandi:

Ex. D: Ask some students to describe their rooms.

1. se la stanza è grande o piccola e quante finestre ci sono
2. se ci sono sedie e poltrone e quante di esse
3. se ci sono quadri e di che tipo
4. dove sono i libri
5. quali oggetti sono sulla scrivania
6. se c'è un comò e che cosa c'è sul comò e dentro il comò
7. se c'è un frigo e che cosa c'è nel frigo
8. se c'è un guardaroba e che cosa c'è nel guardaroba

E In coppia: Lei vuole comprare due o tre di questi articoli venduti in una televendita e telefona alla stazione televisiva. Collabori con un altro studente/un'altra studentessa che risponde al telefono e compila la sua fattura (*fills out your bill*).

Ex. E: Remind students to use appropriate courtesy expressions and to ask for all the necessary personal information to fill out the bill of sale.

▶ — Cosa desidera comprare?
  — Desidero comprare ...

Struttura ed uso

Comparativo d'uguaglianza

— Vedi, cara? Il salotto del Papa è quasi **così** grande **come** il nostro!

1. Comparisons of equality using adjectives and adverbs are expressed in Italian with **così ... come** or **tanto ... quanto.** In practice, **così** and **tanto** are often omitted.

Il salotto è **(così)** grande **come** lo studio.	*The living room is as big as the office.*
La cucina è **(tanto)** moderna **quanto** il bagno.	*The kitchen is as modern as the bathroom.*
Paolo guida **(così)** lentamente **come** suo fratello.	*Paolo drives as slowly as his brother.*

Note that when the second part of a comparison contains a pronoun, a disjunctive form is used.

> See *Lezione 9* for disjunctive pronouns.

Il fratello di Paolo guida (tanto) lentamente quanto **te.**

2. Comparisons of equality of nouns and verbs are expressed with the pattern **tanto ... quanto.** When **tanto** modifies a noun, it agrees with the noun.

Mio fratello mangia **quanto** un elefante.	*My brother eats as much as an elephant.*
Ha **tanta** fame **quanto** un lupo.	*He is as hungry as a wolf.*
Mangia **tante** verdure **quanto** te.	*He eats as many vegetables as you do.*

> *Fame* (hunger) is feminine. Remember that *avere fame* means "to be hungry" (to have hunger).

When the quantity of two nouns is being compared, **tanto** and **quanto** agree with the nouns.

Nel frigo ci sono **tante** arance **quante** mele, e c'è **tanto** tè freddo **quanta** limonata.	*There are as many oranges as apples in the refrigerator, and there is as much iced tea as lemonade.*

A Parli dei membri della sua famiglia, usando elementi dalle tre colonne e formulando comparativi d'uguaglianza.

Encourage students to expand Ex. A by making other statements about their families, using the sentences as models.

▶ I miei nonni sono (così) religiosi come il Papa.
  I miei nonni sono (tanto) religiosi quanto il Papa.

Point out that the phrases with *tanto* cannot use *così/come*.

mio padre	alto	Babbo Natale
mia madre	intelligente	una fotomodella
mio fratello	bello	un giocatore di pallacanestro
mia sorella	spende tanti soldi	un attore/un'attrice del cinema
i nonni	forte	un professore universitario
lo zio	religioso	il Senato
la zia	buono	Superuomo
i cugini	generoso	un santo/una santa
	ha tanti vestiti	il Papa

B Una vedova (*widow*) con tre figlie e un vedovo con tre figli si sono sposati. Hanno costruito una casa con due camere da letto uguali: la prima per le figlie e la seconda per i figli. Formulate comparativi d'uguaglianza con le informazioni date.

▶ Nella prima camera ci sono tre letti. Anche nella seconda camera ci sono tre letti.
  Nella prima camera ci sono tanti letti quanti nella seconda.

1. La camera dei ragazzi è molto grande, ma anche la camera delle ragazze è grande.
2. Ci sono due finestre nella prima camera. Anche nella seconda ci sono due finestre.
3. I mobili dei figli sono moderni. Anche quelli delle figlie sono moderni.
4. Ci sono tre scrivanie nella prima camera e tre scrivanie nella seconda.
5. Nella camera dei ragazzi ci sono dieci fotografie di giocatori di pallacanestro e nella camera delle ragazze ci sono dieci poster di cantanti rock.

C In coppia: Usando la fantasia, dica ad un amico/un'amica com'è il suo ragazzo/la sua ragazza.

Ex. C: Read the example to the students and remind them that *così* and *tanto* can be omitted.

▶ allegro/a   La mia ragazza è così allegra come Biancaneve./La mia ragazza è tanto allegra quanto Biancaneve.

1. bello/a
2. intelligente
3. simpatico/a
4. divertente
5. ha molti amici
6. ha molta pazienza
7. buono/a
8. ricco/a

Comparativo di maggioranza e di minoranza

— Aspetta! La mia parte del divano è **più** pesante **della** tua!

1. Comparisons of inequality between two different subjects are formed with the patterns **più ... di** and **meno ... di.** Such comparisons may pertain to adjectives, adverbs, nouns, or pronouns. When the second part of the comparison is a pronoun, the disjunctive form is used.

La sala da pranzo è **più** grande **del** salotto.	*The dining room is larger than the living room.*
La cantina è **meno** fresca **del** giardino.	*The cellar is less cool than the garden.*
Quest'appartamento ha **più** elettrodomestici **dell'**altro.	*This apartment has more appliances than the other.*
Questa casa ha **meno** scale **della** mia.	*This house has fewer stairs than mine.*

2. Più di and **meno di** are used with cardinal numbers in comparisons.

Abbiamo visto **più di** venti appartamenti.	*We looked at more than twenty apartments.*
L'affitto di quest'appartamento è **meno di** €500 al mese.	*The rent for this apartment is less than €500 a month.*

3. Che is used instead of **di** when comparing two adjectives or two nouns pertaining to the same subject.

Ho più amiche **che** amici.	*I have more female friends than male friends.*
Studio più in biblioteca **che** a casa.	*I study more at the library than at home.*

Tell students that *che* is always used before a preposition.

D Formuli frasi comparative secondo i modelli proposti.

▶ Filippo / intelligente / Roberto   Filippo è più intelligente di Roberto.

1. la Francia / grande / l'Austria
2. Carlo / fortunato / me
3. mio fratello / alto / te
4. il professore / gentile / la direttrice
5. tu / simpatico / mia sorella

▶ Luisa / magro / me   Luisa è meno magra di me.

6. la nostra casa / piccola / la tua
7. il salotto / elegante / la sala da pranzo
8. Franco e Antonietta / simpatico / Roberto e Magda
9. io / stanco / te
10. la lavatrice / costoso / l'asciugatrice

▶ lui è / simpatico / intelligente   Lui è più simpatico che intelligente.

11. ho / cugine / cugini
12. vado / al cinema / a teatro
13. in aula ci sono / studenti / studentesse
14. mangiamo / prosciutto / salame
15. studio / a casa / in biblioteca

E Esprima la propria opinione sulle seguenti cose e persone, usando la forma corretta del comparativo.

> If you want to say both items are equal, use the *comparativo d'uguaglianza: La storia è così interessante come la filosofia.*

▶ storia / interessante / filosofia   La storia è più (meno) interessante della filosofia.

1. chimica / difficile / matematica
2. cani / intelligente / gatti
3. tennis / divertente / calcio
4. lasagne / buono / spaghetti
5. cinema / stimolante / televisione
6. appartamenti / comodo (*comfortable*) / case
7. amici / importante / famiglia
8. macchine giapponesi / costoso / macchine americane

F Confronti alcuni aspetti della vita italiana con quelli della vita americana. Usi il comparativo d'uguaglianza, di maggioranza o di minoranza.

1. L'Italia ha circa 58 milioni di abitanti. Gli Stati Uniti hanno più di 295 milioni di abitanti.
2. L'italiano medio (*average*) fuma (*smokes*) undici sigarette al giorno. L'americano medio fuma otto sigarette al giorno.
3. L'italiano medio consuma dieci litri di benzina alla settimana. L'americano medio consuma ventuno litri di benzina alla settimana.
4. L'italiano medio ha 0,85 figli. L'americano medio ha 1,02 figli.
5. L'americano medio compra un libro all'anno e compra tre CD all'anno. L'italiano medio compra due libri all'anno e compra due CD all'anno.
6. L'americano medio compra venti tubetti di dentifricio all'anno e l'italiano medio compra venti tubetti di dentifricio all'anno.

**Vuoi comprare un apparta-
mento in un antico palazzo
appena ristrutturato?**

G In coppia: Voi siete andati a vedere due appartamenti e avete preso
appunti su quello che avete visto. Adesso dovete scegliere quale appartamento preferite. Formulate frasi comparative con le informazioni indicate, e poi decidete quale appartamento prendere e perché.

Appartamento A	Appartamento B
vicino all'università	lontano dall'università
la via è rumorosa	molto rumore
affitto: 800 euro mensili	affitto: 840 euro mensili
metri quadrati: 84	metri quadrati: 90
poca luce; solo tre finestre	molta luce; cinque finestre e
frigo, forno a gas, lavastoviglie,	un balcone
lavatrice, asciugatrice	frigo, forno elettrico, lavatrice
una camera da letto	due camere da letto

H In gruppi di due o tre: Confrontate l'italiano con un'altra lingua che
conoscete.

1. Quale lingua è più facile da imparare?
2. Quale lingua è meno complicata?
3. Quale lingua ha più tempi verbali?
4. Quale lingua ha meno verbi irregolari?
5. Quale lingua è più utile?
6. Quale lingua è più popolare nella vostra università?

Ex. H: Divide the class into groups
familiar with particular languages.
Those who know no other
language can compare Italian and
English.

In gruppi di quattro: Ognuno di voi scrive su bigliettini (*scraps of paper*) separati i nomi di cinque personaggi famosi o della televisione. Mettete tutti i bigliettini in una busta (*envelope*). Poi, a turno, ognuno di voi prende due bigliettini dalla busta e formula una frase comparativa logica usando i due nomi che ha in mano.

▶ Homer Simpson / Beyoncé   Beyoncé è più ricca di Homer Simpson.

Congiuntivo presente: Verbi che esprimono desiderio, volontà e speranza

— Spero che questo film non **finisca** mai!
— Io invece voglio che **finisca** presto!

1. Verbs have both tense **(tempo)**, which tells you when the action takes place relative to the present, and mood **(modo)**, which tells you how the speaker perceives the statement. Most of the tenses you have learned so far are in the *indicative mood*, which is used for stating facts and certainties. Another mood in Italian is the subjunctive **(il congiuntivo)**, which also has several tenses. English has a subjunctive mood as well, but it is used infrequently.

We would prefer that you **be** prompt.
I wish you **were** here.

2. The subjunctive is nearly always used in a subordinate clause introduced by **che.** Compare the verb forms in the pairs of sentences below. The verb in the first sentence is in the indicative mood: it states a fact. The verb in the **che** clause of the second sentence is in the subjunctive mood.

Indicativo	*Congiuntivo*
La nostra squadra vince.	Speriamo che la nostra squadra **vinca.**
Comprate una casa qui vicino.	Preferiamo che **compriate** una casa qui vicino.
Lei telefona all'agenzia di viaggi.	Voglio che lei **telefoni** all'agenzia di viaggi.

Have students identify the main clause and subordinate clause in each example.

3. Certain conditions expressed in the main clause of a sentence require the subjunctive in the subordinate clause. If the main clause expresses a desire, a demand, or a hope, the subordinate clause will be in the subjunctive. Some verbs of desire or hope that require the subjunctive in a dependent clause are:

desiderare to want, desire	**sperare** to hope
insistere to insist	**suggerire** to suggest
preferire to prefer	**volere** to want

La professoressa **suggerisce che** voi **ascoltiate** attentamente in classe.
The professor suggests that you listen carefully in class.

Vuole che tutti gli studenti **capiscano** la lezione.
She wants all her students to understand the lesson.

The subjunctive is used only when the main clause and the subordinate clause have two different subjects. An infinitive is used if there is no change of subject.

Patrizia spera di **divertirsi** questo semestre.
Patrizia hopes to have fun this semester.

I genitori sperano che Patrizia **prenda** buoni voti questo semestre.
Patrizia's parents hope that she gets good grades this semester.

Non voglio che tu **spenda** molto.
I don't want you to spend a lot.

Non voglio **spendere** molto.
I don't want to spend a lot.

> Point out to students that formation of the present subjunctive is quite simple if they remember these rules: all three singular forms are identical; the third person plural form is the same as the singular form + -no; the *noi* form is the same as the present indicative; the *voi* form is like the *noi* form but with -iate instead of -iamo.

> Notice the use of *di* with *sperare* and an infinitive.

4. The following chart shows the present subjunctive of regular **-are**, **-ere**, and **-ire** verbs.

	-are **guardare**	-ere **vedere**	-ire **seguire**	-ire (-isc) **capire**
... che io	guardi	veda	segua	capisca
... che tu	guardi	veda	segua	capisca
... che lui/lei	guardi	veda	segua	capisca
... che noi	guardiamo	vediamo	seguiamo	capiamo
... che voi	guardiate	vediate	seguiate	capiate
... che loro	guardino	vedano	seguano	capiscano

Suggerisco che vi **alziate** presto domani mattina.
Speriamo che loro **finiscano** fra poco.

> Note that the singular forms of the present subjunctive are identical. If you need to clarify the subject of a subordinate clause, use a subject pronoun: *Spero che tu capisca.*

> Reflexive pronouns in the subjunctive precede the verb as in the indicative.

> Notice that the singular forms are identical to the *lei* commands you already know: *Io voglio che lei ascolti. Ascolti!*

5. Verbs ending in **-care** and **-gare** add **h** to all forms of the present subjunctive to retain the hard sound of the **c** or **g**.

Speriamo che **giochino** bene.
Let's hope they play well.

Preferiamo che **paghiate** voi.
We prefer that you pay.

J In coppia: Il suo fratellino non vuole fare certe cose. Con un compagno/una compagna che fa la parte del fratellino, insista che il piccolo faccia tutto quello che non vuole fare.

▶ scrivere gli esercizi
S1: Non voglio scrivere gli esercizi!
S2: Insisto che tu scriva gli esercizi!

1. pulire la camera
2. lavarsi le mani
3. aiutarti
4. leggere questo libro
5. ascoltarti
6. finire di mangiare
7. prendere la medicina
8. giocare fuori casa
9. addormentarsi subito

Ex. J: Model the example with appropriate intonation. Circulate during paired work and encourage overacting. Make sure that students are dealing correctly with the reflexive pronouns.

Have students provide object pronouns where applicable: *Insisto che tu li scriva!*

Ask students if they have ever babysat or taken care of younger siblings. Ask them what other things children refuse to do, and how they might respond.

K Indichi quello che vogliono le seguenti persone.

▶ la mamma / volere / io / condividere un alloggio
La mamma vuole che io condivida un alloggio.

1. papà / volere / tu / chiudere la porta
2. io / sperare / Laura e Gina / non trasferirsi
3. noi / sperare / i ragazzi / vedersi spesso all'università
4. tu / insistere / Grazia / partire con noi
5. voi / insistere / i bambini / restare a casa
6. Giacomo / sperare / tu / telefonare domani sera
7. Roberto ed io / preferire / voi / ordinare una pizza
8. i genitori / desiderare / noi / cercare un appartamento qui vicino

Ex. K: Have students replace the subjects of the subordinate clauses with new subjects.

L In coppia: Patrizia parte per l'università e spera di fare molte cose. I suoi genitori, però, sperano che lei faccia altre cose. Lei dice quello che spera di fare Patrizia, e il suo compagno/la sua compagna dice quello che i suoi genitori sperano.

▶ conoscere i miei amici /
conoscere buoni amici
S1: Patrizia spera di conoscere i miei amici.
S2: I genitori sperano che Patrizia conosca buoni amici.

1. prendere una B in italiano / prendere una A in italiano
2. andare a molte feste / frequentare molte lezioni
3. uscire spesso / studiare spesso
4. trovare un ragazzo / trovare un lavoro
5. mangiare quello che vuole / mangiare bene
6. tornare a casa a Natale / tornare a casa ogni fine settimana
7. studiare le lingue straniere / studiare informatica

Ex. L: Ask paired students to come up with other conflicting wishes for Patrizia and her parents.

M Adesso dica al suo compagno/alla sua compagna cinque cose che lei spera di fare, e cinque cose che i suoi genitori sperano che lei faccia.

▶ Io spero di studiare filosofia. Mia madre (Mio padre) spera che io studi medicina.

Ex. N: Ask students to think of other jobs that need doing in their rooms or apartments. Encourage students to argue about who is to do each job.

N In coppia: Voi condividete un appartamento e domani arrivano i suoi genitori a fare un'"ispezione". L'appartamento è un po' in disordine: anzi, è un vero disastro. Dica al compagno/alla compagna alcune cose che vuole che lui/lei faccia.

Alcune possibilità

pulire il bagno/il forno a microonde
pulire con l'aspirapolvere
lavare i piatti sporchi
portare i vecchi giornali al riciclaggio
comprare dei fiori
ecc.

Remember: *Io voglio che tu +* present subjunctive (*pulisca*).

www For further practice of lesson topics, log on to the *Oggi in Italia* website and/or do the CD-ROM activities.

Parliamo un po'

Act. A: Encourage "clients" to use their imaginations in describing their ideal houses. They could even impersonate famous people. Encourage the "real estate agents" to use the polite conditional in their questions. Follow up by asking agents to describe the houses their clients want.

 Dove le piacerebbe vivere? In coppia.

S1	**S2**
Lei è andato/a da un agente immobiliare (*real estate agent*) che l'aiuta a trovare la casa ideale. Prima guardi i suggerimenti indicati e decida che tipo di casa vuole. Poi risponda alle domande dell'agente.	Lei è un agente immobiliare (*real estate agent*). Un/Una cliente viene da lei perché lo/la aiuti a trovare la casa ideale. Faccia le domande basate sui suggerimenti indicati.

LOCALITÀ: In quale città? Al centro della città o in periferia? Le piacerebbe vivere in campagna o in montagna?

TIPO DI ABITAZIONE: Lei preferirebbe abitare in un appartamento o in una villa?

CARATTERISTICHE DELLA CASA: un garage? un giardino? una piscina? un campo da tennis? una vista panoramica? Quante stanze? Quanti bagni?

IL PREZZO DELLA CASA: Quanto vorrebbe pagare? La prende in affitto o la compra?

 Problemi nell'appartamento. In coppia: Telefoni al proprietario dell'appartamento dove lei vive e si lamenti di quattro cose che non vanno bene. L'altro studente/L'altra studentessa fa la parte del proprietario che promette di risolvere i vari problemi.

PROBLEMI POSSIBILI: (1) un elettrodomestico non funziona, (2) c'è una finestra rotta, (3) non funziona il riscaldamento o manca l'acqua calda, (4) una porta non si chiude bene, ecc.

Vary Act. B by having the "landlord" be uncooperative. Instruct the "tenant" to be polite but insistent. Circulate and provide needed vocabulary. Have students act out the scene in front of the class.

Le vostre case. In coppia: Prima ciascuno descrive la propria casa al compagno/alla compagna. Poi fate un confronto fra le due case e presentatelo alla classe. Confrontate:

il numero delle camere da letto, dei bagni, ecc.
l'anno in cui è stata costruita
qual è più vicina al centro o ai negozi
il numero di persone che ci abitano
i mobili

Model Act. C by asking a few students the number of rooms in their houses. Ask the class to form comparative sentences based on answers. Do the same for number of bathrooms, age, etc. Have paired students question each other and take notes before composing a comparative statement.

L'appartamento svaligiato.

In coppia: Il disegno a sinistra fa vedere
il vostro appartamento come l'avevate
lasciato stamattina. Mentre stavate
fuori, sono entrati i ladri (*thieves*) e i
risultati si vedono nel disegno a destra.
Descrivete alla polizia quello che è
successo.

▶ I ladri hanno rotto la nostra lampada
   Romeo e Giulietta.

E Il liceo e l'università. In coppia:

Dica ad un compagno/una compagna
cinque cose che faceva al liceo e che non fa più all'università. Poi
insieme fate una lista delle differenze tra la vita degli studenti liceali
e la vita degli studenti universitari. Cercate di usare il comparativo dove
possibile.

— Al liceo avevo pochi amici ma all'università ne ho tanti.
— I corsi universitari sono più difficili di quelli liceali.

Act. D: Paired students can
prepare a written list of damages
for the police. Or the activity can
be done in groups of three: S3 can
be the investigating officer, who
asks questions while taking notes.

Conoscere l'Italia

A La parola giusta. Completi le seguenti frasi con le parole appro-
priate fra quelle indicate tra parentesi.

1. All'università ho seguito un corso di (famiglie/lingua e cultura)
   italiane.
2. Abbiamo letto due libri importanti di (letteratura/gloria)
   contemporanea.
3. Abbiamo visto le statue più belle della (scultura/parte) del
   Cinquecento.
4. Abbiamo ammirato i bellissimi palazzi dell' (accademia/architettura)
   italiana.
5. Abbiamo conosciuto le opere di molti (stranieri/artisti) del
   Rinascimento.
6. Abbiamo studiato opere di stile (gotico/comune) e di stile
   (fiorentino/romanico)
7. Gli artisti fiorentini sono (famosi/studiosi) in tutto il mondo.
8. A me piacciono soprattutto le (chiese/pitture) di Giotto.

The *Rinascimento* (Renaissance)
was a cultural and artistic
movement that flourished in
Florence between the 14th and
16th centuries. The *Medici* were a
great Florentine family who
governed Florence at this time.
Lorenzo il Magnifico (1449–1492)
was a poet as well as a statesman.

Centuries (*i secoli*) are referred to
in two ways, corresponding to the
use in English of "19th century"
and "1800s." 1200–1299 = *il
tredicesimo secolo* or *il Duecento*.
But, 2000–2099 = *il ventunesimo
secolo*.

Firenze: Veduta parziale della Cupola e del Campanile del Duomo.

Firenze

Have students locate Tuscany, Florence, and Arezzo on the map on p. 14. Ask *Quali sono le altre città della Toscana? Come si chiama il fiume che passa per Firenze? Quale altra città importante della Toscana bagna questo fiume? In che mare sbocca questo fiume? Per quale monumento è famosa Pisa?*

Firenze, capoluogo della Toscana, è una delle città d'arte più famose del mondo. Secondo un sondaggio[1] turistico, viene subito dopo Gerusalemme per il numero di visitatori che accoglie[2] annualmente. Fin[3] dal Medioevo, Firenze è stata un importante centro di cultura e civiltà. Già nel Duecento vi[4] cominciano a fiorire[5] le arti quali la letteratura, la pittura, la scultura e l'architettura. Nel Rinascimento poi, sotto la guida dei Medici, e in particolare di Lorenzo il Magnifico, Firenze raggiunge l'apice[6] della sua gloria. Poeti e scrittori quali Dante, Boccaccio e Machiavelli, e artisti quali Michelangelo, Leonardo e Donatello lasciano a Firenze e al mondo intero un enorme patrimonio artistico e culturale di immenso valore.

Fra i tanti monumenti della città, il più solenne è il Duomo[7] di Santa Maria del Fiore. Di stile gotico e decorato con marmi[8] di vario colore, esso è abbellito[9] dall'elegante cupola[10] del Brunelleschi, dall'alto e snello campanile[11] di Giotto e dal Battistero di stile romanico[12] ricoperto di marmi verdi e bianchi. Altri monumenti importanti sono il Palazzo della Signoria, oggi sede del comune della città, e la chiesa di Santa Croce, dove sono sepolti[13] alcuni grandi artisti e scrittori italiani.

Nei numerosi musei fiorentini sono raccolte[14] alcune delle opere d'arte più belle del mondo. Il famoso *David* di Michelangelo può essere ammirato nella Galleria dell'Accademia, mentre le più belle pitture italiane dipinte dal Duecento al Seicento[15] sono nella Galleria degli Uffizi. E questi sono solamente alcuni dei capolavori[16] che continuamente richiamano a Firenze studiosi[17], artisti e turisti italiani e stranieri.

1. survey   2. welcomes   3. Since   4. there   5. flourish   6. apex   7. Cathedral
8. marble   9. embellished   10. dome   11. belltower   12. Romanesque   13. buried
14. gathered   15. seventeenth century   16. masterpieces   17. scholars

Dante Alighieri (1265–1321) was a Florentine poet and writer.

Giovanni Boccaccio (1313–1375) was a Florentine writer.

Niccolò Machiavelli (see p. 140) was the author of the political treatise *Il Principe*.

Donatello (1386–1466) was a Florentine sculptor.

Filippo Brunelleschi (1377–1446) was a Florentine architect and sculptor.

Giotto (1267–1337) was an architect and painter, especially of frescoes.

 Definizioni. Abbini le definizioni con una parola della lista di destra. Ci sono due parole in più nella lista.

1. la città più visitata del mondo dopo Gerusalemme
2. secolo in cui cominciano a fiorire le arti a Firenze
3. il periodo più importante della storia culturale di Firenze
4. lo stile architettonico del Duomo di Firenze
5. lo stile architettonico del Battistero di Firenze
6. può essere ammirato nella Galleria dell'Accademia

a. il Medioevo
b. il Seicento
c. gotico
d. Firenze
e. il *David*
f. il Duecento
g. il Rinascimento
h. romanico

Ask students *In che secolo è nato Dante? In che secolo è morto? E Boccaccio? E Machiavelli? E Donatello? E Brunelleschi? E Giotto?*

Have students look up some works by the artists mentioned in this passage and report their findings.

Definizioni. Abbini le definizioni con una parola della lista di destra. Ci sono due parole in più nella lista.

1. sinonimo di *lingua*
2. opera principale di un artista
3. la persona che scrive opere letterarie
4. la persona che scrive poesie
5. il tredicesimo (*thirteenth*) secolo
6. linguaggio tipico di una regione o di una città diverso dalla lingua nazionale

a. lo scrittore
b. il dialetto
c. il Duecento
d. il linguaggio
e. l'origine
f. il Trecento
g. il capolavoro
h. il poeta

Le origini della lingua italiana

Il grande poeta italiano Dante Alighieri sembra un po' pensieroso. Perché?

Oltre ad avere una storia artistica e culturale di grande importanza, Firenze è stata anche la culla[1] della lingua italiana. Infatti le origini dell'italiano risalgono[2] al dialetto fiorentino del '200 (Duecento) e del '300 (Trecento). Il padre dell'italiano è Dante Alighieri. Grande poeta ma anche grammatico[3], Dante getta[4] le basi della lingua italiana. Egli scrive un'opera in latino dedicata allo studio del volgare[5], linguaggio che poi utilizza per scrivere la *Vita Nuova*, dove racconta il suo primo incontro con Beatrice. Dante si innamora di questa giovane donna che sarà l'ispiratrice del suo capolavoro letterario, la *Divina Commedia*.

Un altro padre della lingua italiana è Francesco Petrarca (1304–1374), che non è fiorentino, ma anch'egli è toscano in quanto[6] nato ad Arezzo. Uno dei più grandi poeti lirici italiani, il Petrarca è l'autore del *Canzoniere*, una raccolta[7] di poesie fra le quali domina il sonetto. Il poeta dedica questo capolavoro alla donna amata, Laura.

Il terzo gigante della letteratura e lingua italiane dell'epoca è Giovanni Boccaccio. L'opera principale di questo scrittore fiorentino è il *Decamerone*, una raccolta di cento novelle[8] raccontate nel giro[9] di dieci giorni da dieci giovani (sette donne e tre uomini) che si rifugiano[10] fuori Firenze durante la peste[11].

1. cradle   2. date back   3. grammarian   4. lays   5. vernacular   6. by virtue of being
7. collection   8. short stories   9. in the course   10. take refuge   11. plague

Tell students that Dante's work on the Italian language is called *De vulgaris eloquentia,* which means "About the vernacular language."

Tell students that Boccaccio's beloved, the counterpart of Dante's Beatrice and Petrarca's Laura, was called Fiammetta.

Decamerone (from *deka,* Greek for "ten") means "book of ten days."

B **La parola giusta.** Completi le seguenti frasi con le parole appropriate fra quelle indicate tra parentesi.

1. (Il dialetto/La lingua) italiano/a è nato/a a Firenze.
2. Dante è il (poeta/padre) della lingua italiana.
3. Oltre ad essere poeta, Dante era anche (un grammatico/uno scrittore).
4. La *Divina Commedia* è (il capolavoro/l'opera) letterario/a di Dante.
5. Beatrice è l' (autrice/ispiratrice) della *Divina Commedia*.
6. Francesco Petrarca è l' (ispiratore/autore) del *Canzoniere*.
7. Il *Decamerone* di Giovanni Boccaccio è una raccolta di cento (poesie/novelle).

Lezione 15

Le manifestazioni politiche sono una ricorrente caratteristica della vita italiana.

Il telegiornale

Communicative Objectives

- Report on and react to news
- Name and locate European countries and capitals
- Express hopes, wants, demands, and opinions
- Give advice
- Talk about politics

 Show the *Oggi in Italia* video segment and do the video activities.

Sono le venti e il telegiornale della sera va in onda.

ANNUNCIATRICE: Buona sera! Ecco i titoli del nostro telegiornale.

- Stasera l'incontro dei due leader degli opposti schieramenti politici.
- Incontro del Commissario europeo con i nuovi stati membri dell'UE.°

UE = Unione Europea

> The *Commissario* is the president of the European Commission whose function is to oversee the Union's activities.

- Visita al Papa del re di Spagna.
- Un altro sbarco di clandestini in Sicilia.
- All'alba ancora un incidente mortale dopo la discoteca.
- Continua l'altalena del dollaro rispetto all'°euro.

compared with

- La squadra nazionale di calcio incontra stasera la Germania.

Buona sera a tutti i nostri telespettatori!

- Le elezioni politiche sono alle porte°. Questa sera alle 22.00 ci sarà su questo canale il primo incontro televisivo tra i due leader politici della destra e della sinistra. Gli elettori sperano che i candidati presentino un programma politico-economico serio e credibile.

imminent

- Oggi i rappresentanti delle dieci nazioni europee appena entrate a far parte dell'UE sono arrivati a Strasburgo. Questa mattina il Commissario europeo ha dato loro il benvenuto in Parlamento.

> Look at the map of Europe on p. 337 and a map of Italy and locate all the places mentioned in the newscast.

- Dopo la visita di ieri al Presidente della Repubblica italiana, il re di Spagna si reca oggi dal Papa.
- Durante la notte è sbarcata sulla costa siciliana una nave carica di° trecento clandestini extracomunitari°, per lo più donne e bambini. È possibile che la maggior parte venga rimpatriata°.

loaded with
from a non-EU country
sent back

- Dopo una notte in discoteca, quattro giovani sono morti in un gravissimo incidente automobilistico vicino a Napoli. Sembra che, come al solito, l'eccessiva velocità sia la causa di questa disgrazia.
- Sui mercati finanziari il dollaro è in difficoltà e continua a perdere valore rispetto all'euro. È necessario che la Banca centrale europea prenda immediate decisioni per stabilizzare il cambio.

> Have a pair of students play newscasters, taking turns presenting the news stories.

- Per lo sport, vi ricordo che su questa rete alle ore ventuno ci sarà l'incontro di calcio tra la nostra squadra nazionale e quella della Germania. Buon divertimento!

Grazie per essere stati con noi°, e buona serata!

for being with us

> Have students recount each of the news items in their own words, using the questions as a guide.
>
> Tell students that in Italy there are public and private radio and TV stations. The public sector, RAI (*Radio Audizioni Italiane*), comprises three radio stations and several TV channels, both analog and digital.

Domande

1. Perché l'annunciatrice annuncia i titoli del telegiornale?
2. Che cosa c'è stasera alle ore 22.00? Che cosa sperano gli elettori?
3. Quali rappresentanti sono oggi a Strasburgo? Chi li riceve? Perché?
4. Chi va a visitare il Papa oggi? Dove si è recato ieri?
5. Chi c'era sulla nave che è arrivata in Sicilia?
6. Qual è stata la causa dell'incidente automobilistico?
7. Cosa succede al dollaro? Che cosa deve fare la BCE? Perché?
8. Con chi gioca la nazionale di calcio italiana?

> BCE = *Banca centrale europea*

Domande personali

1. Lei ascolta il telegiornale? Quale? A che ora? Quale annunciatore/annunciatrice preferisce?
2. Preferisce ascoltare le notizie locali, nazionali o internazionali?
3. Quali problemi politici si discutono in questi giorni?
4. Quali sono i maggiori problemi internazionali riportati in questi giorni dal telegiornale?
5. Qual è il suo sport preferito? Qual è la sua squadra preferita?
6. Ha mai avuto un incidente automobilistico (*traffic accident*)? Quando? Dove? Da che cosa è stato causato?

> Ask additional questions, such as *Quanti televisori ci sono a casa sua? Quali trasmissioni le piace guardare? Quante radio possiede? Ascolta la radio (le cassette, i CD) mentre guida? Legge le notizie sul giornale o su Internet?*

Pratica

1. In gruppi di tre o quattro: Ogni studente riferisce una breve notizia riportata recentemente dal telegiornale. Ecco alcune espressioni da usare per reagire alle notizie annunciate dagli studenti.

> Prat. 1: Before doing the *Pratica*, have a few students tell you in simple Italian something unusual they heard or experienced recently. React with an appropriate expression and encourage the other students to do the same.
>
> Model the list of expressions.
>
> Have students ask questions to elicit more information or details.

Ancora! Again! Still!	**Che disgrazia!** What a disaster!
Meno male! All the better!	**Sarebbe ora!** It's about time!
Non ci credo proprio! I don't believe it!	**Che buffo!** How funny!
	Che bello! How nice!
Oh, mio Dio! Oh, my God!	**Sarà vero?** Could it be true?

2. Scriva un breve articolo per un giornale italiano basato sulla notizia presentata nella Pratica 1. È importante spiegare prima che cosa è successo e dopo chi sono i personaggi importanti, dove è successo l'avvenimento, quando, come e perché.

> Prat. 2: Call on some students to read their articles aloud.

Il sistema politico italiano

*L*o stato italiano è nato nel 1861 con il nome di Regno[1] d'Italia. Dopo la caduta del regime fascista nel 1943, con il referendum del 1946 il popolo italiano scelse[2] la repubblica invece della monarchia. Dal 1948, con l'entrata in vigore[3] della nuova costituzione, l'Italia è una repubblica democratica.

Al vertice[4] dello stato, vari organi esercitano il potere esecutivo, legislativo e giudiziario, ognuno nei limiti stabiliti dalla Costituzione. Il Presidente della Repubblica rappresenta l'unità dello stato e promuove[5] ed armonizza l'attività degli altri organi. La linea politica del governo[6] è invece determinata dal consiglio dei ministri, composto dal Presidente del Consiglio, che esercita la funzione più importante nel governo, e da vari ministri. Il Parlamento è formato dalla Camera dei deputati (630 membri) e dal Senato (315 membri). Nel settore giudiziario molto importante è la Corte Costituzionale, che ha il compito di assicurare[7] la corretta applicazione della Costituzione italiana.

Nel 1957, con il Trattato di Roma, l'Italia è entrata a far parte della Comunità economica europea (CEE). Oggi la CEE è diventata l'Unione Europea (UE) e ad essa appartengono[8] quasi tutti i paesi dell'Europa occidentale e vari paesi dell'Europa orientale. La sede[9] del Parlamento europeo è a Strasburgo e quella della Commissione Europea è a Bruxelles. La bandiera[10] dell'UE è di colore blu ed ha un cerchio di stelle[11], pari[12] al numero dei paesi membri. Molti sono i privilegi dei paesi dell'Unione. L'euro è diventato la moneta comune della maggior parte di essi. Le dogane[13] sono state abolite e c'è la libera circolazione di merci[14] e di persone.

Oggi i deputati del Parlamento italiano hanno votato, ma questa legge non è stata approvata.

- Com'è il sistema politico americano? È simile a quello italiano o è diverso? In che modo?

---

1. Kingdom   2. chose   3. enforcement   4. At the head   5. fosters   6. Government policy   7. the duty of guaranteeing   8. belong
9. seat   10. flag   11. circle of stars   12. equal   13. customs   14. merchandise, goods

Have the students look at the map of Europe on p. 337 and name the countries that belong to the European Union.

Vocabolario

Parole analoghe

annunciare	l'elezione	il membro	il rappresentante
il candidato	europeo/a	nazionale	la repubblica
la causa	finanziario/a	la nazione	serio/a
il clandestino	immediato/a	opposto/a	stabilizzare
il commissario	internazionale	il parlamentare	lo stato
continuare	l'istituzione	il parlamento	televisivo/a
credibile	locale	politico/a	il valore
eccessivo/a	il/la leader	il/la presidente	

Nomi

l'alba (*f.*)   dawn
l'altalena   ups and downs, see-saw
l'annunciatore (*m.*)/**l'annunciatrice** (*f.*)   newscaster
il cambio   rate of exchange
il canale   channel
la destra   right (side)
la disgrazia   accident, misfortune
l'elettore (*m.*)/**l'elettrice** (*f.*)   voter
l'incidente (*m.*)   accident
l'incontro   meeting
la nave   ship
la notizia   news
il Papa   Pope
il re   king
la rete   network
lo sbarco   landing
lo schieramento   alignment
la sinistra   left (side)
il telegiornale   TV newscast
il telespettatore (*m.*)/**la telespettatrice** (*f.*)   TV viewer
il titolo   headline
la velocità   speed

Aggettivi

automobilistico/a   car
mortale   fatal

Verbi

recarsi   to go
ricordare   to remind
sbarcare   to land
succedere   to happen

Altre parole ed espressioni

andare in onda   to be broadcast; to go on the air
appena   just
come al solito   as usual
dare il benvenuto   to welcome
fare parte di   to be a member of
la maggior parte   majority
per lo più   mostly

Pronuncia

Ripasso della consonante *r*

As you learned in **Lezione 6**, Italian /r/ represents a trill sound, which has no exact equivalent in English. Practice the trill by vibrating the tip of the tongue against the gum ridge behind the upper front teeth. This produces a sound similar to the *tt* in the English words *bitter, better, butter,* when they are pronounced rapidly. Italian /r/ is pronounced with a single flutter of the tip of the tongue. The sound /rr/ is produced with a multiple flutter of the tip of the tongue.

A Ascolti e ripeta le parole. Faccia attenzione al suono della **r**.

dire	stare	corre	forte
trenta	mare	burro	esperto
camera	vero	aperto	corto
dare	zero	tradurre	birra

B Ascolti e ripeta le frasi. Faccia attenzione al suono della **r**.
Ieri è arrivato all'aeroporto Leonardo da Vinci il re di Spagna. Alle tre del pomeriggio si è recato dal Presidente della Repubblica. Sui mercati finanziari, il dollaro perde valore rispetto all'euro. I rappresentanti europei ne parleranno con il commissario Rinaldi. Grazie ed arrivederci a domani sera.

Ampliamento del vocabolario

Paesi e capitali d'Europa

Here is a partial list of European countries and their capitals.

Review the geography terms in the preliminary lesson. Then ask *Quali paesi europei sono penisole? Quali sono isole? Quali paesi non sono bagnati dal mare? L'Italia è al nord o al sud della Germania?*, etc.

l'Austria   Vienna
il Belgio   Bruxelles
la Danimarca   Copenaghen
la Francia   Parigi
la Germania   Berlino
la Gran Bretagna   Londra
la Grecia   Atene
l'Irlanda   Dublino
l'Italia   Roma
l'Olanda   Amsterdam
la Polonia   Varsavia
il Portogallo   Lisbona
*la Russia   Mosca
la Spagna   Madrid
*la Svizzera   Berna
l'Ungheria   Budapest

*Not EU members

Model the countries and their capitals for the students. Ask about the origins of students' families.

1. The definite article is generally used with the names of countries. The article contracts with the preposition **di**.

L'Italia è un paese affascinante.
La capitale **del Portogallo** è Lisbona.
Parigi è la capitale **della Francia.**

Italy is a fascinating country.
The capital of Portugal is Lisbon.
Paris is the capital of France.

2. The definite article is not used with the preposition **in** + *name of country*, except before a plural or modified noun.

Vado **in Francia.**
I miei amici sono **in Spagna.**

I'm going to France.
My friends are in Spain.

But: Abito **negli** Stati Uniti.
   Nella Spagna centrale ci
   sono molte belle città.

I live in the United States.
In central Spain there are many
   beautiful cities.

> Remember that *a* is used with a city or town to mean *in* or *to*: *Abito a Roma. Andiamo a Roma.*

Ⓐ In gruppi di due o tre: Fate le domande ai vostri compagni basate sulle informazioni che seguono.

Ex. A: Have students answer the questions without looking at the map.

▶ la capitale dell'Italia   — Qual è la capitale dell'Italia?
                             — Roma.

1. la capitale della Gran Bretagna
2. dov'è Lisbona
3. le nazioni che confinano con l'Italia
4. le lingue ufficiali della Svizzera
5. dov'è Atene
6. la capitale e la lingua ufficiale della Francia
7. due isole del Nord Europa che sono nazioni importanti
8. tre paesi europei che non confinano con il mare
9. tre paesi europei sul Mediterraneo
10. due paesi europei con le coste sull'Atlantico e sul Mediterraneo

La politica e il governo

Have students use some of these words in simple sentences about familiar political figures and government institutions. For example, *La regina d'Inghilterra si chiama Elisabetta.*

l'ambasciatore ambassador
la Camera dei deputati house of
   representatives
il comune city hall
il consiglio dei ministri council
   of ministers (cabinet)
la costituzione constitution
democratico/a democratic
il deputato representative
governare to govern
il governo government;
   administration
la manifestazione demonstration
il ministro minister;
   **il presidente del consiglio/il
   primo ministro** prime minister

la monarchia monarchy; **la
   monarchia costituzionale**
   constitutional monarchy
il partito political party
il/la presidente president
il re king
la regina queen
la repubblica republic
repubblicano/a republican
il senato senate
il senatore/la senatrice senator
il sindaco mayor
lo stato state

> Use these expressions to create a crossword puzzle.

B In coppia: Dia la parola giusta per ciascuna delle seguenti definizioni.

▶ la moglie del re   — Come si chiama la moglie del re?
                            — Si chiama la regina.

1. la persona che rappresenta il proprio paese in una nazione straniera
2. tipo di governo dove c'è una famiglia reale (*royal*)
3. il documento che contiene le leggi fondamentali di un paese
4. un membro del senato
5. il capo della repubblica
6. governa una città o un paese
7. il posto del governo di una città o di un paese
8. il posto dove si riuniscono i rappresentanti eletti dalla gente
9. la persona che è a capo di una monarchia
10. vi fanno parte tutti i ministri del governo
11. il ministro più importante di tutti
12. il femminile di *senatore*

C In gruppi di due o tre: Faccia le seguenti domande agli altri studenti.

1. Sai i nomi dei senatori del tuo stato? Quali sono?
2. Ti piacerebbe dedicarti alla politica? Perché?
3. Quali sono i partiti più importanti nel tuo paese?
4. Sai il nome del Presidente dell'Italia? del Presidente del Consiglio dell'Italia? del primo ministro del Canadà? del Commissario dell'UE?
5. Sai dirmi quali sono alcuni paesi in cui c'è la monarchia? Conosci il nome del re/della regina?
6. Si è mai dimesso (*resigned*) un presidente degli Stati Uniti? Chi?
7. Quando è stata firmata (*signed*) la Costituzione degli Stati Uniti?
8. Quanti deputati ci sono negli Stati Uniti? Quanti senatori?
9. Quali sono i problemi politici più importanti del paese?
10. In quali città ci sono spesso manifestazioni? Che tipo di manifestazioni?

D In gruppi di due o tre: Lei vuole presentarsi come candidato/a alla presidenza del comitato studentesco. Prepari insieme ai suoi compagni un messaggio pubblicitario da mandare in onda alla radio dell'università. Ecco alcuni problemi (*issues*) che possono interessarvi.

Ex. D: Ask students to include additional issues that interest them.

Ask students to prepare a publicity poster about the radio message and to show it to the class.

il rapporto fra studenti e professori
l'orario della biblioteca
luoghi di studio e di riposo necessari agli studenti pendolari
il cibo della mensa (*cafeteria*) universitaria
le attività sportive nell'università

Struttura ed uso

Congiuntivo presente: verbi irregolari

— Preferisco che tu **abbia** un'espressione un po' più seria.

1. As you learned in **Lezione 14,** the subjunctive is used in a subordinate clause introduced by **che** after verbs that express a desire, a hope, or a demand.

Insiste che suo figlio **torni** a casa presto.   *She insists her son come home early.*
Speriamo che i politici **prendano** presto   *We hope the politicians make*
  una decisione sull'economia.   *a decision soon about the economy.*

2. The following common verbs have irregular present subjunctive forms. Note that all the endings have the same characteristic vowel, **a,** regardless of whether they are **-are, -ere,** or **-ire** verbs. For the present subjunctive of additional irregular verbs, see Appendix F.

infinitive	present subjunctive
andare	vada, vada, vada, andiamo, andiate, vadano
avere	abbia, abbia, abbia, abbiamo, abbiate, abbiano
bere	beva, beva, beva, beviamo, beviate, bevano
dare	dia, dia, dia, diamo, diate, diano
dire	dica, dica, dica, diciamo, diciate, dicano
dovere	debba, debba, debba, dobbiamo, dobbiate, debbano
essere	sia, sia, sia, siamo, siate, siano
fare	faccia, faccia, faccia, facciamo, facciate, facciano
potere	possa, possa, possa, possiamo, possiate, possano
rimanere	rimanga, rimanga, rimanga, rimaniamo, rimaniate, rimangano
stare	stia, stia, stia, stiamo, stiate, stiano
uscire	esca, esca, esca, usciamo, usciate, escano
venire	venga, venga, venga, veniamo, veniate, vengano
volere	voglia, voglia, voglia, vogliamo, vogliate, vogliano

Notice that the endings of irregular verbs are the same as the endings of regular *-ere* and *-ire* verbs.

Point out to students that many of these irregular verbs reflect the present indicative *io* form: *andare: io vado, che io vada.* These verbs are: *andare, bere, dire, fare, potere, rimanere, uscire, venire, volere.*

Spero che **stiano** bene.   *I hope that they're all right.*
I professori insistono che io **faccia** più   *My professors insist that I pay more*
  attenzione durante le lezioni.   *attention during the lessons.*

A In coppia: Fino ad oggi voi avete sempre cercato di avere pazienza con il vostro compagno/la vostra compagna di camera (*roommate*) che fa molte cose che non vi piacciono. Per esempio:

Va a dormire alle tre di mattina.
Non ha nessun senso di responsabilità.
Fa molte telefonate interurbane, ma non vi dà mai i soldi per pagare il telefono.
Ascolta la musica di Pink Floyd.
Non vi dice quando qualcuno vi ha telefonato.
Esce sempre senza pulire la cucina.
È troppo generoso/a con le vostre cose: le presta a tutti i suoi amici.
Fa molte feste e invita molte persone sconosciute (*unknown*) nel vostro appartamento.

Finalmente avete deciso di dirgli/le esattamente quello che volete che lui/lei faccia. Cosa gli/le dite?

► Vogliamo che tu vada a dormire più presto. Insistiamo che tu non faccia rumore dopo mezzanotte ...

Ex. A: Ask students if their roommates do things they don't like. Ask them what they prefer their roommates do instead.

Encourage students to elaborate on their statements as in the model. Allow regular verbs in the activities but highlight irregular verbs.

B Forse *avere* un figlio o una figlia è ancora più difficile di *essere* un figlio o una figlia. Pensi a quando lei forse sarà una madre o un padre, e quello che lei vorrà che suo figlio faccia o non faccia. Scriva almeno cinque frasi utilizzando espressioni come **Insisto che mio figlio/mia figlia ... , Preferisco che ... , Voglio che ... ,** ecc.

► Voglio che mia figlia faccia molto sport, ma insisto che sia anche brava a scuola. Spero che abbia molti amici e preferisco che ...

Before doing Ex. B, brainstorm wishes and expectations parents have for their children. Follow up by having individuals tell the class what they would like their children to do.

C In coppia: Discutete i desideri possibili delle seguenti persone e finite le frasi con due o tre possibilità per ogni frase.

Gli elettori preferiscono che i candidati ...
Il presidente di un paese vuole che ...
I politici della destra insistono che ...
I politici della sinistra desiderano che ...
Il Papa spera che ...
Il sindaco di una grande città vuole che ...

Ex. C: Expand by having pairs write five hopes about their own government or country.

D In coppia: Pensi ad una persona con cui ha un rapporto molto stretto (*close relationship*): un parente, un amico/un'amica, la sua ragazza o il suo ragazzo. Poi scriva:

tre cose che lei vuole che questa persona faccia
tre cose che questa persona vuole che lei faccia
due cose che voi sperate di fare insieme

Poi riferisca l'informazione ad un altro studente/un'altra studentessa.

▶ Voglio che lui sia sempre onesto. Voglio che mi aiuti a studiare, e non voglio che esca con il suo amico Mark che non mi piace.
Lui vuole che io ...
Noi speriamo di andare ...

> Remember: if there is no change of subject, an infinitive follows the main verb.

E In coppia: Pensi ad un viaggio che lei spera di fare. Dica ad un amico/un'amica quello che lei spera di fare e quello che lei spera che succeda durante il viaggio.

▶ Spero di partire per la Florida il 13 febbraio.
Spero che faccia bel tempo, ecc.

Ex. E: Give students two minutes to make notes about at least six hopes for the trip. Encourage them to ask questions about their partners' desires.

Interno dell'elegante Galleria Umberto I di Napoli.

Congiuntivo con espressioni impersonali

— È bene che **pulisca** la casa.
— Sì, ma è impossibile che **sia** sempre così allegra!

1. The subjunctive is used after certain expressions of necessity, possibility, probability, and opinion that indicate the speaker's attitude.

Remind students that the indicative is the mood of certainty and fact.

È necessario che i capi dell'UE discutano il problema.
Ma non **è probabile** che trovino facilmente una soluzione.

These common impersonal expressions usually require the subjunctive.

è bene	it's good	**è opportuno**	it's appropriate, suitable
è giusto	it's right		
è importante	it's important	**è ora**	it's time
è impossibile	it's impossible	**è possibile**	it's possible
è improbabile	it's unlikely	**è preferibile**	it's preferable
è inopportuno	it's inappropriate, unsuitable	**è probabile**	it's probable
		sembra }	it seems
è meglio	it's better	**pare** }	
è necessario	it's necessary		

È probabile che oggi il re di Spagna si rechi dal Papa.
Sembra che l'eccessiva velocità sia la causa dell'incidente.
È necessario che la banca prenda decisioni immediate.
È ora che gli immigrati clandestini vengano rimpatriati.

It's probable that the king of Spain is going to visit the Pope today.
It seems that excessive speed is the cause of the accident.
It's necessary that the bank make some immediate decisions.
It's about time that illegal aliens be sent back home.

2. If no subject is specified, an infinitive is used after an impersonal expression.

È importante **seguire** le notizie politiche.	*It's important to follow the political news.*
È importante **che tu segua** le notizie politiche.	*It's important that **you** follow the political news.*
È bene **sapere** quello che succede nel mondo.	*It's good to know what's going on in the world.*
È bene **che noi sappiamo** quello che succede nel mondo.	*It's good that **we** know what's going on in the world.*

3. With impersonal expressions that indicate certainty, the indicative is used in the **che** clause.

È vero che il governo è in crisi.	*It's true that the government is in crisis.*
È chiaro che le elezioni sono alle porte.	*It's clear that the elections are just around the corner.*

F In coppia: Con un compagno/una compagna, commentate su quello che voi e gli altri fate questo fine settimana. Formulate frasi complete con gli elementi delle tre colonne.

▶ È meglio che tu stia a casa.

È necessario	che noi	uscire con Michele
È bene	che gli amici	andare ad una festa
È meglio	che tu	venire a casa mia
È possibile	che io	stare a casa
È preferibile	che tu e Gina	divertirsi
È importante		assistere ad un concerto
È probabile		giocare a pallavolo
		guardare un vecchio film
		lavorare

G Lei fa parte della squadra di pallavolo della sua università. Un suo amico/Una sua amica vorrebbe partecipare, ma prima vuole sapere che cosa deve fare. Gli/Le dica le regole (*rules*) di comportamento della squadra come indicato nel modello.

Vary Ex. G by having students use tutti: È importante che tutti vadano a dormire presto.

▶ È importante andare a dormire presto.
È importante che tu vada a dormire presto.

1. È necessario dormire otto ore.
2. È necessario alzarsi alle sei e mezzo ogni mattina.
3. È importante venire a tutti gli allenamenti (*practices*).
4. È necessario non arrivare in ritardo.
5. È importante fare ginnastica tre volte alla settimana.
6. È importante non mangiare troppo.
7. È necessario prendere voti buoni.
8. È importante avere molta pazienza.

H Finisca le frasi in maniera logica.

Have students do Ex. H in pairs, taking turns changing the sentences.

1. È bene che i giovani ...
2. È importante che gli studenti universitari ...
3. Sembra che il governo ...
4. Spero che i capi di tutti i paesi del mondo ...
5. È opportuno che il nostro presidente ...

I **Signora Sapienza.** Lei scrive una rubrica (*column*) su un giornale in cui dà consigli alle persone che hanno problemi. Con un amico/un'amica, leggete le seguenti lettere e date risposte appropriate usando frasi quali **è necessario che**, **è opportuno che**, **non è giusto che**, ecc.

Ex. I: Assign written follow-up. Have students respond to one of the letters.

Cara signora Sapienza,

Sono una ragazza simpatica e ho sempre molti impegni e appuntamenti. Mia nonna, che abita dall'altra parte del bosco, insiste che io vada a trovarla ogni giorno, e che le porti qualcosa da mangiare. Io voglio bene alla nonna ma la sua casa è lontana e non ho la macchina: devo andare a piedi. E poi il bosco è pericoloso (*dangerous*) e sembra che ci siano i lupi (*wolves*). Mi dica cosa devo fare?

C. R.

Cara signora Sapienza,

Sono un principe allegro e disinvolto. Un mese fa, mentre camminavo nel bosco ho visto una principessa che dormiva sull'erba (*grass*). Era così bella che mi sono innamorato immediatamente. Ma questa principessa non mi parla, non mi guarda e non ascolta le mie canzoni d'amore. Dorme e basta. Cosa posso fare per farmi notare?

Disperato

Cara signora Sapienza,

Noi siamo sette piccoli fratelli e viviamo in una bella casetta nel bosco. Fino a due settimane fa, non avevamo problemi. Giorni fa, però, siamo ritornati dal lavoro e abbiamo trovato una signorina che puliva la nostra casa. Da quel giorno questa signorina è stata sempre con noi: canta, pulisce, balla e cucina. Noi preferiamo che la nostra casa sia sporca (*dirty*), e non vogliamo più sentirla. Cosa ci consiglia di fare, lei che sa tutto?

Scocciati (*Fed up*)

Did you recognize these traditional stories? In Italian they are called *Cappuccetto Rosso, La bella addormentata nel bosco,* and *Biancaneve e i sette nani.*

Superlativo relativo e superlativo assoluto

la manifestazione **più** importante   **la** manifestazione **più** personale

> The symbol ⋀ on political messages means *abbasso* (down with . . .). Its opposite, ⋁, means *viva* or *evviva* (long live . . .).

1. The relative superlative is used to single out people or things from others in the same group or with similar characteristics. The superlative is formed by using a *definite article* + **più/meno** + *adjective* + **di**. **Di** contracts with a definite article in the usual prepositional contractions.

> Have students compare classmates using the relative superlative. Ask them who is the tallest, shortest, oldest, youngest in the class; who has the longest hair, the shortest, etc.

Roma è forse **la** città **più bella** d'Italia.	*Rome is perhaps the most beautiful city in Italy.*
Il San Carlo è **il** teatro **più importante di** Napoli.	*San Carlo is the most important theater in Naples.*
Bologna è fra **le** città **meno conosciute** d'Italia.	*Bologna is among the least well-known cities in Italy.*
Io abito nel**la** strada **meno tranquilla della** città.	*I live on the least quiet street in the city.*

2. The absolute superlative expresses the highest possible degree of a quality or characteristic. The absolute superlative can be expressed with **molto**, or by adding the suffix **-ssimo (-ssima, -ssimi, -ssime)** to the masculine plural form of adjectives.

> Tell students that a more informal way of creating an absolute superlative is by repeating the adjective or adverb: *È una casa piccola piccola.*

adjective	masc. pl.	suffix	superlative
bello	belli	+ ssimo	bellissimo/a
grande	grandi	+ ssimo	grandissimo/a
bianco	bianchi	+ ssimo	bianchissimo/a
lungo	lunghi	+ ssimo	lunghissimo/a
simpatico	simpatici	+ ssimo	simpaticissimo/a

— È stato **grave** l'incidente?	— Sì, è stato **gravissimo.**
— Sono **veloci** le Lamborghini?	— Sì, sono **velocissime!**
— Sembra che sia **difficile** prendere una decisione.	— Infatti, è **difficilissimo!**

3. The suffix **-issimo** can also be added to some adverbs after dropping the final vowel.

— Parlano bene l'italiano?	— Sì, lo parlano **benissimo.**
— Ti senti male?	— Sì, **malissimo.**
— Studiate molto?	— Sì, ma non **moltissimo.**

 Qual è? Abbinate le cose o persone di sinistra con le frasi di destra.

Il Vesuvio	il fiume più lungo d'Italia
La Ferrari e la Lamborghini	le città più industrializzate d'Italia
Giuseppe Garibaldi	il lago più grande d'Italia
La torre pendente	le scarpe più eleganti del mondo
(*leaning tower*)	le macchine più veloci di tutte
Il Lago di Garda	il vulcano più famoso del mondo
Milano e Torino	l'eroe più amato del Risorgimento
Il Po	italiano
Quelle di Ferragamo	la montagna più alta degli Appennini
Il Gran Sasso	il monumento più famoso di Pisa

> Mount Vesuvius is an active volcano on the Bay of Naples; it destroyed the city of Pompeii in A.D. 79.
>
> The Leaning Tower of Pisa was built in the thirteenth century as a belltower for the city's cathedral.

Ex. J: After students pair the phrases, ask them to describe each thing using an absolute superlative: T: *Come sono le scarpe di Ferragamo?* S: *Sono elegantissime.*

Veduta panoramica del golfo di Napoli con la città, il porto e il Vesuvio.

K In coppia: Parlate dei monumenti e luoghi d'interesse a Roma, usando il superlativo relativo come nel modello.

Ex. K: Expand the activity by having students talk about a major city they know: *Central Park è il parco più bello di New York.*

▶ Villa Borghese / parco / bello   Villa Borghese è il parco più bello di Roma.

1. la Galleria Borghese / museo / importante
2. San Pietro / monumento / grandioso
3. il Pantheon / edificio / antico
4. via Condotti / via / elegante
5. l'Antico Caffè Greco / bar / caratteristico
6. l'Hassler / albergo / costoso
7. Battistoni e Bulgari / negozi / cari
8. via del Corso / strada / trafficata

L In coppia: Parlate delle cose della vostra città secondo le categorie indicate.

Ex. L: Have students alternate asking and answering questions. S1 may want to state an alternative answer. Check with the entire class after paired work is completed, especially the last two items.

▶ strada più importante   S1: Qual è la strada più importante di questa città?
                            S2: Main Street è la strada più importante della città.

1. palazzo più alto
2. zona più caratteristica
3. negozio più elegante
4. negozio meno elegante
5. ristorante più costoso
6. ristorante meno costoso
7. piazza più bella
8. discoteca più bella

M In coppia: Fate una lista di quattro film che avete visto, film eccellenti o film ... meno belli. Commentate i film, usando superlativi o comparativi dove possibile, ed aggettivi come **bello, brutto, banale, divertente,** ecc.

Ex. M: You may want to review film vocabulary from *Lezione 10* and write some Italian names of popular films on the board.

— Episodio 3 di *Guerre stellari* è un bel film. Anzi, bellissimo.
— Macché! (*Are you kidding?*) È un film banalissimo!
— Secondo me è il film più divertente ...
— Sì ma ...

N In coppia: Voi lavorate in un'agenzia pubblicitaria e dovete creare degli slogan per i seguenti prodotti. Cercate di usare il superlativo negli slogan pubblicitari che create.

Ex. N: Brainstorm appropriate adjectives for each product. Have students invent their own catchy product names and slogans. Or bring in Italian magazines and let them choose products from ads they find.

▶ Acecasa (un detersivo per i pavimenti)
  Usate Acecasa: il detersivo più efficace per pavimenti bellissimi!

1. Ultrabrill (uno shampoo per signora)
2. Leggilux (un sistema di software per aiutare i bambini a leggere)
3. Snellabell (una linea di cibi dietetici)
4. Odorstop (un deodorante)
5. Autoflash (un olio per la macchina)
6. Cioccodent (un dentifricio al cacao)

O In gruppi di tre: Parlate della vostra università facendo riferimento ai seguenti temi.

1. il corso più difficile
2. il corso meno difficile
3. la specializzazione più impegnativa (*challenging*)
4. la specializzazione più utile
5. la specializzazione più popolare
6. il luogo più tranquillo per studiare
7. il luogo meno tranquillo per studiare
8. i/le professori/esse più bravi/e dell'università

Comparativi e superlativi irregolari

il **migliore** film dell'anno

il **peggiore** film dell'anno

1. The adjectives **buono, cattivo, grande,** and **piccolo** have both regular and irregular comparative and relative superlative constructions. The regular and irregular forms are often interchangeable, although the context sometimes determines when each should be used. The following chart shows the irregular forms.

adjective	comparative	irregular superlative			
buono	migliore/i		migliore		migliori
cattivo	peggiore/i	il	peggiore	i	peggiori
grande	maggiore/i	la	maggiore	le	maggiori
piccolo	minore/i		minore		minori

> The irregular forms of *grande* and *piccolo* often refer to numbers rather than physical size: *È il maggiore della famiglia* (in years); *È il più grande della famiglia* (in size).

Il tempo oggi è **peggiore** di quello di ieri.	*The weather today is worse than yesterday's.*
Credo che Mirella Rossi sia la **migliore** candidata.	*I think Mirella Rossi is the best candidate.*
Il **maggior** numero di elettori in questa città sono donne.	*The greater number of voters in this city are women.*

Maggiore and **minore** are often used in the sense of *older/oldest* and *younger/youngest.*

Giuseppe è il **minore** di quattro fratelli.	*Giuseppe is the youngest of four brothers.*
Chiede consigli ai suoi fratelli **maggiori.**	*He asks his older brothers for advice.*

2. Buono, cattivo, grande, and **piccolo** also have regular and irregular absolute superlative forms. The irregular forms are not always interchangeable with the regular forms.

buono	{ buonissimo/a ottimo/a		grande	{ grandissimo/a massimo/a
cattivo	{ cattivissimo/a pessimo/a		piccolo	{ piccolissimo/a minimo/a

Queste torte sono **ottime** (buonissime)!	*These cakes are excellent!*
Quel vino è **pessimo** (cattivissimo)!	*That wine is awful!*
Oggi la temperatura **massima** è di 20° C.	*Today the highest temperature is 20° C.*
Qual è stata la temperatura **minima** di ieri?	*What was the lowest temperature yesterday?*

3. The adverbs **bene, male, poco,** and **molto** have irregular forms when used in comparative constructions.

adverb	comparative
bene	meglio
male	peggio
molto	più
poco	meno

Use the adjective *buono* in several examples with different endings. Then give some examples using *bene*, stressing that, as an adverb, it never changes. Then restate the examples in a comparative form: *Arturo's è un buon ristorante: è migliore di ... ; Luciano Pavarotti canta bene: canta meglio di ...*

— Oggi mi sento bene. Mi sento **meglio** di ieri.	*— I feel fine today. I feel better than yesterday.*
— Io invece mi sento male. Mi sento **peggio** di ieri.	*— I on the other hand feel badly. I feel worse than yesterday.*
— Tu usi molto la macchina. La usi **più** di me.	*— You use the car a lot. You use it more than I do.*
— Sì, ma tu esci poco. Esci **meno** di me.	*— Yes, but you don't go out much. You go out less often than I do.*

P Paragoni (*Compare*) le seguenti persone. Formuli frasi complete, usando la forma *irregolare* del comparativo degli aggettivi indicati.

Have students repeat Ex. P using the regular comparative forms. Point out differences in meaning where applicable, i.e., *maggiore/ più grande.*

▶ Laura / grande / me
Laura è maggiore di me.

1. mio cugino / cattivo / tuo cugino
2. tu / piccolo / Luigi
3. i miei amici / buono / i suoi amici
4. mia sorella / grande / la sorella di Carlo
5. i miei fratelli / piccolo / i tuoi fratelli
6. voi / cattivo / loro
7. la signora Speroni / grande / il signor Dini
8. lui / buono / lei

Q Completi le frasi con il nome di una persona della sua famiglia, di un amico/un'amica o di una persona famosa. Poi confronti se stesso/a con queste persone, come nel modello.

Ex. Q: Have students compare themselves to others in the class, using the sentences as models.

▶ scrivere bene   Jane Austen scrive bene. Scrive meglio di me.
  parlare molto   Mio fratello Giorgio parla molto, ma io parlo più di lui.

1. studiare molto
2. cantare male
3. giocare bene a pallacanestro
4. cucinare male
5. mangiare poco
6. parlare bene l'italiano
7. uscire molto
8. guidare male

R In coppia: Compilate una lista delle cose migliori e peggiori della vostra città. Categorie possibili:

migliore/peggiore pizza
migliore/peggiore gelato
migliore/peggiore club o discoteca
migliori/peggiori negozi (di scarpe, di vestiti, ecc.)
migliori/peggiori ristoranti (italiano, cinese, ecc.)

Ex. S: Have each group nominate a candidate for every category; then let the whole class vote. Let students compile a list of the worst film, worst actor, etc.

▶ La migliore pizza si mangia alla Pasquale's House of Pizza. La peggiore pizza si mangia alla mensa universitaria.

S In gruppi di tre: Pensate ai film che avete visto l'anno scorso. Adesso viene il momento di dare i premi Oscar. Proponete un candidato per ogni categoria.

Migliore film dell'anno
Migliore attore
Migliore attrice
Migliore attore non protagonista
Migliore attrice non protagonista
Migliore regista
Migliore colonna sonora (*soundtrack*)

TITOLO **LA TIGRE E LA NEVE**
TARIFFA   IMPORTO
Platea Intero   **Tot. Euro 7,00**
SPETTACOLO   SALA   FILA/POSTO Spettacolo CINEMA
23/10/05 20:10
Multisala Reale Sala 1

1

Sistema: 00000374 CartaA0022822 Prg.19677
Sigillo76-84-5F-BC-AC-28-79-0B
Emesso da casss: 15 il 23/10/05 alle 19:43
Titolare del sistema di emissione
SAFIN CINEMATOGRAFICA SPA 03697701006 19:43
Piazza Sonnino Sidney n°17 00153 ROMA/RM) RM
Emesso per conto: C.G.Cinema Spettaco'i Srl-P.IC4479581003
17343176

   For further practice of lesson topics, log on to the *Oggi in Italia* website and/or do the CD-ROM activities.

Parliamo un po'

Act. A: Have one student ask the other to go to "La Mela" for him/her: *Voglio che tu mi scelga ... Spero che ci sia ...*

(A) Noleggiare un video. In coppia: È venerdì sera e lei vorrebbe noleggiare un DVD: ma dove? Chieda al compagno/alla compagna di casa se sa dov'è possibile noleggiarlo. Lei vuole sapere:

dove andare
il nome del negozio
l'indirizzo
se il negozio è vicino o lontano dal vostro appartamento
che genere di film hanno

(B) Scegliere un film. In gruppi di tre: Lei e due amici arrivate al Videoclub La Mela e trovate che sono rimasti solo quattro DVD. Sono:

Act. B: Ask students what they do when they find few videos to choose from. Ask if they have ever rented a really terrible film. See if the class can translate some of their titles into Italian.

Le nuove avventure dei Puffi (Smurfs) *nello spazio.* Cartoni animati.
Morte e distruzione. Un film italiano degli anni cinquanta; in bianco e nero con sottotitoli in inglese.
Venerdì tredici VII: Il terrore finale.
Baciami, cretino! (Kiss me, stupid!). Film comico del 1964 con Doris Day e Rock Hudson.

Scelga uno dei quattro film e convinca i suoi amici a noleggiarlo.

C Guarda il telegiornale? Lei vuole fare un sondaggio per sapere se gli altri studenti della classe guardano regolarmente il telegiornale. Parli con tre studenti, e prenda appunti.

	1	2	3
guarda il telegiornale?	_____	_____	_____
quale canale?	_____	_____	_____
a che ora?	_____	_____	_____
quante volte alla settimana?	_____	_____	_____
annunciatore/annunciatrice preferito/a?	_____	_____	_____
È importante seguire regolarmente le notizie.	sì / no	sì / no	sì / no
È importante che i giovani sappiano quello che succede nel mondo.	sì / no	sì / no	sì / no
I giovani di oggi sono molto informati.	sì / no	sì / no	sì / no
Il telegiornale presenta:			
sufficienti notizie locali.	sì / no	sì / no	sì / no
sufficienti notizie nazionali.	sì / no	sì / no	sì / no
sufficienti notizie internazionali.	sì / no	sì / no	sì / no

D Le ultime notizie. In gruppi di quattro: Preparate un telegiornale su quello che è successo ieri nella vostra città, o la settimana scorsa nella vostra università. Siete tre annunciatori/annunciatrici (uno/a di sport) e un meteorologo.

If you have Italian newspapers, bring them in for students to use as sources for news stories. Encourage them to follow the format of the dialogue: series of short headlines, elaboration of each headline. Let groups perform their news broadcasts for the class.

E Un'intervista particolare.

S1
Lei è un/una giovane giornalista che deve intervistare un famoso senatore/una famosa senatrice americano/a. Lei vuole sapere da questa persona:

da quanti anni fa questo lavoro
come ha cominciato a fare politica
la persona più interessante che abbia mai conosciuta
il momento più comico durante le campagne elettorali
il momento più brutto
cosa consiglia a una persona giovane che desidera fare politica

S2
Lei è un famoso senatore/una famosa senatrice americano/a e ha accettato un'intervista da parte di un/una giovane giornalista. Risponda alle domande del/della giornalista usando la fantasia per provvedere le informazioni richieste. Deve anche dare consigli ai giovani che vogliono fare politica. (È opportuno che …)

Conoscere l'Italia

A **Definizioni.** Abbini le definizioni con una parola della lista di destra. Ci sono due parole in più nella lista.

1. piccole montagne
2. che ha lo stesso nome
3. la bella veduta di un posto
4. indica il tempo che fa in un determinato posto
5. statue e palazzi famosi
6. una piccola piazza
7. il contrario di *pochi/e*
8. il contrario di *vecchio/a*
9. luogo religioso
10. il contrario di *moderno/a*

a. la chiesa
b. la piazzetta
c. il golfo
d. il panorama
e. il fascino
f. il clima
g. i monumenti
h. antico/a
i. le colline
j. omonimo/a
k. numerosi/e
l. nuovo/a

Have students find words in the reading related to *numero, popolo, governo, ricco, città, archeologia, amministrare.*

NAPOLI

Napoli si estende ad anfiteatro[1] sulle colline di Posillipo e del Vomero e si affaccia[2] sul golfo omonimo. Questa città fu fondata nel secolo VIII (ottavo) avanti Cristo dai greci che la chiamarono "Neapolis", che vuol dire "nuova città". Conquistata poi dai romani, Napoli attraverso[3] i secoli è stata governata da numerose famiglie reali[4] e da Giuseppe Buonaparte e Gioacchino Murat.

Napoli è una città incantevole[5] il cui fascino[6] deriva non solo dallo splendido panorama e dal clima mite della zona, ma anche dalla ricchezza di monumenti e musei e dalla caratteristica struttura della città. Dominato dal vulcano Vesuvio, il golfo di Napoli è uno dei più belli del mondo. Fra i monumenti ricordiamo il Teatro San Carlo, che ha un'acustica perfetta ed è uno dei più importanti teatri lirici italiani. Il Museo Archeologico Nazionale è uno dei più ricchi del mondo per quanto riguarda[7] l'arte della Grecia antica e l'arte romana. La vita cittadina si svolge nella bella piazza del Plebiscito e alla Galleria Umberto I. I vecchi quartieri[8] sono molto caratteristici, con numerose chiese, piazzette pittoresche e moltissimi vicoli[9] sempre pieni di vita.

L'incantevole isola di Capri nel golfo di Napoli.

1. like an amphitheater   2. looks out   3. through   4. royal
5. charming   6. whose charm   7. with regard to
8. neighborhoods   9. alleys

Negli ultimi tempi, sotto la direzione delle nuove amministrazioni comunali[10], molte parti di Napoli sono state rimesse a nuovo[11]. Dopo tanti anni di trascuratezza[12], chiese barocche e bei palazzi sono stati ripuliti[13] e aperti al pubblico. La città è diventata di nuovo la meta turistica di molti italiani e stranieri. L'antico detto popolare "Vedi Napoli e ... poi muori" suggerisce che non c'è al mondo città più incantevole di Napoli.

10. municipal   11. have been renovated   12. neglect   13. cleaned up

Napoleon Buonaparte appointed his brother Giuseppe (1768–1844) king of Naples in 1806. Two years later he appointed his aide Gioacchino Murat (1767–1815) to succeed his brother as king of Naples.

Locate Napoli on the map on p. 14. *In che regione si trova Napoli? Come si chiama un'altra città della stessa regione? Quale vulcano importante è vicino a Napoli? Con quali regioni confina la Campania? Come si chiamano le isole che si trovano nel golfo di Napoli? Come si chiama il mare che bagna la costa campana?*

Have students prepare five questions based on the reading. Have some of them answer their own questions with books closed.

 Che cosa ricorda? Dia il nome o la descrizione delle seguenti caratteristiche di Napoli.

1. il clima
2. due monumenti famosi
3. cosa rende spettacolare il panorama
4. alcuni aspetti dei vecchi quartieri
5. chi ha fondato la città e quando
6. significato della parola *Napoli*
7. il vulcano di Napoli
8. un vecchio detto popolare associato con Napoli

 Definizioni. Abbini le definizioni con una parola della lista di destra. Ci sono due parole in più nella lista.

1. aggettivo derivato da *fascino*
2. sinonimo di *gente*
3. sinonimo di *atmosfera*
4. nome da cui deriva *generoso/a*
5. contrario di *buono/a*
6. una bevanda che eccita
7. il contrario di *sorella*
8. un cantante
9. composizione di musica e parole

a. la generosità
b. la canzone
c. cattivo/a
d. il fratello
e. l'ambiente
f. il tenore
g. affascinante
h. gli spaghetti
i. la partita di calcio
j. il popolo
k. il caffè

Mariella Vanini, Giuliana Liverani e Carlo Masina sono seduti a un bar all'aperto in piazza del Duomo° a L'Aquila. Giuliana legge un opuscolo sulle manifestazioni culturali della stagione estiva in Abruzzo.

cathedral

GIULIANA: Ragazzi, guardate, sabato in piazza del Teatro si dà l'*Aida* di Verdi all'aperto. Vogliamo andare a vederla?

MARIELLA: Mi sorprende che tu voglia andare all'opera. Non ti ricordi che sabato ai Fori Imperiali a Roma c'è un concerto di
5   beneficenza per aiutare a combattere la fame in Africa? Ci saranno complessi e cantanti famosi di vari paesi europei. Perché non si va lì invece?

CARLO: Ma … non so. Sebbene io abbia già visto alcune opere, non ho mai visto l'*Aida*. Quindi penso che potrà essere una
10   serata divertente.

GIULIANA: È vero. Il dramma di Aida, i bellissimi costumi, la musica e le luci in uno scenario all'aperto sono qualcosa di indimenticabile.

MARIELLA: Sì, però ai Fori Imperiali si possono ascoltare dal vivo
15   cantanti eccezionali. Ci sarà anche Jovanotti che canta e suona la chitarra. E poi c'è quel nuovo cantante inglese …

GIULIANA: Mariella, io non credo che ti faccia male ascoltare un po' di musica classica!

CARLO: Ma forse dovremmo seguire il consiglio di Mariella benché
20   non mi piaccia molto Jovanotti. Ascolteremo della buona musica e allo stesso tempo faremo un'opera buona. Mi dispiace però di non poter vedere l'*Aida*.

MARIELLA: Mi fa piacere di avervi convinti. Stasera telefonerò per prenotare i biglietti.

Point out the use of *vogliamo?* (shall we?) in *Vogliamo andare a vederla?*

The Fori Imperiali are the ruins of an ancient Roman forum located near the Colosseum in Rome. The forum was a public square or marketplace where people used to assemble. Recent outdoor concerts held at the Fori Imperiali include performances by Elton John, Sting, and Mariah Carey.

Jovanotti: popular Italian singer

Have students suggest ways to change the ending of the dialogue. For example, Giuliana refuses to go to the concert; Mariella says if Giuliana doesn't go, she'll invite Luigi, who likes popular music.

L'Aquila — Piazza del Teatro
Sabato 25 luglio 2005 — Ore 21.30
A I D A
Opera in quattro atti
Musica di **Giuseppe Verdi**

Personaggi	*Interpreti*
Aida	Matilde Braga
Radames	Filippo Lambertini
Amneris	Eva Spini
Amonasro	Tiberio Ponzi
Direttore d'orchestra	*Scene e costumi*
Alessandro Biasi	Patrizia Selva
Direttore del Coro	*Regia*
Luigi Abate	Silvano Bravetta

Informazioni e prenotazioni presso la biglietteria del Teatro Comunale:
tel. 0862/25584   Orario: dalle 14.00 alle 19.30.

Giuseppe Verdi (1813–1901) was an Italian composer. Among his many operas are *Rigoletto, La Traviata,* and *Il Trovatore.*

Ask a few questions about the musical program described in the poster. *Quanti personaggi principali ci sono nell'Aida? Sapete in che paese si svolge l'Aida?*, etc.

Help students with vocabulary as needed.

You may want to play music from *Aida* and by Italian singers or groups such as Zucchero, Laura Pausini, Liftiba, or I Nomadi.

Domande

1. Che cosa si presenta sabato a piazza del Teatro?
2. Che cosa è in programma ai Fori Imperiali a Roma?
3. Perché secondo Giuliana l'*Aida* è indimenticabile?
4. Chi preferisce andare ai Fori Imperiali? Perché?
5. Che cosa fa piacere a Mariella? Cosa farà stasera?

Domande personali

Ask a few students about a specific opera or concert they have attended. Find out where it took place, etc.

1. Ha mai visto un'opera? Quale? Dove?
2. A lei piace l'opera? Perché?
3. Quale opera conosce?
4. Conosce qualche tenore o soprano famoso? Quale?
5. Qual è il suo cantante o la sua cantante preferito/a? E il suo complesso preferito?
6. Ha mai visto uno spettacolo di beneficenza? Quale? Dove?

Pratica

Prat. 1: Call on some pairs to act out the dialogue in front of the class.

Prat. 2: Have three students each report on one of the characters in the dialogue.

1. In coppia: Domandi ad un amico/un'amica se vuole andare al Festival di Puccini. Risponda alle domande dell'amico/a che vuole sapere che cosa è in programma, dove si possono comprare i biglietti e qual è il numero di telefono e l'e-mail della biglietteria.

2. Riassuma in cinque o sei frasi il dialogo a pagina 358, dichiarando (*stating*) dove vuole andare ogni persona, che cosa vuole vedere, quando e perché.

La musica e i giovani

I giovani italiani amano molto la musica. I concerti all'aperto o nei teatri, i festival della canzone, gli spettacoli dei cantanti e le discoteche sono i luoghi di ritrovo[1] di ragazzi e ragazze. Attraverso la musica, i giovani si incontrano, si conoscono e scoprono[2] interessi comuni.

La musica americana e anglosassone, trasmessa nei programmi della radio e della televisione, esercita una grande influenza sulla gioventù italiana. Per i giovani questa musica è il naturale complemento al fast-food, molto diffuso nelle maggiori città, e all'abbigliamento "casual", che caratterizza il vestire del giovane italiano.

Ma non è solo la musica leggera che va di moda in Italia. Molti giovani seguono anche la musica classica e l'opera, che hanno in Italia una lunga tradizione. Per avvicinare ancor più[3] i giovani alla musica in generale, molti spettacoli musicali, inclusa l'opera, vengono allestiti[4] durante l'estate in quasi tutti i paesi e città d'Italia. Questi spettacoli si danno in piazze, cortili[5] di antichi palazzi, chiostri[6] di monasteri e altri luoghi suggestivi.

- Che tipo di musica preferiscono i giovani americani?
- Agli studenti americani piace l'opera?
- Quali sono i teatri dell'opera più famosi degli Stati Uniti?
- Quali sono alcuni luoghi all'aperto dove si presentano spettacoli musicali importanti?

Il cantante italiano Jovanotti si esibisce in un concerto al Garden Festival di Berna in Svizzera (2005).

1. gathering places   2. they discover   3. to bring even closer   4. produced   5. courtyards   6. cloisters

Vocabolario

Parole analoghe

l'atto	il coro	l'orchestra
classico/a	il dramma	lo scenario
il concerto	eccezionale	il soprano
convincere (*p.p.* convinto)	l'informazione (*f.*)	il tenore

Elicit or point out word families such as *informazione, informare, informato/a; musicale, musica, musicista; dramma, drammatico, drammaturgo*. Define in Italian words like *soprano, tenore,* and *orchestra,* and ask students to identify the term defined.

Nomi

la beneficenza benefit
la biglietteria ticket office
il/la cantante singer
la chitarra guitar
il complesso (musical) group
la fame hunger
l'interprete (*m.* or *f.*)
    interpreter; performer
la luce light
la manifestazione exhibition
l'opera opera; deed
l'opuscolo pamphlet
il personaggio character
la prenotazione reservation
la serata evening

Verbi

combattere to fight
prenotare to reserve, to make
    reservations
suonare to play (*an instrument*)

Aggettivo

indimenticabile unforgettable

Altre parole ed espressioni

benché even though
sebbene even though
all'aperto open air
che cosa è in programma?
    what's playing?
dal vivo live
fare piacere to please

Point out the difference between *la sera* and *la serata. Buona sera! / Abbiamo passato la serata all'aperto.*

Pronuncia

Ripasso della consonante *c*

The Italian letter **c** before **e** and **i** is similar to English *ch* as in the word *chimney*. The same applies to **cc.** When the letter **c**, or **cc**, appears before **a**, **o**, or **u**, it is always pronounced with a hard sound, /**k**/ as in *cold*. The combination **ch** is always pronounced hard.

 A Ascolti e ripeta le parole.

cenare	**c**erto	**c**antante	**c**ostume
tre**c**ento	**c**inema	bo**cc**a	**c**ugino
centro	spina**c**i	**ch**itarra	ma**cch**ina
lu**c**e	inve**c**e	a**cc**ordo	**c**omplesso
cinese	violon**c**ello	ami**ch**e	**ch**iesa
e**cc**ezionale	cappu**cc**ino	or**ch**estra	dis**c**oteca

 B Ascolti e ripeta le frasi. Faccia attenzione ai suoni della **c**.

Giuliana si ri**c**orda **ch**e questo sabato **c**'è un **c**oncerto al li**c**eo.
Vuole **c**onvin**c**ere Enri**c**o ad andar**c**i **c**on lei.
Enri**c**o è d'a**cc**ordo. E **c**osì de**c**ide di a**cc**ettare l'invito.
Sarà una serata **c**aratterizzata da **c**ostumi, musi**c**a e lu**c**i brillanti.
Che serata magnifi**c**a! Sarà indimenti**c**abile.

Ampliamento del vocabolario

Gli strumenti musicali

l'armonica harmonica
l'arpa harp
la batteria drums
la chitarra guitar
il clarinetto clarinet
il clavicembalo harpsichord
la fisarmonica accordion
il flauto flute
l'oboe (*m.*) oboe
l'organo organ
il pianoforte piano
il sassofono saxophone
il tamburo drum
la tromba trumpet
il violino violin
il violoncello cello

Elicit from students names of musicians who play some of the different instruments. Or, name famous musicians and have students tell what instrument they play. For example: *la chitarra* (Andrés Segovia, Bruce Springsteen), *il pianoforte* (Elton John), *il sassofono* (Bill Clinton), *la tromba* (Louis Armstrong), etc.

 A In coppia: Siete in un negozio di musica. Leggete il ruolo di S1 o S2 per sapere cosa fare.

S1

Lei vuole comprare uno strumento musicale per un/una nipote da parte di tutta la famiglia. Non sa che cosa comprare, ma vuole qualcosa che sia facile da imparare e che non sia troppo costosa. (Cerchi anche di contrattare sul prezzo.)

S2

Lei vende molti strumenti di seconda mano:

chitarra €100	violino €250
organo elettronico €300	tromba €75
clarinetto €60	sassofono €200
armonica €10	flauto €90

Aiuti il/la cliente a decidere quale strumento comprare e mettetevi d'accordo sul prezzo. Si prepari a suggerire lo strumento più adatto e più facile da imparare.

▶ S1: Buon giorno. Desidero comprare uno strumento musicale per mio/a nipote.
　S2: Ho qui vari strumenti …
　S1: Non voglio spendere … Vorrei uno strumento …
　S2: Bene, vediamo un po' …

B In coppia: Domandi ad un altro studente/un'altra studentessa:

1. se suona uno strumento musicale; quale?
2. se non lo suona, vuole imparare a suonare uno strumento musicale; quale? perché?
3. quali strumenti musicali preferisce ascoltare; perché?
4. se gli/le piace la musica della fisarmonica; perché? e dell'arpa?
5. se è mai andato/a ad ascoltare un'orchestra sinfonica; quale? dove?

Have pairs of students interview each other to find out if they have ever played a musical instrument, which one, for how long, who taught them, how long they practiced each day or week. If they haven't, have them tell about a family member or friend.

I prefissi *in-, s-, dis-* e *ri-*

The addition of the prefixes **in-**, **s-**, and **dis-** to certain words reverses their meaning, just as *un-* and *dis-* do in English. **In-** is normally used only with adjectives; **s-** and **dis-** may be added to certain adjectives, verbs, and nouns. The prefix **ri-** added to certain verbs signifies repetition.

in-	utile *useful*	**in**utile *useless*
	felice *happy*	**in**felice *unhappy*
s-	fortuna *luck*	**s**fortuna *bad luck*
	consigliare *to advise*	**s**consigliare *to advise against*
	conosciuto/a *known*	**s**conosciuto/a *unknown*
dis-	piacere *pleasure*	**dis**piacere *displeasure, misfortune*
	fare *to do*	**dis**fare *to undo*
	organizzato/a *organized*	**dis**organizzato/a *disorganized*
	occupato/a *occupied; employed*	**dis**occupato/a *unoccupied; unemployed*
ri-	leggere *to read*	**ri**leggere *to read again*
	aprire *to open*	**ri**aprire *to reopen*
	fare *to do*	**ri**fare *to do again*
	aggiustare *to fix*	**ri**aggiustare *to fix again*

C In coppia: Risponda alle domande o osservazioni di un altro studente/un'altra studentessa, usando il contrario delle parole indicate. Per ogni gruppo di frasi, usi il prefisso suggerito.

Ex. C: Ask students for the antonyms of *credibile, dimenticabile, valido, solubile, separabile,* and *visibile,* using the prefix *in-.*

▶ — Sei *felice* adesso?   — No. Sono *infelice.*

in-

1. Sei *capace* di suonare il violino?
2. È *utile* fare questo lavoro ogni giorno?
3. Sei *disciplinato/a?*
4. È *soddisfacente* la tua vita sociale?
5. Ti senti *soddisfatto/a* di te stesso/a?
6. È *sufficiente* quello che guadagni (*earn*)?

s-

7. Anna è *fortunata,* non è vero?
8. Sono *conosciute* le sue canzoni?
9. La critica le è sempre *favorevole?*
10. Il suo ultimo concerto è stato un'esperienza *piacevole,* non è vero?
11. Dovremmo *consigliarle* di fare un altro concerto?

Ask students to create sentences with the antonyms of *comodo, cortese,* and *conosciuto/a,* using the prefix *s-.* Have a few students read their sentences aloud.

dis-

12. Siete in *accordo* adesso?
13. È *abitata* la casa che volete comprare?
14. È *attento/a* il tuo amico/la tua amica?
15. Sei una persona *ordinata?*
16. Avete una vita *agiata* (*comfortable*)?
17. C'è molta *armonia* fra voi due?

Ask students to create sentences with the antonyms of *piacere, fare,* and *organizzato/a,* using the prefix *dis-.* Have a few students read their sentences aloud.

D A lei piace rifare le cose che ha già fatto. Dica quello che vuole rifare, aggiungendo il prefisso *ri-* alle parole in corsivo.

Ex. D: Ask questions whose responses require a word containing the prefix *ri-* (for example, *riaprire, rivedere, riscrivere*). Have students create their own sentences: *Vorrei rivedere ... , Vorrei rileggere ... ,* etc.

▶ Vorrei *vedere* l'*Aida.*   Vorrei *rivedere* l'*Aida.*

1. Vorrei *leggere Via col vento.*
2. Vorrei *provare* quel vestito.
3. Penso di *andare* al teatro La Scala.
4. A me piace *fare* un viaggio in Italia.
5. Vorrei *vedere* un film di Fellini.

Struttura ed uso

Congiuntivo con espressioni di emozione, dubbio o convinzione

— **Credi** ancora che l'opera **sia** noiosa?

1. The subjunctive is used in dependent **che** clauses after expressions of emotion such as **essere contento/scontento, essere felice/infelice, piacere/dispiacere, avere paura, temere, sorprendere,** and **essere sorpreso/a,** when the subjects of the two clauses are different.

Carla, sono contenta che tu **venga** con noi.	*Carla, I'm happy that you are coming with us.*
Sono felice che **possiamo** passare un po' di tempo insieme.	*I'm pleased that we will be able to spend some time together.*
Ho paura che mio fratello non **possa** venire.	*I'm afraid my brother can't come.*

2. The subjunctive is used in a dependent **che** clause if the main clause expresses an opinion or belief. **Credere, immaginare, sembrare, parere,** and **pensare** take the subjunctive in the subordinate clause if the subjects of the two clauses are different.

> *Sembrare* and *parere* function like *piacere: Gli pare che sia difficile.*

Noi giovani pensiamo che la musica classica **abbia** poco da dirci.	*We young people think that classical music has little to offer us.*
Ci sembra che la musica moderna **rifletta** il mondo attuale.	*It seems to us that modern music reflects today's world.*
Allora ti pare che Eros Ramazzotti **canti** meglio di Andrea Bocelli?	*So you think that Eros Ramazzotti sings better than Andrea Bocelli?*

Andrea Bocelli prova un'aria prima di un concerto in programma all'Arena di Verona.

3. The subjunctive is also used after expressions of doubt, disbelief, and uncertainty. **Dubitare, non essere sicuro, non sapere, non credere,** and **non pensare** take the subjunctive in the subordinate clause if the subjects of the two clauses are different.

Dubito che tu **voglia** vedere l'opera alle Terme di Caracalla.	*I doubt that you want to see the opera at the Baths of Caracalla.*
Non sappiamo che cosa **sia** in programma.	*We don't know what is on the schedule.*
Non sono sicuro se **diano** *Tosca* o *Rigoletto*.	*I'm not sure if they're performing* Tosca *or* Rigoletto.

> *Terme di Caracalla:* Ancient thermal baths in Rome built during the reign of the Emperor Caracalla. They were inaugurated in A.D. 216.

Main clauses expressing certainty, however, take the indicative in the subordinate clause.

Sappiamo che **danno** un'opera di Verdi.	*We know that they are doing an opera by Verdi.*
Sono sicuro che ci **sono** ancora biglietti per lo spettacolo di domani.	*I'm sure that there are still tickets for tomorrow's show.*

4. The infinitive is used when there is no change of subject. The preposition **di** is often required before the infinitive.

È contenta **di essere** qui.	*She's happy to be here.*
È contenta che tu **sia** qui.	*She's happy that you are here.*
Credo **di capire** adesso.	*I think I understand now.*
Credo che voi **capiate** adesso.	*I think you understand now.*

A Reagisca alle seguenti affermazioni, usando le parole fra parentesi.

Ex. A: Extend the activity by substituting other clauses, some of which take the indicative: *Sono sicura che* ...

▶ Parlo con mia zia. (Sono felice che ...)
   Sono felice che tu parli con tua zia.

1. La professoressa arriva tardi. (Temo che ...)
2. Riceviamo tante telefonate. (Sono sorpreso/a che ...)
3. Non finiscono il progetto per domani. (Non credo che ...)
4. Non possiamo andare in vacanza. (Mi dispiace che ...)
5. C'è un problema. (Ho paura che ...)
6. Mi piace questo esercizio. (Sono contento/a che ti ...)
7. Vanno bene in quel corso di informatica. (Dubito che ...)
8. Mi sono fidanzata. (Sono felice che ...)

B Dica che lei è contento/a delle seguenti cose.

Ex. B: Have students mention other situations they are happy (or unhappy) about.

▶ Oggi è venerdì.   Sono contento/a che oggi sia venerdì.
   Non ho lezioni domani.   Sono felice di non avere lezioni domani.

1. Stasera c'è il concerto di Jovanotti.
2. Alcuni amici hanno i biglietti per il concerto.
3. Posso andare con loro.
4. Non lavoro domani.
5. I miei genitori vanno in montagna per il fine settimana.
6. Voi venite a trovarmi nel pomeriggio.
7. Vi aiuto un po' a studiare la biologia.
8. Dopo andiamo a mangiare qualcosa in una pizzeria.

C Pensi alla sua vita: alle cose che fa, ai suoi amici, alla sua famiglia, ecc. Finisca le frasi in maniera logica, esprimendo opinioni e sentimenti su vari aspetti della sua vita. Poi riferisca l'informazione a un compagno/una compagna.

Ex. C: You may want to have pairs of students come up with several alternative endings. Then ask the pairs: *Di che cosa siete contenti voi? Di che cosa avete paura voi?*, etc.

1. Io sono contento/a che ...   5. A volte mi sembra che ...
2. Sono contento/a di ...   6. Ho paura che ...
3. Mi piace che ...   7. Sono sicuro/a che ...
4. Mi dispiace che ...   8. Non so se ...

D In gruppi di tre: Chieda alle altre persone del gruppo se credono che le seguenti frasi siano vere.

Ex. D: Have students alternate asking and answering questions. Encourage students to vary the verbs used. Follow up by asking the class who agrees and who disagrees with the statements and why.

▶ Il cinema hollywoodiano riflette i gusti del pubblico?
   S1: Voi credete che il cinema hollywoodiano rifletta i gusti del pubblico?
   S2: Sì, mi pare che rifletta i gusti di una società violenta.
   S3: No, io non credo che il cinema rifletta i gusti del pubblico in generale.

1. Un titolo universitario è necessario nel mondo di oggi.
2. Un titolo universitario garantisce un buon lavoro.
3. Il matrimonio ha una funzione vitale nella società moderna.
4. I politici vogliono aiutare la gente.
5. Gli esseri umani sono buoni per natura.
6. Nel mondo siamo tutti fratelli.
7. È essenziale imparare una lingua straniera.

E Risponda alle seguenti domande.

1. Crede che il calcio sia uno sport interessante?
2. Pensa che la musica leggera sia migliore (*better*) della musica classica?
3. Le pare che oggi l'opera lirica sia una rappresentazione valida?
4. Pensa che sia piacevole essere famoso/a?
5. Crede che i genitori di oggi capiscano i loro figli?
6. Crede che i politici siano onesti?
7. Le sembra che il telegiornale sia imparziale?

Ex. E: Have students ask each other the questions using *tu* forms. Point out that *Le pare?* and *Le sembra?* become *Ti pare?* and *Ti sembra?* Encourage students to ask *Perché?* to encourage their partners to expand on their ideas.

F In gruppi di tre: Discutete quello che vi piace e quello che non vi piace della vostra università. Trovate:

tre aspetti positivi   tre aspetti negativi   i tre problemi più gravi

Usate espressioni quali **ci piace che, siamo contenti che, non ci piace che, non è giusto che, ci sembra che, crediamo che,** ecc. Poi riferite le vostre opinioni al resto della classe.

Before doing Ex. F, ask the class to identify some problems at their university/college. Ask what they like about the school, providing vocabulary where necessary.

G In coppia: Dica ad un amico/un'amica cosa pensa dell'attuale presidente degli Stati Uniti. Pensa che faccia un buon lavoro? Crede che sia onesto? Intelligente? Le sembra che rappresenti gli interessi del popolo americano? Le pare che sia troppo liberale? Troppo conservatore?

Ex. G: After paired work is completed, divide the class into supporters and critics of the current president. Start a debate between the two groups, asking for personal statements from each participant.

Congiuntivo passato

—Quel rumore? Niente! Sembra che papà **abbia ricevuto** la bolletta del telefono!

1. The past subjunctive is used in a dependent **che** clause to describe a past action when the verb in the main clause is in the present tense and calls for the subjunctive.

Non credo che tu **sia stata** ai Fori Imperiali.	*I don't think you've been to the Fori Imperiali.*
È impossibile che tu **abbia** mai **visto** un concerto così.	*It's impossible that you've ever seen a concert like this one.*
Sono contento che **abbiano cantato** anche la mia canzone preferita.	*I'm glad (that) they sang my favorite song too.*
Penso che ci **siano stati** più di ventimila spettatori.	*I think there were more than 20,000 spectators.*

2. The past subjunctive is formed with the present subjunctive of the auxiliary **avere** or **essere** and the past participle. The past participle of a verb conjugated with **essere** agrees with the subject. The following chart shows the past subjunctive of **trovare** and **partire**.

Follow the rules you already know for the *passato prossimo* to choose the auxiliary verb and for agreement. Refer to *Lezione 6* if you need a review.

	trovare	partire
... che io	abbia trovato	sia partito/a
... che tu	abbia trovato	sia partito/a
... che lui/lei	abbia trovato	sia partito/a
... che noi	abbiamo trovato	siamo partiti/e
... che voi	abbiate trovato	siate partiti/e
... che loro	abbiano trovato	siano partiti/e

— Spero che Michele e Antonella **siano arrivati.**

— È possibile che Michele **sia** già **arrivato,** ma credo che Antonella **sia partita** più tardi e che arrivi fra poco.

— *I hope that Michele and Antonella have arrived.*

— *It's possible that Michele has already arrived, but I think that Antonella left later and will arrive soon.*

H Ieri sera lei è andato/a a sentire un'opera lirica. Esprima un'opinione sulle seguenti frasi, secondo le parole fra parentesi.

► È stata un'*Aida* bellissima. (Sono contento/a ...)
  Sono contento/a che sia stata un'*Aida* bellissima.

1. Lo spettacolo è cominciato un po' tardi. (Mi dispiace ...)
2. Matilde Braga ha cantato divinamente. (Credo ...)
3. Filippo Lambertini ha recitato la parte di Radames con energia. (Mi pare ...)
4. Eva Spina si è sentita male e non ha potuto cantare. (Mi dispiace ...)
5. Alla fine Aida e Radames sono morti insieme. (È triste ...)
6. È stata l'ultima rappresentazione della stagione estiva. (Penso che ...)
7. Anche voi vi siete divertiti all'opera. (Sono felice ...)

Ex. H: Extend the activity by having students make similar statements about a concert they've attended.

I Le cose che succedono oggi sono successe anche ieri. Metta la frase subordinata al congiuntivo passato come nel modello.

► Non credo che il Napoli vinca la partita.
  Non credo che il Napoli abbia vinto la partita.

1. La mamma dubita che io ritorni prima di mezzanotte.
2. Mi dispiace che il tuo amico non mangi con noi.
3. È bene che voi sentiate le notizie.
4. Sembra che tu non capisca.
5. Speriamo che non ti succeda niente.
6. È possibile che i nonni vengano dopo pranzo.
7. Siamo felici che Roberto e Sandra si divertano.
8. Pare che gli altri vadano a casa.
9. Dubito che la mia ragazza voglia rivedere quel film.

Ex. I: Add time expressions to clarify the meaning of the past subjunctive: Non credo (oggi) che il Napoli abbia vinto (ieri).

J In coppia: Si pubblicano le cose più strane sui giornali. S1 crea titoli per gli articoli pubblicati su *Novella 2000*, usando le parole ed espressioni indicate. S2 reagisce a queste cose, usando frasi come **dubito che ... , è impossibile che ... ,** ecc.

> ▶ Cristina Aguilera /   S1: Cristina Aguilera è uscita con Usher.
> uscire / con Usher   S2: Non è possibile che Cristina Aguilera sia
> uscita con Usher.

1. I romani / vendere / il Colosseo ai giapponesi
2. Io / sposarmi / con un extraterrestre
3. Noi / vedere Elvis / nel nostro frigorifero
4. Donald Trump / perdere / tutti i suoi milioni / e rimanere / senza un soldo
5. Bambina torinese / nascere / con tre teste
6. Condoleezza Rice / suonare la chitarra / per i Grateful Dead

> *Novella 2000* is a weekly magazine that specializes in celebrity gossip, scandals, and photographs taken by *paparazzi*.

> Ex. J: Make sure students are aware that they are creating and reacting to absurd headlines. Have students invent their own ridiculous headlines and then read them to the class. Let the class express its disbelief.

> Condoleezza Rice's name comes from the Italian musical term *con dolcezza* = with sweetness.

K In coppia: Dica al suo compagno/alla sua compagna alcune cose che le sono successe durante il primo anno all'università. Il suo compagno/La sua compagna esprime un'opinione su quello che lei ha detto.

> ▶ S1: Ho incontrato alcuni buoni amici durante il primo anno qui.
> S2: Sono contento che tu abbia incontrato buoni amici.
>
> S1: Ho preso una D in economia.
> S2: Mi dispiace che tu abbia preso una D in economia.

L In coppia: È lunedì mattina, e alcune persone nella sua classe sembrano diverse da com'erano venerdì scorso. Con un compagno/una compagna dica quale possa essere il motivo di questa differenza.

> ▶ Gino sembra   S1: È possibile che abbia vinto alla lotteria.
> molto contento.   S2: È anche possibile che sia uscito con la sua ragazza.

1. Michele si è tagliato i capelli molto corti e porta la cravatta.
2. Pietro e Laura non sono in classe.
3. Quelle due ragazze sembrano molto stanche.
4. A Massimo fa male la gamba.
5. Margherita porta un anello (*ring*) con un diamante enorme.
6. Tre ragazzi che amano lo sport sembrano piuttosto tristi.

> Before doing Ex. L, look for slight differences in individual students. Point them out to the class, asking for hypothetical responses as in the exercise: *Giovanni sembra molto stanco oggi. Perché? È possibile che ieri ... non abbia dormito ... abbia studiato fino a tardi.*
>
> Have pairs come up with several possible explanations. Ask individuals to share their explanations with the rest of the class; then take a vote on the most plausible or most creative.

Cerimonia di premiazione nel cortile del Palazzo Ducale di Venezia in occasione della Mostra Internazionale del Cinema.

M In gruppi di tre o quattro: Una persona del gruppo dice il nome di una persona famosa nel mondo della musica. Le altre persone dicono tutto quello che sanno di questa persona, per esempio: dove e quando è nata, le cose che ha fatto, ecc.

Ex. M: Encourage students to use their favorite singers and musicians.

▶ S1: Giacomo Puccini
S2: Credo che sia nato in Italia.
S3: Penso che abbia scritto *Tòsca*.
S4: Credo che sia morto negli anni venti.

Congiuntivo dopo le congiunzioni

— Va bene. Stasera andiamo al concerto che preferisci tu **a condizione che** domani tu **venga** a quello che preferisco io.

1. The subjunctive is used in dependent clauses introduced by the following conjunctions.

affinché perché	*so that, in order that*	Lavora **affinché** i figli possano frequentare l'università. Parlate lentamente **perché** tutti vi capiscano.
benché sebbene	*although, even though*	Suona ancora il sassofono **benché** sia dopo mezzanotte. Voglio uscire **sebbene** faccia molto freddo.
in caso che	*in case, in the event that*	Lascia il tuo numero di telefono **in caso che** io debba parlarti.
a condizione che	*provided that, as long as*	Te lo presto **a condizione che** tu me lo ridia subito.

> A conjunction is a part of speech that joins two complete phrases.

Only the more useful conjunctions that require the subjunctive are presented here. You may want to introduce others, such as *di modo che, nonostante che, a meno che, prima che, purché,* and *senza che.*

2. The preceding conjunctions take the subjunctive in the subordinate clause even if the subject of the two clauses is the same.

Paolo ha comprato un violino **benché** non **sappia** suonare.

Paolo bought a violin even though he doesn't know how to play.

N   Usi le congiunzioni tra parentesi per unire le due frasi.

Ex. N: Make sure students know what each sentence means.

▶ Spiego l'inglese a Tullio. Lo impara bene. (affinché)
Spiego l'inglese a Tullio affinché lo impari bene.

1. Ti presto la mia macchina. Me la riporti stasera. (a condizione che)
2. Metti le fotografie qui! Le possiamo guardare insieme. (perché)
3. Offrono i biglietti per il concerto a prezzo ridotto. Tutti possono andarci. (affinché)
4. Vado a telefonare agli amici. Vogliono venire con me. (in caso che)
5. Vado in Grecia a settembre. Non ho molto denaro. (benché)
6. Mangio a mezzogiorno. Ho fatto la prima colazione alle dieci. (sebbene)
7. Sandro mi aiuta. Posso finire i compiti. (affinché)
8. Non ho trovato una soluzione. Ho studiato attentamente il problema. (benché)

O   Cambi le frasi, usando **sebbene** invece di **ma** come nel modello.

Ex. O: Have students replace *sebbene* with *benché*.

▶ Vado in centro ma è tardi.   Vado in centro sebbene sia tardi.

1. Voglio comprare una chitarra ma costa molto.
2. Voglio uscire stasera ma fa freddo.
3. Cerco lavoro ma è difficile trovarlo.
4. Vado alla partita ma piove.
5. Do un passaggio a Marina ma sono in ritardo.

P   Completi il brano, usando le congiunzioni indicate.

sebbene   in caso che
affinché   a condizione che

Domani Lucio Dalla darà un concerto nel parco _____ faccia bel tempo. Hanno stabilito una data alternativa _____ piova. Lucio Dalla canta ancora divinamente, _____ non sia più troppo giovane. Offrono i biglietti a prezzi ridotti _____ tutti possano andare al concerto. Vado a comprare due biglietti _____ ci siano ancora.

> The Italian singer-songwriter Lucio Dalla has been popular since the 1970s.

Q   Finisca le frasi in maniera logica.

1. I genitori lavorano molto affinché i loro bambini ...
2. Fanno molti sacrifici perché ...
3. Sperano che i figli ...
4. Mettono da parte (*They put aside*) molti soldi in caso che ...
5. Ci sono problemi in famiglia sebbene ...
6. I ragazzi vogliono essere indipendenti benché ...

R   In coppia: Parli ad un amico/un'amica dei corsi che lei segue. Parli delle ragioni per cui li segue, e delle difficoltà che trova in questi corsi, usando espressioni quali **sebbene, affinché,** ecc.

Before doing Ex. R, brainstorm reasons for taking various courses, and the difficulties they might present. Construct examples from elicited information, like *Alice segue un corso di storia sebbene debba leggere molto*, etc.

▶ Seguo un corso di informatica affinché possa usare i computer. Il corso mi piace benché sia piuttosto difficile. Prenderò una B a condizione che finisca presto questo progetto di lavoro.

Costruzioni con *si*

È agosto! **Si parte** per le vacanze!   È settembre. **Si torna** in città.

1. Italians often use the construction **si** + *a third-person verb* to talk about actions that take place without specifying who is doing the action. English uses *one*, *they*, *you*, *we*, or the passive voice in these circumstances.

> You have seen this form since *Lezione 3: Dove si va? Si va a ballare?*

Domenica **si vota**!	*On Sunday we are voting!*
Non **si deve** parlare così.	*You (One) shouldn't talk like that.*
In questa classe non **si parla** inglese.	*In this class English is not spoken.*
Stasera **si darà** un concerto di jazz.	*Tonight a jazz concert will be given.*

You may want to point out that *ci si* is used with reflexive verbs and that *essere* is used for compound tenses: *Ci si diverte al mare. / Domenica si è votato.*

2. When **si** + *verb* is followed by a plural noun, the verb is in the third person plural.

In questo negozio **si parlano** tutte le lingue.	*All languages are spoken in this store.*
Le sigarette **si vendono** solo nelle tabaccherie.	*Cigarettes are sold only at tobacco stores.*
Non **si possono** trovare i giornali italiani qui.	*One can't find Italian newspapers here.*

(S) Cosa si fa al Circolo (*club*) Italiano? Un membro di un Circolo Italiano parla di tutte le attività organizzate dal circolo. Cambi ogni frase alla costruzione **si** + *verbo* come nell'esempio.

Ex. S: Challenge students to add activity ideas, or have them create a similar list based on Italian class or dorm rules.

▶ Offriamo lezioni d'italiano.
  Si offrono lezioni d'italiano.

1. Parliamo sempre italiano.
2. Organizziamo cene e feste.
3. Vendiamo magliette con la scritta "Io ♥ l'Italia."
4. A volte andiamo all'opera.
5. Una volta al mese vediamo un film.
6. Prepariamo una conferenza sulla cultura italoamericana.

T In coppia: Quando lei andrà in Italia, vedrà che lì la vendita dei prodotti è un po' diversa da quella americana. Determinati prodotti si possono comprare soltanto in certi negozi. Domandi ad un compagno/una compagna dove si comprano queste cose: in una tabaccheria, ad un'edicola di giornali o in una farmacia.

▶ francobolli (*stamps*)   S1: Dove si comprano i francobolli?
                           S2: I francobolli si comprano alla tabaccheria.

1. le riviste
2. una scheda telefonica
3. un biglietto per l'autobus
4. la vitamina C
5. le aspirine
6. il giornale
7. le sigarette
8. una penna

Ex. T: Tell students that stamps, tobacco, and matches are government monopolies. Tobacco and matches are sold only in *tabaccherie*. Ask students where these items can be bought in the U.S.

> An *edicola* is an outdoor kiosk that sells newspapers, magazines, and often tickets for public transportation. Bus tickets can also be bought at bars and tobacco shops.

U In gruppi di tre o quattro: Nella vostra città è possibile godere di prodotti e di aspetti della cultura italiana? Formulate domande con le frasi indicate e poi discutete le possibilità.

▶ comprare la pasta Barilla   S1: Dove si può comprare la pasta Barilla in questa città?
                              S2: La pasta Barilla si compra al ...
                              S3: Non si può comprare qui. Si deve andare a ...

1. comprare giornali e riviste italiani
2. mangiare piatti italiani autentici
3. vedere film italiani
4. vedere una partita di calcio
5. prendere un buon cappuccino
6. ammirare quadri italiani
7. trovare vestiti di stilisti italiani come Armani e Versace
8. vedere un'opera

V In coppia: Cosa si fa il fine settimana alla vostra università? Con un amico/un'amica fate una lista delle cose che si fanno il venerdì sera, il sabato e la domenica.

▶ Il venerdì sera di solito si esce. Si va alla ...
  Il sabato si dorme fino alle ...

> For further practice of lesson topics, log on to the *Oggi in Italia* website and/or do the CD-ROM activities.

Parliamo un po'

A **Tutto rock e melodia.**
In coppia: Come tutti i giovani del mondo, anche i giovani italiani amano molto la musica. Il sondaggio a fianco ha rilevato quali sono le loro preferenze musicali. Guardate i risultati del sondaggio e poi rispondete alle domande.

6-TUTTO ROCK E MELODIA

Rock	46,6
Canzone d'autore italiana	39,9
Discomusic	38,6
Tutta la musica moderna	27,2
Pop	15,1
Tutta (compresa la classica)	13,0
Classica e/o lirica	11,9
Jazz	9,5
Country/folk	9,5
Quello che capita	8,2
Altro tipo di musica	5,6
Non ascolta mai/quasi mai	1,9

Quali tipi di musica preferiscono i giovani italiani? Quali generi non piacciono tanto?

C'è molto interesse nella musica classica?

Quale percentuale non ascolta mai la musica?

Un'inchiesta fatta fra gli studenti della vostra università darebbe risultati differenti? Come?

B **Un'inchiesta.** Faccia un'inchiesta fra almeno quattro studenti della sua classe per sapere le loro preferenze musicali.

	Studente			
	1	**2**	**3**	**4**
cantante preferito/a				
gruppo/complesso preferito				
genere di musica che preferisce				
lo strumento musicale più bello				
il concerto più bello				
la stazione radio che ascoltano di più				
quante ore al giorno ascoltano la musica				
canzone preferita				

Il concerto più bello! In coppia: Descriva al compagno/alla compagna un concerto molto bello a cui lei ha assistito. Può parlare di

quando è successo
dove ha avuto luogo
chi erano i musicisti
che cosa hanno cantato/suonato

se c'erano molti spettatori
perché le è piaciuto tanto
che cosa pensa di questo tipo di musica

 Biografia di un musicista. Faccia una ricerca sulla rete internazionale per avere informazioni biografiche di una persona italiana nota nel mondo della musica. Poi riferite le informazioni ai compagni della classe. Ecco alcuni nomi che vi suggeriamo.

Il regista Gillo Pontecorvo consegna il Leone d'oro alla carriera al famoso maestro e compositore Ennio Morricone.

La cantante Laura Pausini ha partecipato al concerto Live 8 del 2005.

Sono anni che la brava cantante Mina non appare in pubblico. Questa è una sua immagine che risale agli anni '70.

 Suonerie telefoniche. In coppia: Vuole che il suo telefonino cellulare abbia una suoneria originale? Ecco alcune possibilità popolari da scaricare dalla rete internazionale. Prima scelga la suoneria che le piace di più e poi spieghi ad un compagno/una compagna perché l'ha scelta. Infine scegliete insieme le suonerie che vanno bene per i vostri amici e per altre persone che conoscete e dite perché.

Missione impossibile	Il buono, il cattivo e il brutto	Für Elise
I Simpsons	Funkytown	Mozart: Rondo turco
La pantera rosa	Il padrino	Carmina Burana
Aida: Marcia trionfale	YMCA	Il signore degli anelli

▶ È possibile che a Jessica piaccia …
Io credo che … vada bene per … perché …

Conoscere l'Italia

 Definizioni. Prima di leggere il seguente brano, abbini le definizioni con una parola della lista di destra. Ci sono due parole in più nella lista.

1. aggettivo derivato da *sabbia*
2. il contrario di *contaminato/a*
3. lo è una cosa che piace
4. la capitale di una regione
5. sinonimo di *incertezza*
6. aggettivo derivato da *montagna*
7. sinonimo di *villaggio*

a. gli stranieri
b. montuoso/a
c. la precarietà
d. incontaminato/a
e. il borgo
f. l'economia
g. il capoluogo
h. sabbioso/a
i. piacevole

L'Abruzzo

Situato tra il centro e il sud d'Italia, l'Abruzzo è una regione prevalentemente montuosa. Qui si trovano il Gran Sasso (2914 m.) e la Maiella (2793 m.), le vette[1] più alte degli Appennini. Per la presenza di boschi e di paesaggi incontaminati e per l'aria pulita che vi si respira[2], l'Abruzzo è chiamato "il polmone verde d'Europa[3]". La regione ha 129 km. di costa sull'Adriatico, di cui quasi la metà[4] è costituita da spiagge sabbiose.

1. peaks   2. one can breathe
3. "Europe's green lung"   4. half

Le cime nevose del Gran Sasso attraggono sempre numerosi sciatori.

Have students locate Abruzzo and L'Aquila on the map on p. 14.

Elicit numbers, reviewing as needed, and help students convert kilometers to feet.

Le città principali dell'Abruzzo sono L'Aquila, capoluogo della regione, Pescara, Chieti e Teramo. Fino alla prima metà del secolo scorso l'economia dell'Abruzzo si basava sull'agricoltura e sulla pastorizia[5]. La precarietà economica ha spinto[6] molti abruzzesi, specialmente gli abitanti delle zone interne, a trasferirsi in altre città della regione o ad emigrare verso le Americhe, l'Australia e altri paesi europei.

Oggi le condizioni di vita sono migliorate[7]. Le tradizionali attività artigianali[8] quali i confetti[9] di Sulmona, le paste alimentari[10] di Chieti e di Pescara e i vini di varie località si sono trasformate in piccole industrie.

Grazie alle sue belle spiagge, alla sua natura montuosa, selvaggia[11] e intatta, l'Abruzzo con i suoi tre splendidi parchi nazionali, due parchi regionali e varie riserve naturali sta diventando oggi una importante meta del turismo nazionale e internazionale. Diverse iniziative sono in atto[12] per la riabilitazione urbana di piccoli borghi[13] delle zone interne della regione. Il Club dei Borghi più Belli d'Italia dà una certificazione di qualità a quei villaggi capaci di creare servizi che rispettino l'ambiente e proteggano i centri storici. Così questi borghi possono tornare a vivere e diventare piacevoli luoghi di brevi soggiorni[14] ed anche di residenza stabile.

5. sheep farming 6. drove 7. have improved 8. handicraft 9. sugar-coated almonds 10. pasta 11. wild 12. are taking place 13. villages 14. short stays

Sulmona, the birthplace of the Latin poet Ovid, author of *The Metamorphosis,* is a town in the southern part of Abruzzo.

Il Club dei Borghi più Belli d'Italia was formed to protect, promote, and develop small towns known as the most beautiful villages in Italy.

Sabato 24 Luglio

ORE 18.00 apertura delle mostre
I magnifici 7 del Parco

Ore 19.00 Inaugurazione
della **Fiera del Gusto**
II edizione

In 70 stand espositivi

• i 44 Comuni del Parco
• le 5 Province
• le 8 Comunità Montane
• le 3 Regioni
• il Ministero dell'Ambiente e della Tutela del Territorio
• Federparchi
• Compagnia dei Parchi

i magnifici 7

7 mostre fotografiche per

animali
tra i più belli del Parco

paesaggi agrari
tra i più affascinanti

paesaggi
tra i più suggestivi

capolavori
tra i più straordinari

fiori
tra i più rari

mestieri
tra i più antichi

ambienti acquatici
tra i più freschi e limpidi

B **Informazioni.** Dia le seguenti informazioni basate sul brano precedente.

1. le vette più alte degli Appennini
2. il nome dato alla regione Abruzzo
3. le città principali d'Abruzzo
4. aspetti dell'economia abruzzese del passato
5. ragioni per cui sono emigrati molti abruzzesi
6. aspetti dell'attuale economia abruzzese
7. le attrazioni turistiche della regione
8. l'organizzazione che contribuisce alla trasformazione dei piccoli borghi
9. lo scopo (*aim*) della riabilitazione urbana dei piccoli borghi

Have students work in pairs or small groups. Then call on some of the students about the information they were able to get.

La parola giusta. Prima di leggere il seguente brano, completi queste frasi con le parole appropriate fra quelle indicate. Ci sono due parole in più nella lista.

epoca
dea
palazzo
omerico/a
archeologia
omonimo/a
romano/a
urbano/a

1. L' _____ è una disciplina che studia le evidenze di civiltà antiche.
2. _____ è un aggettivo che si riferisce alla città.
3. Si dice che sono _____ due persone o cose che hanno lo stesso nome.
4. La _____ è una divinità femminile.
5. _____ è l'aggettivo che si riferisce a Omero, lo scrittore greco dei poemi epici l'*Iliade* e l'*Odissea*.
6. L' _____ è riferita ad un periodo di tempo nella storia.

CHIETI
Alla scoperta[1] dell'archeologia

Di Roberto Caramelli

Città dell'archeologia, città della storia, crocevia[2] di popoli e di civiltà diverse. Molti conoscono Chieti come alternativa estiva alle affollate[3] spiagge abruzzesi. La città è invece una di quelle mete da visitare anche nelle altre stagioni, alla ricerca di emozioni e scoperte culturali. La leggenda vuole che il primo nucleo urbano, chiamato Teate, fosse stato fondato addirittura[4] da Achille. L'eroe omerico[5] l'avrebbe chiamata così in onore di sua madre, la dea[6] Teti.

1. discovery   2. crossroad   3. crowded   4. directly   5. of Homer   6. goddess

Achille: main character in Homer's epic poem *The Iliad.*

L'organizzazione urbanistica romana, ancora riconoscibile nel rione[7] Civitella, risale[8] al I secolo a.C. All'epoca[9] la città aveva le terme[10], un foro, templi e un anfiteatro. Oggi, uno dei motivi[11] più validi per visitare la città è proprio la storia antica: Chieti, caso raro in Italia, ha addirittura due musei archeologici. Il primo, La Civitella, è stato progettato con criteri d'avanguardia. Costruito intorno al complesso archeologico omonimo si affaccia[12] sull'anfiteatro romano. Il secondo è il Museo Archeologico Nazionale d'Abruzzo che ospita la celebre ed enigmatica statua del guerriero[13] di Capestrano, simbolo storico della regione.

7. district   8. dates back   9. At that time
10. thermal baths   11. reasons   12. looks on to
13. warrior

Guerriero di Capestrano: Statue of a warrior dating back to the sixth century B.C., found in 1934 by a farmer while working in his field near Capestrano.

Capestrano: town near L'Aquila, birthplace of San Giovanni, whose name was given by the Spaniards to the California town of San Juan Capistrano.

B **Domande.** Risponda alle seguenti domande basate sull'articolo.

Have students work in pairs. Then ask them a few questions at random.

1. Quali sono alcune caratteristiche della città di Chieti?
2. Secondo la leggenda, chi ha fondato questa città?
3. Quale civiltà ha influenzato l'organizzazione urbanistica della città?
4. Quali strutture c'erano a Chieti nell'epoca romana?
5. Quali tipi di musei ci sono in questa città? Quanti ne sono? Come si chiamano?
6. Quale statua celebre si trova a Chieti? Dove?
7. Qual è il significato di questa statua?

Lezione 17

Questo bellissimo palazzo rinascimentale è la sede di una scuola di istruzione secondaria.

E dopo la laurea?

Communicative Objectives

- Talk about job prospects and qualifications
- Express emotions, thoughts, and opinions about the past
- Describe hypothetical situations

 Show the *Oggi in Italia* video segment and do the video activities.

Have students look at the map on p. 14 and locate Marche and the cities of Ancona and Urbino.

Giovanni Conti, giornalista di una stazione radio privata di Urbino, intervista tre studenti universitari.

Urbino: university town known for its medieval and Renaissance art and architecture and for being the birthplace of the painter Raphael.

GIORNALISTA: Amici ascoltatori, buona sera. Per la trasmissione "I nostri giovani" abbiamo qui con noi tre laureandi°: Giorgio Salviati, in scienze politiche, Patrizia Ranieri, in architettura, e Claudia Massoni, in ingegneria. Giorgio, tu
5 pensi che la tua preparazione accademica sia sufficiente per trovare un buon lavoro?

degree candidates

See *Lezione 2* to review names of academic subjects.

GIORGIO: Sfortunatamente no. Io sono convinto che noi potremmo avere una preparazione migliore e quindi più possibilità d'impiego se avessimo una migliore assistenza dai
10 professori e se l'università avesse più soldi a disposizione°. Inoltre° sarebbe più facile trovare lavoro se esistessero contatti più stretti fra l'università e le imprese.

at (its) disposal
In addition

GIORNALISTA: E tu, Patrizia, sei d'accordo con Giorgio?

PATRIZIA: Sì. A volte penso che avrei dovuto scegliere un'altra laurea.
15 Penso che sarebbe stato più facile trovare lavoro se mi fossi specializzata in chimica o informatica. Ma a me piace l'architettura e sono sicura che prima o poi riuscirò a sistemarmi.

GIORNALISTA: Sentiamo adesso il parere di Claudia.

20 CLAUDIA: Io non sapevo che ingegneria fosse una facoltà così difficile. Adesso però che sto per laurearmi, credo che per me sarà facile trovare un buon lavoro.

GIORNALISTA: Ragazzi, avete qualche suggerimento da dare ai giovani che sono in ascolto°?

are listening

25 GIORGIO: Sì. È vero che oggi abbiamo la possibilità di lavorare liberamente in tutti i paesi dell'UE, ma c'è una forte concorrenza per ogni buon lavoro. Quindi è necessario avere un'ottima laurea.

CLAUDIA: Però sarebbe bene che nel futuro i giovani si orientassero
30 anche verso una preparazione interdisciplinare. Combinare la biologia con l'informatica, o le lingue straniere con l'economia è molto utile per intraprendere le nuove professioni.

GIORNALISTA: Bene, ragazzi. Adesso facciamo una breve pausa
35 pubblicitaria e poi continueremo a discutere.

Ask students to use their imaginations to describe the three students being interviewed (age, appearance, etc.).

Tell students that in Italian there are several ways to express one's major at the university. The most common is, *Frequento la facoltà di* (*scienze politiche, medicina,* etc.). Or, *Mi sto specializzando in* (*letteratura comparata, biologia marina,* etc.). A broader expression is, *Seguo un indirizzo di studi* (*classici, letterari, scientifici,* etc.).

Domande

Role-play a radio or TV reporter interviewing three or four students. Ask them about conditions at school and in the local job market. Have the other students take notes. Then ask for summaries.

1. Quale tema discutono il giornalista e gli studenti?
2. Quali sono le osservazioni che fa Giorgio?
3. Secondo Patrizia, in che cosa avrebbe dovuto specializzarsi per trovare subito lavoro?
4. Dove possono lavorare adesso i giovani italiani?
5. Quali suggerimenti dà Claudia ai giovani?

Ask students *Quali sono le carriere più prestigiose negli Stati Uniti? Lei ha considerato le possibilità di lavoro quando ha scelto la sua facoltà? Sceglierebbe un indirizzo (major) con poche possibilità di lavoro?*

I giovani italiani e il lavoro

Spesso gli studenti italiani scelgono e frequentano una facoltà universitaria solo per il prestigio del titolo accademico o per una tradizione di famiglia. Questo è specialmente vero per le facoltà di medicina e di giurisprudenza[1]. Infatti oggi in Italia ci sono moltissimi laureati[2] in medicina e in legge, ma solo pochi di loro riescono a sistemarsi in professioni adeguate alla loro preparazione accademica. Per molti laureati la ricerca[3] di un lavoro è lunga e difficile e spesso bisogna adattarsi a un lavoro interinale[4] o ciò che si riesce a trovare.

Ma ora con la riforma della scuola e dell'università si parla molto di orientamento e informazione per aiutare i giovani a scegliere un lavoro. Si spera che con questi nuovi metodi la ricerca di lavoro diventi più facile. Si organizzano quindi[5] corsi di formazione[6] per dare ai diplomati[7] e a quelli che abbandonano la scuola prima di diplomarsi[8] l'opportunità di prepararsi per specifiche carriere. Nelle università invece, con la nuova riforma, sono previsti gli "stage"[9] presso aziende e società private. Gli stagisti[10] possono così acquisire esperienza in diversi campi di lavoro e prepararsi più adeguatamente per le carriere che vogliono intraprendere.

Migliaia di giovani, alla ricerca di un posto di lavoro, partecipano ad un concorso per un pubblico impiego.

• Nel suo paese, come si preparano i giovani per il mondo del lavoro?

• Come si svolge la ricerca di lavoro? È facile o difficile per i giovani trovare un lavoro?

Tell students that *stage* (practice) is a French word but that it is pronounced and treated as if it were an English word. The word *stagisti*, on the other hand, is pronounced as if it were an Italian word.

1. law   2. graduates   3. search   4. temporary   5. therefore   6. training   7. high school graduates   8. getting a high school diploma   9. internships   10. interns

Domande personali

1. Lei è contento/a dei suoi corsi e dei suoi professori? Perché?
2. Quale corso di laurea ha scelto lei? È soddisfatto/a della scelta? Perché?
3. Secondo lei, quale laurea offre immediate possibilità di lavoro?
4. Per i laureati è difficile trovare lavoro nella sua città o nel suo paese? Perché?
5. Come vede il suo futuro nel mondo del lavoro? Perché?

Ask students if they have ever been interviewed and, if so, what kinds of questions they were asked, if the interviewer expressed his/her opinion, and if they think an interviewer should express an opinion.

Pratica

1. In gruppi di tre o quattro: Domandi ai suoi amici quale lavoro pensano di svolgere una volta laureati e se pensano di trovare subito un posto (*job*). Prenda appunti e paragoni (*compare*) i suoi risultati con quelli di altri gruppi.

2. In gruppi di tre o quattro: Domandi ai suoi amici di indicare qual è, secondo loro, l'ordine di importanza delle categorie (stipendio, possibilità di crescita, ecc.) riportate nel grafico e se piacerebbe loro lavorare all'estero o in un'altra parte del paese. Prenda appunti e paragoni (*compare*) i suoi risultati con quelli di altri gruppi.

Elicit from students the meaning of stipendio *and* crescita.

Denaro e carriera ma espatriare è vietato

Quando è possibile seguire questi corsi? A che cosa preparano? Quanto tempo durano? Quali di questi corsi le piacerebbe seguire?

Vocabolario

> The plural of *il giornalista* is *i giornalisti;* the plural of *la giornalista* is *le giornaliste.*

Elicit or point out word families such as *laurea, laurearsi, laureato; assistere, assistenza, assistente.* Use the words in short sentences to aid comprehension.

Ask students to create two-line dialogues using the expressions *il corso di laurea, laurearsi,* and *sistemarsi.*

Parole analoghe

accademico/a
l'assistenza
combinare
esistere
immediato/a
interdisciplinare
orientarsi
la possibilità
la preparazione
privato/a
la professione
specializzarsi
sufficiente
la trasmissione

Nomi

l'ascoltatore (*m.*) listener
la concorrenza competition
il/la giornalista journalist
l'impiego job, employment
l'impresa business firm
l'ingegneria engineering
la laurea degree
il parere opinion
il suggerimento suggestion

Aggettivi

migliore better
stretto/a close
stimolante challenging

Verbi

intervistare to interview
intraprendere to undertake
laurearsi to graduate
riuscire to succeed
sistemarsi to get a job, get settled

Altre parole ed espressioni

liberamente freely
il corso di laurea (university) major
la pausa pubblicitaria commercial break

Pronuncia

Ripasso della consonante g

In Italian, the letter **g** has a soft sound before **e** and **i,** similar to English *j* or *g* as in *jack* or *gem*. The same applies to **gg.** In all other positions and before the letters **a, o,** or **u, g** or **gg** is always pronounced with a hard sound, /g/, as in **gatto.** The combination **gh** is always pronounced hard.

(A) Ascolti e ripeta le parole.

giro	generale	pago	pigro
gente	giovane	guida	impiego
gita	Perugia	gusto	guardo
Giacomo	giornalista	tengo	spiegare
proteggere	peggio	leggo	laghi
maggio	suggerimento	spaghetti	ghiaccio

(B) Ascolti e ripeta le frasi. Faccia attenzione ai suoni della **g.**

Vi presento **G**ior**g**io, un in**g**e**g**nere, e **Gh**erardo, un **g**iornalista.
Questi **g**iovani hanno un buon impie**g**o ma esso non dà loro molto **g**ioia.
Svol**g**ono queste professioni mal**g**rado la **g**rave situazione economica.
Ra**g**azzi, avete dei su**g**gerimenti per **G**ior**g**io e per **Gh**erardo?

Ampliamento del vocabolario

Mestieri, professioni e altre occupazioni

1. Many nouns referring to occupations have both a masculine and a feminine form.

l'impiegato (male) clerk
l'operaio (male) blue-collar worker

l'impiegata (female) clerk
l'operaia (female) blue-collar worker

Call out names and have students identify the profession: Roberto Benigni, Mina, John Carter (*ER*), etc.

2. Some masculine nouns that end in **-tore** have a feminine form that ends in **-trice**.

l'attore actor
lo scrittore (male) writer

l'attrice actress
la scrittrice (female) writer

3. Some masculine nouns form the feminine by dropping the final vowel and adding **-essa**.

il dottore (male) doctor
il professore (male) professor
lo studente (male) student

la dottoressa (female) doctor
la professoressa (female) professor
la studentessa (female) student

4. Some masculine nouns that end in **-ista**, **-ente**, or **-ante** can be feminine or masculine depending on the context.

il/la dentista dentist
l'elettricista electrician
il/la farmacista pharmacist
il/la pianista pianist

il/la regista film director
l'agente agent
il/la dirigente executive
il/la cantante singer

> Remember that nouns ending in *-ista* end in *-isti* in the masculine plural, and in *-iste* in the feminine plural: *i pianisti/le pianiste*.

il/la pianista   il/la cantante

il/la regista   l'elettricista

5. Some nouns have only a masculine or only a feminine form.

Masculine form only

l'architetto architect
l'avvocato lawyer
il meccanico mechanic
il medico doctor
l'uomo d'affari businessman

Feminine form only

la casalinga homemaker
la donna d'affari businesswoman

Point out that professional titles such as *architetto, avvocato,* and *medico* are used for both men and women. *Lisa è architetto; la madre di Paola fa il medico.*

l'uomo d'affari   la donna d'affari   il medico

Espressioni utili

che lavoro fa (fai)? what work do you do?
che mestiere fa (fai)? what is your occupation?
esercitare (svolgere) una professione (un mestiere) to practice a profession (a skilled craft)

faccio il meccanico (l'avvocato) I'm a mechanic (lawyer)
scegliere una professione o un mestiere to choose a profession or occupation

Ask students to define in Italian some of the occupations, including *l'impiegato/a, il/la farmacista, lo scrittore/la scrittrice.*

 In coppia: Faccia le seguenti domande ad un altro studente/un'altra studentessa.

1. Quando finisci di studiare, quale professione ti piacerebbe svolgere o quale mestiere vorresti fare?
2. Che tipo di preparazione devi avere per svolgere la professione o fare il mestiere che hai scelto (*chosen*)?
3. Preferisci svolgere un lavoro che ti dia molti soldi, molta soddisfazione o molto tempo libero? Perché?
4. Quale professione o quale mestiere svolge tuo padre? Tua madre? Tuo fratello o tua sorella?

 Ex. A: Divide the class into small groups and appoint an interviewer in each group to ask questions, using *lei*.

Quale affermazione esprime meglio ciò che pensi della tua futura vita lavorativa?

Ho le idee chiare sul lavoro che voglio fare
52%

Non indica
2%

Non credo che seguirò una carriera in particolare: farò lavori di volta in volta diversi a seconda di come mi conviene
12%

Probabilmente farò una serie di lavori diversi e poi ne sceglierò uno
35%

B In coppia: Lei chiede ad un altro studente/un'altra studentessa come si chiamano le persone che fanno i seguenti lavori.

Ex. B: With books closed, reverse the order of cues and responses: Instructor: *L'architetto*. Student: *La persona che disegna palazzi e costruzioni*. Explain that *chi* in this exercise is used as a relative pronoun meaning *he/she who*.

▶ chi disegna palazzi e costruzioni — Come si chiama chi disegna palazzi e costruzioni?
— L'architetto.

1. chi scrive per un giornale
2. chi suona il pianoforte
3. quelli che vendono medicine
4. le donne che non lavorano fuori casa
5. chi aggiusta i motori delle macchine
6. chi dirige (*directs*) un film
7. la donna che scrive libri
8. chi lavora in una fabbrica
9. chi interpreta i personaggi di un film
10. quelli che lavorano in un ufficio

Il mondo del lavoro

Nomi	Verbi
il capo chief, boss	**assumere** to hire
la carriera career	**gestire** to manage
il colloquio job interview	**guadagnare** to earn
la disoccupazione unemployment	**licenziare** to fire
la fabbrica factory	**licenziarsi** to quit (*a job*)
le ferie vacation	**richiedere** to require, seek
la gestione management	
l'impiegato/a employee	**Altre parole ed espressioni**
l'impiego job, employment	
il posto job, position	**guadagnarsi la vita** to earn one's living
la qualifica qualification	**sostenere un colloquio** to have a job interview
il salario wage, pay	
lo stipendio salary	

 C In coppia: Intervisti un altro studente/un'altra studentessa per sapere se cerca lavoro per l'estate prossima e che tipo di lavoro vorrà fare.

Ask students to outline the steps involved in finding a suitable part-time or full-time job. Write the steps on the board.

1. Cerchi lavoro per l'estate prossima? Che tipo d'impiego pensi di trovare?
2. Cos'è più importante per te in questo impiego: lo stipendio o un'esperienza utile per fare carriera nel futuro?
3. Quanto ti piacerebbe guadagnare al mese?
4. Lavori adesso? Dove lavori?
5. Per quale lavoro sei qualificato/a?
6. Come ti vesti per andare a sostenere un colloquio per un posto di lavoro? Come ti prepari?
7. Quanti giorni di ferie all'anno ti piacerebbe avere?
8. C'è molta disoccupazione nella tua città o nel tuo paese, oppure (*or*) è abbastanza facile trovare lavoro?

D In coppia: Leggete i seguenti annunci. Poi a turno fate le domande che seguono e rispondete ad esse.

OFFERTE DI LAVORO

INDUSTRIA RICERCA

Laureato in chimica in possesso dei seguenti requisiti:
- età tra i 25 e 35 anni
- 2 o 3 anni di esperienza

Il candidato sarà responsabile per:
- lo studio e lo sviluppo di nuovi prodotti
- l'assistenza tecnica ai clienti.

Inviare dettagliato Curriculum vitae a: Agenzia Parini, Casella Postale 35, 22100 Como

Azienda[1] importanza nazionale cerca giovane laureato in

ECONOMIA E COMMERCIO

Si richiede:
- Buona votazione[2] di laurea
- Ottima conoscenza ragioneria[3]
- Ottima conoscenza inglese
- Età massima 26 anni

Inviare dettagliato curriculum vitae a: Agir Selezione, Casella 70, 00100 Roma

Società[4] multinazionale americana cerca

GIOVANI DIPLOMATI E LAUREATI

per una carriera dinamica e stimolante nel mondo delle vendite. I candidati, massimo venticinquenni e militesenti, devono possedere:
- ✓ una forte aspirazione al successo personale
- ✓ elevato impegno[5]
- ✓ determinazione e solide motivazioni
- ✓ buon rapporto interpersonale

L'attività lavorativa si svolgerà nel Centro-Sud d'Italia. Inviare dettagliato curriculum con recapito telefonico[6] a: Selezione e Consulenza, Casella Postale 155, 20100 Milano

Assumiamo GRAFICO/A[7] con esperienza di 2 o 3 anni presso agenzia di pubblicità. Età tra i 24 e 30 anni. Telefonare al (045) 2076935 di Verona

1. firm   2. grades   3. accounting
4. company   5. commitment
6. phone number   7. graphic designer

In Italy it is commonplace to indicate desired age range for jobs in newspaper ads. There are no antidiscrimination laws for age (or sex).

1. Quali sono le responsabilità di lavoro del candidato ricercato dall'industria chimica?
2. Chi cerca giovani laureati e diplomati?
3. Quali caratteristiche devono avere i candidati?
4. Che tipo di laurea è richiesta da un'azienda d'importanza nazionale?
5. Quale tipo di esperienza e quanti anni di attività nel ramo (*field*) deve avere il candidato/la candidata per l'impiego offerto a Verona? Secondo lei, sono sufficienti le informazioni sul lavoro offerto?

E In coppia: Telefoni ad un amico/un'amica e gli/le parli di uno degli annunci di lavoro riportati in alto. Risponda all'amico/a che vuole sapere il nome della ditta, i requisiti (*qualifications*) necessari e dove può telefonare o scrivere per quest'impiego.

In coppia: Supponga di dover sostenere un colloquio per ottenere un lavoro presso un'agenzia di viaggi. Prepari un curriculum vitae riempiendo (*filling out*) il seguente modulo (*form*) e lo presenti al capo del personale.

Ex. F: Vary by having students complete the form based on a summer job they are interested in. Then have pairs interview each other to find out what the job is and what experience and/or qualifications the person has.

Curriculum vitae

Qualifiche accademiche: _____

Esperienza di lavoro: _____

_____

Caratteristiche personali: _____

Lingue straniere conosciute: _____

Altre qualifiche: _____

Referenze: _____

Poi risponda alle domande del capo che vuole sapere:

quando può cominciare a lavorare
se le piace viaggiare
quanto desidera guadagnare al mese

Ex. F: Brainstorm possible questions with the class.

Struttura ed uso

Imperfetto del congiuntivo

— Mamma e papà volevano che io **avessi** una posizione importante nel mondo dello spettacolo!

1. The imperfect subjunctive is used in dependent **che** clauses when the verb in the main clause is in a past tense or in the present conditional and requires a subjunctive form.

Io non sapevo che ingegneria **fosse** così difficile.	*I didn't know that engineering was so difficult.*
Pensavo che **esistessero** più possibilità di lavoro.	*I thought that there were more employment possibilities.*
Sarebbe bene che voi **sceglieste** un'altra facoltà.	*It would be better if you were to choose another field of study.*
Vorrei che ci **fosse** più tempo per pensarci.	*I wish there were more time to think about it.*

Have students identify the tense of the main clause in each example.

You may want to tell students that most verbs and expressions that require the subjunctive refer to mental states or processes. They would therefore be expressed in the imperfect rather than the *passato prossimo*.

2. To form the imperfect subjunctive of most verbs, drop the **-re** from the infinitive and add the endings **-ssi, -ssi, -sse, -ssimo, -ste,** and **-ssero**. The following chart shows the imperfect subjunctive of regular **-are, -ere,** and **-ire** verbs.

	studiare	prendere	capire
che io	studia**ssi**	prend**essi**	cap**issi**
che tu	studia**ssi**	prend**essi**	cap**issi**
che lui/lei	studia**sse**	prend**esse**	cap**isse**
che noi	studia**ssimo**	prend**essimo**	cap**issimo**
che voi	studia**ste**	prend**este**	cap**iste**
che loro	studia**ssero**	prend**essero**	cap**issero**

Notice that both types of *-ire* verbs—those that take *-isc* in the present tense and those that do not—are conjugated identically in the imperfect subjunctive.

3. The following verbs are irregular in the imperfect subjunctive.

bere:	bevessi, bevessi, bevesse, bevessimo, beveste, bevessero
dare:	dessi, dessi, desse, dessimo, deste, dessero
dire:	dicessi, dicessi, dicesse, dicessimo, diceste, dicessero
essere:	fossi, fossi, fosse, fossimo, foste, fossero
fare:	facessi, facessi, facesse, facessimo, faceste, facessero
stare:	stessi, stessi, stesse, stessimo, steste, stessero

Notice that some of these verbs have the same irregular stem in the imperfect indicative: *fare: facevo/facessi; dire: dicevo/dicessi; bere: bevevo/bevessi.*

 Formuli frasi con le parole tra parentesi, come indicato nel modello.

▶ Giorgio studiava ingegneria. (Era opportuno …)
Era opportuno che Giorgio studiasse ingegneria.

1. Voleva diventare architetto. (Sembrava …)
2. I suoi corsi erano difficili. (Gli pareva …)
3. Ingegneria richiedeva una buona preparazione in matematica. (Pensava …)
4. Si preoccupava per il suo futuro. (Era normale …)
5. I suoi amici trovavano subito lavoro. (Era contento …)
6. La sua ragazza andava in un'altra città. (Gli dispiaceva …)
7. Lei rimaneva qui. (Giorgio preferiva …)
8. Lui le diceva la verità. (Sarebbe meglio …)

Have students write out Ex. A in paragraph form for homework and then rewrite it, changing *Giorgio* to *io* and adding details.

B Completi la seguente descrizione di una settimana veramente difficile, usando l'imperfetto del congiuntivo dei verbi fra parentesi.

Benché io (dovere) leggere duecento pagine di storia, lunedì i miei amici hanno voluto che io li (aiutare) a studiare il latino. Martedì, la mia compagna di camera ha voluto che io le (dare) un passaggio con la macchina. Poi non sapevo che mercoledì ci (essere) l'esame di economia, e quindi non ho studiato. Ma il professore ha insistito che io (fare) l'esame lo stesso. Giovedì è stato necessario che io (parlare) con il professore. Poi i miei genitori hanno voluto che io (tornare) a casa venerdì per il fine settimana. Gli ho detto che andavo a casa a condizione che loro mi (permettere) di invitare alcuni amici. Che settimana!

C In coppia: Dica ad un compagno/una compagna cinque cose che i suoi professori volevano la settimana scorsa.

▶ La settimana scorsa la professoressa d'inglese voleva che noi leggessimo *Antonio e Cleopatra* e che ne scrivessimo una relazione (*report*). Il professore d'italiano voleva che io parlassi della mia famiglia in classe ...

Before doing Ex. C, elicit from students things they had to do for classes last week. List the verbs on the board in the infinitive. Then have students form some sentences as in the model: *La professoressa di economia voleva che ...*

D Lei è andato/a a sostenere un colloquio di lavoro per un posto in una fabbrica. Siccome lei non è ben preparato/a, risponde all'intervistatore dicendo che lei immaginava che le cose stessero in maniera diversa.

▶ Questa fabbrica produce asciugacapelli.
Oh! Ma io pensavo che producesse videoregistratori!

1. Il giorno lavorativo comincia alle sette e mezzo.
2. La fabbrica non offre l'assistenza sanitaria (*health insurance*).
3. La posizione richiede una laurea in economia.
4. Ci sono più di duecento impiegati nella fabbrica.
5. La fabbrica chiude per ferie ad agosto.
6. Preferiamo assumere persone con molta esperienza.
7. Lo stipendio aumenta automaticamente ogni due anni.
8. Non abbiamo posizioni a tempo parziale (*part-time*).

Ex. D: Encourage students to come up with ridiculous assumptions about the job: *Oh, ma io credevo che cominciasse a mezzogiorno!* Have students use *credevo che* and *immaginavo che* as well as *pensavo che.*

E In coppia: Dica ad un amico/un'amica cosa pensava prima di cominciare a frequentare questa università.

Prima di venire qui, ...

1. pensavo che ...
2. non sapevo che ...
3. speravo che ...
4. speravo di ...
5. avevo paura che ...
6. avevo paura di ...

Before doing Ex. E, ask the class about mistaken impressions they had before entering as freshmen. Ask about their apprehensions and hopes. Follow up by asking individuals to report what their partners told them.

> Don't forget to use an infinitive if the subject of both clauses is the same: *Speravo di specializzarmi in ingegneria.*

Trapassato del congiuntivo e correlazione dei tempi

— E il pallone? Dov'è?

— Ma io pensavo che lo **avessi portato** tu!

Depending on your course objectives, you may want to omit this topic or present it for recognition only.

1. Compare the forms of the verb in the following examples.

I genitori credevano che Maria Luisa **andasse** a scuola.

Her parents thought that Maria Luisa was going to school.

I genitori credevano che Maria Luisa **fosse andata** a scuola.

Her parents thought that Maria Luisa had gone to school.

The verb in bold type in the second sentence is in the **trapassato del congiuntivo** (pluperfect subjunctive), which is used when the action of the dependent clause takes place before that of the main clause.

I genitori non sapevano (domenica) che Maria Luisa **fosse andata** ad una festa (sabato).

Her parents didn't know (on Sunday) that Maria Luisa had gone to a party (on Saturday).

2. The **trapassato del congiuntivo** is a compound form consisting of an auxiliary verb (**avere** or **essere**) in the imperfect subjunctive and a past participle.

	arrivare	**finire**
che io	fossi arrivato/a	avessi finito
che tu	fossi arrivato/a	avessi finito
che lui/lei	fosse arrivato/a	avesse finito
che noi	fossimo arrivati/e	avessimo finito
che voi	foste arrivati/e	aveste finito
che loro	fossero arrivati/e	avessero finito

Ci sembrava che i candidati **si fossero preparati** abbastanza e che **avessero risposto** bene alle domande.

It seemed to us that the candidates had prepared themselves enough and that they had answered the questions well.

3. The following charts summarize the sequence of tenses when the verb in the dependent **che** clause is in the subjunctive.

Summarize by writing four parallel examples on the board, such as: *Penso che venga. Penso che sia venuto. Pensavo che,* etc.

main clause	che + dependent clause (describing simultaneous or future action)
presente } futuro	**che** + congiuntivo presente

Spero che lui **arrivi.** *I hope he arrives.*
È possibile che **si incontrino** domani. *It's possible that they will meet each other tomorrow.*
Vorrà che tu **venga** con noi. *He'll want you to come with us.*

main clause	che + dependent clause (describing prior action)
presente } futuro	**che** + congiuntivo passato

Spero che lui **sia arrivato.** *I hope he has arrived.*
È possibile che **si siano** già **conosciuti.** *It's possible that they already met each other.*
Penserà che voi **abbiate** già **letto** il messaggio. *He'll think that you already read the message.*

main clause	che + dependent clause (describing simultaneous or future action)
imperfetto passato prossimo trapassato condizionale }	**che** + imperfetto del congiuntivo

Speravo che lui **arrivasse.** *I hoped that he was arriving.*
Ci sembrava che **si sistemasse** nel nuovo posto. *It seemed to us that he was getting settled in his new job.*
Avevamo pensato che **fosse** troppo tardi. *We had thought it was too late.*
Vorrei che me lo **chiedeste** domani. *I wish you would ask me tomorrow.*

main clause	che + dependent clause (describing prior action)
imperfetto passato prossimo trapassato condizionale }	**che** + trapassato del congiuntivo

Speravo che lui **fosse arrivato.** *I hoped that he had arrived.*
Vorrei che me lo **avessi chiesto** ieri. *I wish you had asked me yesterday.*
Ho voluto che lei **fosse stata** la prima a parlare. *I wanted her to have been the first to speak.*
Avevano pensato che noi **avessimo sentito** la notizia. *They had thought that we had heard the news.*

F Formuli frasi che descrivono quello che è successo nella facoltà di lingue dell'università. Scelga gli elementi appropriati dalle tre colonne, e usi il trapassato del congiuntivo nella frase subordinata.

Sembrava	la professoressa	fare i compiti
Era importante	noi	licenziarsi
Dubitavo	lo studente	usare il computer
Era meglio	gli studenti	uscire subito alla fine della
Temevo	i professori	lezione
Era bene	io	guadagnare poco
	le segretarie	parlare bene l'italiano
		lasciare i libri a casa
		perdere il quaderno
		arrivare prima dei professori

▶ Era importante che gli studenti fossero arrivati prima dei professori.

G Spesso quando i genitori partono per il fine settimana, i figli fanno cose diverse da quelle che i genitori si aspettano. Dica quello che i genitori pensavano che i figli avessero fatto durante la loro assenza.

Ex. G: Have students translate each sentence they form. Make sure they are aware that the action of the subordinate clause is prior to the action of the main clause.

▶ Maria Luisa è andata ad una festa.
   I genitori non sapevano che Maria Luisa fosse andata ad una festa. Pensavano che Maria Luisa fosse andata in chiesa.

1. Maria Luisa è ritornata alle tre di mattina.
2. Ha invitato alcuni amici a casa.
3. Maria Luisa e gli amici hanno giocato a poker.
4. Bruno ha preso la macchina della mamma.
5. È andato al centro con alcuni amici.
6. È tornato a casa domenica mattina.
7. Il fratellino non ha mangiato niente.
8. Maria Luisa e Bruno non hanno fatto attenzione al fratellino.

H In coppia: Dica ad un amico/un'amica tre o quattro cose del suo passato (per esempio: dov'è nato/a, quale liceo ha frequentato, un luogo interessante che ha visitato, un corso che ha seguito, ecc.). L'amico/a risponde che non sapeva queste cose, o credeva qualche altra cosa.

▶ S1: Sono nata in Florida.
   S2: Non sapevo che tu fossi nata in Florida./Credevo che tu fossi nata in Louisiana.

I Riscrivete tutte le frasi nel passato.

▶ Ho paura che il mio ragazzo non mi ami più.
   Avevo paura che il mio ragazzo non mi amasse più.

1. Mi dispiace che lui non mi chiami spesso.
2. Sembra strano che non mi abbia telefonato ieri.
3. Non credo che lui abbia un'altra ragazza.
4. Voglio che facciamo la pace e che parliamo chiaramente.
5. Gli scrivo delle poesie, affinché lui possa capire i miei sentimenti.
6. È possibile che si sia dimenticato di me.
7. È impossibile che io abbia fatto qualcosa di male.
8. Gli telefono prima che sia troppo tardi.

Quando si vive in famiglia, ogni dichiarazione (*statement*) provoca reazioni diverse dai vari membri della famiglia. Esprima queste reazioni, come nel modello.

▶ Ho avuto un altro incidente con la macchina!
  Non posso credere che tu ...
  Non posso credere che tu abbia avuto un altro incidente con la macchina.
  Immaginavo che tu ...
  Immaginavo che tu avessi avuto un altro incidente con la macchina.

1. Aspetto un bambino!
   Non è possibile che tu ...
   Vorrei tanto che tu ...
   Sono veramente contento/a che tu ...

2. I miei genitori hanno intenzione di farci una visita!
   Mi dispiace che i tuoi genitori ...
   Speravo che ...
   Dubito che ...

3. Ho trovato un lavoro!
   Non posso credere che ...
   Sarebbe bellissimo che ...
   La mamma sarà contentissima che tu ...

4. Abbiamo vinto alla lotteria!
   Sarebbe un miracolo se ...
   Non sapevo che ...
   È incredibile che ...

5. La mia ragazza ha venti anni più di me!
   Non sembra che la tua ragazza ...
   Non mi piace che ...
   Infatti, avevo l'impressione che ...

Have students do Ex. J in groups of three, each member taking a different point of view and exaggerating his or her reaction. Have students invent their own dichiarazioni *and the likely reactions of members of their families.*

Frasi introdotte da *se*

— Sì, ma se **studiassi** di più non **avrei** il tempo per le cose importanti.

1. When the word **se** (*if*) is used to talk about circumstances that are real or likely to occur, the indicative is used in the **se** clause and the indicative or the imperative is used in the main clause.

Se **ho** bisogno di soldi, **lavoro** con mio zio.	*If I need money, I work for my uncle.*
Se **hai** bisogno di soldi, **trova** un lavoro!	*If you need money, find a job!*
Se **andrai** all'ufficio di collocamento, **troverai** molte possibilità di lavoro.	*If you go to the employment office, you'll find many job possibilities.*
Da giovane, se mio nonno non **trovava** lavoro, **vendeva** i giornali.	*As a young man, if my grandfather didn't find work, he would sell newspapers.*

Point out to students that in real or likely situations, *se* can be replaced by *quando*.

In those real or likely situations, *se* often means "when" or "whenever."

2. **Se** can also be used to talk about imaginary, unlikely, and impossible situations. In these cases the **se** clause is in the imperfect subjunctive and the main clause is in the conditional.

Se **avessi** un milione di euro, non **lavorerei** più.	*If I had a million euros, I wouldn't work anymore.*
Io invece se **fossi** milionario, **continuerei** a lavorare.	*If I were a millionaire, I'd continue to work.*
Se i miei genitori mi **ascoltassero**, **vedrebbero** che ho ragione.	*If my parents only listened to me, they would see that I am right.*

Review forms of the conditional with students. Finish by reviewing the conditional of *avere* and *essere*.

Point out that the position of the two clauses can be reversed, as in English. Read the three examples, transposing the clauses.

K In coppia: Dica ad un altro studente/un'altra studentessa quello che lei generalmente fa nelle seguenti situazioni.

▶ Se fa freddo ...   S1: Se fa freddo non esco.
S2: Se fa freddo mi metto una maglia.

1. Se ho molta fame ...
2. Se non capisco una cosa in classe ...
3. Se ho molti compiti da fare e poco tempo ...
4. Se ho bisogno di parlare con qualcuno ...
5. Se mi telefona un amico noioso ...
6. Se non riesco a dormire ...
7. Se arrivo in ritardo a lezione ...

After Ex. K is completed, ask individuals *Se fa freddo, che cosa fa?*, etc. Write *se, quando,* and *ogni volta che* on the board. Have students rephrase their sentences using these alternative introductions: *Quando fa freddo non esco.*

L Trasformi queste frasi, usando il condizionale nella frase principale e l'imperfetto del congiuntivo nella subordinata, come nel modello.

▶ Se posso, lo faccio.   Se potessi, lo farei.

1. Se parli, ti ascolto.
2. Se mangiamo poco, ci sentiamo meglio.
3. Se abbiamo bisogno di soldi, li chiediamo a papà.
4. Se ho tempo, cucino qualcosa.
5. Se non corro ogni giorno, mi sento più stanco.
6. Se vuole parlare con te, ti telefona.
7. Se è possibile, veniamo.

Ex. L: Make sure students understand the difference between the original sentences and the transformations.

M Dica quello che lei farebbe nelle seguenti situazioni.

1. Se fossi donna/uomo ...
2. Se potessi essere un personaggio storico ...
3. Se adesso fossi in Italia ...
4. Se avessi più tempo ...
5. Se fossi invisibile ...
6. Se potessi uscire con qualsiasi persona ...
7. Se fossi professore universitario ...

You may want to have students do Ex. M in pairs. Have students alternate between creating and answering questions like *Se fossi una donna, che faresti/chi saresti?* Encourage students to expand on their answers.

N In gruppi di tre: Domandi alle altre persone del gruppo cosa farebbero se succedessero le seguenti cose. Poi riferisca l'informazione alla classe.

se vedessero un UFO

se non potessero trovare un lavoro dopo aver finito l'università

se trovassero un portafoglio (*wallet*) con mille dollari

se vedessero la ragazza del migliore amico con un altro uomo

se durante un esame vedessero un altro studente copiare da un compagno/una compagna

se si trovassero in montagna senza cibo

▶ se vedessero un UFO   S1: Cosa faresti se vedessi un UFO?
                          S2: Io telefonerei ai giornali.
                          S1: E tu cosa faresti?
                          S3: Io ...

Ex. N: Have students alternate asking and answering questions. Let them take notes and tell the class what their partners would do in the various situations.

Condizionale passato

— Massimo, **avresti dovuto** telefonare prima!

1. The past conditional is a compound form consisting of an auxiliary verb (**avere** or **essere**) in the present conditional plus a past participle. The following chart shows the forms of the past conditional.

	scegliere	**uscire**
io	avrei scelto	sarei uscito/a
tu	avresti scelto	saresti uscito/a
lui/lei	avrebbe scelto	sarebbe uscito/a
noi	avremmo scelto	saremmo usciti/e
voi	avreste scelto	sareste usciti/e
loro	avrebbero scelto	sarebbero usciti/e

Practice the past conditional by giving students a series of sentences about negative things an invented student has done. *"Gino" ha dormito fino a mezzogiorno e non si è presentato per l'esame*, etc. Students say what they would have done instead: *Io avrei dormito fino alle sette e poi avrei ...*

2. The past conditional corresponds to *would have (done something)*. It is also used to report a future action *as viewed from the past*, which English expresses with the simple conditional.

Giorgio ha scelto ingegneria ma io **avrei scelto** matematica.	*Giorgio chose engineering, but I would have chosen math.*
Patrizia si è iscritta ad architettura ma noi **ci saremmo iscritti** a scienze politiche.	*Patrizia enrolled in architecture, but we would have enrolled in political science.*
Claudia ha detto che **avrebbe scelto** la facoltà l'anno dopo.	*Claudia said that she would choose a major the following year.*

3. The past conditional of **dovere** + *infinitive* means *should have (done something)*. Similarly, the past conditional of **potere** + *infinitive* means *could have (done something)*.

Avrebbero dovuto parlare prima con me.	*They should have spoken to me first.*
Avresti potuto lavorare a tempo parziale.	*You could have worked part-time.*

4. To talk about a contrary-to-fact or imaginary situation entirely in the past, use **se** + **trapassato del congiuntivo** + *past conditional*.

Se lo **avessi saputo** prima, non ci **sarei andato.**	*If I had known sooner, I wouldn't have gone.*
Se non **avessero incontrato** Gianni, non **avrebbero saputo** la buona notizia.	*If they hadn't run into Gianni, they wouldn't have learned the good news.*

> The order of the two clauses can be switched: *Non ci sarei andato se lo avessi saputo prima.*

⊙ In coppia: Riferisca all'amico/all'amica quello che le seguenti persone hanno detto riguardo alla festa che avrebbero organizzato.

▶ Caterina: Io porterò le bibite.

S1: Cosa ha detto Caterina?
S2: Ha detto che avrebbe portato le bibite.

1. Marcella: Arriverò un po' tardi.
2. Tina e Giuseppe: Noi aiuteremo con le decorazioni.
3. Tuo cugino: Porterò i CD e le cassette.
4. Massimo: Mio fratello non verrà.
5. Angela e Caterina: Prepareremo cinquanta panini.
6. Betti: Dovrò andare via presto.
7. Gli amici: Ci divertiremo tanto!

Ex. O: Make sure students state the second clause in the past conditional rather than in the present conditional. Tell them this is the correct way to express a sentence like *Caterina said she would bring the drinks*.

P In coppia: Ieri lei non aveva molta voglia di lavorare. Quando il suo compagno/la sua compagna le chiede perché non ha fatto le seguenti cose, risponda con una scusa appropriata.

▶ fare i compiti   S1: Hai fatto i compiti?
                       S2: No. Li avrei fatti, ma ho perduto il mio libro
                             d'italiano.

1. scrivere il tema
2. preparare la relazione per il corso d'ingegneria
3. andare al laboratorio
4. finire gli esercizi di grammatica
5. leggere due capitoli nel libro di storia
6. guardare il documentario per il corso di antropologia
7. dormire abbastanza

Q In gruppi di tre: Decidete che cosa avrebbero dovuto fare queste persone.

▶ Quando si è svegliata una   S1: Avrebbe dovuto chiamare
  vostra amica aveva la febbre.   subito il dottore.
  La sua temperatura era di 104 gradi F.   S2: Sarebbe dovuta andare
                                   all'ospedale.
                                S3: Avrebbe dovuto prendere due
                                 aspirine.

1. Un vostro amico ha sostenuto un colloquio di lavoro. Ma non si è preparato bene per il colloquio, si è vestito in maniera un po' informale e non ha risposto bene alle domande. Quindi il colloquio è andato male.
2. Una vostra amica era seduta in un caffè e ha visto un ragazzo che le piaceva molto. Ma, poverina, era timida e non sapeva che cosa dire. Lui è andato via prima che lei potesse parlargli.
3. Un vostro amico è disperato perché dopo tre anni capisce di avere sbagliato quando ha scelto la facoltà. Non gli piace per niente la biologia!
4. La vostra compagna di camera non ha potuto trovare un lavoro per l'estate ed è rimasta a casa a fare niente.
5. Un vostro amico ha dimenticato il compleanno della sua ragazza. Adesso la ragazza non vuole più parlare con lui.

Ex. R: Have students ask each other the questions, using *tu* forms where appropriate. Any of these questions would make good short writing assignments, completed at home for presentation in class.

R Risponda alle seguenti domande.

1. Che cosa avrebbe fatto se la sua università non l'avesse accettato/a?
2. Quale università avrebbe frequentato se fosse stato possibile?
3. Cosa avrebbe fatto l'estate scorsa se avesse avuto i soldi?
4. Come sarebbe stato il mondo se gli Europei non avessero scoperto l'America?
5. Come sarebbe stato il mondo se lei non fosse nato/a?

  For further practice of lesson topics, log on to the *Oggi in Italia* website and/or do the CD-ROM activities.

Parliamo un po'

A **Un sondaggio.** Intervisti quattro studenti per sapere in che cosa vogliono specializzarsi e perché. Se una persona non ha ancora deciso, chieda quale sarà la sua specializzazione più probabile.

	Studente	Specializzazione	Perché
1.	_____	_____	_____
2.	_____	_____	_____
3.	_____	_____	_____
4.	_____	_____	_____

Have students circulate. From the results of the poll, determine the most popular major and the reasons for choosing it.

Before doing Act. B, ask students what kind of work they would like to do, what they would like their boss and co-workers to be like, where they would like to work and the type of schedule, at what salary, etc.

B **Il primo lavoro.** In coppia: Quale sarà il suo primo posto di lavoro quando uscirà dall'università? Dica ad un amico/un'amica come vorrebbe che fosse questo lavoro. Quando è possibile, usi espressioni quali **vorrei che, sarebbe bello se, preferirei che,** ecc.

> Sarebbe bello se potessi lavorare in una grande banca. Vorrei che il mio stipendio fosse ...

Remember to use an infinitive if the subject of both clauses is the same: *Vorrei trovare un posto nella mia città.*

On official documents, Italians generally write their last name followed by their first name.

C **In cerca di lavoro.** Lei è in cerca di lavoro e va all'ufficio di collocamento affinché l'aiutino nelle sue ricerche. La prima cosa che deve fare quando arriva è compilare il modulo (*fill out the form*) a destra.

Data _____

I. Dati personali
   Nome _____
   Indirizzo _____
   Numero di telefono _____
   Luogo e data di nascita _____

II. Titoli di studio
   Istituto _____ Anno _____
   Specializzazione _____
   Lingue straniere _____

III. Lavori precedenti

Nome della ditta	Data d'impiego	Responsabilità
_____	_____	_____
_____	_____	_____
_____	_____	_____

Vary by having students do Act. C in pairs. S1 could play an employment agent helping S2 fill out the form by asking *Come si chiama?*, etc.

D Candidati per un posto.
In gruppi di quattro: Le tre persone rappresentate nel disegno sono venute alla società BigBog a sostenere un colloquio per una posizione con questa azienda. Con il gruppo, usate la fantasia e per ogni candidato compilate il modulo presentato nell'attività C. Poi, scrivete un breve paragrafo per ogni candidato in cui la persona spiega perché dovrebbe avere la posizione in questione.

▶ Se la società BigBog mi offrisse questo posto, farei ...

Act. D: Tell students what type of position is being offered, or assign a different position (*rappresentante commerciale, segretaria, assistente al direttore del personale, specialista computergrafica,* etc.) for each group.

E Il colloquio. Negli stessi gruppi di quattro: Uno studente fa la parte del direttore/della direttrice della società BigBog, che conduce i colloqui con i tre personaggi dell'attività D (gli altri tre studenti). Il direttore/La direttrice guarda il modulo di ogni candidato e prepara almeno tre domande che vuole fare a tutti e tre. Dopo aver sentito le loro risposte, il direttore/la direttrice prende una decisione.

If Act. D and Act. E are done together, give 5–7 minutes for the "candidates" to prepare, while the "director" prepares questions to be asked of all three candidates. Or take all the "directors" aside to brainstorm appropriate questions together.

Conoscere l'Italia

A Definizioni. Abbini le definizioni con una parola della lista a destra. Ci sono tre parole in più nella lista.

Have students locate Le Marche and Ancona on the map on p. 14.

1. un mare del Mediterraneo del sud
2. sinonimo di *montagna*
3. aggettivo derivato da *collina*
4. nome che comprende il frigorifero, la lavatrice, l'aspirapolvere, ecc.
5. nome che comprende camicie, pantaloni, vestiti, gonne, ecc.
6. nome che comprende il divano, il tavolo, le sedie, ecc.
7. scrive opere musicali
8. scrive poesie

a. l'abbigliamento
b. l'industria
c. il mobilio
d. collinoso/a
e. il compositore
f. Egeo
g. il poeta
h. il pittore
i. il monte
j. gli elettrodomestici
k. Adriatico

Point out the location of Mare Egeo, Croazia, Grecia, and Turchia on the map of Europe (on p. 337) in *Lezione 15*.

Le Marche

La donna velata, un bellissimo dipinto di Raffaello Sanzio (1483–1520), può essere ammirato nel museo di Palazzo Pitti a Firenze.

Le Marche è una regione del centro Italia situata fra l'Appennino e il mare Adriatico. Il suo nome deriva da "marca" che significa "regione di confine[1]". Il capoluogo della regione è Ancona, un importante porto sull'Adriatico da dove partono navi e traghetti[2] diretti a Venezia, e alla Croazia, alla Grecia, alla Turchia e a varie isole del mare Egeo. Altre città marchigiane[3], capoluoghi di provincia, sono Ascoli Piceno, Macerata, Pesaro e Urbino.

Una grande risorsa delle Marche è la costa che, durante l'estate, attrae molti turisti italiani e stranieri. Le spiagge sono basse e spesso sabbiose o ghiaiose[4]. Un'eccezione è il Conero, un pittoresco monte al sud di Ancona alto quasi 600 metri, che si affaccia a picco[5] sul mare. Il resto del territorio è prevalentemente[6] collinoso ma nel sud della regione, ai confini con l'Umbria e l'Abruzzo ci sono le montagne che formano il Parco Nazionale dei Monti Sibillini.

La popolazione delle Marche è di quasi un milione e mezzo di abitanti, molti dei quali vivono lungo la costa dove c'è stato un maggiore sviluppo economico. Negli ultimi decenni[7], in questa regione si sono sviluppate molte piccole industrie e attività commerciali particolarmente nei settori dell'abbigliamento, delle calzature[8], del mobilio, della carta, degli elettrodomestici e degli strumenti musicali.

Alcuni personaggi importanti nella storia della cultura italiana sono nati nelle Marche. Ricordiamo il famoso pittore[9] rinascimentale Raffaello Sanzio, nato ad Urbino nel 1483; il compositore Gioacchino Rossini, autore dell'opera *Il Barbiere di Siviglia*, nato a Pesaro nel 1792, e il poeta romantico Giacomo Leopardi, nato a Recanati nel 1798.

Il porto di Ancona è anche un comodo luogo di sosta per le grandi navi da crociera.

1. border   2. ships and ferries   3. adjective related to Le Marche   4. sandy or gravelly
5. looks out vertically onto   6. mainly   7. decades   8. footwear   9. painter

Recanati: small town south of Ancona.

B **Che cosa ricorda?** Dia il nome o la descrizione dei seguenti aspetti delle Marche.

1. derivazione del nome della regione Le Marche
2. le principali città delle Marche
3. che cosa è il Conero
4. il nome del parco nazionale delle Marche
5. alcune industrie marchigiane
6. nome di un pittore famoso delle Marche
7. nome del compositore di *Il Barbiere di Siviglia*

Informatore turistico Porto Recanati.

Quella che segue è la prima strofa (*stanza*) di una lunga e bellissima poesia di Giacomo Leopardi. In questo canto notturno (*night song*), il poeta domanda alla luna (*moon*) che cosa essa fa nel cielo (*sky*). Poi dice che la vita della luna che sorge (*rises*) e tramonta (*sets*) in maniera ripetitiva, è simile a quella del pastore errante (*wandering shepherd*) dell'Asia. Poi sempre alla luna chiede qual è lo scopo (*purpose*) della vita dei satelliti e dei pianeti e della vita del pastore stesso. Alla fine fa una domanda sul significato dell'esistenza quando chiede qual è lo scopo del corso immortale della vita della luna e del breve corso della vita mortale del poeta.

Legga la poesia a bassa voce e poi risponda alle domande basate su di essa. Quindi rilegga la poesia, prima a bassa voce e poi ad alta voce.

Canto notturno di un pastore errante dell'Asia

Giacomo Leopardi

Che fai tu, luna in ciel? dimmi, che fai,
silenziosa[1] luna?
Sorgi la sera, e vai,
contemplando i deserti; indi ti posi[2].
Ancor non sei tu paga[3]
di riandare i sempiterni calli?
Ancor non prendi a schivo[4], ancor sei vaga
di mirar queste valli[5]?
Somiglia[6] alla tua vita
la vita del pastore.
Sorge in sul primo albore[7];
move la greggia[8] oltre pel campo, e vede
greggi, fontane ed erbe[9];
poi stanco si riposa[10] in su la sera:
altro mai non ispera.
Dimmi, o luna: a che vale[11]
al pastor la sua vita,
la vostra[12] vita a voi? Dimmi: ove tende
questo vagar[13] mio breve,
il tuo corso immortale?

> *indi = quindi*
> *sempiterni calli = eterne vie*
> *vaga = desiderosa*
> *mirar = guardare*
> *move = muove*
> *ispera = spera*
> *ove = dove*

LIBRIA LEOPARDI

1. silent   2. you set   3. content
4. doesn't it bother you   5. valleys
6. Is similar   7. at dawn   8. flock
9. grasses   10. he rests   11. what's it worth   12. your life and that of the other stars and planets
13. wandering

Domande

1. Dov'è la luna?
2. Secondo il poeta, com'è la luna?
3. Quando sorge la luna?
4. Che cosa guarda la luna durante la notte?
5. A quale vita somiglia la vita della luna?
6. Quando si alza il pastore?
7. Che cosa fa il pastore dopo che si è alzato?
8. Che cosa vede il pastore durante il giorno?
9. Quando si riposa il pastore?
10. Che cosa vuole sapere il poeta dalla luna?

Lezione 18

Una domenica ecologica in una città italiana. Tutti vanno a piedi e non ci sono automobili. Il centro è riservato ai cittadini che vanno a piedi o in bicicletta.

Abiti sempre in città?

Communicative Objectives

- Talk about advantages and disadvantages of city living
- Discuss environmental problems
- Talk about means of transportation
- Talk about what you are/were doing
- Express when, where, how, and how frequently actions occur

 Show the *Oggi in Italia* video segment and do the video activities.

•••

Sono le otto di mattina. Luca Rosati, un giovane laureato in economia del turismo, è sulla metropolitana di Roma e incontra il suo amico Giuliano Moretti, laureando in scienze politiche.

LUCA:	Giuliano! È molto tempo che non ci vediamo. Dove stai andando?
GIULIANO:	All'università. Ma tu, che fai qui? Dove vai?
LUCA:	Io ho cominciato a lavorare da sei mesi e ora sto passando un po' di giorni con i miei genitori. Adesso abito nel Friuli e lavoro in un agriturismo vicino a Udine.
GIULIANO:	Non ti piace più abitare in città?
LUCA:	Roma è bellissima. Forse è la più bella città d'Italia, ma per me stava diventando invivibile. Non c'è niente di peggio del traffico romano. Per non parlare poi° dell'inquinamento.
GIULIANO:	È vero. Tutti vorremmo vivere meglio e il mio desiderio maggiore è di poter vivere una vita meno stressante.
LUCA:	Ecco perché ho deciso di vivere fuori città. Tu, invece, abiti sempre a Piazza Risorgimento?
GIULIANO:	E dove vuoi che vada? Non è facile trasferirsi in un'altra città. Ormai mi sono abituato al traffico, ai rumori e all'inquinamento di Roma.
LUCA:	Ma, dimmi, la statua di Garibaldi in mezzo alla° piazza è stata più pulita?
GIULIANO:	Sì, e adesso stanno pensando di prendere dei provvedimenti prima che cominci a sgretolarsi°.
LUCA:	Certo, l'inquinamento è un problema da prendere molto seriamente.
GIULIANO:	Eh, sì, in città non si respira più. Oggi tutti abbiamo bisogno di fuggire verso il verde e la campagna. Ma Roma ha sempre un suo fascino particolare.

5

10

15

20

25

Have students locate Friuli and Udine on the map on p. 14. Tell them that the full name of this region is Friuli–Venezia Giulia.

Challenge some students to define words like inquinamento and statua in Italian. Ask them to supply antonyms of words like rumore (silenzio), meno (più), cominciare (finire), and peggio (meglio).

Not to mention

> **Risorgimento:** Historical process that led to the unification of Italy in 1870.

in the middle of

to fall to pieces

> Giuseppe Garibaldi (1807–1882) was a general who fought for Italian independence.

•••

Domande

1. Dove si incontrano Luca e Giuliano?
2. Dove sta andando Giuliano?
3. Quando ha cominciato a lavorare Luca? Dove lavora?
4. Dove abita Luca adesso?
5. Cosa dice di Roma Luca?
6. A che cosa si è abituato Giuliano?
7. Dove va ad abitare la gente per fuggire dall'inquinamento della città?
8. A Giuliano piace Roma? Cosa dice di questa città?

Ask students what advantages living in Rome might have.

Have students invent a narrative/dialogue in which either Luca or Giuliano describes their encounter to a friend. Suggest using the Domande as a guide.

Domande personali

Appoint a student to ask you each question; then pose the same question to other students in the class. Expand on the question whenever possible.

1. Di solito quali mezzi pubblici usa lei?
2. In città preferisce usare la macchina, l'autobus o la metropolitana? Perché?
3. Preferisce vivere in una metropoli o in una cittadina? Perché?
4. Lei vivrebbe in campagna? Quali vantaggi e svantaggi offre la vita in campagna?
5. Secondo lei, quali sono gli svantaggi della vita in città? E quali i vantaggi?
6. Nella sua città o nel suo paese ci sono problemi di inquinamento? Quali sono?
7. Lei è mai stato/a in un agriturismo? Dove? Le è piaciuta l'esperienza? Perché? Se no, le piacerebbe fare una vacanza in un agriturismo?

Pratica

1. In gruppi di tre o quattro: Faccia un sondaggio per sapere quali sono, secondo i suoi compagni, i problemi ambientali più seri della vostra città. Servitevi della lista indicata per fare una graduatoria (*to make a rating scale*). Prenda appunti e riferisca alla classe i risultati del suo sondaggio.

Prat. 1: Ask students about other sources of pollution.

il traffico intenso e disordinato
i fumi di scarico (*exhaust fumes*) delle auto
il rumore delle macchine
il rumore delle fabbriche
i rifiuti (*solid waste*) urbani
il fumo di scarico del riscaldamento dei palazzi
l'acqua inquinata dei fiumi, dei laghi e del mare

2. In coppia: Intervisti un compagno/una compagna sui vantaggi e gli svantaggi della vita in città e della vita in campagna. Gli/Le chieda dove preferisce vivere e perché.

Prat. 2: Brainstorm possible advantages and disadvantages and list them on the board.

Tell students that in this case *fascia* = territorial subdivision to indicate traffic restrictions in different parts of the city.
ZTL = *zona traffico limitato*

Roma e le fasce di salvaguardia ambientale.

Mappa di Roma e delle quattro fasce territoriali con le restrizioni alla circolazione vigenti al loro interno.
Confini della ZTL Centro Storico, ZTL Anello Ferroviario, Fascia Verde e parte del territorio comunale.

Comune di Roma
Assessorato alle Politiche Ambientali ed Agricole

Il traffico e l'ambiente nelle città italiane

L'automobile è il mezzo di trasporto più diffuso nelle città italiane. Lo sviluppo industriale, non solo automobilistico, degli ultimi sessanta anni ha trasformato completamente il paese. Da nazione essenzialmente agricola, l'Italia è oggi uno dei sette paesi più industrializzati del mondo.

Ma questo progresso ha anche portato un grande caos e l'inquinamento dell'ambiente, specialmente nelle grandi città. Le strade strette e irregolari, gli antichi palazzi addossati[1] l'uno all'altro e i monumenti storici delle città non sopportano[2] più il traffico causato principalmente dai mezzi di trasporto privati. In alcuni centri cittadini gli ingorghi[3] automobilistici durano tutto il giorno. I fumi di scarico[4] delle auto, i rumori assordanti dei clacson[5] e dei motori e l'eccessivo traffico causano danni[6] non solo alle strade, ai palazzi e ai monumenti ma anche alle persone.

Per far fronte a[7] questo problema ogni città ha provato soluzioni diverse. Sono nate così le isole pedonali[8], il centro storico è stato chiuso al traffico, sono state create corsie preferenziali[9] per autobus e taxi e si sono stabiliti giorni e ore in cui le automobili non possono circolare. Così sono tornate di moda le biciclette e le moto alle quali si aggiungono[10] tantissimi motorini. Questi mezzi possono circolare sempre e tranquillamente, ma essi creano spesso confusione, disordine e, in molti casi, anche inquinamento. In alcune grandi città come Roma, Milano e Torino, la metropolitana ha dato un po' di respiro[11] al movimento dei cittadini. Ma a tutt'oggi il problema del grande traffico nelle città italiane non è stato ancora risolto molto bene.

Moto e motorini sono importanti mezzi di trasporto per moltissimi giovani che vivono in città.

Have students jot down three major points while reading the cultural note silently. Call on several students to report what they wrote.

- Com'è il traffico nelle città americane? Quali sono i maggiori problemi ambientali nel suo paese?

1. huddled   2. cannot withstand   3. traffic jams   4. exhaust   5. deafening car horns   6. harm   7. To address   8. traffic-free zones   9. designated lanes   10. are added   11. respite

Vocabolario

Parole analoghe

l'autobus	la statua
la metropoli	il traffico
particolare	il turismo
seriamente	

Point out the prefixes *in-* and *s-* in word pairs like *vivibile/invivibile* and *vantaggio/svantaggio.*

The adjective *stressante* derives from *lo stress,* borrowed from English.

Nomi

l'agriturismo   vacation farm; agritourism
la campagna   countryside
il desiderio   wish
il fascino   charm
l'inquinamento   pollution
la metropolitana   subway
il provvedimento   measure, precaution
il rumore   noise
lo svantaggio   disadvantage
il vantaggio   advantage

Aggettivi

invivibile   unlivable
stressante   stressful

Verbi

abituarsi (a)   to get used to
fuggire   to flee
respirare   to breathe

Altre parole ed espressioni

meno   less
sempre   still
i mezzi pubblici   public transportation

Pronuncia

Ripasso delle combinazioni *sc* e *sch*

The letters **sc** before **i** or **e** have a soft sound, /ʃ/ as in *shell*. **Sc** before **a, o,** and **u** and **sch** before **i** or **e** have a hard sound /sk/as in *skill*.

 A   Ascolti e ripeta le parole.

sciare	**sc**elta	li**sci**o	**sch**erzare	**sc**usare
scegliere	**sc**ena	u**sci**re	pe**sch**e	di**sch**i
pe**sc**e	**sc**ienza	la**sci**are	tede**sch**i	**sc**arpe

Ripasso di *gl + i*

The combination **gli** is pronounced like *lli* in *million*. It is articulated with the top of the tongue against the hard palate or roof of the mouth.

 B   Ascolti e ripeta le parole.

fi**gli**	**gli**elo	fo**gli**o	consi**gli**o	sba**gli**ato
de**gli**	sve**gli**o	fi**gli**a	tova**gli**olo	ma**gli**a
bi**gli**etto	lu**gli**o	vo**gli**o	me**gli**o	abbi**gli**amento

C   Ascolti e ripeta le frasi. Faccia attenzione alle combinazioni **sc, sch** e **gli.**

Vo**gli**amo andare al negozio di abbi**gli**amento per **sc**e**gli**ere dei vestiti.
Ed io vo**gli**o anche dei di**sch**i e de**gli sci** nuovi.
Ma **sch**erzi! Non capi**sci** che il traffico è intenso a lu**gli**o?

Ampliamento del vocabolario

I mezzi di trasporto

l'aereo

l'autobus

il treno

la motocicletta (la moto)

l'automobile (l'auto)/la macchina

il traghetto

la metropolitana

l'elicottero

il tassì (il taxi)

il tram

la nave

l'autocarro (il camion)

andare in macchina (in aereo, in autobus, in tram, in treno, in moto(cicletta), in traghetto, in elicottero, in tassì) to go by car (by plane, by bus, by tram, by train, by motorcycle, by boat, by helicopter, by taxi)

andare con la nave to go by ship
andare a piedi to go on foot
prendere la metropolitana to take the subway

In coppia: Faccia le seguenti domande ad un altro studente/
un'altra studentessa.

 Ex. A: Have students ask
you the questions using *lei.*

1. Se (tu) dovessi andare in Italia, quale mezzo di trasporto useresti?
   Perché?
2. Se (tu) abitassi a New York, prenderesti la metropolitana o l'autobus
   per andare a scuola o a lavorare? Perché?
3. Se devi andare dalla tua città a San Francisco, quale mezzo di trasporto
   preferisci prendere?
4. Secondo te, qual è il mezzo di trasporto più sicuro (*safe*)? Perché?
5. Pensi che la gente dovrebbe usare di più i mezzi pubblici? Perché?
6. Dove è possibile prendere il traghetto?
7. Chi prende l'elicottero per andare a lavorare?

La metropolitana is frequently
referred to as *il metro.*

B In coppia: Preparate una lista dei mezzi di trasporto che si usano nella
vostra città. Dite quali sono le zone della città che servono e quanto
costano. Indicate se e quali altri mezzi di trasporto sarebbero necessari
per servire meglio la gente che vive in città.

Ex. B: Call on some pairs to read
their lists and talk about their
observations.

L'ambiente

l'ambiente (*m.*) environment	**il riciclaggio** recycling
l'ecologia ecology	**riciclare** to recycle
l'inquinamento pollution	**i rifiuti** (solid) waste, rubbish
inquinare to pollute	**salvaguardare** to save,
la pioggia acida acid rain	preserve

Il riciclaggio viene fatto
dappertutto. Nella foto
vediamo una campana per
la raccolta della carta.

*Qual è il messaggio di
quest'annuncio? Qual è uno
degli oggetti che è possibile
fabbricare con la plastica?*

la panchina = bench

Riciclo della plastica

Plastic.   Replastic.

In gruppi di tre o quattro: Faccia un sondaggio per sapere che cosa pensano i suoi compagni dell'inquinamento e quali provvedimenti sono necessari per salvaguardare l'ambiente naturale. Prenda appunti e paragoni i suoi risultati con quelli di altri gruppi.

1. Quali sono alcuni aspetti evidenti dell'inquinamento, dell'ambiente naturale?
2. Secondo te, quali sono le principali cause dell'inquinamento dell'aria? E del mare? E della terra?
3. Quali provvedimenti aiutano a salvaguardare l'ambiente?
4. C'è l'inquinamento nella tua città? Da che cosa è causato?
5. A quale forma di riciclaggio partecipi? A quello della carta, del vetro (*glass*), dei metalli o della plastica? O a tutti e quattro?
6. Secondo te, quali sono i paesi più inquinati del mondo? Perché?
7. Nella tua città ci sono associazioni che difendono l'ambiente? Quali sono e che cosa fanno?
8. Sei iscritto/a a qualche associazione ambientalista? Quale? Di che cosa si occupa?
9. Pensi che l'effetto serra (*greenhouse effect*) sia una vera minaccia per la terra e per l'umanità? Perché?

Ex. C: Call on some students to report the results of their surveys. Help them compare the various results. Provide additional vocabulary for these types of questions, such as *Movimento dei Verdi, Lega per l'Ambiente,* etc.

Struttura ed uso

Tempi progressivi

— Cosa **stai facendo?**
— **Sto aggiustando** il mio computer!

1. As you know, Italian often uses present or imperfect verb forms to talk about ongoing actions for which English uses progressive forms.

— Che **fai?**   — *What are you doing?*
— **Guardo** questi annunci.   — *I'm looking at these ads.*

— Ti **disturbo?**   — *Am I bothering you?*
— No, non **facevo** niente di   — *No, I wasn't doing anything*
  speciale.   *special.*

Italian also has progressive tenses, which are used when the speaker wants to stress that the action is going on at the moment, or was going on when something else occurred.

— Cosa **stai facendo?**
— **Sto guardando** questi annunci.

— Ti **sto disturbando?**
— No, non **stavo facendo** niente di speciale in questo momento.

2. The progressive tenses are made up of **stare** plus the **-ando** or **-endo** form of the verb: **-ando** is added to the infinitive stem of **-are** verbs, and **-endo** to the infinitive stems of **-ere** and **-ire** verbs.

Review present and imperfect forms of stare with the class.

studiare:	**sto studiando**	*I am studying*
leggere:	**sto leggendo**	*I am reading*
dormire:	**sto dormendo**	*I am sleeping*

The following chart shows the present and past progressive of **studiare.**

	present progressive	past progressive
io	sto studiando	stavo studiando
tu	stai studiando	stavi studiando
lui/lei	sta studiando	stava studiando
noi	stiamo studiando	stavamo studiando
voi	state studiando	stavate studiando
loro	stanno studiando	stavano studiando

3. The verbs **fare, bere,** and **dire** have irregular progressive forms.

Sto facendo i compiti.   *I am doing my homework.*
Cosa **stai bevendo?**   *What are you drinking?*
Ieri **stavo dicendo** a Michele ...   *Yesterday I was saying to Michele . . .*

4. Object and reflexive pronouns may precede **stare,** or they may follow and be attached to the gerund.

Lo stiamo finendo adesso.   *or*   Stiamo finendo**lo** adesso.
Mi stavo lavando i denti.   *or*   Stavo lavando**mi** i denti.

A Metta le frasi nel progressivo presente o passato.

▶ Che cosa fa Francesca?   Che cosa sta facendo Francesca?

1. Francesca cerca un agriturismo per le vacanze.
2. Legge tutti gli annunci.
3. Chiama tutti i suoi amici.
4. Noi la aiutiamo.
5. Aspettiamo la risposta da un'agenzia di viaggi.
6. Ma Francesca arriva alla fine della sua ricerca.
7. Ieri infatti Francesca tornava ad Udine.
8. Viaggiava con altre tre ragazze.
9. Una delle ragazze lavora in un agriturismo molto carino.

B Rivolga queste domande ad un altro studente/un'altra studentessa, che risponderà usando i pronomi nelle risposte.

▶ Guardi la televisione?   Sì, la sto guardando ora./Sì, sto
                             guardandola ora.

1. Leggi il giornale?   4. Ti prepari per uscire?
2. Ti diverti?   5. Ti alzi adesso?
3. Aspetti il treno?   6. Telefoni al tuo amico?

C In coppia: Copra la lista del suo compagno/della sua compagna con un foglio di carta. A turno, mimate (*act out*) le attività della vostra lista. Ognuno di voi deve indovinare quello che il compagno/la compagna sta mimando.

▶ cercare le chiavi   S1: [mima l'azione di cercare le chiavi]
                       S2: Stai cercando qualcosa. Stai cercando le chiavi!

<table>
<tr><td>S1</td><td>telefonare a qualcuno
guardare una partita di tennis
aspettare un autobus
sciare
fare la doccia</td><td>S2</td><td>fare una fotografia
giocare con un videogioco
guidare una motocicletta
mettersi un paio di jeans stretti (tight)
mangiare gli spaghetti</td></tr>
</table>

Ex. C: Have students alternate acting out and guessing the answers. Encourage students to stand up while they mime. Write other easily mimed actions on cards and have teams compete to guess each action.

D In gruppi di quattro: Trovi in questo libro una fotografia con alcune persone e attività diverse. Domandi ai suoi compagni cosa stanno facendo le persone della foto.

Ex. D: You may want to bring in several photographs from magazines and distribute them.

▶ S1: Cosa stanno facendo le persone in questa foto a pagina _____ ?
S2: L'uomo sta suonando la chitarra.
S3: Alcune persone stanno ascoltandolo.
S4: Queste persone stanno prendendo il caffè ...

E In coppia: Dica ad un amico/un'amica che cosa stava facendo in determinati periodi.

▶ stamattina alle   S1: Che cosa stavi facendo stamattina alle sette e mezzo?
sette e mezzo   S2: Stamattina alle sette e mezzo stavo
                      dormendo/radendomi la barba/guidando ...

1. ieri a mezzogiorno
2. sabato scorso alle dieci di sera
3. a mezzanotte in punto di Capodanno (*New Year's*)
4. il pomeriggio del giorno prima di Natale
5. la sera del suo compleanno

Avverbi di tempo, luogo, modo e quantità

— Mi scusi, ma deve proprio guidare così **velocemente?**

1. Adverbs are words that modify a verb, an adjective, or another adverb. They generally tell *when, where, how,* and *how often* something happens.

— Sono arrivati **ieri.**   — Quando?   — Ieri.
— Dormono **qui.**   — Dove dormono?   — Qui.
— Parlano **bene** l'inglese.   — Come lo parlano?   — Bene.
— Escono **spesso.**   — Quanto?   — Spesso.

2. Adverbs ending in **-mente** correspond to English adverbs ending in *-ly*. They are formed by adding **-mente** to the feminine singular form of the adjective.

Ask students what the adjectives and adverbs are modifying in each example.

È una ragazza **allegra.** Canta **allegramente.**
È un treno **lento.** Va **lentamente.**
Sono studenti **attenti.** Studiano **attentamente.**

Adjectives that end in a vowel + **-le** or **-re** drop the final **-e** before adding **-mente.**

È un corso **facile.** Capiamo **facilmente** i concetti.
È una giornata **particolare,** e siamo **particolarmente** contenti.

3. Most adverbs immediately follow the verb.

Emilio si è svegliato **tardi.**	*Emilio woke up late.*
Mi ha telefonato **dopo.**	*He called me afterwards.*
Ci vediamo **raramente.**	*We see each other rarely.*

In sentences with compound verbs, the adverbs **già, mai, ancora,** and **sempre** generally occur between the auxiliary verb and the past participle.

— Hai **già** letto gli annunci?	— *Have you read the announcements yet?*
— No, non li ho **ancora** letti.	— *No, I haven't read them yet.*
Luca non si è **mai** abituato ai rumori della città.	*Luca has never gotten used to the noise in the city.*
Ha **sempre** vissuto in campagna.	*He's always lived in the country.*

(F) Completi il seguente brano con gli avverbi suggeriti.

bene	finalmente
mai	recentemente
spesso	vicino
disperatamente	lì
prima	sempre
rapidamente	troppo

Giampaolo cercava _____ una casa. Leggeva _____ gli annunci sui giornali di Pisa e girava _____ la città in cerca di un appartamento in affitto. _____ abitava a Lucca perché la sua famiglia era _____ . Non è andato ad un'agenzia immobiliare perché diceva che costava _____ . _____ una persona che Giampaolo conosce _____ si è trasferita _____ in un'altra città, lasciando libero un appartamento _____ all'università.

(G) Come fa certe cose Angela? Completi le frasi con gli avverbi derivati dagli aggettivi della prima parte della frase.

▶ Angela è una ragazza tranquilla; fa ogni cosa ...
Angela è una ragazza tranquilla; fa ogni cosa tranquillamente.

1. Angela sta attenta quando parla il professore; lo ascolta ...
2. Ama le macchine veloci e ama guidare ...
3. Trova molto facile la chimica e finisce ... i suoi compiti.
4. Le sue parole sono sempre chiare; parla ...
5. È una persona cortese; saluta ... ogni persona che vede.
6. I suoi vestiti sono sempre eleganti; si veste ...
7. È una persona quasi perfetta, e lo sa ...

H In coppia: Rispondete alle domande personali.

1. Sei mai andato/a in elicottero?
2. Hai già compiuto ventun anni?
3. Ti sei già iscritto/a per votare?
4. Hai mai guidato una motocicletta?
5. Hai mai letto un giornale italiano?
6. Sei già andato/a dal dentista quest'anno?
7. Ti è sempre piaciuto studiare le lingue straniere?
8. Hai già mangiato oggi?

Verbi che richiedono una preposizione

— Come **riusciamo ad** andare via?

1. The following verbs require the preposition **a** before an infinitive.

Verb + *a* + infinitive

aiutare a to help to	**imparare a** to learn to
andare a to go to	**insegnare a** to teach to
cominciare a to begin to	**mettersi a** to begin to
continuare a to continue to	**riuscire a** to succeed at
divertirsi a to have fun	**venire a** to come to

La banda **ha cominciato a** suonare alle nove.

The band started playing at nine o'clock.

E **ha continuato a** suonare fino a tardi.

And it continued playing until late.

Ci siamo divertiti a ballare.

We had fun dancing.

Chi ti **ha insegnato a** ballare così?

Who taught you to dance like that?

Non **sono** mai **riuscito a imparare a** ballare bene.

I've never managed to learn to dance well.

2. The following verbs and expressions require the preposition **di** before an infinitive.

Verb + *di* + infinitive

avere bisogno di to need to	**dire di** to say, to declare
avere paura di to be afraid to	**finire di** to finish
cercare di to try to	**pensare di** to think about
chiedere di to ask to	**permettere di** to allow to
consigliare di to advise to	**promettere di** to promise to
credere di to believe	**ricordarsi di** to remember to
decidere di to decide to	**sperare di** to hope to
dimenticarsi di to forget to	**suggerire di** to suggest

Abbiamo bisogno di utilizzare nuove fonti di energia.	*We need to use new sources of energy.*
Cerchiamo di riciclare quanto più possibile.	*Let's try to recycle as much as possible.*
Le leggi attuali non **permettono di** inquinare i mari.	*Current laws do not permit polluting of the seas.*
Non **dimentichiamoci di** usare i mezzi pubblici.	*Let's not forget to use public transportation.*

3. The following verbs require no preposition before an infinitive.

Verb + infinitive

amare to love to	**preferire** to prefer to
desiderare to wish to	**sapere** to know how to
dovere to have to	**volere** to want to
potere to be able to	

I miei amici **amano** vivere in campagna.	*My friends love living in the country.*
Anch'io **vorrei** trasferirmi in un piccolo paese.	*I'd like to move to a small town too.*
Così non **dovremmo** mai usare la macchina.	*That way we wouldn't ever have to use our car.*

Have paired students create a story or dialogue using as many expressions from the charts as possible.

Roma ha una grande aspirazione: rendere l'aria più pulita.

STOP al benzene

I Formuli frasi di senso compiuto abbinando le espressioni delle tre colonne e usando la preposizione appropriata.

mio fratello	sperare	guardare la TV
la mamma	cominciare	mettere i bicchieri a tavola
Claudia	promettere	telefonare ad un cliente
io	dire	bere un caffè
mia zia	avere paura	rimanere a casa
mio padre	riuscire	trovare il mio telefonino
mia nonna	continuare	chiudere la porta del garage
io e Gigi	chiedere	tornare a casa alle undici
mia sorella	aiutare	prestarmi la macchina
mio zio e mia zia		cenare presto
mio cugino		cucinare il mio piatto preferito
		andare a letto tardi
		riciclare la carta

▶ Mio fratello promette di rimanere a casa.

J Completi le descrizioni, aggiungendo **a** o **di** dov'è necessario.

1. Durante la festa, Mario ed io abbiamo cominciato _____ cantare mentre gli altri continuavano _____ mangiare. Poi volevamo _____ suonare alcune canzoni nuove, ma ci siamo dimenticati _____ portare la chitarra. Allora ci siamo messi _____ ballare.

2. Nella classe di russo, non ho imparato _____ parlare bene. Quindi ho deciso _____ studiare con un maestro privato. Il maestro desiderava _____ darmi tre lezioni alla settimana, ma gli ho detto che dovevo _____ lavorare dopo la scuola. Allora abbiamo pensato _____ fare una lezione di tre ore ogni sabato mattina.

3. Gli studenti della nostra classe hanno promesso _____ riciclare il più possibile. Sperano _____ evitare la creazione di rifiuti eccessivi. Sono già riusciti _____ riciclare numerose tonnellate di giornali e riviste. Continuano _____ cercare modi alternativi per proteggere l'ambiente.

Un cartello pubblicitario invita a riciclare il vetro usato.

K Racconti la vita di un famoso poeta italiano, formulando frasi complete con le parole ed espressioni indicate.

► il poeta / cominciare / scrivere / poesie / all'età di dodici anni
  Il poeta ha cominciato a scrivere poesie all'età di dodici anni.

1. la maestra / insegnargli / amare / buoni libri
2. lui / cercare / scrivere / poesie in stile classico
3. decidere / seguire / lo stile moderno
4. non dimenticarsi / aiutare / giovani poeti
5. a Parigi / lui / mettersi / insegnare corsi di poesia
6. non riuscire mai / guadagnare molti soldi
7. consigliare ai giovani / studiare i poeti antichi

L In coppia: Uno di voi fa la parte di un personaggio famoso dello sport o dello spettacolo (*show business*). L'altro fa la parte di un giornalista che intervista questa persona famosa per poi scrivere un articolo. Parlate delle seguenti cose.

Ex. L: Have students choose someone they know quite a bit about. If they are not sure about a particular item, have them invent a likely answer.

quando ha cominciato a svolgere quest'attività
come e quando ha imparato a farlo
cosa desiderava fare da giovane
perché ha deciso di fare quest'attività
cosa spera di fare in futuro
cosa consiglia di fare ai giovani che vogliono svolgere quest'attività
cosa deve fare una persona per avere successo in questo campo (*field*)

► Signor King, quando ha cominciato a scrivere libri dell'orrore?
  Ho cominciato a scrivere quando avevo sette anni ...

M Parli della sua vita, finendo le frasi in maniera logica con la preposizione appropriata e un verbo all'infinito.

1. Quando ero giovane i miei genitori non mi permettevano ...
2. Avevo sempre paura ...
3. Il mio migliore amico/La mia migliore amica mi ha insegnato ...
4. Non sono mai riuscito/a ...
5. Mi dimentico troppo spesso ...
6. Nel futuro vorrei continuare ...
7. Ho fatto bene quando ho deciso ...
8. I miei amici mi suggeriscono ...

You may want to assign Ex. M as written homework. The next day, call for several possible completions for each sentence. Make sure students are using verbs in the infinitive where necessary.

For further practice of lesson topics, log on to the *Oggi in Italia* website and/or do the CD-ROM activities.

Parliamo un po'

Act. A: To focus the activity, have students talk about transportation between two cities in your area, e.g., Washington, D.C. and New York.

A **I mezzi di trasporto: vantaggi e svantaggi.**

In coppia: Parlate degli aspetti positivi e negativi dei seguenti mezzi di trasporto.

▶ Quando si viaggia con l'aereo si può ...
Con il treno si arriva ... ma bisogna ...
Se vai in bicicletta puoi ...

Mezzo di trasporto	Vantaggi	Svantaggi
l'aereo	_____	_____
l'automobile	_____	_____
il treno	_____	_____
l'autobus	_____	_____
la bicicletta	_____	_____

B **Il giro del mondo in otto giorni.** In coppia: Avete otto giorni per fare un viaggio intorno al mondo. Programmate il viaggio e i vari mezzi di trasporto che intendete utilizzare.

▶ Partiamo da ... Prendiamo l'aereo fino all'aeroporto di Londra. A Londra prendiamo un tassì alla stazione del treno e poi ... Il secondo giorno andiamo a ...

C **Facciamo il riciclaggio!** In coppia: Guardate il disegno di tutte le cose da riciclare. Poi parlate di quello che bisogna fare con i vari articoli.

▶ Prendiamo le bottiglie e le mettiamo nella campana per la raccolta del ...

Ⓓ **Che tipo di consumatore sei?** In coppia o gruppi di tre: Fate una lista delle attività "ecologiche" che si possono fare per aiutare l'ambiente (riciclare, usare i mezzi pubblici, ecc.). Poi chiedetevi se fate queste attività sempre, spesso, raramente o mai.

▶ Si possono riciclare le bottiglie. Tu ricicli le bottiglie?

Il grafico illustra i risultati del sondaggio "Meno e meglio". Le tre categorie di consumatori sono state elaborate in base alle risposte fornite dai lettori al questionario.

Nel grafico sono riassunti i risultati più significativi del sondaggio sugli "Stili di vita", promosso dal Wwf e dall'"Espresso", sulle abitudini dei consumatori.

Have students analyze the information about consumer habits of Italians shown in the survey. Explain terms such as *spreco* (waste), *massima* (motto), and *DOC* (genuine, here used sarcastically).

Ⓔ **Ci stiamo divertendo!** In coppia: Voi avete deciso di passare una settimana nell'agriturismo "Casaforte di Bergum" a contatto con la natura. Guardate l'opuscolo Casaforte e poi scrivete una cartolina ad un vostro amico/una vostra amica e dite quello che state facendo.

Conoscere l'Italia

A **Definizioni.** Abbini le definizioni con una parola della lista a destra. Ci sono due parole in più nella lista.

1. aggettivo derivato da *mondo*
2. aggettivo derivato da *Trieste*
3. sostantivo derivato da *attratto/a*
4. aggettivo derivato da *Irlanda*
5. va oltre (*beyond*) le Alpi
6. sinonimo di *educazione*
7. abita nel Friuli
8. scrive romanzi

a. transalpino/a
b. urbanistica
c. il romanziere
d. il/la friulano/a
e. l'istruzione
f. il luogo
g. triestino/a
h. l'attrattiva
i. mondiale
j. irlandese

FRIULI-VENEZIA GIULIA

**Veduta notturna della bella
Piazza dell'Unità d'Italia a Trieste.**

Il Friuli-Venezia Giulia è una
regione situata nel nord-est d'Italia, fra il Veneto, l'Austria, la Slovenia e il mare
Adriatico. Con lo statuto speciale approvato nel 1963, il Friuli è diventato una
regione autonoma della Repubblica italiana.

Locate Friuli and Trieste on the map on p. 14. Due to the long name, Friuli-Venezia Giulia is often called just Friuli.

Tell students that because of their particular characteristics, five Italian regions (Friuli, Valle d'Aosta, Trentino-Alto Adige, Sardegna, and Sicilia) have been granted by the Italian Constitution the power to act autonomously in the fields of local law and finance.

Veduta aerea della caratteristica città fortezza di Palmanova.

Le città principali del Friuli sono Trieste, Pordenone, Udine e Gorizia. Di origini antichissime, Trieste ha un aspetto moderno, con una grande piazza, Piazza dell'Unità d'Italia, che si affaccia[1] direttamente sul mare. Capoluogo della regione, Trieste è il principale porto dell'Adriatico, da cui parte l'oleodotto[2] transalpino per la Baviera e l'Austria. Oltre al traffico petrolifero, nel porto triestino c'è anche un grande movimento di merci[3]. A Trieste ci sono anche cantieri navali[4] dove si costruiscono navi di grosso tonnellaggio.

Nella prima metà del Novecento a Trieste si godeva di[5] un'attività letteraria molto intensa con la presenza di letterati quali il romanziere Italo Svevo (1861–1928), il poeta Umberto Saba (1883–1957) e lo scrittore irlandese James Joyce. Oggi il livello di istruzione dei friulani è molto elevato e Trieste è all'avanguardia nella ricerca[6] scientifica in Italia con il suo Centro internazionale di fisica teorica e il suo Centro internazionale di ingegneria genetica e di biotecnologia.

Da secoli sono presenti in questa regione minoranze etnico-linguistiche slovene e tedesche e nei paesi o nelle città dove esse vivono c'è il bilinguismo nelle scuole e nei comuni. Un'altra minoranza della regione sono i friulani di origine ladina che parlano il ladino-friulano e vivono principalmente nella provincia di Udine.

Ogni anno circa otto milioni di turisti visitano il Friuli, attratti dalle bellezze artistiche e naturali della regione. Fra le tante attrattive c'è la città-fortezza di Palmanova, esempio di urbanistica[7] militare rinascimentale, costruita nel XVI (sedicesimo) secolo. Fra i turisti ci sono anche molte persone che vanno a visitare i sacrari[8] militari della prima guerra[9] mondiale come quelli di Redipuglia e Caporetto in suolo[10] sloveno.

1. looks onto   2. oil pipeline   3. goods   4. shipyards   5. enjoyed   6. research
7. city planning   8. war memorials   9. war   10. soil

Baviera = Bavaria, a state in the southeast of Germany.

Italo Svevo was a good friend of James Joyce. Joyce lived for about ten years in Trieste, where he wrote and also taught English at the Berlitz School.

Ladino/a = name given to the Jewish people expelled from the Iberian peninsula in the 15th century. Ladino is the language spoken by this group of people who number about 800,000 in the Friuli area.

Informazioni. Dia le seguenti informazioni basate sul brano precedente.

Ask students, Perché è importante Trieste? Che tipo di letteratura ha scritto Italo Svevo? E James Joyce? Che cos'è Palmanova?

1. i confini del Friuli
2. città principali del Friuli e il suo capoluogo
3. alcune caratteristiche di Trieste
4. tre personaggi letterari associati con questa città
5. due importanti centri di ricerca triestini
6. minoranze etnico-linguistiche del Friuli
7. caratteristica di Palmanova
8. attrattive turistiche friulane visitate da molte persone

 Definizioni. Abbini le definizioni con una parola della lista a destra. Ci sono due parole in più nella lista.

1. parola composta da agricoltura e turismo
2. persona che coltiva i campi
3. luoghi che offrono turismo in campagna
4. aggettivo derivato da *lavoro*
5. un animale domestico
6. luogo dove si nuota
7. verbo derivato da *alimentazione*
8. insieme di cibi cotti e crudi

a. le aziende agricole
b. la campagna
c. il cavallo
d. agriturismo
e. alimentarsi
f. l'agricoltore
g. la cucina
h. la piscina
i. la bicicletta
j. lavorativo/a

L'AGRITURISMO

Negli ultimi anni l'agriturismo è diventato una forma popolare di vacanza alternativa specialmente fra i giovani e le famiglie con bambini. L'interesse nella campagna come meta[1] di turismo è cominciato negli anni '60 per iniziativa di alcuni giovani agricoltori[2] che nel 1968 fondarono l'Associazione Nazionale Agricoltura e Turismo. La legge che riguarda[3] questo settore è stata poi pubblicata nel 1985 e da allora ogni regione regolamenta l'agriturismo locale.

Oltre all'ospitalità, le aziende agricole[4] qualificate offrono al turista anche un'esperienza della vita di campagna facendolo partecipare, se vuole, a varie attività lavorative. Si organizzano anche passeggiate[5] ecologiche, escursioni a piedi, in bicicletta o a cavallo per boschi e sentieri campestri o montani[6]. Alcune aziende agrituristiche sono persino dotate di piscina e di altri impianti[7] sportivi. La loro cucina è basata sui cibi prodotti o coltivati sul luogo e spesso i proprietari si siedono a tavola con i loro clienti. Una vacanza agrituristica non solo è economica ma è anche sana[8] e rigenerativa perché permette di vivere a contatto con la natura, stare all'aria aperta in ambienti tranquilli e puliti, conoscere percorsi[9] naturalistici e incontaminati ed alimentarsi[10] con prodotti freschi e genuini.

1. destination   2. farmers   3. concerns   4. farms   5. walks   6. through woods and rural or mountain paths   7. facilities   8. healthy   9. ways, paths   10. to eat

Simboli Agriturismo

FRIULI · DOC

1995/2004
decima *edizione*

FRIULI
VENEZIA
GIULIA
Ospiti di gente unica

VINI·VIVANDE·VICENDE·VEDUTE

Info:
Comune Udine. Ufficio Turismo 0432.271275
www.comune.udine.it
turismo@comune.udine.it

Pernottamento:
www.turismo.fvg.it
Regione Friuli-V.G. numero verde 800.016044

Domande. Risponda alle seguenti domande.

1. Chi ha fondato l'Associazione Nazionale Agricoltura e Turismo? Quando?
2. Quali sono alcune attività che si svolgono nell'agriturismo?
3. Che cosa si mangia in un agriturismo?
4. Quali sono i vantaggi di una vacanza presso un agriturismo?
5. Le piacerebbe andare in vacanza in uno di questi luoghi? Perché?
6. Quali attività o aspetti agrituristici le interessano?

Have groups of three or four design/create their own vacation farm in the U.S., including a brief description and list of activities/features. Suggest they see www.agriturismo.it for ideas.

Reference Section

Argomenti supplementari

Numeri ordinali

1. Ordinal numbers are used to rank things. The ordinal numbers from *first* to *tenth* are listed below.

primo/a	first
secondo/a	second
terzo/a	third
quarto/a	fourth
quinto/a	fifth
sesto/a	sixth
settimo/a	seventh
ottavo/a	eighth
nono/a	ninth
decimo/a	tenth

You may want to introduce the following supplementary material as time permits. These topics may become useful to students as they begin to read and write more. The grammar explanations are accompanied by exercises that can be done in class or as homework.

2. After **decimo,** ordinal numbers are formed by dropping the final vowel of the cardinal number and adding **-esimo** or **-esima.** Numbers ending in accented **-é** (**ventitré, trentatré,** etc.) retain the final **-e** without the accent.

undicesimo/a	eleventh
ventesimo/a	twentieth
ventitreesimo/a	twenty-third
cinquantesimo/a	fiftieth
centesimo/a	hundredth
millesimo/a	thousandth

Tell students that when an ordinal number is represented by a figure, a superscript letter º (for masculine) or ª (for feminine) is used to signify agreement with the noun: *il 9º capitolo* (the ninth chapter); *Lezione 20ª* (Lesson 20, i.e., the twentieth lesson).

3. Ordinal numbers agree in gender and number with the nouns they modify. They generally precede the noun.

Lunedì è il **primo** giorno della settimana.

Monday is the first day of the week.

I **primi** mesi dell'anno sono gennaio e febbraio.

The first months of the year are January and February.

4. Roman numerals are generally used as ordinals when referring to centuries, and to popes and royalty. The Roman numeral may precede or follow the noun when referring to centuries; it follows the noun when referring to popes and royalty.

il **XXI (ventunesimo)** secolo }
il secolo **XXI (ventunesimo)** } *the twenty-first century*

Papa Giovanni **XXIII** *Pope John the Twenty-third*
  (ventitreesimo)

Umberto **I (primo)** *Umberto the First*

 Risponda alle seguenti domande.

1. Qual è il secondo giorno della settimana?
2. Qual è il decimo mese dell'anno?
3. Quale lezione segue la nona?
4. Chi è stato il primo presidente degli Stati Uniti?
5. In che secolo viviamo?
6. Chi era Enrico VIII?

Nomi alterati

1. The meanings of many Italian nouns and some adjectives can be altered by adding special suffixes **(suffissi speciali)**. These suffixes, which signify smallness, bigness, affection, and disparagement, are added to nouns and sometimes to adjectives after dropping the final vowel. The more common suffixes are: **-ino, -etto, -ello, -one,** and **-accio.**

> Be careful when altering nouns, since their exact meaning can depend on the situation. For instance, *il volante* means "steering wheel," but *il volantino* means "flyer." Also, the three suffixes denoting smallness aren't usually interchangeable: *casina* and *casetta* both denote a small house, but *casella* means "pigeonhole."

2. Suffixes that denote smallness or affection are **-ino, -etto,** and **-ello.**

Ho un gatt**ino** bianco. *I have a (nice) little white cat.*
Abbiamo una cas**etta** in *We have a (nice) little house in the*
  montagna. *mountains.*
Sei proprio cattiv**ello/a**! *You're really naughty!*

3. The suffix **-one** denotes bigness.

Chi ha scritto quel libr**one?** *Who wrote that big book?*
Federica è una ragazz**ona.** *Federica is a big girl.*

> Tell students that feminine nouns can become masculine when the suffix *-one* is added. This form is generally preferred to the feminine *-ona*: *una donna, un donnone; la finestra, il finestrone; la macchina, il macchinone.*

4. The suffix **-accio** signifies badness or unpleasantness and is used to give a pejorative meaning to nouns.

Non comprate quel giornal**accio.** *Don't buy that trashy newspaper.*
Quei ragazzi dicono parol**acce** *Those boys use vulgar words even*
  anche a casa. *at home.*

B Completi questo brano con la forma appropriata delle parole della lista dopo aver aggiunto i suffissi indicati. Alcune parole possono essere usate più di una volta.

-etto/a	*-ino/a*	*-one*	*-accio/a*
l'animale	l'appartamento	la casa	la giornata
il giardino	il paese		
la villa	il gatto		
la casa			
la stanza			
la cucina			
il bagno			

I miei amici abitano in una bella _____ in un _____ ad una ventina di chilometri dalla mia città. Fuori la _____ è circondata da un bel _____ dove c'è molto verde. Dall'altra parte della loro strada c'è un _____ enorme che qualcuno sta ristrutturando (*remodeling*). Sembra che vogliano farci tre _____ e ai miei amici piacerebbe che ne comprassi uno quando saranno pronti. Attualmente io abito in un _____ al centro della città dove ci sono due _____ , una _____ e un _____ . Con me abitano due _____ molto graziosi che stanno sempre in casa. Ma ieri un _____ è fuggito da casa senza che me ne accorgessi. Sono andata a cercarlo dappertutto sotto la pioggia. Che _____ ! Vorrei proprio avere una _____ in campagna o una _____ come quella dei miei amici. In questo caso i miei _____ potrebbero entrare e uscire a piacere. Potrei avere anche qualche altro _____ perché io adoro gli animali.

Aggettivi e pronomi indefiniti

1. Indefinite adjectives are used to express indefinite quantities.

> **alcuni (alcune)**   some
> **altro (altra, altri, altre)**   other
> **ogni**   each
> **molto (molta, molti, molte)**   a lot of, many
> **poco (poca, pochi, poche)**   little, few
> **qualche**   some
> **troppo (troppa, troppi, troppe)**   too much, too many
> **tutto (tutta, tutti, tutte)**   all, the whole

2. Alcuni/e and **qualche** both mean *some*. **Alcuni/e** always takes a plural noun, and **qualche** always takes a singular noun.

Puoi distribuire **alcuni volantini?**
Puoi distribuire **qualche volantino?** }   *Can you pass out some flyers?*

3. The singular forms **molto/a, poco/a**, and **troppo/a** are used with singular nouns and mean *a lot of, a little*, and *too much*.

C'è **molta/poca/troppa** corruzione nel governo.	*There is a lot of/little/too much corruption in the government.*

The plural forms **molti/e, pochi/e**, and **troppi/e** are used with plural nouns and mean *many, few*, and *too many*.

Molti/Pochi/Troppi italiani dubitano della serietà dei politici.

4. The singular **tutto/a** means *the whole*. The plural **tutti/e** means *all (the)*. Both forms are usually followed by the definite article.

tutto il Senato	*the whole Senate*
tutta l'Europa	*all of Europe*
tutti i rappresentanti	*all the representatives*
tutte le stazioni radiofoniche	*all the radio stations*

5. **Ogni** is invariable and always takes a singular noun.

Ogni cittadino ha il dovere di votare.	*Every citizen has the duty to vote.*
Ogni candidato è contro la criminalità.	*Every candidate is against crime.*

6. Indefinite pronouns are used to refer to unspecific people and things. Here are the most common indefinite pronouns that refer to people and things.

to refer to people		to refer to things	
qualcuno	someone, anyone	**qualcosa**	something
ognuno	everyone	**tutto**	everything
tutti	everybody		

— C'è **qualcuno** in casa?	— *Is there anyone home?*
— No, sono usciti **tutti.**	— *No, everyone's gone out.*
— Ho **qualcosa** da dirti.	— *I have something to tell you.*
— Sì, dimmi **tutto.**	— *Yes, tell me everything.*

C Scelga quale delle due parole tra parentesi è quella corretta.

1. Alla nostra università ci sono (molti/qualche) problemi.
2. (Alcuni/Qualche) studenti danno (qualcuno/troppa) importanza ai voti (*grades*).
3. È lo stesso con (ogni/tutti i) corso di studio.
4. Il voto è usato da (molti/tutti) professori come un premio, e da (qualche/altri) professori come una punizione (*punishment*).
5. Per (qualche/alcuni) studente, il voto è diventato più importante della conoscenza della materia.
6. (Ognuno/Tutti) deve pensare a quello che vuole dallo studio.

D In gruppi di tre: Decidete quale delle parole tra parentesi si applica meglio alla situazione della vostra università. Poi riferite le vostre opinioni alla classe.

1. Gli studenti dell'università hanno (poco/molto/troppo) tempo libero.
2. I professori danno (pochi/molti/troppi) compiti.
3. (Pochi/Alcuni/Molti/Quasi tutti gli) studenti sono contenti della libreria dell'università.
4. (Pochi/Alcuni/Molti/Troppi) studenti bevono spesso bevande alcoliche.
5. La vita sociale offre (poche/molte/troppe) attività.
6. Ci sono (pochi/alcuni/molti) problemi tra l'università e la comunità in cui si trova.
7. C'è (poca/qualche/molta) possibilità di violenza nel campus.
8. Ci sono (pochi/alcuni/molti/troppi) problemi di razzismo all'università.

Pronomi possessivi

1. Possessive pronouns take the place of noun phrases with possessive adjectives.

Hai letto la sua lettera o **la mia?**	*Did you read her letter or mine?*
Guardiamo prima le mie fotografie e poi vediamo **le vostre.**	*Let's look at my pictures first and then we'll see yours.*

2. Possessive pronouns are identical in form to the possessive adjectives. They agree in gender and number with the thing possessed, not the possessor. The following chart shows the forms of the possessive pronouns.

	masculine		feminine	
	singular	**plural**	**singular**	**plural**
mine	il mio	i miei	la mia	le mie
yours (tu)	il tuo	i tuoi	la tua	le tue
his, hers, its, yours (lei)	il suo	i suoi	la sua	le sue
ours	il nostro	i nostri	la nostra	le nostre
yours (voi)	il vostro	i vostri	la vostra	le vostre
theirs, yours (loro)	il loro	i loro	la loro	le loro

3. Possessive pronouns are generally preceded by the definite article. Use of the definite article is optional after **essere**. The possessive pronoun **loro**, however, always requires the article.

— Sono i suoi biglietti?
— No, non sono **(i) miei.**

— È la loro macchina?
— Sì, è **la loro.**

E Completi le frasi in maniera logica usando dei pronomi possessivi.

1. Io pago il mio biglietto e tu paghi _____ .
2. Marcello parlava con il suo avvocato mentre Franco e Daria parlavano con _____ .
3. Noi scriviamo ai nostri genitori e voi scrivete a _____ .
4. Tu scrivi la tua lettera in italiano e io scrivo _____ in inglese.
5. Le nostre vacanze sono finite; come avete passato _____ ?
6. Tu studi per i tuoi esami, ma i tuoi amici non studiano per _____ .
7. Ecco alcune fotografie che ho fatto; quando mi mandi _____ ?

F In coppia: Lei fa un complimento ad un amico/un'amica che risponde con lo stesso complimento, usando un pronome possessivo.

▶ amiche: simpatiche
   S1: Le tue amiche sono molto simpatiche.
   S2: Grazie, anche le tue sono simpatiche.

1. parenti: generosi
2. casa: elegante
3. fratelli: divertenti
4. famiglia: gentile
5. ragazzo/a: bello/a
6. paese: ricco di cose interessanti
7. idee: originali

Passato remoto

1. The preterit (**passato remoto**) is a past tense used frequently in writing, especially in narratives, to recount past events unrelated to the present. It is sometimes called the *historical past*.

Francesco Petrarca **nacque** ad Arezzo nel 1304.	*Francesco Petrarca was born in Arezzo in 1304.*
Scrisse sonetti in italiano e **fu** uno dei primi umanisti.	*He wrote sonnets in Italian, and was one of the first humanists.*
Ricevette la corona di alloro nel 1341, e la **mise** sulla tomba dell'Apostolo a San Pietro.	*He received the laurel crown in 1341, and placed it on the Tomb of the Apostle at St. Peter's Basilica.*

Southern Italians tend to use the *passato remoto* more than northern Italians, even when speaking of recent events.

Francesco Petrarca (1304–1374), known today for his lyric poems in Italian, was crowned poet laureate for his writings in Latin.

The preterit is used in speaking when the speaker perceives the action described as unconnected to the present.

— Hai mai letto una poesia di Francesco Petrarca?	*— Have you ever read any of Francesco Petrarca's poems?*
— **Lessi** tutto il *Canzoniere* quando ero al liceo.	*— I read the whole Canzoniere when I was in high school.*

Petrarca's *Canzoniere* is a collection of lyric poems in Italian extolling his beloved Laura.

2. The preterit is formed by adding the characteristic endings to the infinitive stem. The following chart shows the preterit forms of regular **-are, -ere,** and **-ire** verbs.

	passare	ricevere	finire
io	passai	ricevei (-etti)	finii
tu	passasti	ricevesti	finisti
lui/lei	passò	ricevè (-ette)	finì
noi	passammo	ricevemmo	finimmo
voi	passaste	riceveste	finiste
loro	passarono	riceverono (-ettero)	finirono

Note that regular **-ere** verbs have two different forms for the first and third person singular and for the third person plural.

3. Many verbs have irregular forms in the preterit. Here are some of the most common. A more complete list appears in Appendix F.

avere	ebbi, avesti, ebbe, avemmo, aveste, ebbero
conoscere	conobbi, conoscesti, conobbe, conoscemmo, conosceste, conobbero
dare	diedi, desti, dette (diede), demmo, deste, dettero (diedero)
essere	fui, fosti, fu, fummo, foste, furono
fare	feci, facesti, fece, facemmo, faceste, fecero
leggere	lessi, leggesti, lesse, leggemmo, leggeste, lessero
nascere	nacqui, nascesti, nacque, nascemmo, nasceste, nacquero
prendere	presi, prendesti, prese, prendemmo, prendeste, presero
sapere	seppi, sapesti, seppe, sapemmo, sapeste, seppero
scrivere	scrissi, scrivesti, scrisse, scrivemmo, scriveste, scrissero
vedere	vidi, vedesti, vide, vedemmo, vedeste, videro
venire	venni, venisti, venne, venimmo, veniste, vennero

Notice that many of the verbs are irregular in the *io, lui/lei,* and *loro* forms, but regular in the other forms.

G Quando successero i seguenti avvenimenti? Ogni data a sinistra corrisponde ad un avvenimento a destra. Abbinate date e avvenimenti con frasi complete.

▶ L'Italia diventò una repubblica nel ...

nel 200	L'Italia diventò una repubblica.
nel 300	La chiesa condannò Galileo Galilei come eretico.
nel 400	Dante Alighieri morì.
nel 500	Milioni di italiani immigrarono nelle Americhe.
nel 600	Marco Polo arrivò in Cina.
nel 700	Cristoforo Colombo arrivò a San Salvador.
nell'800	Michelangelo creò la famosa statua del *David*.
nel 900	Antonio Vivaldi scrisse quasi 500 concerti per violino e altri strumenti.

H Chi fu Marco Polo? Completi il brano con il passato remoto dei verbi tra parentesi.

1. Marco Polo (nascere) nel 1254 a Venezia.
2. A 19 anni (partire) con lo zio Matteo per la corte del Gran Khan.
3. I due (fare) un viaggio lungo e faticoso e (incontrare) pericoli (*dangers*) di ogni genere.
4. (Vedere) i primi mongoli tre anni dopo la loro partenza.
5. Quando i Polo (arrivare) a Pechino, il Gran Khan li (ricevere) cortesemente.
6. Marco (imparare) a scrivere e a leggere il cinese.
7. Marco Polo e Kublaij Khan (fare) amicizia.
8. Marco e lo zio (tornare) a Venezia ventiquattro anni dopo.
9. Marco (scrivere) le sue avventure in un libro intitolato *Il milione*.

Voce passiva

1. In passive sentences, the subject is the recipient of the action, rather than the agent who performs the action.

I giovani **hanno eletto** Luisa Lanciani al Parlamento.	*The young people have elected Luisa Lanciani to Parliament.*
Luisa Lanciani **è stata eletta** al Parlamento dai giovani.	*Luisa Lanciani was elected to Parliament by the young people.*

2. The passive voice (**la voce passiva**) consists of **essere** in the appropriate tense + *the past participle* of the verb. The past participle agrees with the subject. The agent of the action, if mentioned, is introduced by **da.**

Annunci politici **sono mandati** in onda **da**lle stazioni radio-foniche.	*Political messages are transmitted by radio stations.*
Il maggior numero di voti **è stato conquistato da**l partito democratico.	*The greatest number of votes was won by the Democratic party.*
I risultati **saranno discussi** per giornate intere.	*The results will be discussed for days on end.*

Have students identify the tense of the *essere* component of each passive verb. Show them that *essere* can be in any tense, and that the participle always agrees with the subject.

Review regular and irregular past participles. Refer students to *Lezione 6.*

Ⓟ Trasformi le seguenti frasi alla voce passiva, secondo il modello.

▶ All'estero l'ambasciatore rappresenta una nazione.
Una nazione è rappresentata all'estero dall'ambasciatore.

1. Il re e la regina rispettano le tradizioni di un paese.
2. La costituzione stabilisce le leggi di un paese.
3. Deputati e senatori formano il Parlamento.
4. I partiti politici annunciano i candidati.
5. Il potere legislativo crea nuove leggi.
6. Il sindaco governa la città.
7. Quattro partiti formano la coalizione.
8. Il governo sceglierà un nuovo ministro del Tesoro.
9. Il regime fascista ha modificato la costituzione originale.

Ⓟ Risponda alle domande, cercando le informazioni nella lettura a pagina 335 se è necessario.

1. Quando è stato formato lo stato italiano?
2. In quale periodo è stata molto cambiata la Costituzione italiana?
3. Quale tipo di governo è stato scelto dagli italiani nel 1946?
4. Da che cosa sono stabiliti i limiti del potere esecutivo, del potere legislativo e del potere giudiziario?
5. Da chi è determinata la linea politica del governo?
6. Da quali organi è formato il Parlamento italiano?

Appendices

A. Spelling/sound correspondences

ortografia		suono	esempi
a		/a/	casa
b		/b/	bicicletta
c	before **a, o,** and **u**	/k/	amica, amico, culturale
	before **e** and **i**	/č/	cento, ciao
	ch before **e** and **i**	/k/	che, chi
d		/d/	dieci
e		/e/	bene
f		/f/	favore
g	before **a, o,** and **u**	/g/	larga, governo, guidare
	before **e** and **i**	/ǧ/	gelato, gita
	gh before **e** and **i**	/g/	lunghe, dialoghi
	gli before **e** and **i**	/ʎ/	luglio
	gn	/ɲ/	signora
h		*silent*	ho
i		/i/	idea
l		/l/	lettera
m		/m/	mano
n		/n/	nome
o		/o/	poco
p		/p/	pratica
q	always in combination with **u**	/kw/	qui
r		/r/	radio
s	at the beginning of a word	/s/	signore
	ss between vowels	/s/	classe
	s between vowels	/z/	rosa, così
	s before **b, d, g, l, m, n, r, v**	/z/	sbagliato, sdoppiare, sveglia
	sc before **a, o,** and **u**	/sk/	scarpa, esco, scusa
	sc before **e** and **i**	/ʃ/	scientifico, conoscere
	sch before **e** and **i**	/sk/	fresche, freschi
t		/t/	telefono
u		/u/	uno
v		/v/	venire
z		/ts/	zio, piazza
		/ds/	zero, azzurro

1. When a consonant is doubled, the sound is lengthened (held) slightly in speech.
2. The letters **j, k, w, x,** and **y** occur only in foreign words.

B. *Avere* and *essere*

avere							
present	**imperfect**	**future**	**conditional**	**preterit**	**present subjunctive**	**imperfect subjunctive**	**commands**
ho	avevo	avrò	avrei	ebbi	abbia	avessi	
hai	avevi	avrai	avresti	avesti	abbia	avessi	abbi
ha	aveva	avrà	avrebbe	ebbe	abbia	avesse	abbia
abbiamo	avevamo	avremo	avremmo	avemmo	abbiamo	avessimo	abbiamo
avete	avevate	avrete	avreste	aveste	abbiate	aveste	abbiate
hanno	avevano	avranno	avrebbero	ebbero	abbiano	avessero	abbiano

past participle: avuto
present perfect: ho avuto, hai avuto, ha avuto, abbiamo avuto, avete avuto, hanno avuto

essere							
present	**imperfect**	**future**	**conditional**	**preterit**	**present subjunctive**	**imperfect subjunctive**	**commands**
sono	ero	sarò	sarei	fui	sia	fossi	
sei	eri	sarai	saresti	fosti	sia	fossi	sii
è	era	sarà	sarebbe	fu	sia	fosse	sia
siamo	eravamo	saremo	saremmo	fummo	siamo	fossimo	siamo
siete	eravate	sarete	sareste	foste	siate	foste	siate
sono	erano	saranno	sarebbero	furono	siano	fossero	siano

past participle: stato
present perfect: sono stato/a, sei stato/a, è stato/a, siamo stati/e, siete stati/e, sono stati/e

C. Regular verbs: simple tenses and compound tenses with *avere* and *essere*

	verbi in *-are*		verbi in *-ere*	verbi in *-ire*	
	compr*are*	**entr*are***	**vend*ere***	**dorm*ire***	**fin*ire***
indicative	compro	entro	vendo	dormo	finisco
present	i	i	i	i	isci
	a	a	e	e	isce
	iamo	iamo	iamo	iamo	iamo
	ate	ate	ete	ite	ite
	ano	ano	ono	ono	iscono

	verbi in *-are*		verbi in *-ere*	verbi in *-ire*	
	compr*are*	**entr*are***	**vend*ere***	**dorm*ire***	**fin*ire***
imperfect	compr**avo**	entr**avo**	vend**evo**	dorm**ivo**	fin**ivo**
	avi	**avi**	**evi**	**ivi**	**ivi**
	ava	**ava**	**eva**	**iva**	**iva**
	avamo	**avamo**	**evamo**	**ivamo**	**ivamo**
	avate	**avate**	**evate**	**ivate**	**ivate**
	avano	**avano**	**evano**	**ivano**	**ivano**
future	compr**erò**	entr**erò**	vend**erò**	dorm**irò**	fin**irò**
	erai	**erai**	**erai**	**irai**	**irai**
	erà	**erà**	**erà**	**irà**	**irà**
	eremo	**eremo**	**eremo**	**iremo**	**iremo**
	erete	**erete**	**erete**	**irete**	**irete**
	eranno	**eranno**	**eranno**	**iranno**	**iranno**
preterit	compr**ai**	entr**ai**	vend**ei**	dorm**ii**	fin**ii**
	asti	**asti**	**esti**	**isti**	**isti**
	ò	**ò**	**è**	**ì**	**ì**
	ammo	**ammo**	**emmo**	**immo**	**immo**
	aste	**aste**	**este**	**iste**	**iste**
	arono	**arono**	**erono**	**irono**	**irono**
present perfect	ho compr**ato**	sono entr**ato/a**	ho vend**uto**	ho dorm**ito**	ho fin**ito**
	hai	sei	hai	hai	hai
	ha	è	ha	ha	ha
	abbiamo	siamo entr**ati/e**	abbiamo	abbiamo	abbiamo
	avete	siete	avete	avete	avete
	hanno	sono	hanno	hanno	hanno
pluperfect	avevo compr**ato**	ero entr**ato/a**	avevo vend**uto**	avevo dorm**ito**	avevo fin**ito**
	avevi	eri	avevi	avevi	avevi
	aveva	era	aveva	aveva	aveva
	avevamo	eravamo entr**ati/e**	avevamo	avevamo	avevamo
	avevate	eravate	avevate	avevate	avevate
	avevano	erano	avevano	avevano	avevano

	verbi in -*are*		verbi in -*ere*	verbi in -*ire*	
	compr*are*	**entr*are***	**vend*ere***	**dorm*ire***	**fin*ire***
commands	compra	entra	vendi	dormi	finisci
	i	i	a	a	isca
	iamo	iamo	iamo	iamo	iamo
	ate	ate	ete	ite	ite
	ino	ino	ano	ano	iscano
conditional present	compr**erei**	entr**erei**	vend**erei**	dorm**irei**	fin**irei**
	eresti	**eresti**	**eresti**	**iresti**	**iresti**
	erebbe	**erebbe**	**erebbe**	**irebbe**	**irebbe**
	eremmo	**eremmo**	**eremmo**	**iremmo**	**iremmo**
	ereste	**ereste**	**ereste**	**ireste**	**ireste**
	erebbero	**erebbero**	**erebbero**	**irebbero**	**irebbero**
present subjunctive	compri	entri	vend**a**	dorm**a**	fin**isca**
	i	i	a	a	isca
	i	i	a	a	isca
	iamo	iamo	iamo	iamo	iamo
	iate	iate	iate	iate	iate
	ino	ino	ano	ano	iscano
imperfect subjunctive	compr**assi**	entr**assi**	vend**essi**	dorm**issi**	fin**issi**
	assi	**assi**	**essi**	**issi**	**issi**
	asse	**asse**	**esse**	**isse**	**isse**
	assimo	**assimo**	**essimo**	**issimo**	**issimo**
	aste	**aste**	**este**	**iste**	**iste**
	assero	**assero**	**essero**	**issero**	**issero**
past participle	compr**ato**	entr**ato**	vend**uto**	dorm**ito**	fin**ito**

D. Verbs conjugated with *essere*

The following verbs are conjugated with **essere**. In addition, all reflexive verbs are conjugated with **essere** (for example, **lavarsi**, *to wash oneself*): **mi sono lavato/a, ti sei lavato/a, si è lavato/a, ci siamo lavati/e, vi siete lavati/e, si sono lavati/e.**

andare   to go
arrivare   to arrive
cadere   to fall
costare   to cost
diminuire   to diminish, decrease
dispiacere   to mind; to be sorry
diventare   to become
entrare   to enter
essere (stato)   to be
mancare   to lack
morire (morto)   to die
nascere (nato)   to be born
partire   to depart

piacere   to like
restare   to remain
rimanere (rimasto)   to remain
ritornare   to return
riuscire   to succeed
salire*   to climb up
scendere (sceso)*   to go down; to get off
sembrare   to seem
stare   to be
succedere (successo)   to happen
tornare   to return
uscire   to go out
venire (venuto)   to come

* Conjugated with **avere** when used with a direct object

E. Verbs with irregular past participles

accendere (acceso)   to turn on
affiggere (affisso)   to post; to affix
aggiungere (aggiunto)   to add
apparire (apparso)   to appear
appendere (appeso)   to hang
apprendere (appreso)   to learn
aprire (aperto)   to open
assumere (assunto)   to hire
bere (bevuto)   to drink
chiedere (chiesto)   to ask
chiudere (chiuso)   to close
cogliere (colto)   to gather
comprendere (compreso)   to understand
concludere (concluso)   to conclude
convincere (convinto)   to convince
coprire (coperto)   to cover
correre (corso)   to run
correggere (corretto)   to correct
cuocere (cotto)   to cook
decidere (deciso)   to decide
dire (detto)   to say
discutere (discusso)   to discuss
eleggere (eletto)   to elect
esprimere (espresso)   to express

essere (stato)   to be
fare (fatto)   to do; to make
indire (indetto)   to call, announce
interrompere (interrotto)   to interrupt
leggere (letto)   to read
mettere (messo)   to put
morire (morto)   to die
muovere (mosso)   to move
nascere (nato)   to be born
nascondere (nascosto)   to hide
offrire (offerto)   to offer
perdere (perso *or* perduto)   to lose
permettere (permesso)   to permit
porre (posto)   to place
prendere (preso)   to take
prevedere (previsto)   to expect; to foresee
promettere (promesso)   to promise
promuovere (promosso)   to promote
proporre (proposto)   to propose
proteggere (protetto)   to protect
raggiungere (raggiunto)   to arrive; to reach
rendere (reso)   to render
richiedere (richiesto)   to require; to seek
ridere (riso)   to laugh

ridurre (ridotto) to reduce
rimanere (rimasto) to remain
riprendere (ripreso) to start again
risolvere (risolto) to resolve
rispondere (risposto) to answer
rompere (rotto) to break
scegliere (scelto) to select
scendere (sceso) to go down; to get off
scomparire (scomparso) to disappear
scrivere (scritto) to write
soffrire (sofferto) to suffer

sorridere (sorriso) to smile
spegnere (spento) to turn off
spendere (speso) to spend
succedere (successo) to happen
togliere (tolto) to remove
trarre (tratto) to draw, pull
trasmettere (trasmesso) to transmit
vedere (visto or **veduto)** to see
venire (venuto) to come
vincere (vinto) to win

F. Irregular verbs

The verbs in this section are irregular in the following tenses only.

accendere to turn on
Preterit: accesi, accendesti, accese, accendemmo, accendeste, accesero

affiggere to post; to affix
Preterit: affissi, affiggesti, affisse, affiggemmo, affiggeste, affissero

andare to go
Pres. ind.: vado, vai, va, andiamo, andate, vanno
Future: andrò, andrai, andrà, andremo, andrete, andranno
Commands: va', vada, andiamo, andate, vadano
Conditional: andrei, andresti, andrebbe, andremmo, andreste, andrebbero
Pres. subj.: vada, vada, vada, andiamo, andiate, vadano

apprendere to learn (*compound of* **prendere**)

assumere to hire
Preterit: assunsi, assumesti, assunse, assumemmo, assumeste, assunsero

bere to drink
Pres. ind.: bevo, bevi, beve, beviamo, bevete, bevono
Imperfect: bevevo, bevevi, beveva, bevevamo, bevevate, bevevano
Future: berrò, berrai, berrà, berremo, berrete, berranno
Preterit: bevvi, bevesti, bevve, bevemmo, beveste, bevvero

Commands: bevi, beva, beviamo, bevete, bevano
Conditional: berrei, berresti, berrebbe, berremmo, berreste, berrebbero
Pres. subj.: beva, beva, beva, beviamo, beviate, bevano
Imp. subj.: bevessi, bevessi, bevesse, bevessimo, beveste, bevessero

cadere to fall
Future: cadrò, cadrai, cadrà, etc.
Preterit: caddi, cadesti, cadde, cademmo, cadeste, caddero
Conditional: cadrei, cadresti, cadrebbe, etc.

chiedere to ask for
Preterit: chiesi, chiedesti, chiese, chiedemmo, chiedeste, chiesero

chiudere to close
Preterit: chiusi, chiudesti, chiuse, chiudemmo, chiudeste, chiusero

comprendere to understand (*compound of* **prendere**)

concludere to conclude
Preterit: conclusi, concludesti, concluse, concludemmo, concludeste, conclusero

conoscere to know
Preterit: conobbi, conoscesti, conobbe, conoscemmo, conosceste, conobbero

convincere	to convince (*compound of* **vincere**)
dare	to give
Pres. ind.:	do, dai, dà, diamo, date, danno
Preterit:	detti (diedi), desti, dette (diede), demmo, deste, dettero (diedero)
Commands:	da', dia, diamo, date, diano
Pres. subj.:	dia, dia, dia, diamo, diate, diano
Imp. subj.:	dessi, dessi, desse, dessimo, deste, dessero
decidere	to decide
Preterit:	decisi, decidesti, decise, decidemmo, decideste, decisero
dire	to say, tell
Pres. ind.:	dico, dici, dice, diciamo, dite, dicono
Imperfect:	dicevo, dicevi, diceva, etc.
Preterit:	dissi, dicesti, disse, dicemmo, diceste, dissero
Commands:	di', dica, diciamo, dite, dicano
Pres. subj.:	dica, dica, dica, diciamo, diciate, dicano
Imp. subj.:	dicessi, dicessi, dicesse, etc.
discutere	to discuss
Preterit:	discussi, discutesti, discusse, discutemmo, discuteste, discussero
dovere	to have to, must
Pres. ind.:	devo, devi, deve, dobbiamo, dovete, devono
Future:	dovrò, dovrai, dovrà, etc.
Conditional:	dovrei, dovresti, dovrebbe, etc.
Pres. subj.:	debba, debba, debba, dobbiamo, dobbiate, debbano
eleggere	to elect
Preterit:	elessi, eleggesti, elesse, eleggemmo, eleggeste, elessero
esprimere	to express
Preterit:	espressi, esprimesti, espresse, esprimemmo, esprimeste, espressero
fare	to do; to make
Pres. ind.:	faccio, fai, fa, facciamo, fate, fanno
Imperfect:	facevo, facevi, faceva, etc.
Preterit:	feci, facesti, fece, facemmo, faceste, fecero

Commands:	fa', faccia, facciamo, fate, facciano
Pres. subj.:	faccia, faccia, faccia, facciamo, facciate, facciano
Imp. subj.:	facessi, facessi, facesse, etc.
indire	to call (*compound of* **dire**)
interrompere	to interrupt
Preterit:	interruppi, interrompesti, interruppe, interrompemmo, interrompeste, interruppero
leggere	to read
Preterit:	lessi, leggesti, lesse, leggemmo, leggeste, lessero
mettere	to place, put
Preterit:	misi, mettesti, mise, mettemmo, metteste, misero
morire	to die
Pres. ind.:	muoio, muori, muore, moriamo, morite, muoiono
Future:	morrò, morrai, morrà, etc.
Pres. subj.:	muoia, muoia, muoia, moriamo, moriate, muoiano
nascere	to be born
Preterit:	nacqui, nascesti, nacque, nascemmo, nasceste, nacquero
nascondere	to hide
Preterit:	nascosi, nascondesti, nascose, nascondemmo, nascondeste, nascosero
ottenere	to obtain (*compound of* **tenere**)
permettere	to permit (*compound of* **mettere**)
piacere	to like; to please
Pres. ind.:	piaccio, piaci, piace, piacciamo, piacete, piacciono
Preterit:	piacqui, piacesti, piacque, piacemmo, piaceste, piacquero
Pres. subj.:	piaccia, piaccia, piaccia, piacciamo, piacciate, piacciano
potere	to be able
Pres. ind.:	posso, puoi, può, possiamo, potete, possono
Future:	potrò, potrai, potrà, etc.
Conditional:	potrei, potresti, potrebbe, etc.
Pres. subj.:	possa, possa, possa, possiamo, possiate, possano

prendere   to take
Preterit: presi, prendesti, prese, prendemmo, prendeste, presero

prevedere   to foresee (compound of **vedere**)

promettere   to promise (compound of **mettere**)

promuovere   to promote
Preterit: promossi, promovesti, promosse, promovemmo, promoveste, promossero

raggiungere   to reach
Preterit: raggiunsi, raggiungesti, raggiunse, raggiungemmo, raggiungeste, raggiunsero

richiedere   to require; to seek (compound of **chiedere**)

ridere   to laugh
Preterit: risi, ridesti, rise, ridemmo, rideste, risero

ridurre   to reduce
Pres. ind.:   riduco, riduci, riduce, riduciamo, riducete, riducono
Future: ridurrò, ridurrai, ridurrà, etc.
Preterit: ridussi, riducesti, ridusse, riducemmo, riduceste, ridussero
Conditional: ridurrei, ridurresti, ridurrebbe, etc.
Pres. subj.:   riduca, riduca, riduca, riduciamo, riduciate, riducano

rimanere   to remain
Pres. ind.:   rimango, rimani, rimane, rimaniamo, rimanete, rimangono
Future: rimarrò, rimarrai, rimarrà, etc.
Preterit: rimasi, rimanesti, rimase, rimanemmo, rimaneste, rimasero
Commands: rimani, rimanga, rimaniamo, rimanete, rimangano
Conditional: rimarrei, rimarresti, rimarrebbe, etc.
Pres. subj.:   rimanga, rimanga, rimanga, rimaniamo, rimaniate, rimangano

riprendere   to start again (compound of **prendere**)

rispondere   to answer
Preterit: risposi, rispondesti, rispose, rispondemmo, rispondeste, risposero

salire   to go up
Pres. ind.:   salgo, sali, sale, saliamo, salite, salgono
Pres. subj.:   salga, salga, salga, saliamo, saliate, salgano

sapere   to know
Pres. ind.:   so, sai, sa, sappiamo, sapete, sanno
Future: saprò, saprai, saprà, etc.
Preterit: seppi, sapesti, seppe, sapemmo, sapeste, seppero
Commands: sappi, sappia, sappiamo, sappiate, sappiano
Conditional: saprei, sapresti, saprebbe, etc.
Pres. subj.:   sappia, sappia, sappia, sappiamo, sappiate, sappiano

scegliere   to choose
Pres. ind.:   scelgo, scegli, sceglie, scegliamo, scegliete, scelgono
Preterit: scelsi, scegliesti, scelse, scegliemmo, sceglieste, scelsero
Commands: scegli, scelga, scegliamo, scegliete, scelgano
Pres. subj.:   scelga, scelga, scelga, scegliamo, scegliate, scelgano

scendere   to go down; to get off
Preterit: scesi, scendesti, scese, scendemmo, scendeste, scesero

scrivere   to write
Preterit: scrissi, scrivesti, scrisse, scrivemmo, scriveste, scrissero

sedere   to sit
Pres. ind.:   siedo, siedi, siede, sediamo, sedete, siedono
Commands: siedi, sieda, sediamo, sedete, siedano
Pres. subj.:   sieda, sieda, sieda, sediamo, sediate, siedano

sorridere   to smile (compound of **ridere**)
Preterit: sorrisi, sorridesti, sorrise, sorridemmo, sorrideste, sorrisero

spegnere   to turn off
Preterit: spensi, spegnesti, spense, spegnemmo, spegneste, spensero

stare   to be
Preterit: stetti, stesti, stette, stemmo, steste, stettero
Commands: sta', stia, stiamo, state, stiano

Pres. subj.:	stia, stia, stia, stiamo, stiate, stiano
Imp. subj.:	stessi, stessi, stesse, stessimo, steste, stessero

tenere	to keep
Pres. ind.:	tengo, tieni, tiene, teniamo, tenete, tengono
Future:	terrò, terrai, terrà, etc.
Preterit:	tenni, tenesti, tenne, tenemmo, teneste, tennero
Commands:	tieni, tenga, teniamo, tenete, tengano
Conditional:	terrei, terresti, terrebbe, etc.
Pres. subj.:	tenga, tenga, tenga, teniamo, teniate, tengano

trasmettere	to transmit (*compound of* **mettere**)

uscire	to go out
Pres. ind.:	esco, esci, esce, usciamo, uscite, escono
Commands:	esci, esca, usciamo, uscite, escano
Pres. subj.:	esca, esca, esca, usciamo, usciate, escano

vedere	to see
Future:	vedrò, vedrai, vedrà, etc.
Preterit:	vidi, vedesti, vide, vedemmo, vedeste, videro
Conditional:	vedrei, vedresti, vedrebbe, etc.

venire	to come
Pres. ind.:	vengo, vieni, viene, veniamo, venite, vengono
Future:	verrò, verrai, verrà, etc.
Preterit:	venni, venisti, venne, venimmo, veniste, vennero
Commands:	vieni, venga, veniamo, venite, vengano
Conditional:	verrei, verresti, verrebbe, etc.
Pres. subj.:	venga, venga, venga, veniamo, veniate, vengano

vincere	to win
Preterit:	vinsi, vincesti, vinse, vincemmo, vinceste, vinsero

vivere	to live
Future:	vivrò, vivrai, vivrà, etc.
Preterit:	vissi, vivesti, visse, vivemmo, viveste, vissero
Conditional:	vivrei, vivresti, vivrebbe, etc.

volere	to want
Pres. ind.:	voglio, vuoi, vuole, vogliamo, volete, vogliono
Future:	vorrò, vorrai, vorrà, etc.
Preterit:	volli, volesti, volle, volemmo, voleste, vollero
Conditional:	vorrei, vorresti, vorrebbe, etc.
Pres. subj.:	voglia, voglia, voglia, vogliamo, vogliate, vogliano

Italian-English Vocabulary

The Italian-English vocabulary contains most of the basic words and expressions presented in the lessons for active use. It also includes words from exercises and instructions that are intended for recognition only. The number after a vocabulary entry refers to the lesson where the word first appears in the lesson's lists for active use; the letters "LP" refer to the **Lezione preliminare.** Definitions are primarily those used in the book.

Gender of all nouns is indicated except for feminine nouns that end in **-a** and masculine nouns that end in **-o.**

Stress is indicated with a dot under the stressed letter of the main entry when it does not fall on the next-to-last syllable. A subscript dot also indicates vowel combinations that are not diphthongs. An asterisk (*) indicates that a verb is irregular and can be found in the irregular verb listing in Appendix F; this includes verbs derived from irregular verbs (*e.g.*, **uscire/riuscire, mettere/ promettere,** etc.). Forms of the irregular verbs **avere** and **essere** are found in Appendix B.

The following abbreviations are used.

adj.	= adjective	*m.*	= masculine
adv.	= adverb	*pl.*	= plural
f.	= feminine	*p.p.*	= past participle
inf.	= infinitive		

A

a (*frequently* **ad** *before a vowel*)   to; at 1; in 3; **a condizione che**   provided that, as long as 16; **a proposito** by the way 9; **a turno**   take turns
abbastanza   enough; **abbastanza bene**   quite well LP
abbigliamento   clothing 10
abbinare   to combine; to match
abbraccio   hug 9
abilità (*f.*)   ability
abitante (*m. or f.*)   inhabitant, resident
abitare   to live 2
abito   dress 10; suit 10
abituarsi   to get used to 18
accademia   academy 9
accademico/a   academic 9
acceleratore (*m.*)   accelerator
accendere* (*p.p.* **acceso**)   to turn on
accessorio   accessory 10
accidenti!   my goodness! 6
accompagnare   to accompany
accordo: d'accordo   agreed, OK 3; **andare* d'accordo (con)**   to get along with; **essere* d'accordo**   to agree
accuratamente   accurately, carefully
aceto   vinegar 7
acqua (minerale)   (mineral) water 4
acquisto   purchase 5
addormentarsi   to fall asleep 7
adeguato/a   adequate
adesso   now 3
adorare   to adore
aereo   plane 18; **andare* in aereo** to go by plane 18
aeroporto   airport
afa: c'è afa   it's sultry, it's muggy 9
affascinante   fascinating
affatto: non ... affatto   not at all 9
affermazione (*f.*)   affirmation, assertion
affetto   affection 9
affinché   so that, in order that 16
affitto   rent 14; rental; **prendere in affitto, dare* in affitto**   to lease, to rent 14
affreschi (*pl.*)   frescoes

afoso: è afoso   it's sultry, it's muggy 9
agente (*m. or f.*)   agent 17; **agente immobiliare**   real estate agent
agenzia: agenzia immobiliare   real estate agency 14; **agenzia di viaggi** travel agency 8
aggettivo   adjective
aggiungere   to add
aggiustare   to fix 16
aglio   garlic 7
agnello   lamb 7
agosto   August 6
agriturismo   vacation farm 18; agritourism 18
aiutare (a)   to help (to) 13; **aiutarsi** to help each other 11; to help oneself
aiuto   help 3
alba   dawn 15
albergo   hotel 3
albero: albero genealogico genealogical tree 8
albicocca   apricot 7

alcolico (*noun or adj.*) alcoholic; alcoholic drink

alcuni/e some 7

alfabeto alphabet

alimento food

allegato attachment (e-mail) 9

allegramente gaily, happily 18

allegria joy 5

allegro/a happy 5

allenamento practice

alloggio apartment, lodging 14

allontanarsi to go away

allora well, then 3

almeno at least

alpinismo mountain climbing 12

altalena ups and downs 15; see-saw 15

alto/a high, tall 5

altrettanto likewise, same to you

altro/a other, another 5

alzare to raise; to turn up; **alzarsi** to get up 7

amare to love 18; **amarsi** to love each other 11

ambasciatore (*m.*) ambassador 15

ambientale environmental

ambiente (*m.*) environment 18

americano/a American 1

amico/a friend 2

amoroso/a amorous

analcolico nonalcoholic

ananas (*m.*) pineapple 7

anche also, too 1; **anch'io** I too, me too 1

ancora yet 5; **non ... ancora** not yet 8

andare* (a) to go (to) 3; **andare a piedi** to go on foot 18; **andare con la nave** to go by ship 18; **andare in giro** to go around 5; **andare in macchina (in aereo, in autobus, in treno)** to go by car (by plane, by bus, by train) 18; **andare in onda** to be broadcast, to go on the air 15; **andare via** to go away; **va bene?** OK?, is that all right? 3; **si va?** are we going? 4

anello ring

animale (*m.*) animal 2

anniversario anniversary; **buon anniversario!** happy anniversary!

anno year 1

annoiarsi to be bored 7

annunciare to announce 15

annunciatore/annunciatrice newscaster 15

annuncio ad(vertisement) 14

anticipo: essere* in anticipo to be early LP

antico/a old, ancient 9

antipasto hors d'oeuvre, appetizer 13

antipatico/a unpleasant 5

antropologia anthropology 2

anzi indeed

aperto: all'aperto outdoors 4; open air 16

appartamento apartment 2; **appartamentino** small apartment

appena as soon as 11; just 15

appropriato/a appropriate

appunti notes; **prendere appunti** to take notes

aprile (*m.*) April 6

aprire* (*p.p.* **aperto**) to open 5; **all'aperto** outdoors 4

aragosta lobster 7

arancia orange (*fruit*) 7

aranciata orange soda 3

arancione (*invariable*) orange (*color*) 10

architetto architect 2

architettura architecture 2

armadio armoire, wardrobe, closet 14

armonica harmonica 16

arpa harp 16

arrabbiato/a angry

arrivare to arrive 3

arrivederci good-bye (*informal*) LP; **arrivederla** good-bye (*formal*) LP

arrivo arrival 9

arte (*f.*) art 2

articolo article 10

artigianato handicraft

asciugacapelli (*m.*) hair dryer 11

asciugamano (*m.*) towel 11

asciugarsi le mani (la faccia) to dry one's hands (face) 11

asciugatrice (*f.*) clothes dryer 14

ascoltare to listen (to) 3

ascoltatore (*m.*) listener 17

asparagi (*m. pl.*) asparagus 7

aspettare to wait (for) 3; **aspetta un momento** wait a minute

aspetto aspect

aspirapolvere (*m.*) vacuum cleaner 14; **pulire con l'aspirapolvere** to vacuum 14

assaggiare to taste 7

assegnare to award

assistenza assistance, help 17

associare to associate

assumere* (*p.p.* **assunto**) to hire 17; to assume

assurdo/a absurd

atmosfera atmosphere 5

atomico/a: fissione atomica (*f.*) atomic fission

attaccato/a attached 14

attentamente carefully 18

attento/a attentive 18

attenzione (*f.*) attention

attesa wait

attitudine (*f.*) attitude

attività (*f.*) activity

atto act 16

attore/attrice actor/actress 10

attrarre to attract

attuale actual

audace bold, daring 5

audiocassetta cassette 1

auguri! (*pl.*) best wishes!; **tanti auguri!** all the best! 13; **fare gli auguri** to wish someone well 13

australiano/a Australian 5

Austria (*f.*) Austria 15

auto (*f.*) automobile 18

autobus (*m.*) bus 18; **andare* in autobus** to go by bus 18

autocarro truck 18; **andare* in autocarro** to go by truck 18

automobile (*f.*) car 8; automobile 18

automobilistico/a car, automotive 15

autonomo/a independent 14

autunnale (*adj.*) fall-like, autumnal 6

autunno autumn, fall 6

avere* to have 1; to possess; **avere ... anni** to be ... years old 1; **avere a che fare con** to have to deal with; **avere bisogno (di)** to need (to) 3; **avere caldo** to be warm 3; **avere fame** to be hungry 3; **avere freddo** to be cold 3; **avere in mente** to intend, have in mind 9; **avere intenzione di** to intend to; **avere luogo** to take place; **avere modo di** to have a chance to; **avere paura (di)** to be afraid (of) 3; **avere ragione** to be right 3; **avere sete** to be thirsty 3; **avere sonno** to be sleepy 3; **avere torto** to be wrong; **avere voglia di** (+ *infinitive or noun*) to feel like (doing or having something) 3

avvenimento event

avvocato (*m. or f.*) lawyer 17

contrario/a opposite

contrasto contrast 10; **mettere in contrasto** to contrast

controllare to check, to control; to rule

controllo check, inspection 6

convenire* to be convenient 14

convincere (*p.p.* **convinto**) to convince 16

convivere to live together 8

coppia couple, pair 8

coraggio courage

coro chorus 16

corpo body 11

correggere* (*p.p.* **corretto**) to correct

correre to run 12

corretto/a correct

corsa race; running 12

corso course; **corso di laurea** (university) major 16

cortese courteous, kind, polite 5

cortile (*m.*) courtyard 14

corto/a short 11

cosa thing 8; **che cosa?** what? 1

così so, like that; **così così** so-so LP; **così ... come** as . . . as 14

cosmetico/a cosmetic

costare to cost 7

costituzione (*f.*) constitution 15

costoso/a costly, expensive 14

costruire to build

costume (*m.*) costume 5; **costume da bagno** bathing suit 10

cotone (*m.*) cotton 10

cotto/a cooked

cravatta (neck)tie 10

creare to create

credenza sideboard 14

credere (di) to believe 4; to think 4; **credo di sì (no)** I (don't) think so 4; **non ci credo proprio!** I don't believe it! 15

credibile believable 15

credito: carta di credito credit card

crostata pie 7

crudo/a raw

cucchiaino teaspoon 13

cucchiaio spoon 13

cucina kitchen 3; cooking 13

cucinare to cook 13

cugino/a cousin 8

cui who, whom 13

culturale cultural 9

cuoio leather, hide 10

curiosità (*f.*) curiosity

curioso/a curious 10

D

da from, by 3; at (*someone's house, office*); **da molto tempo** for a long time; **da quanto tempo?** for how long?; **da solo/a** alone 2; **vado da Laura** I'm going to Laura's house; **vengo da te** I'm coming to your house

d'accordo agreed, OK 3

Danimarca (*f.*) Denmark 15

danza dance 4

dare* to give 4; to take (*an exam*) 4; **da'** give (*informal*) 7; **dare il benvenuto** to welcome 15

davanti (a) in front (of) 3

davvero? really? 5

decidere* (*p.p.* **deciso**) to decide 3; **decidere di** (+ *inf.*) to decide to (*do something*) 4

decisione (*f.*) decision; **prendere una decisione** to make a decision

definire to define 11

democratico/a democratic 15

denaro money 12

dente (*m.*) tooth 1

dentifricio toothpaste 11

dentista (*m. or f.*) dentist 17

deputato representative 15

descritto/a described

descrizione (*f.*) description

desiderare to wish, want 3; to desire 14

desiderio desire 18

destra right (side) 15; **a destra** on the right; (*adj.*) right 11

determinato/a specific, particular

dettare to dictate 14

di (**d'** *before vowels*) of LP; from LP; about 3

dialetto dialect

dialogo dialogue 10

diamante (*m.*) diamond

dicembre (*m.*) December 6

diciannove nineteen LP

diciassette seventeen LP

diciotto eighteen LP

dieci ten LP

difficile difficult 1

difficoltà (*f.*) difficulty

digestivo liqueur thought to aid digestion

dimenticare to forget 3; **dimenticarsi di** to forget (to) 18

dimettersi* (*p.p.* **dimesso**) to resign

dimostrativo/a demonstrative

dinamico/a dynamic, energetic 5

Dio: oh, mio Dio! Oh, my God! 15

dipendere (da) to depend on 12; **dipende** that depends 12

diploma di maturità high school diploma 1

dire* (di) to say (to), to tell 6; to declare 18

direttore/direttrice director, manager

dirigente (*m. or f.*) executive 17

discesa downhill; descent

discorso talk

discoteca discotheque 3

discutere (di) to discuss (*something*) 4; to argue 8

disegno drawing 5

disfare* to undo 16

disgrazia accident, misfortune 15; **che disgrazia!** what a disaster! 15

disinvolto/a carefree, self-possessed 5

disoccupato/a unoccupied 16; unemployed 16

disoccupazione (*f.*) unemployment 17

disonesto/a dishonest 5

disorganizzato/a unorganized 16

disperatamente desperately

dispiacere* to be sorry, to mind 11; (*m.*) displeasure, misfortune 16; **ti dispiace se ... ?** do you mind if . . . ?; **mi dispiace** I'm sorry 4

distratto/a absent-minded

disturbare to disturb

dito (**le dita**, *f. pl.*) finger 11; **dito del piede** toe

ditta company

dittatore (*m.*) dictator

divano sofa 14

diventare to become 6

diverso/a different

divertente amusing 5

divertimento fun 12

divertirsi (a) to enjoy oneself, to have fun (doing) 7

divorziare to divorce 8

divorziato/a divorced 8

dizionario dictionary

documentario documentary 10

dodici twelve LP

dolce (*m.*) dessert 7; (*adj.*) sweet 7

domanda question; **fare* una domanda** to ask a question 4

domandare to ask 4

domani tomorrow LP; **a domani** until tomorrow LP; **domani mattina** tomorrow morning 4

domattina tomorrow morning 4
domenica Sunday 4
dominante dominating
donna woman 5; **donna d'affari** businesswoman 17
dopo after 4
dopodomani the day after tomorrow 4
doppiare to dub 10
doppiato/a dubbed 10
dormire to sleep 5
dottore/dottoressa doctor LP
dove? where? 2; **di dov'è?** where is he/she from?, where are you (*formal*) from? 1; **di dove sei?** where are you (*informal*) from? 1
dovere* to have to, must, ought 8
dramma (*m.*) drama 16
drammatico/a dramatic 10
dritto straight ahead
dubitare to doubt 16
due two LP; **due volte** twice, two times 9
dunque therefore; well then 6
durare to last
DVD (*m.*) DVD 1

E

e (*frequently* ed *before a vowel*) and LP
eccessivo/a excessive 15
eccezionale exceptional 16
ecco there is, there are LP; **eccolo** here he is
ecologia ecology 18
economia economics 2
economico/a cheap, inexpensive 5
edificio building 18
effetti speciali (*m. pl.*) special effects 10
efficace effective
efficiente efficient
egoista (*m. or f.*) selfish 5
elegante elegant 5
elementare elementary
elenco list
elettore/elettrice voter 15
elettricista (*m. or f.*) electrician 17
elettronico/a electronic 9; **indirizzo elettronico** e-mail address 9; **posta elettronica** e-mail 9
elezione (*f.*) election 15
elicottero helicopter 18; **andare* in elicottero** to go by helicopter 18
eliminare to eliminate
emozionante emotional

energia energy
entrare to enter 3
equitazione (*f.*) horseback riding 12
equivalente equivalent
esagerare to exaggerate 12
esagerato/a exaggerated
esame (*m.*) exam 3; **dare un esame** to take a test 4
escluso/a excluded
esempio example
esercitare to exercise 17; **esercitare una professione (un mestiere)** to practice a profession (skilled craft) 17
esigere to carry out
esistere to exist 17
esperienza experience 8
espresso strong coffee without milk 3
esprimere* to express
essere* (*p.p.* stato) to be 1; **essere d'accordo** to agree 8
est (*m.*) east LP
estate (*f.*) summer 6
estero: all'estero abroad 6
estivo/a (*adj.*) summer 6
euro euro (*European currency*) 7
europeo/a European 15
evitare to avoid

F

fa ago 6; **due giorni fa** two days ago 6; **un'ora fa** one hour ago 6
fabbrica factory 17
faccia (**le facce**, *f. pl.*) face 10
facile easy 11
facilità (*f.*) ease, facility
facilmente easily 18
facoltà (*f.*) school (*of* medicine, law, *etc.*) 8
fagiolini (*m. pl.*) string beans 7
falso/a false; insincere 5
fama fame
fame (*f.*) hunger 16
famiglia family 2
famoso/a famous LP
fantascienza science fiction 10
fantasia imagination
fantino jockey
fare* (*p.p.* fatto) to do 3; to make 3; **fare (l'avvocato, il meccanico,** etc.**)** to be (a lawyer, a mechanic, etc.) 17; **fare acquisti** to make purchases 5; **fare dell'alpinismo** to go mountain climbing 12; **fare**

attenzione to pay attention; **fare gli auguri** to wish someone well 13; **fare il bagno (la doccia)** to take a bath (a shower) 11; **fare bel tempo** to be nice (*weather*) 4; **fare bella figura** to cut a fine figure, make a good impression; **fare il bravo/la brava** to be good 12; **fare caldo** to be hot (*weather*) 4; **fare cattivo tempo** to be bad weather 9; **fare colazione** to have breakfast/lunch 4; **fare controllare (l'olio)** to have the (oil) checked 8; **fare la doccia** to take a shower 11; **fare una domanda** to ask a question 4; **fare due passi** to go for a short walk 4; **fare una festa** to have a party 13; **fare una fotografia** to take a picture 4; **fare freddo** to be cold (*weather*) 4; **fare fresco** to be cool (*weather*) 9; **fare le gare** to compete 12; **fare ginnastica** to work out; **fare un giro** to take a ride 4; to take a short walk 4; **fare una gita** to take a short trip 4; **fare una graduatoria** to rate; **fare male** to hurt, feel pain 11; **fare il meccanico (l'avvocato)** to be a mechanic (lawyer) 17; **fare parte di** to be a member of 15; **fare la parte (di)** to take the part (of); **fare una passeggiata** to take/go for a walk 4; **fare il/la pendolare** to commute 14; **fare piacere** to please 16; **fare il pieno** to fill it up (*the gas tank*) 8; **fare presto** to hurry up; **fare programmi** to make plans 12; **fare quattro salti** to dance (a few steps) 4; **fare regali** to give gifts; **fare sapere** to let know 12; **fare la spesa** to shop (*for food*) 7; **fare le spese** to shop (*for clothes, etc.*); **fare dello sport** to engage in (play) sports 12; **fare uno spuntino** to have a snack 3; **fare una telefonata** to make a phone call 11; **fare il tifo** to root, cheer 12; **fare vedere** to let see; **fare un viaggio** to take a (long) trip 4; **farsi il bagno** to take a bath 11; **farsi la doccia** to take a shower 11; **farsi male** to get hurt
farmacia pharmacy, drugstore 3
farmacista (*m. or f.*) pharmacist 17
fascino charm 18

fata fairy; **fata madrina** fairy godmother 6

fattura bill; **compilare la fattura** to fill out the bill

favoloso/a fabulous 6

favore (*m.*) favor; **per favore** please 3

febbraio February 6

febbre (*f.*) fever 11

fedele faithful

felice happy 16

ferie (*f. pl.*) vacation 17

fermarsi to stop 7

fermata stop (*e.g., bus stop, etc.*)

ferro da stiro iron (*appliance*) 14

festa party 5; **fare una festa** to have a party 13

festeggiare to celebrate 13

festival (*m.*) festival 10

fidanzarsi to become engaged 8

figliastro/a stepson/stepdaughter

figlio/a son/daughter 2; **figli** children 2

film (*m.*) film 10; **film d'azione** action film 10; **film di fantascienza** science fiction movie 10; **film giallo** thriller 10; **film dell'orrore** horror film 10

filosofia philosophy 2

finalmente finally

finanziario/a financial 15

fine (*f.*) end; **alla fine** in the end 10; **fine settimana** (*m. or f.*) weekend 4

finestra window 1

finire (di) to finish 5

fino until

finora until now

fiore (*m.*) flower

fisarmonica accordion 16

fiscale fiscal

fisica physics 2

fisico/a physical

fiume (*m.*) river LP

flanella flannel

flauto flute 16

foglio di carta sheet of paper 1

folclore (*m.*) folklore 4

folcloristico/a folkloric 4

fondo: in fondo at the bottom

forbici (*f. pl.*) scissors 11

forchetta fork 13

formaggio cheese 7; **formaggio mascarpone** Italian-type cream cheese

formulare to formulate; to create

forno (a microonde) (microwave) oven 14

forse perhaps 5

forte strong

fortuna luck, fortune 11; **avere* fortuna** to be lucky; **che fortuna!** what luck! 11

forza: a tutta forza! all out!

foto(grafia) photograph 9

fotografo photographer

fra between, among 3; **fra cinque minuti** in five minutes LP; **fra poco** soon, shortly LP

fragola strawberry 7

francese (*m.*) French language 2; (*adj.*) French 5

Francia France 15

francobollo stamp

frase (*f.*) sentence

fratello brother 1

freddo cold; **fare* freddo** to be cold (*weather*) 4

freno brake 8

frequentare to attend 1

fresco/a fresh, cool 4; **fare* fresco** to be cool (*weather*) 9

fretta hurry

frigo(rifero) refrigerator 13

frutta fruit 7

fruttivendolo/a fruit vendor 7

fuga escape

fuggire to flee 18

funghi (*m. pl.*) mushrooms 7

funzionare to work, function 14

funzionario manager

fuoco fire

fuori outside 2

furbo/a shrewd 5

furto robbery

futuro future

G

gamba leg 11

gamberi (*m. pl.*) shrimp 7

gara competition (*sports*) 12

garage (*m.*) garage 14

gatto cat 2

gelateria ice cream parlor 3

gelato ice cream 3

generale (*m.*) general 5

generalmente generally, usually

generazione (*f.*) generation

genero son-in-law 8

generoso/a generous 5

genitori (*m. pl.*) parents 8

gennaio January 6

gente (*f.*) people 5

gentile kind, courteous 5

geologia geology 2

Germania Germany 15

gestione (*f.*) management 17

gestire to manage 17

ghiaccio ice

già already 5

giacca jacket 10

giaccone (*m.*) heavy jacket, outerwear 10

giallo/a yellow 10

giapponese (*m.*) Japanese language 2; (*adj.*) Japanese 5

giardino garden 14

ginnastica gymnastics

ginocchio (le ginocchia, *f. pl.*) knee 11

giocare to play (*a game*) 3; to play (*a sport*) 12

gioco game 10

giornale (*m.*) newspaper 1

giornaliero/a daily

giornalista (*m. or f.*) journalist 17

giornata day LP; **buona giornata** have a good day LP

giorno day 4; **buon giorno** good morning LP; **cento di questi giorni!** many happy returns! 13

giovane (*adj.*) young 5; (*m. or f.*) young person 9

giovedì (*m.*) Thursday 4

girare to turn; to go around; **girare a destra (sinistra)** to turn to the right (left); to film 10

gita trip, ride; **fare* una gita** to take a short trip 4

giugno June 6

giusto/a correct, right 15

gola throat 11; **mi fa male la gola** my throat hurts 11

golfo gulf LP

gomito elbow 11

gomma tire (*car*) 8

gonna skirt 10

governare to govern 15

governo government 15; administration 15

Gran Bretagna Great Britain 15

grande big 2; large, great 5

granita grainy ice cream; **granita al caffè** ice cream with grains of frozen coffee

grasso/a fat 5

grave serious 11

grazie thanks, thank you LP
grazioso/a charming 14
Grecia Greece 15
greco/a Greek 10
grigio/a gray 10
gruppo group 4
guadagnare to earn 17; **guadagnarsi la vita** to earn one's living 17
guanti (*m. pl.*) gloves 10
guardare to watch, to look (at) 3; **guardarsi allo specchio** to look at oneself in the mirror 11
guardaroba (*m.*) closet 14
guidare to drive 3
gusto taste

H

hockey (*m.*) hockey 12

I

idea idea 3
ieri yesterday 6; **l'altro ieri** the day before yesterday 6; **ieri mattina** yesterday morning 6; **ieri pomeriggio** yesterday afternoon 6; **ieri sera** last evening (night) 10; **ieri notte** last night
igienico/a hygienic
immaginare to imagine 16; **immaginarsi** to imagine
immagine (*f.*) image 10
immediato/a immediate 15
imparare (a) to learn (to) 3
impartire ordini to give orders 5
imparziale impartial
impegnato/a busy, engaged 4
impegno appointment; obligation, commitment 12
impermeabile (*m.*) raincoat 10
impiegato/a clerk 17; employee 17
impiego job, employment 17
importante important 15
importanza importance
importare to matter
impossibile impossible 15
impresa business firm 17
impressione (*f.*) impression
improbabile improbable 15
improvvisamente suddenly 17
in in 2; into; at 3
incidente (*m.*) accident 15

incontrare to meet 3; **incontrarsi** to meet (each other) (*at a place*) 11
incontro sports match 12; meeting 15
incoraggiamento encouragement 9
indicato/a indicated
indietro back, behind; **andare* indietro** to back up
indimenticabile unforgettable 16
indipendente independent
indire* (*p.p.* **indetto**) to arrange, organize
indirizzo address 9; **indirizzo elettronico** e-mail address 9
indossare to wear 5; to try on 5; to put on 10
indovinare to guess 12
industrializzato/a industrialized
infelice unhappy 16
informatica computer science 2
informazione (*f.*) information LP
ingegnere (*m.*) engineer
ingegneria engineering 17
ingenuo/a naive 5
inglese (*m.*) English language LP; (*adj.*) English 5
ingredienti (*m. pl.*) ingredients 7
ingresso admission 12
iniziare to begin, start 9
innamorarsi to fall in love 8; to fall in love with each other 11
inopportuno/a inappropriate, unsuitable 15
inquinamento pollution 18
inquinare to pollute 18
insalata salad 7
insegnare (a) to teach (to) 2
insieme together
insistere to insist 14
insultare to insult 12
intanto meanwhile, in the meantime 4
intelligente intelligent 5
intensivo/a intensive
interdisciplinare interdisciplinary 17
interessante interesting LP
interessare to interest; **interessarsi** to be interested
internazionale international 5
intero/a entire, whole 8
interprete (*m. or f.*) interpreter 16; performer 16
intervista interview
intervistare to interview 17
intervistatore (*m.*) interviewer

intraprendere* to undertake 17
inutile useless 16
invece (di) instead (of) 4
invernale (*adj.*) winter-like 6
inverno winter 6
invertire to reverse
investigatore (*m.*) investigator
investigazione (*f.*) investigation
invitare to invite
invitato/a guest 5
invivibile unlivable 18
Irlanda Ireland 15
irlandese (*m. or f.*) Irish 5
iscriversi (a) to enroll (at) 8
isola island LP
istituzione (*f.*) institution 15
Italia Italy LP
italiano (*m.*) Italian language LP; **italiano/a** Italian 1
italo-americano/a Italian-American

J

jeans (*m. pl.*) blue jeans 10

L

là there 6
labbro (**le labbra**, *f. pl.*) lip 11
ladro thief
lago lake LP
lamentarsi to complain
lampada lamp 14
lana wool 10
lasciare to leave (behind) 9
lattaio/a milkman/milkwoman 13
latte (*m.*) milk 7
latteria dairy store 13
lattuga lettuce 7
laurea degree 17; **corso di laurea** (university) major 17
laureando/a degree candidate
laurearsi to graduate 17
lavarsi to wash (oneself) 7; **lavarsi i denti** to brush one's teeth 11; **lavarsi le mani** to wash one's hands 11
lavastoviglie (*f.*) dishwasher 14
lavatrice (*f.*) washing machine 14
lavorare to work 2
lavoro work 17; **che lavoro (fa) fai?** what work do you do? 17
leader (*m. or f.*) leader 15
legge (*f.*) law 1
leggere* (*p.p.* **letto**) to read 4
lentamente slowly 6

letteratura literature 2
letto bed 14
lettore (*m.*) cassette player (*e.g.,* *Walkman*) 1; CD player 1; **lettore DVD** DVD player 1
levarsi to take off (*clothing*) 10
lezione (*f.*) lesson LP; **hai lezione?** do you have (a) class? LP
lì there 6
liberale liberal
liberamente freely 17
libero/a free 4
libreria bookstore 3; bookcase 14
libro book 1
liceale (*adj.*) high school 1
licenziare to fire (*from a job*) 17; **licenziarsi** to quit (*a job*) 17
liceo high school 1
lieto/a glad 13
limonata lemonade 4
limone (*m.*) lemon 7
lingua language; **lingue straniere** (*f. pl.*) foreign languages 2
lino linen 10
lista list
litigare to argue, quarrel, fight 12
locale local 15
località (*f.*) locale
logico/a logical
lontano (da) far away; far (from) 3
lotteria lottery
luce (*f.*) light 16
luglio July 6
lunedì (*m.*) Monday 4
lungo/a long 5
luogo place 7
lupo: in bocca al lupo! good luck!
lusingato/a flattered 13

M

ma but LP
macchina car 6; **andare* in macchina** to go by car 18
macellaio/a butcher 13
macelleria butcher shop 13
madre (*f.*) mother 2
madrina godmother
maga witch, magician
maggio May 6
maggiore greater 15; older 15; **la maggior parte** the majority 15
maglia sweater 10
maglietta T-shirt 10
magnifico/a magnificent
magro/a thin 5
mah oh LP

mai ever, never; **non ... mai** never, not . . . ever 8
maiale (*m.*) pork 7
maiuscola capital (letter)
male bad LP; **meno male!** all the better! 15; **non c'è male** not too bad LP
mamma mother 1
mancia tip, gratuity 3
mandare to send 3
mangiare to eat 3
manica sleeve 10
maniera manner
manifestazione (*f.*) demonstration 15; exhibition 16
mano (*f.*) hand 11
marca make, brand name 6
mare (*m.*) sea LP
marito husband 2
marrone (*invariable*) brown 10
martedì (*m.*) Tuesday 4
marzo March 6
maschera mask 5
mascherato/a masked
massimo/a greatest, maximum 15
matematica mathematics LP
materiale (*m.*) material 10
matita pencil 1
matrigna stepmother 8
mattina morning 2; in the morning 4; **di mattina** in the morning 2; **domani mattina (domattina)** tomorrow morning 4
meccanico/a mechanic 6
medicina medicine 1
medico doctor 17
Medioevo Middle Ages
meglio (*adv.*) better 8
mela apple 7
melanzana eggplant 7
membro member 15
meno less, minus (*with time*) 2; **a meno che** unless; **meno ... di** less . . . than 14; **meno male!** all the better! 15
mensile (*adj.*) monthly 14
mente: in mente on one's mind; **avere* in mente** to intend, to have in mind 9
mentre while 3
menù (*m.*) menu 4
meravigliarsi to be surprised (at)
mercato market 3
mercoledì (*m.*) Wednesday 4
merito merit 13
merluzzo cod 7
mese (*m.*) month 6

messaggio message 9
messicano/a Mexican 5
mestiere (*m.*) trade, profession 17; **che mestiere (fa) fai?** what is your occupation? 17
metropoli (*f.*) metropolis 18
metropolitana subway 18; **prendere la metropolitana** to take the subway 18
mettere* (*p.p.* **messo**) to put, place 4; **mettersi** to put on (*clothing*) 7; **mettersi a** (+ *inf.*) to begin, start to (*do something*) 7
mezzanotte midnight 2
mezzo/a half 2; **sono le ... e mezzo** it's half-past . . . 2; **mezzo di trasporto** means of transportation 18; **mezzo pubblico** public transportation 18
mezzogiorno noon 2
mezz'ora half-hour 6
migliore (*adj.*) better 15
milione (*m.*) one million 7
militare military 5
mille one thousand 1
mimare to act out
minacciare to threaten
minestra soup 7
minimo/a smallest, minimum 15
ministro minister 15; **primo ministro** prime minister 15
minore less 15; younger 15
minuscola lowercase (letter)
misura size (*clothing, shoes*) 10
misurare to measure
moda fashion 10
moderno/a modern 4
modificazione (*f.*) modification LP
modo manner, way, means; **di modo che** so that, in order that
moglie (*f.*) wife 2
molti/e many 5
moltissimo/a very much
molto (*adv.*) very, a lot, a great deal LP; much, a lot 5; **molto bene** very well LP
molto/a much, many
momento moment; **per il momento** for the time being
monarchia monarchy 15; **monarchia costituzionale** constitutional monarchy 15
mondo world
moneta money
montagna mountain LP; **in montagna** to the mountains 8

monumento monument 9
morire* (*p.p.* **morto**) to die 6
mortale fatal 15
mostra exhibit 10
mostrare to show
motivo reason
moto(cicletta) motorcycle 6; **andare* in motocicletta** to go by motorcycle 18
motorino moped 1
museo museum 3
musica music 1; **musica leggera** popular music

N

nascere* (*p.p.* **nato**) to be born 6
naso nose 11
nave (*f.*) ship 9; **andare* con la nave** to go by ship 18
nazione (*f.*) nation, country 15
nazionale national LP
ne of it, of them 12; about it, about them 12
né ... né: non ... né ... né neither ... nor 9
neanche: non ... neanche not even 9
nebbia fog 9; **c'è la nebbia** it's foggy 9
necessario/a necessary 15
negozio store 3
nemico/a enemy 10
nemmeno: non ... nemmeno not even 9
neppure: non ... neppure not even 9
nero/a black 10
nervoso/a nervous 5
nessuno/a nobody; **non ... nessuno/a** not any 9; nobody 9
netto/a sharp, distinct 10
neve (*f.*) snow 11
nevicare to snow 9
niente no, none, nothing; **non ... niente** nothing 9; **niente di speciale** nothing special 3; **per niente** at all; **proprio un bel niente** absolutely nothing 10
nipote (*m.*) grandson 8; nephew 8; (*f.*) granddaughter 8; niece 8
no no LP
noioso/a boring 5
noleggiare to rent (*a car*) 8
nome (*m.*) name; noun
nominato/a appointed, named

non not; **non c'è male** not too bad LP; **non ... ancora** not ... yet 8; **non ... mai** never 8
nonna grandmother 8
nonno grandfather 8; **nonni** (*m. pl.*) grandparents 8
nonostante although, even though
nord (*m.*) north LP
nostalgia nostalgia; **provare nostalgia (di)** to be homesick 9
notizia news 9; news item
notte (*f.*) (at) night 4
novanta ninety 1
nove nine LP
novembre (*m.*) November 6
nulla: non ... nulla nothing 9
numero (shoe) size 10; number
nuora daughter-in-law 8
nuotare to swim 11
nuoto swimming 12
nuovo/a new 5
nuvoloso/a cloudy; **è nuvoloso** it's cloudy 9

O

o or 1
oboe (*m.*) oboe 16
occasione (*f.*) occasion 13; **avere* l'occasione** to have the chance
occhiali (*m. pl.*) eyeglasses; **occhiali da neve** ski goggles; **occhiali da sole** sunglasses
occhio eye 11
occuparsi (di) to attend to 13
occupato/a occupied 9; employed 16
odiare to hate; **odiarsi** to hate each other 11
odori (*m. pl.*) herbs 7
offerta offer 14
offrire* (*p.p.* **offerto**) to offer 5
oggetto object
oggi today 3
ogni (*invariable*) every 4; each, every 9; **ogni anno** each year 9; **ogni tanto** once in a while 9
ognuno/a each one
Olanda Holland 15
olio oil 7; **olio d'oliva** olive oil 7
oliva olive
omaggio: in omaggio complimentary, free
omicidio homicide, murder
onda: andare* in onda to be broadcast, to go on the air 15
onesto/a honest 5

opera opera 16; deed 16; **opera d'arte** work of art 9
operaio/a blue-collar worker 17
opinione (*f.*) opinion
opportuno/a appropriate, suitable 15
opposto/a opposite; opposing 15
opuscolo pamphlet 16
ora (*adv.*) now; (*noun*) hour 2; **a che ora?** at what time? 2; **che ora è?/che ore sono?** what time is it? 2; **è ora** it's time 15; **sarebbe ora!** it's about time! 15
orario schedule
orchestra orchestra 16
ordinare to order 3
ordine (*m.*) order 5
orecchio ear 11
organizzare to organize
organizzato/a organized 16
organo organ 16
orientarsi to orient oneself 17
originale original LP
ormai by now
orologio watch 1; clock 1
orrore (*m.*) horror; **film dell'orrore** (*m.*) horror film 10
orsacchiotto teddy bear
ospedale (*m.*) hospital 3
ottanta eighty 1
ottenere* to obtain, get 8
ottimista (*m. or f.*) optimist
ottimo/a excellent 15
otto eight LP
ottobre (*m.*) October 6
ottocento nineteenth century, the 1800s 5
ovest (*m.*) west LP

P

pacchetto package
padre (*m.*) father 2
paese (*m.*) country LP; small town LP
pagare to pay (for) 3
paio (**le paia**, *f. pl.*) pair 11
palazzo building; palace; apartment house
palestra gym
pallacanestro basketball 12; **giocare a pallacanestro** to play basketball 12
pallavolo volleyball 12
pallone (*m.*) soccer 12; **giocare a pallone** to play soccer 12
pane (*m.*) bread 7

panetteria bakery 13
panettiere/a baker 13
panino sandwich 3; **panino al prosciutto** ham sandwich 4
panorama (*m.*) panorama 6
pantaloni (*m. pl.*) pants, trousers 10
Papa (*m.*) Pope 15
papà (*m.*) dad, father
paragonare to compare
paragrafo paragraph
parcheggiare to park 8
parcheggio parking (lot, garage) 3; **parcheggio a pagamento** pay parking 8
parco park 3
parente (*m.*) relative 8
parentesi (*f. pl.*) parentheses
parere (*m.*) opinion 17; (*verb*) to seem 16; **pare (che)** it seems (that) 15
parete (*f.*) (interior) wall 14
parlamentare parliamentary 15
parlamento parliament 15
parlare to speak, talk 3; **parlarsi** to speak to each other 11
parola word; **parola analoga** cognate
parte: la maggior parte the majority 15; **fare parte di** to be a member of 15
partenza: in partenza leaving, setting out on a trip
particolare (*adj.*) particular 18; special
particolarmente particularly 18
partire to leave, depart 5
partita game (*sports*) 12
partito political party 15
passaporto passport 8
passare to pass 3; to come by 3; to proceed; to spend time 3; **passo da te** I'll come by your house 3
passeggiare to walk, to take a walk 3
passeggiata: fare* una passeggiata to take/go for a walk 4
passaggio ride
passione (*f.*) passion 10
pasta pasta 7; pastry 7
pastasciutta pasta dish (*served with a sauce*) 7
pasticceria pastry shop 13
pasticciere/a confectioner 13
pasto meal 13
patata potato 7
patente di guida (*f.*) driver's license 8
patrigno stepfather 8
pattinaggio skating 12
pattinare to skate 12

paura fear; **avere paura (di)** to be afraid (of) 3
pausa: la pausa pubblicitaria commercial break 17
pavimento floor 14
pazzo/a crazy
peccato: che peccato! what a shame! LP
peggio (*adv.*) worse 15
peggiore (*adj.*) worse 15
pelle (*f.*) leather, hide 10
pendolare (*m. or f.*) commuter; **fare* il/la pendolare** to commute 14
penisola peninsula LP
penna pen 1
pensare to think (of) 3; **pensare a** (+ *noun*) to think of 3; **pensare di** to intend to 8; to think to 8; to think about 18; **pensare di** (+ *inf.*) to plan to (*do something*) 9
pepe (*m.*) pepper 7
peperone (*m.*) pepper 7
per for 3; **per lo più** mostly 15; **per me** for me 3; **per tutti e due** for both 12
pera pear 7
perché? why? 3; **perché** because 3; in order that, so that 16; **perché no?** why not? 4
perciò therefore 10
perdere* (*p.p.* **perso, perduto**) to lose 4; **perdere tempo** to waste time 4
pericolo danger
pericoloso/a dangerous
periferia suburb
permettere* (di) to allow to 18
però but, however
persona person 12
personaggio character 16; celebrity 10
personalità (*f.*) personality
pesante heavy
pesca peach 7
pesce (*m.*) fish 7
pescheria fish market 13
pescivendolo/a fish vendor 13
peso weight
pessimista (*m. or f.*) pessimist
pessimo/a terrible, awful 15
pettinarsi i capelli to comb one's hair 11
pettine (*m.*) comb 11
piacere* to like, to be pleasing LP; **mi piace** I like LP; **mi piacciono** (+ *plural noun*) I like 2; **non mi piace** I don't like LP; **ti piace?**

do you like? LP; **a lei piace?** do you like? (*formal*) 1; **a lui/a lei piace?** does he/she like? 1; **piacere** (*m.*) pleasure 16; **piacere!** how do you do! LP; **fare* piacere** to please 16
pianista (*m. or f.*) pianist 17
pianoforte (*m.*) piano 16
piattino saucer 13; small plate
piatto dish, plate 13; dish (*food*) 13; **primo piatto** first course 13; **secondo piatto** second course 13
piazza square
piccolo/a small, little 2
piede (*m.*) foot 11; **andare* a piedi** to go on foot 18; **mettere* piede (su)** to set foot (on)
pigro/a lazy 5
pioggia acida acid rain 18
piovere to rain 9
piscina swimming pool 12
piselli (*m. pl.*) peas 7
pista trail 11
pittoresco/a picturesque 6
più more; **non ... più** not anymore 9; no longer 6; **per lo più** mostly 15; **più ... di** more . . . than 14
piuttosto rather
pizza pizza 6
pizzeria pizza parlor 6
po' (*contraction for* **poco**) little; **un bel po' di** quite a lot of 8; **un po' di** (+ *noun*) a little bit of (*something*) 4
poco/a (*pl.* **pochi/poche**) little, few; **fra poco** soon, shortly LP
poema (*m.*) poem
poi then, afterwards 7; after (all)
polemica argument; controversy
poliestere (*m.*) polyester 10
politica politics 15
politico/a (*noun*) politician 15; (*adj.*) political 15
pollo chicken 7
Polonia Poland 15
poltrona armchair 14
pomeriggio afternoon 3; **del pomeriggio** in the afternoon 2; **domani pomeriggio** tomorrow afternoon 4; **giovedì pomeriggio** Thursday afternoon 4; **oggi pomeriggio** this afternoon 3
pomodoro tomato 7
pompelmo grapefruit 7
popolo people, public
porco pig 10
porta door
portare to bring 3; to wear 3

portiere (*m.*)   doorman
porto   port   LP
Portogallo   Portugal   15
possibile   possible   LP
possibilità (*f.*)   possibility   17
posta   mail   9; **posta elettronica**   e-mail   9
posto   seat   12; place   11; job, position   17; **al posto di**   in place of; **posto riservato**   reserved seat
potere* (*verb*)   to be able (to), can   8; (*noun m.*) power
povero/a   poor   5
pranzo   dinner   13; lunch, main meal taken at noon   13
pratica   practice   10
praticare   to practice
pratico/a   practical
precisamente   precisely   9
preciso/a   precise
predizioni (*f. pl.*)   predictions
preferibile   preferable   15
preferire   to prefer (to)   5; **preferisce ...?**   do you (*formal*) prefer . . . ?
preferito/a   favorite   10
pregare   to pray; to beg; **ti prego**   I beg you   8
prendere* (*p.p.* **preso**)   to take   3; to get   4; to have (*in the sense of to eat or drink*)   3; to pick up   3; **prendere in affitto**   to lease, to rent   14; **prendere appunti**   to take notes; **prendere la metropolitana**   to take the subway   18
prenotare   to make reservations, reserve   8
prenotazione (*f.*)   reservation   16; **fare* le prenotazioni**   to make reservations   8
preoccuparsi (di)   to worry (about)   7
preparare   to prepare; **prepararsi**   to get ready   7; **prepararsi per** (+ *inf.*)   to prepare oneself to, to get ready to   7
preparazione (*f.*)   preparation   17
presentare   to introduce; to present   10; **presentarsi**   to introduce oneself
presentato/a   presented
presentazione (*f.*)   introduction
presidente (*m. or f.*)   president   15; **Presidente del Consiglio**   Prime Minister   15
presso   at   14; near   14
prestare   to lend, loan   11; **prestare attenzione**   to pay attention
presto   early   7; soon; **a presto**   see you soon   LP; **al più presto**   as soon as possible

previsioni del tempo (*f. pl.*)   weather forecast
prezzo   price   11; **a buon prezzo**   at a good price   11
prima   before   9; **prima di**   before; **quanto prima**   as soon as possible; **prima che**   before
primavera   spring   6
primaverile (*adj.*)   spring-like   6
privato/a   private   17
probabile   probable   15
probabilmente   probably
problema (*m.*)   problem   5
produttore/produttrice   producer   10
professione (*f.*)   profession   17
professore/professoressa   professor   LP
progetto   project
programma (*m.*)   program   4; plan   8; **che cos'è in programma?**   what's playing?   4; what's planned?
programmare   to plan, program   11
promessa   promise
promettere* (di) (*p.p.* **promesso**)   to promise (to)   4
pronto/a (*adj.*)   ready; **pronto?**   hello? (*on the phone*)   3
pronuncia   pronunciation
proposito   purpose; **a proposito**   by the way
proprio   really   13; (*adj.*) one's own   12
prosciutto   cured ham   7; **panino al prosciutto**   ham sandwich   4
prossimo/a   next   8
provare   to feel, experience   9; **provare nostalgia di**   to be homesick for   9
provincia   province   LP
provvedimento   measure, precaution   18
prudente   careful, cautious   5
psicologia   psychology   2
psicologo   psychologist   10
pubblicare   to publish
pubblici: mezzi pubblici (*m. pl.*)   public transportation   18
pugliese   from the region of Puglia
pulire   to clean   5
punto   point; period (*punctuation*); **punto esclamativo**   exclamation point; **punto interrogativo**   question mark; **punto di vista**   point of view
puntuale: essere* puntuale   to be on time   LP
purché   provided that, as long as

Q

qua   here   14
quaderno   notebook   1
quadrato/a   square; **metro quadrato**   square meter
quadri: a quadri   checked (*pattern*)   10
quadro   painting   14
qualche   some
qualcosa   something   3; **qualcosa da mangiare e da bere**   something to eat and drink
qual/e? (*pl.* **quali**)   which?   4; which one?
qualifica   qualification   17
qualità (*f.*)   quality
qualsiasi   whichever, any
quando   when; whenever   3; **di quando in quando**   from time to time   9; **quando?**   when?   4
quantità (*f.*)   quantity   7
quanto/a?   how much?   4; **quanti/e**   how many?   4; **quante volte**   how many times; **quanti anni ha?**   how old is he/she? how old are you (*formal*)?   1; **quanti anni hai?**   how old are you (*informal*)?   1; **quanto costa?**   how much is it?   7
quaranta   forty   1
quartiere (*m.*)   neighborhood   7
quarto   quarter   2; **sono le ... meno un quarto**   it's a quarter to . . .   2
quasi   almost
quattordici   fourteen   LP
quattro   four   LP
quello/a   that, that one   8; **quello che**   that which, the one that
questionario   questionnaire
questo/a   this   3; this one   8
qui   here   5
quindi   therefore
quindici   fifteen   LP

R

raccontare   to tell, narrate
radersi (la barba)   to shave (one's beard)   11
radio (*f.*)   radio   1
radiologo   radiologist   10
rado: di rado   seldom   9
raffigurato/a   drawn, sketched
raffreddore (*m.*)   cold (*illness*)
ragazza   girl   5; girlfriend   6
ragazzo   boy   6; boyfriend   6
ragione (*f.*)   reason; **avere* ragione**   to be right   3

rapidamente rapidly
rapporto: rapporto molto stretto close relationship
rappresentante (*m. or f.*) representative 15
rappresentato/a represented
raramente rarely 18
rasoio (elettrico) (electric) razor 11
rayon (*m.*) rayon 10
re (*m.*) king 15
reagire to react
realtà (*f.*) reality
recarsi to go 15
recentemente recently 11
reciproco/a reciprocal
recitare to recite; to play a part
regalare to give as a gift 11
regalo gift
regina queen 15
regione (*f.*) region LP
regista (*m. or f.*) film director 10
registratore (*m.*) cassette recorder 1; **registratore (di) DVD** DVD recorder 1
regola rule
religioso/a religious
repubblica republic 15
repubblicano/a republican 15
respirare to breathe 18
responsabile responsible 8
responsabilità (*f.*) responsibility
restare to stay, remain 6
restituire to give back 5
resto remainder, rest 12
rete (televisiva) (*f.*) (TV) network 15
riaggiustare to fix again 16
riaprire to open again 16
ricco/a rich 5
ricevere to receive 4
richiedere* to require 17; to seek 17
riciclaggio recycling 18
riciclare to recycle 18
riconoscere* to recognize
ricordare to remember 3; to remind 15; **ricordarsi (di)** to remember (to)
riempire to fill out
rifare* to do again 16
riferire to refer
rifiuti (urbani) (*m. pl.*) waste, rubbish 18
riga line
righe: a righe striped 10
rileggere* to read again 16

rimanere* (*p.p.* **rimasto**) to remain 6
ringraziare to thank 13
rinomato/a well-known; celebrated
ripagare to pay back
ripetizione (*f.*) repetition
riposante slow, restful
ripresa: essere* in ripresa to have a revival 10
ripulire to clean up
riscaldamento heat 14
riservato/a reserved 12
riso rice 7
rispetto a with regard to
rispondere* to answer, respond 4
risposta answer
ristorante (*m.*) restaurant 3
risultato result
ritardo: essere* in ritardo to be late LP
riunirsi to get together 13
riuscire* (**a**) to succeed (in, at) 17
rivelare to reveal
rivenditore (*m.*) dealer, seller 12
rivista magazine 1
rivolgersi (**a**) to turn (to) 13
romano/a Roman 5
romantico/a romantic
rompere* (*p.p.* **rotto**) to break 11; **rompersi** (**un braccio**, etc.) to break (one's arm, etc.) 11
rosa (*invariable*) pink 10
rosso/a red 5
rubrica newspaper column
rumore (*m.*) noise 2
rumoroso/a noisy
ruolo role
Russia Russia 15
russo (*m.*) Russian language 2; **russo/a** Russian 5

S

sabato Saturday 4; **sabato sera** Saturday evening 4
sala da pranzo dining room 14
salame (*m.*) salami 7
salario wage, pay 17
sale (*m.*) salt 7
salire* to get on, board; to rise; to climb
salotto living room 14
salumeria delicatessen 13
salumiere/a delicatessen owner 13
salutare to greet 9; **salutarsi** to greet one another 11
salute (*f.*) health; **salute!** bless you!

salvaguardare to save, safeguard, preserve 18
salve hello LP
sandali (*m. pl.*) sandals 10
sapere* to know 10; to know how to 10; **non lo so** I don't know 5
sapone (*m.*) soap 11
sardo/a Sardinian 4
sassofono saxophone 16
sbagliato/a wrong
sbarcare to land 15
sbarco landing 15
scaffale (*m.*) shelf 14
scalare to climb; **scalare una montagna** to climb a mountain
scale (*f. pl.*) stairs 14
scalinata stairs, steps
scambio exchange
scampi (*m. pl.*) prawns 7
scapolo: essere* scapolo to be single (*male*)
scarpa shoe 10
scarpetta slipper 6; **scarpette da ginnastica** (*f. pl.*) sneakers 10
scarponi (*m. pl.*) boots
scegliere* (*p.p.* **scelto**) to choose 8; **scegliere una professione (un mestiere)** to choose a profession (occupation) 17
scelta choice 7
scena scene 13
scenario scenery 16
sceneggiatore/sceneggiatrice screenwriter 10
sceneggiatura screenplay 10
scendere* (*p.p.* **sceso**) to go down, descend 6
schema (*m.*) pattern
scherzare to joke 13
schieramento alignment 15
sci (*m.*) ski 11; skiing 11; **lo sci di fondo** cross-country skiing
sciare to ski 11
sciarpa scarf
scientifico/a scientific 1
scienza science; **scienze naturali** natural sciences 2; **scienze politiche** political science 2
scienziato/a scientist
sciocco/a foolish 12
sciogliersi to melt
scodella bowl 13
sconfiggere to defeat
sconosciuto/a unknown 16
sconsigliare to advise against 16
scontento/a unhappy 16
scontrino receipt

scoperto/a discovered
scoprire to discover
scorso/a last, previous, past 5; **la settimana scorsa** last week 6
scortese unkind, rude 5
scremato/a without cream, skim (*milk*)
scrittore/scrittrice writer 17
scrivania desk 14
scrivere* (*p.p.* **scritto**) to write 4; **scriversi** to write to each other 11
scuola school
scusa excuse
scusare to excuse 13; **scusa** excuse me (*informal*) LP; **scusi** excuse me (*formal*) 4
se if 4
sebbene although, even though 16
secolo century
secondo according to; (*adj.*) second
sedersi* to sit
sedia chair 1
sedici sixteen LP
seguente following
seguire to follow 5; to take (*courses*) 5
sei six LP
sembrare to seem 14; **mi sembra** it seems to me, I think 7; **sembra (che)** it seems (that) 15
semplice simple 5
sempre always 6; still 18
senato senate 15
senatore/senatrice senator 15
senso: di senso compiuto coherent, complete
sentimento feeling
sentire to hear 5; to listen; to feel 5; **sentirsi** to feel 7; to talk with each other 11
senza without; **senza che** without
separato/a separated 8
sera evening 4; **di sera** in the evening 2; **domani sera** tomorrow night 4
serata evening 16
sereno/a clear; **è sereno** it's clear 9
serie (*f.*) series
seriamente seriously 18
serio/a serious 15; **parlare sul serio** to be serious
servire to serve; to be useful 5; **servirsi** to help oneself 13
sessanta sixty 1
seta silk 10
settanta seventy 1

sette seven LP
settembre (*m.*) September 6
settimana week 4; **fine settimana** (*m. or f.*) weekend 4; **settimana bianca** week of skiing
sfidare to challenge
sfortuna bad luck 16
sgarbato/a rude 5
sgargiante gaudy 10
sgretolarsi to fall to pieces
shampoo (*m.*) shampoo 11
sì yes LP
sicuro/a sure, certain; fine 16
significato meaning; **di significato opposto** of opposite meaning
signor (+ *last name*) Mr. LP
signora Ma'am LP; **signora** (+ *last name*) Mrs. LP
signore (*m.*) sir LP
signorina Miss LP; **signorina** (+ *last name*) Miss LP
simpatico/a nice, pleasant 5
sincerità (*f.*) sincerity
sincero/a sincere 5
sindaco mayor 15
sinistra left (side) 15; **a sinistra** to, at the left 7; (*adj.*) left 11
sistema (*m.*) system
sistemare to resolve; **sistemarsi** to get a job 17; to get settled 17
smettere* (**di**) to stop
sociale social 9
società (*f.*) society 5
sociologia sociology 2
soffitta attic 14
soffitto ceiling 14
soffocare to suffocate
soffrire* (*p.p.* **sofferto**) to suffer 5
soggetto subject, topic
soggiorno stay 11
sogliola sole (*fish*) 7
soldi (*m. pl.*) money 7
sole: c'è il sole it's sunny 9
solito/a same old, usual 13; **di solito** usually 4; **come al solito** as usual 15
solo/a only; **da solo/a** alone 2
sommato: tutto sommato all told; in sum
sondaggio survey
sonno sleep; **avere* sonno** to be sleepy 3
soprano soprano 16
sorella sister 1
sorellastra stepsister 6
sorprendere* to surprise 16
sorpreso/a surprised 16

sostenere* un colloquio to have a job interview 17
sostituire (con) to replace (with)
sotto under
sottotitolo subtitle 10
Spagna Spain 9
spagnolo (*m.*) Spanish language 2; **spagnolo/a** Spanish 5
spalla shoulder 11
spazzola per capelli hairbrush 11
spazzolino da denti toothbrush 11
specchio mirror 11
speciale special LP; **niente di speciale** nothing special 3
specialità (*f.*) specialty
specializzarsi (a) to specialize (in) 17
specifico/a specific
spedire to send 5
spendere* (*p.p.* **speso**) to spend (*money*) 4
sperare (di) to hope (to) 14
spesa expense 8; **fare* la spesa** to shop (*for food*) 7; **fare* le spese** to shop (*for clothes, etc.*)
spesso often 4
spettacolare spectacular 12
spettacolo show 4; show business
spiaggia beach 6
spiegare to explain 11
spinaci (*m. pl.*) spinach 7
spiritoso/a wise guy 13; (*adj.*) witty, clever; **fare* lo spiritoso** to be a wise guy
spogliarsi to undress 10
sporco/a dirty
sport (*m.*) sport 1
sportivo/a pertaining to sports 11
sposarsi to get married 8; to marry each other 11
sposato/a married 2
spremuta d'arancia freshly squeezed orange juice 4
spugna sponge 11
spumante (*m.*) sparkling wine 13
spuntino snack 3; **fare* uno spuntino** to have a snack 3
squadra team 1
squillare to ring 3
squisito/a delicious 13
stabilire to establish
stabilizzare to stabilize 15
stadio stadium 3
stagione (*f.*) season 6
stamattina this morning 4
stanco/a tired 10
stanotte tonight 4

stanza room 14
stare* to be 4; to stay, be in a place 4; **come sta?** (*formal*) how are you? LP; **come stai?** (*informal*) how are you? LP; **stare per** (+ *inf.*) to be about to (*do something*)
stasera this evening 4
Stati Uniti (*m. pl.*) United States 6
stato state 15
statua statue 18
stazione (*f.*) train station 3; **stazione di servizio** service station 8; **stazione sciistica** ski resort
stella star 10
stereo stereo 1
stesso/a same 5
stilista (*m. or f.*) designer 10
stimolante challenging 17
stipendio salary 17
stirare to iron 14
stiro: ferro da stiro iron (*appliance*) 14
stivali (*m. pl.*) boots 10
stomaco stomach 11
storia history LP; story
storico/a historical
stoviglie (*f. pl.*) utensils
straniero/a foreign 9; **lingue straniere** (*f. pl.*) foreign languages 2
stressante stressful 18
stretto strait LP; **stretto/a** close, tight 17
strumento: strumento musicale musical instrument 16
studente/studentessa student LP
studiare to study 1
studio study, den 14; **studio medico** doctor's office
stupendo/a stupendous 6
stupido/a stupid 5
su on 3
subito right away, immediately 4
succedere (*p.p.* **successo**) to happen 15
sud (*f.*) south LP
sufficiente sufficient, enough 17
suggerimento suggestion 17
suggerire (di) to suggest 5
suggerito/a suggested
suocera mother-in-law 8
suocero father-in-law 8
suonare to play (*music, an instrument*) 16
supermercato supermarket 3
supporre to suppose, assume
svantaggio disadvantage 18

svegliarsi to wake up 7
sviluppo development
Svizzera Switzerland 15
svolgere* (*p.p.* **svolto**) to carry out (*an order*); **svolgere una professione (un mestiere)** to practice a profession (skilled craft) 17

T

tacchino turkey 7
taglia size (*clothing*) 10
tagliacarte (*f.*) letter opener
tagliare to cut; **tagliarsi i capelli (le unghie)** to cut one's hair (nails) 11
tamburo drum 16
tanto/a so much, so; **di tanto in tanto** every now and then 9; **tanto ... quanto** as . . . as 14
tappeto rug 14
tardare to be late
tardi late 4; **a più tardi** until later LP
tasca pocket
tassì (*m.*) taxi 18; **andare* in tassì** to go by taxi 18
tavolo table 1; **tavola** table 8; **a tavola** at the (dinner) table 8
tazza cup 13
tazzina small cup, demitasse
tè (*m.*) tea 4; **tè freddo** iced tea 4
teatro theater 3
tedesco (*m.*) German language 2; **tedesco/a** German 5
telefonare to telephone 3
telefonino cell phone 1
telefono telephone 1
telegiornale (*m.*) TV newscast 15
telegramma (*m.*) telegram
telenovella soap opera
telespettatore/telespettatrice TV viewer 15
televisione (*f.*) TV
televisivo/a televised 15
televisore (*m.*) television set 1
tema (*m.*) theme
temere to fear 16
tempo weather 9; time; **a tempo parziale** part-time; **a tempo pieno** full-time; **che tempo fa?** what's the weather like? 9; **da molto tempo** for a long time; **da quanto tempo?** for how long?; **fare bel tempo** to be nice weather 4; **fare cattivo tempo** to be bad weather

9; **molto tempo fa** a long time ago 6; **poco tempo fa** not long ago, a little while ago 6; **qualche tempo fa** some time ago 6; **quanto tempo fa?** how long ago? 6
tenda curtain 14; tent
tennis (*m.*) tennis 12
tenore (*m.*) tenor 16
teorema (*m.*) theorem
tesi (*f.*) thesis
tessuto cloth 10
testa head 11; **ti (le) fa male la testa?** do you have a headache? 11
testimoniare to witness
tifoso/a fan 12
timido/a shy, timid 5
tinta: a tinta unita solid color 10
tiramisù (*m.*) a dessert made with coffee, marscarpone cheese, cream, and chocolate 7
titolo title; headline 15
tivvù (*f.*) TV; **tivvù a pagamento** pay TV
toga toga 5
topolino mouse 6
torinese from Turin 11
tornare to return 3
torta cake 7
totalmente totally
tovagliolo napkin 13
tra between, among 3; **tra l'altro** besides
tradizione (*f.*) tradition LP
traffico traffic 2
traghetto ferry 18; **andare* in traghetto** to go by boat/ferry 18
traguardo finish line
tram (*m.*) streetcar, trolley 18; **andare* in tram** to go by trolley 18
tramezzino sandwich 4; **tramezzino al tonno** tuna sandwich 4
tranquillo/a tranquil, quiet 14
trascorrere* (*p.p.* **trascorso**) to spend (*time*) 9
trasferirsi to move (oneself) 14
trasformare to transform
trasmettere* to broadcast; to communicate (*p.p.* trasmesso)
trasmissione (*f.*) broadcast, transmission 17
trattare (di) to be about, to deal with 10; **trattarsi (di)** to be about 8; **di che si tratta?** what is it all about?

trattoria small family restaurant
tre three LP
tredici thirteen LP
tremendo/a tremendous 12
treno train 18; **andare* in treno** to go by train 18
trenta thirty 1
triste unhappy, sad 5
tristemente sadly
tromba trumpet 16
troppo too, too much 8
trovare to find 3
turismo tourism 18
turno: a turno in turn
tutto/a all 5; everything; **tutte le sere (settimane)** every evening (week) 9; **tutti** everybody 9; **tutti i giorni (mesi)** every day (month) 9; **in tutto** on the whole 7; **per tutti e due** for both 12

U

ubbidire to obey 5
ufficio office 3; **ufficio postale** post office 3
uguale equal
ultimo/a latest 6; last (*in a series*) 6
umanità (*f.*) humanity 5
umido/a humid 9
umore (*m.*) humor
umorismo humor; **senso dell'umorismo** sense of humor
undici eleven LP
Ungheria Hungary 15
unghie (*f. pl.*) nails 11
unificare to unite, unify
uniforme (*f.*) uniform 5
Unione europea (Ue) (*f.*) European Union
università (*f.*) university LP; **all'università** at the university 2
universitario/a pertaining to the university 1
uno/a one LP
uomo (uomini, *pl.*) man; **uomo d'affari** businessman 17
uovo (le uova, *f. pl.*) egg 7
usare to use 3
usato/a used
uscire* to go out 3

utenze (*f. pl.*) utilities 14
utile useful 16
uva grape(s) 7

V

vacanza vacation 6; **in vacanza** on vacation 6
vado I go 1
vai you go (*informal*) 1
valido/a valid 14
valigia suitcase 8; **fare* le valige** to pack the suitcases 8
valore (*m.*) value 15
vantaggio advantage 18
vario/a various, several
vecchio/a old 5
vedere* (*p.p.* **visto, veduto**) to see 4; **ci vediamo domani** see you tomorrow LP; **vedersi** to see each other 11
vedova widow
vela sailing 12
velluto velvet; **velluto a coste** corduroy 10
velocemente fast 6
velocità (*f.*) speed 15
vendere to sell 4
vendita sale; **in vendita** on sale 5
venerdì (*m.*) Friday 4
venire* (a) (*p.p.* **venuto**) to come (to) 5
venti twenty LP
vento: tira vento it's windy 9
veramente really 5
verde green 10
verdura green vegetables 7
verità (*f.*) truth
vero/a true 5; real; **non è vero?** isn't it true? 4; **sarà vero?** could it be true? 15
verso toward; **verso le sei** around six o'clock 3
vestire to dress 5; **vestirsi** to get dressed 7
vestito dress 5; suit 10; **vestiti** (*m. pl.*) clothing 10
vetrina store window 5
vetta peak
via street 5; **andare* via** to go away
viaggiare to travel 1
viaggio trip 8

viceversa vice-versa
vicino/a (a) near 3; **qui vicino** near here
videocassetta videocassette
videogioco video game 6
videoregistratore (*m.*) video recorder 1
villa country house 2
villeggiatura vacation; summer vacation
vincere* (*p.p.* **vinto**) to win 6
vincitore/vincitrice winner
vino wine 6
viola (*invariable*) purple 10
violino violin 16
violoncello cello 16
virgola comma
visita visit 13
visitare to visit 3
viso face 11
vista view 14
vita life 10
vitello veal 7
vittoria victory
vivace vivacious
vivere* (*p.p.* **vissuto**) to live 8
vivo/a alive; **dal vivo** live (*broadcast*) 16
vocale (*f.*) vowel
voce (*f.*) voice 5
volentieri gladly 11
volere* to want (to), wish 8
volgere (*p.p.* **volto**) to pursue
volo flight 8; **volo diretto** direct flight
volpe (*f.*) fox
volta time; **a volte** at times, sometimes 9; **due volte** twice 9; **qualche volta** sometimes 9; **questa volta** this time; **una volta** once, one time 9; **una volta (al giorno)** once (a day) 9
vongole (*f. pl.*) clams 7

Z

zaino backpack 1
zero zero LP
zia aunt 8
zio uncle 8
zona area 11
zucchero sugar 7
zucchini zucchini squash 7

English-Italian Vocabulary

The following vocabulary list contains some basic words and expressions that you may wish to use in preparing guided oral and written compositions. The definitions are limited to those used in the book. Word sets such as numbers, sports terms, adjectives of nationality, etc., can be located by referring to the index.

Abbreviations: *adj.* = adjective; *f.* = feminine; *m.* = masculine; *inv.* = invariable; *pl.* = plural.

A

abroad l'estero
accessory l'accessorio
accident l'incidente (*m.*)
acquainted: be acquainted with conoscere
action l'azione (*f.*)
activity l'attività
actor l'attore (*m.*)
actress l'attrice (*f.*)
address l'indirizzo
adequate adeguato/a
administration il governo
admittance l'adesione (*f.*)
advancement lo sviluppo
advertise fare la pubblicità
ad(vertisement) la pubblicità, l'annuncio
advertising la propaganda, la pubblicità; pubblicitario/a
advise consigliare (di); **advise against** sconsigliare
affectionately affettuosamente
afraid: be afraid of avere paura di
after, afterward dopo; **after that** poi
afternoon il pomeriggio; **in the afternoon** il pomeriggio
against contro
age l'età
agent l'agente (*m. or f.*)
ago: a little while ago poco tempo fa; **not long ago** poco tempo fa; **some time ago** qualche tempo fa; **two days ago** due giorni fa
agreed d'accordo
aid l'aiuto
air l'aria
all tutto/a

almost quasi
alone da solo/a
already già
also anche
although benché, nonostante che
always sempre
among fra, tra; **among themselves** fra (tra) di loro
amuse oneself divertirsi
amusing divertente
ancient antico/a
and e (*frequently* ed *before a vowel*)
animal l'animale (*m.*)
ankle la caviglia
announce annunciare
announcer l'annunciatore (*m.*), l'annunciatrice (*f.*)
another altro/a
answer rispondere
anthropology l'antropologia
anxiously con ansia
anyway tanto
apartment l'appartamento; **small apartment** l'appartamentino; **studio apartment** il miniappartamento
appear sembrare
apple la mela
appliances: household appliances gli elettrodomestici
application: job application la domanda d'impiego
appointment l'impegno
appreciate apprezzare
approve approvare
apricot l'albicocca
architect l'architetto
architecture l'architettura
arm il braccio (le braccia, *f. pl.*)
armchair la poltrona

armoire l'armadio
around (*time*) verso
arrival l'arrivo
arrive arrivare
art l'arte (*f.*)
artichoke il carciofo
as come; **as . . . as** tanto ... quanto; **as soon as** appena; **as usual** come al solito
ask domandare; **ask (for)** chiedere (di); **ask a question** fare una domanda
asparagus gli asparagi
at a (*frequently* ad *before a vowel*), presso
atmosphere l'atmosfera
attempt il tentativo
attend frequentare
attention l'attenzione
attractive simpatico/a
audience il pubblico
aunt la zia
authority l'autorità
automobile l'auto(mobile) (*f.*), la macchina
automotive automobilistico/a
autumn l'autunno; (*adj.*) autunnale; **in the middle of autumn** in pieno autunno
awarded assegnato/a

B

baby il bambino/la bambina
backpack lo zaino
bad cattivo/a, male; **not too bad** non c'è male; **from bad to worse** di male in peggio

baker   il panettiere/la panettiera
bakery   la panetteria
ball: masked ball   il ballo in maschera
banana   la banana
band   il complesso
bank   la banca
bar   il bar
basketball   la pallacanestro
bath: take a bath   farsi il bagno
bathroom   il bagno, la stanza da bagno
be   essere, stare; **be . . . years old** avere ... anni; **be able**   potere
beach   la spiaggia
beautiful   bello/a
because   perché; **because of**   a causa di
become   diventare
bed   il letto
bedroom   la camera da letto
beer   la birra
before   prima di, prima che
beg   pregare (di)
begin   mettersi a, cominciare (a)
being   essendo
believe   credere (di)
believable   credibile
better   meglio; migliore
between   fra, tra; **between themselves**   fra (tra) di loro
bicycle   la bicicletta; **bicycle racing** il ciclismo
big   grande
biking   andare in bicicletta
biology   la biologia
birthday   il compleanno; **happy birthday**   buon compleanno
black   nero/a
blackboard   la lavagna
blouse   la camicetta
blue   blu (*inv.*); **sky-blue**   azzurro/a
boat   la barca
boating   andare in barca
bold   audace
book   il libro
bookstore   la libreria
boots   gli stivali
boring   noioso/a
born   nato/a (*past participle*); **be born** nascere
both . . . and   sia ... che
boy   il ragazzo
boyfriend: my boyfriend   il mio ragazzo
bread   il pane
breakfast   la prima colazione

breathe   respirare
bride and groom   gli sposi
brief   breve
bring   portare
broadcast   andare in onda
broccoli   i broccoli
broth   il brodo
brother   il fratello; **brother-in-law** il cognato; **little brother**   il fratellino
brown   marrone (*inv.*), castano/a (*eyes, hair*)
brush one's teeth   lavarsi i denti
bus   l'autobus (*m.*)
business activity   l'impresa
businessman   l'uomo d'affari
businesswoman   la donna d'affari
busy   impegnato/a, occupato/a; **be busy**   avere da fare
but   ma
butcher   il macellaio/la macellaia
butter   il burro
buy   comprare, acquistare
by: by chance   per caso; **by the way** a proposito
bye (*informal*)   ciao

C

café   il bar, il caffè
cake   la torta
calculator   la calcolatrice
calendar   il calendario
call   chiamare; **phone call**   la telefonata
called: be called   chiamarsi
calm   calmo/a
can   potere
can opener   l'apriscatole (*m.*)
candidate   il candidato
capable   bravo/a
capital   la capitale; **capital of a region**   il capoluogo
car   la macchina
card: birthday card   la cartolina di buon compleanno; **telephone card** la carta telefonica
career   la carriera
carefree   disinvolto/a
careful   prudente
cartoon   il cartone animato
carrot   la carota
case   il caso; **in case (that)**   in caso che
cassette   la cassetta
cathedral   il duomo, la cattedrale
cause   causare; la causa

cautious   prudente
ceiling   il soffitto
celebrate   festeggiare
celebrity   il personaggio
cellar   la cantina
cell phone   il cellulare, il telefonino
cent   il centesimo
central   centrale
certain   certo/a
certainly   certo
chair   la sedia
chance: by chance   per caso
change   cambiare; il cambiamento; **change one's mind**   cambiare idea
chant   il canto
character (*in a play*, *opera*, etc.)   il personaggio
cheap   a buon mercato
check the oil (tires)   controllare l'olio (le gomme)
checkered   a quadri
cheer up!   coraggio!
cheese   il formaggio
chemistry   la chimica
cherry   la ciliegia
chest of drawers   il comò
child   il bambino/la bambina; **children**   i figli
choice   la scelta
choose   scegliere
church   la chiesa
cinema   il cinema
citizen   il cittadino/la cittadina
city   la città; (*adj.*) cittadino/a; **city hall**   il municipio, il comune
civil   civile
clandestine   clandestino/a
classic   classico/a
classical   classico/a
classmate   il compagno/la compagna di classe
classroom   l'aula
clean   pulire; pulito/a
clear   chiaro/a, lampante; **clear** (*weather*) sereno/a; **clear the table** sparecchiare la tavola
clearly   chiaramente
clerk   l'impiegato/l'impiegata
climate   il clima
close   chiudere
closet   il guardaroba, l'armadio
cloth   il tessuto
clothes   il vestiario; **clothes dryer** l'asciugatrice (*f.*)
clothing   gli articoli di abbigliamento

cloudy   nuvoloso/a
coat   il cappotto
coffee   il caffè
cold: be cold (*person*)   avere freddo;
   be (quite) cold (*weather*)   fare
   (abbastanza) freddo
color   il colore; **solid color**   a
   tinta unita
comb   il pettine; **comb one's hair**
   pettinarsi i capelli
come   venire
comedy   la commedia
comfortable   comodo/a
commercial   la pubblicità
company   la compagnia
compete   fare le gare
competition   la gara
complete   compiere
computer   il computer; **computer
   science**   l'informatica
concert   il concerto
conclude   concludere
conclusion   la conclusione
confectioner   il pasticciere/la
   pasticciera; **confectioner's shop**
   la pasticceria
confused   confuso/a
confusion   la confusione
congratulations!   complimenti!
constitution   la costituzione
content: be content   accontentarsi
contest   il concorso
continue   continuare (a), proseguire
continuously   in continuazione
contrast   il contrasto, il paragone
control   il controllo
convince   convincere
cook   cucinare; il cuoco/la cuoca
cool   fresco; **be cool** (*weather*)
   fare fresco
cost   costare; **how much does it
   cost?**   quanto costa?
costume   il costume
cotton   il cotone
country   il paese; la campagna
couple   la coppia
course   il corso
courteous   gentile
cousin   il cugino/la cugina
crisis   la crisi
cup   la tazza
curious   curioso/a
curtain   la tenda
customer   il/la cliente
cut one's hair (nails)   tagliarsi i
   capelli (le unghie)
cute   carino/a

D

dairy   la latteria
dance   ballare; la danza; **to dance**
   (*a little*)   fare quattro salti
daring   audace
daughter   la figlia; **daughter-in-law**
   la nuora
dawn   l'alba
day   la giornata; **day after tomorrow**
   dopodomani; **day before yesterday**
   l'altro ieri
deal: deal with   trattare di
dear   caro/a
decade   il decennio
decide   decidere (di)
decision   la decisione; **make a
   decision**   prendere una decisione
degree candidate   il laureando/la
   laureanda
delicatessen   la salumeria;
   delicatessen owner   il salumiere/la
   salumiera
den   lo studio
dentist   il/la dentista
depart   partire
departure   la partenza
depends: that depends   dipende
descend   scendere
desk   la scrivania
dessert   il dolce
development   lo sviluppo
dictator   il dittatore
dictionary   il dizionario
die   morire
difficult   difficile
diminish   diminuire
dinner   il pranzo
director: movie director   il/la regista
dirty   sporco/a
discotheque   la discoteca
discuss   discutere
discussion   la discussione
dish   il piatto; **main dish**   il primo
   piatto
dishonest   disonesto/a
dishwasher   la lavastoviglie
dislocate   slogarsi
displeasure   il dispiacere
distinct   netto/a
divorce   divorziare
divorced   divorziato/a
do   fare; **do without**   fare a meno di
doctor   il medico, il dottore/la
   dottoressa
documentary   il documentario
door   la porta

doorman   il portiere
down there   laggiù
downtown   il centro; il centro
   commerciale
drama   il dramma
dress   il vestito; l'abito; vestire;
   vestirsi
dressed: get dressed   vestirsi
drink   bere; la bevanda
drinking glass   il bicchiere
drive   guidare
dry one's face (hands)   asciugarsi la
   faccia (le mani)
dryer: hair dryer   l'asciugacapelli
   (*m.*); **clothes dryer**   l'asciugatrice
   (*f.*)
dubbed   doppiato/a
due to   dovuto a
dynamic   dinamico/a

E

each   ogni
ear   l'orecchio
early   presto; **be early**   essere in
   anticipo
earn   guadagnare; **earn one's living**
   guadagnarsi la vita
easy   facile
eat   mangiare
ecology   l'ecologia
economic   economico/a
economics   l'economia
efficacious   efficace
egg   l'uovo (le uova, *f. pl.*)
elbow   il gomito
election   l'elezione (*f.*)
electrician   l'elettricista (*m. or f.*)
elegant   elegante
e-mail   la posta elettronica; **e-mail
   address**   l'indirizzo elettronico
employed   occupato/a
employment   l'impiego,
   l'occupazione (*f.*)
energetic   dinamico/a
engaged   impegnato/a; **become
   engaged**   fidanzarsi
engineering   l'ingegneria
enjoy oneself   divertirsi (a)
enough: it's enough   basta; **that's
   enough**   basta così
enter   entrare
environment   l'ambiente (*m.*)
euro (*European currency*)   l'euro
European   europeo/a
even: even though   benché,
   nonostante che, sebbene

evening la sera, la serata; **good evening** buona sera; **in the evening** la sera; **this evening** stasera
event l'avvenimento
ever mai
every (single) ogni; **every day (month)** tutti i giorni (mesi)
everybody tutti
everyone tutti
everything tutto
everywhere dappertutto; **everywhere else** altrove
exaggerate esagerare
exam l'esame (*m.*)
example l'esempio
exceptional eccezionale
excessive eccessivo/a
exchange lo scambio
excited emozionato/a
excuse la scusa; **excuse me** scusa, (*formal*) scusi
executive il/la dirigente
exhibit la mostra
expensive caro/a
experience provare; l'esperienza
expert l'esperto; **be an expert in** intendersi di
explain spiegare
express esprimere
exquisite squisito/a
eye l'occhio

F

fabric il tessuto
face il viso; la faccia
fact: in fact, as a matter of fact infatti
factory la fabbrica
fall: fall asleep addormentarsi; **fall in love** innamorarsi
family la famiglia
famous famoso/a
far from lontano/a da
fashion la moda
fashionable alla moda
fast velocemente
fat grasso/a
father il padre; **father-in-law** il suocero
favorite preferito/a
fear temere (di)
feel provare, sentire, sentirsi; **feel like (doing something)** avere voglia di (+ *infinitive*)
festival il festival
fever la febbre

few pochi/e
fill it up fare il pieno
film festival la mostra cinematografica
final finale
finally finalmente
financial finanziario/a
find trovare
fine bene
finger il dito (le dita, *f. pl.*) della mano
finish finire (di)
fire (*from a job*) licenziare
fireplace il camino
firm (business) la ditta
first primo/a; **first of all** innanzi tutto
fish il pesce; **fish market** la pescheria; **fish vendor** il pescivendolo/la pescivendola
fit (*shoes, gloves*) calzare
fix aggiustare
floor il pavimento, il piano
foggy: it's foggy c'è la nebbia
follow seguire
food il cibo
foolish sciocco/a
foot il piede
for per
foreign straniero/a
forget dimenticare, dimenticarsi (di)
fork la forchetta
fortunate fortunato/a
fortunately per fortuna
forward avanti
free libero/a
freely liberamente
fresh fresco/a
friend l'amico/l'amica
from da, da parte di, di (*frequently* **d'** *before a vowel*); **from time to time** di quando in quando
front: in front of davanti a
fruit la frutta; **fruit vendor** il fruttivendolo/la fruttivendola
full pieno/a
furniture i mobili
future il futuro

G

game la partita
garage il garage
garlic l'aglio
gasoline la benzina
gather riunirsi
gaudy sgargiante

general generale
generally generalmente
geology la geologia
get: get off/down scendere; **get ready** prepararsi (per); **get up** alzarsi, prendere
girl la ragazza
girlfriend: my girlfriend la mia ragazza
give dare; **give back** restituire
given dato/a
glad contento/a
gladly volentieri
glass: drinking glass il bicchiere
gloves i guanti
go andare, recarsi; **go around** girare; **go away** andare via; **go by bicycle** andare in bicicletta; **go by boat** andare in barca; **go by bus** andare in autobus; **go by car** andare in macchina; **go by motorcycle** andare in moto(cicletta); **go by plane** andare in aereo; **go by ship** andare con la nave; **go by taxi** andare in tassì; **go by train** andare in treno; **go by tram** andare in tram; **go horseback riding** andare a cavallo; **go on an excursion** fare una gita; **go on foot** andare a piedi; **go on vacation** andare in vacanza; **go skating** andare a pattinare; **go skiing** andare a sciare; **go to the country** andare in campagna; **go to the mountains** andare in montagna; **go to the seashore** andare al mare; **go out** uscire
good bene, bravo/a, buono/a
good-bye arrivederci; (*formal*) arrivederla
government il governo
graduate laurearsi
granddaughter la nipote
grandfather il nonno
grandmother la nonna
grandson il nipote
grainy ice cream la granita
grapefruit il pompelmo
grapes l'uva
gray grigio/a
great grande; ottimo!; **just great!** benissimo!
green verde
greet salutare; **greet each other** salutarsi
group il gruppo; **musical group** il complesso

guest l'invitato/a
guitar la chitarra
guitarist il/la chitarrista
gymnasium la palestra

H

hair i capelli; **hair dryer** l'asciugacapelli (*m.*)
hairbrush la spazzola per capelli
hall la sala
ham: cured ham il prosciutto
hand la mano (le mani, *f. pl.*)
handbag la borsa
handsome bello/a
happen succedere, capitare; **what happened?** che cosa è successo?
happy allegro/a, contento/a, felice
hat il cappello
hate each other odiarsi
have avere; **have** (*to eat, to drink*) prendere; **have a good time** divertirsi (a); **have a job interview** sostenere un colloquio; **have breakfast or lunch** fare colazione; **have the time to** avere il tempo di; **have to** dovere
head la testa
hear sentire
heating il riscaldamento
hello buon giorno; (*response on the phone*) pronto?
help aiutare; l'aiuto; **help each other** aiutarsi
hi ciao
high alto/a
hire assumere
history la storia
hold tenere
homemaker la casalinga
hope sperare (di), augurarsi; **let's hope so** speriamo di sì
horror l'orrore (*m.*)
hors d'oeuvre l'antipasto
horseback riding l'equitazione (*f.*)
hospital il policlinico, l'ospedale (*m.*)
hot: be hot (*weather*) fare caldo
hotel l'albergo
hour l'ora; **one hour ago** un'ora fa
house la casa; **country house** la villa
household appliances gli elettrodomestici
how come; **how are you?** come stai?, (*formal*) come sta?; **how many?** quanti/e?; **how many times?** quante volte?; **how much?** quanto/a?; **how much is it?** quanto costa?

however comunque, però
hug abbracciare
human body il corpo umano
hungry: be hungry avere fame
hurry affrettarsi; **be in a hurry** avere fretta
hurt fare male
husband il marito

I

ice cream il gelato; **ice cream parlor** la gelateria
idea l'idea
if se
image l'immagine (*f.*)
immediate immediato/a
immediately subito
important importante, notevole
impossible impossibile
improbable improbabile
in in
inexpensive a buon mercato
information l'informazione (*f.*)
insincere falso/a
instead (of) invece di
institution l'istituzione (*f.*)
intelligent intelligente
intend to avere intenzione di
interested: be interested (in) interessarsi
international internazionale
interpreter l'interprete (*m. or f.*)
interview intervistare; il colloquio
introduce fare conoscere, presentare
invite invitare (a)
invited invitato/a
iron (*appliance*) il ferro da stiro; stirare
itself stesso/a

J

jacket la giacca
jeans i jeans
job il posto (di lavoro), l'impiego; **job application** la domanda d'impiego; **job interview** il colloquio
joke scherzare
journalist il/la giornalista
joy l'allegria
just proprio

K

keep tenere
kind gentile
king il re
kitchen la cucina

knee il ginocchio (le ginocchia, *f. pl.*)
knife il coltello
know conoscere; **know (how)** sapere; **know by heart** sapere a memoria
known conosciuto/a, noto/a

L

lake il lago
lamb l'agnello
lamp la lampada
language: foreign languages le lingue straniere
large grande
last scorso/a; (*in a series*) ultimo/a; **at last** finalmente
late: I'm late sono in ritardo
later: until later a più tardi
latest ultimo/a
law la legge
lawyer l'avvocato
lazy pigro/a
leaflet il volantino
learn apprendere; imparare (a)
least: at least almeno
leather il cuoio, la pelle; **made of leather** di cuoio
leave partire, andare via; **leave** (*behind*) lasciare
left sinistro/a
leg la gamba
lemon il limone; **lemon soda** la limonata
lemonade la limonata
lend prestare
letter la lettera
lettuce la lattuga
library la biblioteca
license: driver's license la patente di guida
life la vita
light la luce; leggero/a
like come; piacere
listen sentire; **listen (to)** ascoltare; (*command*) senti
listening l'ascolto
literary letterario/a
literature la letteratura
little piccolo/a; **very little** ben poco, pochissimo/a
live abitare; vivere; **live together** convivere
live (*TV, radio*) in diretta
living il vivere; **living room** il salotto
loan prestare

lobster l'aragosta
local locale
long lungo/a
look (at) guardare; **look (for)** cercare; **look at oneself in the mirror** guardarsi allo specchio
lose perdere
lottery la lotteria
love l'amore (*m.*); **fall in love** innamorarsi; **love each other** amarsi
lower (*verb*) abbassare
luck la fortuna; **bad luck** la sfortuna
lucky: be lucky avere fortuna
lunch (*main meal at noon*) il pranzo

M

ma'am signora
magazine la rivista
magnificent magnifico/a
mail spedire; la posta
majority la maggior parte
make fare; rendere; **make a date** fissare un appuntamento; **make plans** fare programmi; **make purchases** fare acquisti; **make reservations** prenotare; **make sure** fare in modo
man l'uomo (gli uomini, *pl.*)
manage gestire
management la gestione
manager il funzionario, il direttore/la direttrice
managerial gestionale
many molti/e
market il mercato; **open-air market** il mercato all'aperto
married sposato/a
marry (get married) sposarsi
marvelous meraviglioso/a
mask la maschera
masquerade party la festa mascherata
match l'incontro; la gara
mathematics la matematica
maybe forse
meal il pasto
meaning il significato
means of transportation i mezzi di trasporto
meantime: in the meantime intanto, nel frattempo
meanwhile intanto
meat la carne (*f.*)
mechanic il meccanico
medicine la medicina
meet incontrare, riunirsi; **meet (each other)** incontrarsi

message il messaggio
midnight mezzanotte
military il militare
milk il latte
milkman il lattaio/la lattaia
million il milione
mind dispiacere; **do you mind if . . . ?** ti dispiace se ... ?; **have in mind** avere in mente; **if you don't mind** se non ti dispiace
minister il ministro; **Prime Minister** Presidente del Consiglio
mirror lo specchio
misfortune il dispiacere, la sfortuna
Miss signorina
mix-up: a little mix-up un po' di confusione
modern moderno/a
moment il momento
monarchy la monarchia
money i soldi, il denaro
month il mese
monument il monumento
more più; **more . . . than** più ... di
morning la mattina, il mattino; **good morning** buon giorno; **in the morning** la mattina; **this morning** stamattina
most: for the most part per lo più
mother la madre; **mother-in-law** la suocera
motorcycle la moto(cicletta)
mountain: in (to) the mountains in montagna; **mountain climbing** l'alpinismo
mouth la bocca
move trasferirsi
movie il cinema; **movie director** il/la regista
Mr. signor + *last name*
Mrs. signora + *last name*
much molto; **too much** troppo
muggy afoso/a
museum il museo
mushrooms i funghi
music la musica
musical (*adj.*) musicale; **musical group** il complesso
musician il/la musicista
must dovere
my mio/a

N

name (*first*) il nome; (*last*) il cognome; **brand name** la marca; **what's your name?** come ti chiami?; (*formal*) come si chiama?

named: be named chiamarsi
napkin il tovagliolo
nation la nazione
national nazionale
nature la natura
near vicino a
necessary necessario/a
neck il collo
need avere bisogno di; il bisogno
neighborhood le vicinanze, il vicinato; **neighborhood market** il mercato rionale
neither . . . nor non ... né ... né
nephew il nipote
nervous nervoso/a
never non ... mai
nevertheless nonostante ciò
new nuovo/a
news le notizie; **news** (*one item*) la notizia; **newscaster** (*TV and radio*) l'annunciatore (*m.*); l'annunciatrice (*f.*)
newspaper il giornale
next prossimo/a
nice bello/a, carino/a, simpatico/a; **be nice** (*weather*) fare bel tempo
niece la nipote
night la notte; **at night** la notte, di notte; **good night** buona notte
no no; **no longer** non ... più; **no more** non ... più; **no one** nessuno, non ... nessuno
noise il rumore
none niente
noon mezzogiorno
nose il naso
not non; **not any** non ... nessuno; **not at all** non ... affatto; **not even** non ... neanche, non ... nemmeno, non ... neppure; **not ever** non ... mai; **not too bad** non c'è male; **not yet** non ... ancora
notebook il quaderno
nothing niente; non ... niente, non ... nulla; **nothing special** niente di speciale
novel il romanzo
now adesso, ora; **by now** ormai

O

obey ubbidire
obtain ottenere
occasion l'occasione (*f.*)
occupation l'occupazione (*f.*)
occupied occupato/a
of di (*frequently* d' *before a vowel*); **of course** certo

offer offrire
office l'ufficio; **post office** l'ufficio postale
often spesso
OK d'accordo, va bene
old antico/a, anziano/a, vecchio/a
older maggiore
olive oil l'olio d'oliva
on su
once: every once in a while ogni tanto; **just once** una volta tanto; **once a day** una volta al giorno; **once again** ancora una volta; **once in a while** ogni tanto
oneself se stesso/a
onion la cipolla
only solo
open aprire
opera l'opera
opinion l'opinione (*f.*)
opposite opposto/a
optimistic ottimista (*inv. in the singular*)
or o
orange (*color*) arancione (*inv.*); (*fruit*) l'arancia; **orange juice** (*freshly squeezed*) la spremuta d'arancia; **orange soda** l'aranciata
orchestra l'orchestra
order (*food*) ordinare; **in order that** affinché, di modo che, perché
orders: to give orders dare ordini
organize organizzare
organized organizzato/a
original originale
other altro/a
outdoors all'aperto
outside fuori
overcoat il cappotto

P

painting il quadro; la pittura
pair il paio (le paia, *f. pl.*)
panorama il panorama
pants i pantaloni
paper: piece of paper il foglio di carta
parents i genitori
park parcheggiare; il parco, il giardino pubblico
parking: pay parking il parcheggio a pagamento
parliament il parlamento
parlor: ice cream parlor la gelateria

part: on the part of da parte di
particularly particolarmente
party la festa
pass the butter (salt, pepper) passare il burro (sale, pepe)
passion la passione
pasta la pasta
patience: a little patience un po' di pazienza
patient: be patient avere pazienza
pay il salario; **pay (for)** pagare; **pay back** ripagare
peace la pace
peach la pesca
pear la pera
pen la penna
pencil la matita
people la gente, il popolo
pepper il pepe, il peperone
per kilo (*metric weight*) al chilo
perfect perfetto/a
performer l'interprete (*m. or f.*)
perhaps forse
period il periodo
permit permettere (di)
person la persona
personnel il personale
pessimistic pessimista (*inv. in the singular*)
pharmacist il/la farmacista
pharmacy la farmacia
philosophy la filosofia
phone call la telefonata
photograph la foto(grafia)
photographer il fotografo
photography la fotografia
physics la fisica
pianist il/la pianista
piano il pianoforte
pick up: I'll pick you up (*informal*) passo a prenderti
pineapple l'ananas (*m.*)
pink rosa (*inv.*)
pizza la pizza; **pizza parlor** la pizzeria
place mettere; il luogo, il posto
plan programmare
plane l'aereo
play (*a game*) giocare; **play** (*music*) suonare; **play basketball** giocare a pallacanestro; **play soccer** giocare a pallone; **play tennis** giocare a tennis; **play volleyball** giocare a pallavolo
playing field il campo da gioco
pleasant simpatico/a

please piacere; per favore, per piacere, prego
pleased: I'm very pleased to meet you (*informal*) mi fa molto piacere (di) conoscerti
pleasing: be pleasing piacere
pleasure il piacere
pocket la tasca; **in his/her pocket** in tasca
poem il poema
political politico/a; **political science** le scienze politiche
pollute inquinare
pollution l'inquinamento
polyester il poliestere
pool la piscina
poor povero/a; **poor thing** poverino/a
pork il maiale
position il posto
possess (*something*) avere
possibility la possibilità
possible possibile
potato la patata
practical pratico/a
precise preciso/a
prefer preferire
preferable preferibile
prepare preparare
present presentare
president il/la presidente
pretty carino/a
price il prezzo; **what prices!** che prezzi!
probable probabile
probably probabilmente
problem il problema
profession il mestiere, la professione
professor il professore/la professoressa
program il programma
promise promettere
proper opportuno/a, dovuto/a
provided that purché
psychology la psicologia
purchase acquistare; l'acquisto
purple viola (*inv.*)
put mettere; **put on** (*clothing*) mettersi, indossare

Q

qualification la qualifica
quarrel (*verb*) litigare
queen la regina
quit (*a job*) licenziarsi

R

radio la radio; (*adj.*) radiofonico/a
rain piovere
raincoat l'impermeabile (*m.*)
raise alzare
rarely raramente
rather piuttosto
razor (*electric*) il rasoio (elettrico)
read leggere; **read again** rileggere
real vero/a
reality la realtà
really davvero; proprio; veramente
receive ricevere
recently recentemente
record registrare; il disco
recorder: video recorder il videoregistratore
red rosso/a
refrigerator il frigo(rifero)
relatives i parenti (*pl.*)
remain restare, rimanere
remainder il resto
remember ricordare, ricordarsi (di)
remind ricordare
rent affittare; **rent a car** noleggiare un'automobile
representative il deputato, il rappresentante
republic la repubblica
require richiedere
reservation la prenotazione
reserve prenotare
reserved riservato/a
respond rispondere
rest riposarsi
restaurant il ristorante
retailer il rivenditore
return restituire; tornare; **many happy returns!** cento di questi giorni!
revival: to have a revival essere in ripresa
rice il riso
rich ricco/a
right giusto/a; destro/a; **be right** avere ragione; **right away** subito
romantic romantico/a
room la camera, la stanza; **dining room** la sala da pranzo; **living room** il salotto
rude sgarbato/a

S

sad triste
sailing la vela

salami il salame
salary lo stipendio
sale la vendita; **on sale** in vendita
salt il sale
same stesso/a; **just the same** lo stesso; **same old** solito/a
sandwich: ham sandwich il panino al prosciutto; **tuna sandwich** il tramezzino al tonno
Sardinian sardo/a
save risparmiare; salvare
say dire (di)
scarf la sciarpa
scene la scena
scenery lo scenario
schedule l'orario
school: (Italian high school) il liceo
science: natural science le scienze naturali; **science fiction** la fantascienza
scientific scientifico/a
scissors le forbici
sea il mare; **at the seashore** al mare
season la stagione
seat il posto
second secondo/a
see vedere; **see each other** vedersi; **see you tomorrow** ci vediamo domani
seek cercare
seem sembrare; **it seems to me** mi sembra
see-saw l'altalena
seldom di rado
selfish egoista (*inv. in the singular*)
self-possessed disinvolto/a
sell vendere
senate il senato
senator il senatore
send mandare, spedire; **send back** rimandare
serious serio/a
seriousness la gravità
serve servire
set (*time*) stabilire; **set the table** apparecchiare la tavola
sew cucire
shame: what a shame che peccato!
sharp netto/a
ship la nave
shirt: man's shirt la camicia
shoes le scarpe
shop (*for food*) fare la spesa
short basso/a
shortly fra poco
shoulder la spalla

show mostrare; lo spettacolo
shower la doccia; **take a shower** farsi la doccia
shrimp gli scampi
shy timido/a
silk la seta
simple semplice
since siccome
sincere sincero/a
sing cantare
singer il/la cantante
sir signore
sister la sorella; **little sister** la sorellina; **sister-in-law** la cognata
situation la situazione
size (*clothing*) la taglia; (*clothing, shoes*) la misura
skate pattinare
skating il pattinaggio; **go skating** andare a pattinare
ski sciare; lo sci; **go skiing** andare a sciare
skirt la gonna
sleep dormire
sleepy: be sleepy avere sonno; **be very sleepy** morire di sonno
sleeve: with long (short) sleeves con le maniche lunghe (corte)
slowly lentamente
small piccolo/a
snow nevicare; la neve
so dunque; **so that** affinché, di modo che, perché
soap il sapone
soccer il calcio, il pallone
sociology la sociologia
socks i calzini (*pl.*)
sofa il divano
softly piano
sole (*fish*) la sogliola
some alcuni/e
something qualcosa
sometimes qualche volta
son il figlio; **son-in-law** il genero
song la canzone, il canto
soon: as soon as appena; **as soon as possible** al più presto, quanto prima; **quite soon** ben presto; **see you soon** a presto
sorry: be sorry dispiacere; **I'm sorry** mi dispiace
so-so così così
soup la minestra; **vegetable soup** il minestrone
spaghetti gli spaghetti; **carbonara style** gli spaghetti alla carbonara

speak parlare; **speak to each other** parlarsi

spectacular spettacolare

spend (*time*) passare; **spend** (*time/money*) spendere

spinach gli spinaci

spoon il cucchiaio

sport lo sport

sporting sportivo/a

sporty sportivo/a

spring la primavera; (*adj.*) primaverile

stadium lo stadio

stairs le scale

star la stella

start mettersi (a), cominciare (a); **start an argument** fare polemica

state lo stato; (*adj.*) statale

station la stazione; **gas station** la stazione di servizio

statue la statua

stay alloggiare, restare, rimanere; il soggiorno

steak la bistecca

stereo lo stereo

still ancora, pure

stomach lo stomaco

stop fermare, fermarsi

store il negozio

story la storia; **short story** il racconto

strawberry la fragola

street la via, la strada; **on the street** per strada

streetcar il tram

string beans i fagiolini

striped a righe

strive cercare (di)

student lo studente/la studentessa

study studiare; lo studio

stupid stupido/a

subtitle il sottotitolo

subway la metropolitana

succeed riuscire (a)

successfully con successo

suffer soffrire

suggest suggerire

suggestion il suggerimento

suit il vestito

suitcase la valigia (le valige, *pl.*)

sultry (*weather*) afoso/a

summer l'estate (*f.*); (*adj.*) estivo/a

sunny: it's sunny c'è il sole

supermarket il supermercato

supper la cena

support aderire, sostenere

surprised sorpreso/a

sweater la maglia, il maglione

sweet il dolce

swift veloce

swim nuotare

swimming il nuoto; **swimming pool** la piscina

system il sistema

T

table il tavolo; **at the (dinner) table** a tavola

take prendere; **take** (*courses*) seguire; **take off** (*clothing*) levarsi; **take part in** aderire (a); **take pictures** fare fotografie; **take place** avere luogo; **take the subway** prendere la metropolitana

tall alto/a

taxi il tassì

tea il tè; **iced tea** il tè freddo

teach insegnare (a)

team la squadra

teaspoon il cucchiaino

telegram il telegramma

telephone telefonare; il telefono; (*adj.*) telefonico/a; **cellular telephone** il cellulare, il telefonino

televised televisivo/a

television la televisione; (*adj.*) televisivo/a; **television set** il televisore; **television viewer** il telespettatore/la telespettatrice

tell dire, raccontare

tennis court il campo da tennis

tenor il tenore

terrible pessimo/a

thank ringraziare; **thank you** grazie

that che; quello; **that one** quello; **that which** quello che

theater il teatro

theme il tema

then allora, dunque, poi

there ci, là, lì; **there are** ecco, ci sono; **there is** c'è, ecco

therefore quindi, perciò

thin magro/a

thing la cosa

think credere (di); **think (of, about +** *verb*) pensare (di); **think (of, about + noun**) pensare (a); **I don't think so** credo di no; **I think so** credo di sì

thirsty: be thirsty avere sete

this ciò; questo/a; **this one** questo

thriller il film giallo

throat la gola

ticket il biglietto; **ticket office** la biglietteria

tie (*necktie*) la cravatta

time il tempo; la volta; **a long time ago** molto tempo fa; **at the same time** allo stesso tempo; **at times** a volte; **at what time?** a che ora?; **be on time** essere puntuale; **departure time** l'ora della partenza; **for the first time** per la prima volta; **for the time being** al momento; **full-time** a tempo pieno; **part-time** a tempo parziale; **what time is it?** che ore sono?

timid timido/a

tired stanco/a

title il titolo

to a (*frequently* ad *before a vowel*)

today oggi

toe il dito (le dita, *f. pl.*) del piede

together insieme; **all together** in tutto

tomato il pomodoro

tomorrow domani; **starting tomorrow** da domani; **until tomorrow** a domani

tonight stanotte

too anche; troppo

tooth il dente

toothbrush lo spazzolino da denti

toothpaste il dentifricio

topic il soggetto

total totale

tourism il turismo

toward verso

towel l'asciugamano

town: small town il paese, la cittadina

trade il mestiere; **what's your trade?** che mestiere fa (fai)?

traffic il traffico

trail la pista

train il treno

tranquil calmo/a, tranquillo/a

travel viaggiare; **travel agency** l'agenzia di viaggi

trip il viaggio

trolley il tram

trousers i pantaloni

truck il camion, l'autocarro

true vero/a

tuna il tonno

turn: turn off (*TV, radio*) spegnere; **turn on** accendere

TV la tivvù; **color TV** il televisore a colori; **TV channel** il canale televisivo; **TV network** la rete televisiva; **TV news** il telegiornale; **TV program** la trasmissione televisiva; **TV viewer** il telespettatore/la telespettatrice
type il tipo

U

ugly brutto/a
uncle lo zio
understand capire, comprendere
undertake intraprendere
undress spogliarsi
unemployed disoccupato/a
unforgettable indimenticabile
unfortunate sfortunato/a
unhappy infelice
united unito/a
university l'università; universitario/a; **university degree** la laurea
unknown sconosciuto/a
unless a meno che
unlucky sfortunato/a
unoccupied disoccupato/a
unpleasant antipatico/a
until fino a; **until now** finora
use usare
useful utile
useless inutile
usual: as usual come al solito
usually di solito
utensils le stoviglie (*f. pl.*)

V

vacation: on vacation in vacanza; **summer vacation** la villeggiatura; **vacation days** i giorni (*pl.*) di ferie
vacuum cleaner l'aspirapolvere (*m.*)
value il valore
various vario/a
veal il vitello
vegetables: green vegetables la verdura
velvet il velluto
vendor il rivenditore
video game il videogioco
video recorder il videoregistratore
videocassette la videocassetta
violin il violino
visit visitare; la visita

voice la voce
volleyball la pallavolo
voter l'elettore (*m. or f.*)
voyage il viaggio

W

wage il salario
wait (for) aspettare; **wait a minute** aspetta un minuto
waiter il cameriere
waiting l'attesa
wake up (*oneself*) svegliarsi
walk: take a walk fare una passeggiata
wall la parete
wallet il portafoglio
want desiderare; volere
wardrobe l'armadio
warm: be warm (*person*) avere caldo; **be warm** (*weather*) fare caldo
wash oneself lavarsi; **wash one's hands (face)** lavarsi le mani (la faccia)
washing machine la lavatrice
watch guardare; l'orologio
water (mineral) l'acqua (minerale)
way: that way così; **there's no way** non c'è modo
wear indossare
weather il tempo; **it's bad weather** fa cattivo tempo; **it's nice weather** fa bel tempo; **What's the weather forecast today?** Quali sono le previsioni del tempo di oggi?; **What's the weather like there?** Che tempo fa lì?
week la settimana
weekend il fine settimana
well allora; **(quite) well** (abbastanza) bene; **very well** molto bene
what ciò che; **what?** che cosa? (cosa?); **what are you up to today?** che cosa fai di bello oggi?; **what happened?** che cosa è successo?; **what is . . . like?** com'è . . . ?; **what is it?** che cos'è? **what's playing?** cosa è in programma?
when(ever) quando
when? quando?
where? dove?; **where are you** (*formal*) **from?** di dov'è?; **where is he/she from?** di dov'è?

which? qual/e?; **which one?** quale?
while mentre
who? chi?; **who else?** chi altro?
whom: to whom: a chi?; **with whom?** con chi?
why? perché?
wife la moglie
willingly volentieri
win vincere
window la finestra; **store window** la vetrina
windy: to be (very) windy tirare (molto) vento
wine il vino
winter l'inverno; (*adj.*) invernale
wish desiderare, volere; **wish (someone) well** fare gli auguri
wishes: best wishes! auguri! (*m. pl.*), tanti auguri!
with con
without senza che; **without a doubt** senza dubbio
woman la donna
wool la lana
work lavorare; **work** (*literary or artistic*) l'opera; **what work do you do?** che lavoro fa (fai)?
worker (*blue-collar*) l'operaio/l'operaia
world (*adj.*) mondiale; **working world** il mondo del lavoro
worry preoccuparsi (di); **don't worry** non ti preoccupare, non si preoccupi
worse peggio, peggiore; **from bad to worse** di male in peggio; **worse than ever** peggio che mai
write scrivere; **write to each other** scriversi
writer lo scrittore/la scrittrice
wrong: be wrong avere torto

Y

year anno; **be . . . years old** avere . . . anni
yellow giallo/a
yes sì
yesterday ieri
young giovane, giovanile
younger minore

Z

zone la zona

Index

Credits

Text: p. 101, From *I viaggi di Repubblica*, 18 March 2004; pp. 379–380, From *I viaggi di Repubblica*, 8 April 2004; pp. 384 (top) and 387, From *L'Espresso*, 29 July 2004; p. 404, Giacomo Leopardi, *Canti Superbur Classici*, RCS Libri S.p.A., Milano, 2002, p. 134.

Photographs: p. 1, © Amasio & Cavicchioni/Grazia Neri; p. 3, © David R. Frazier Photolibrary; p. 4, © Beryl Goldberg; p. 5, © Index Stock Imagery; p. 7, © Vincent DeWitt/Stock Boston; p. 13, © Vince Streano/Stone/Getty; p. 17, © Elizabeth Garvey; p. 18, © Palmer & Brilliant; p. 18, © Kevin Galvin; p. 21, © Massimo Sestini/Grazia Neri; p. 34, © Andrew Brilliant; p. 36, © David R. Frazier Photolibrary; p. 36, © Phyllis Picardi/Stock Boston; p. 38, © Decoux/REA/Saba; p. 39, © David R. Frazier Photolibrary; p. 39, © Giuseppe Mastrullo/Grazia Neri; p. 41, © Beryl Goldberg; p. 56, © Beryl Goldberg; p. 57, © Owen Franken/Stock Boston; p. 58, © Elizabeth Garvey; p. 60, © Beryl Goldberg; p. 64, © C. Cerchioli/Grazia Neri; p. 69, © Palmer & Brilliant; p. 75, © David Frazier/Photo Edit; p. 77, © Thomas Ernsting/Bilderberg/Aurora/IPNStock; p. 77, © Carol Barrington/IPNStock; p. 78, © Robert Harding Picture Library; p. 80, © Mimmo Jodice/CORBIS; p. 83, © Kevin Galvin; p. 100, © Jeanetta Baker/Leo de Wys Inc./eStock Photography; p. 101, © CuboImages srl/Alamy; p. 102, © Mike Kipling Photography/Alamy; p. 103, © David Lees/CORBIS; p. 105, © Beryl Goldberg; p. 121, © G. Rossenbach/zefa/CORBIS; p. 122, © Hugh Rogers; p. 124, © Carol Havens/Stone/Getty; p. 125, © Mike Mazzaschi/Stock Boston; p. 127, © Beryl Goldberg; p. 137, © Kevin Galvin; p. 148, © Hazel Hankin/Stock Boston; p. 150, © Kevin Galvin; p. 153, © Roberto Ponti/Grazia Neri; p. 169, © Dallas & John Heaton/Stock Boston; p. 172, © David Simson/Stock Boston; p. 174, © Mike Mazzaschi/Stock Boston; p. 185, © Bridgeman Art Library; p. 191, © Gerry Johannson/Leo de Wys Inc./eStock Photography; p. 193, © David R. Frazier Photolibrary; p. 194, © Bojan Brecelj/CORBIS; p. 195, © G. Rossenbach/zefa/CORBIS; p. 198, © Jeffrey Conger; p. 208, © Grantpix/Stock Boston; p. 212, © Bojan Brecelj/CORBIS; p. 212, © Travel-Shots/Alamy; p. 212, © CuboImages srl/Alamy; p. 215, © Charles Nes/Liaison/Getty; p. 215, © John Heseltine/CORBIS; p. 216, © CuboImages srl/Alamy; p. 218, © Rufus F. Folkks/CORBIS; p. 221, © Photofest; p. 226, © AFP/Getty Images; p. 235, © The Kobal Collection; p. 235, © AP/Wide World Photos; p. 235, © AP/Wide World Photos; p. 238, © Ian Dagnall/Alamy; p. 238, © Bridgeman Art Library; p. 240, © CuboImages srl/Alamy; p. 241, © Kevin Galvin; p. 243, © Kevin Galvin; p. 252, © Kevin Galvin; p. 261, © David R. Frazier Photolibrary; p. 262, © Sailler-Airone/GLMR/Liaison/Getty; p. 264, © Reuters/Pawel Kopczynski/Archive Photos; p. 266, © Palmer & Brilliant; p. 267, © Tim de Waele/TDWsport.com/ CORBIS; p. 281, © David Hanover/CORBIS; p. 281, © Sandro Vannini/CORBIS; p. 281, © Bob Krist/CORBIS; p. 282, © F. Origlia/CORBIS/Sygma; p. 284, © Sandro Vannini/CORBIS; p. 285, © Sandro Vannini/CORBIS; p. 286, © CuboImages srl/Alamy; p. 287, © Beryl Goldberg; p. 290, © Dallas & John Heaton/Stock Boston; p. 296, © Roby Bettolini/Granata Press Service; p. 306, © Alex Segre/Alamy; p. 308, © Patrick Ward/Stock Boston; p. 308, © Vittoriano Rastelli/CORBIS; p. 310, © Da Me Travel Photography/ Alamy; p. 313, © Palmer & Brilliant; p. 322, © Palmer & Brilliant; p. 329, © Kevin Galvin; p. 330, © Kevin Galvin/Stock Boston; p. 332, © Ray Roberts/Alamy; p. 335, © AP/Wide World Photos; p. 342, © Andrew Brilliant; p. 347, © Jose Fuste Raga/Leo de Wys Inc./eStock Photography; p. 354, © Ronny Jacques/Photo Researchers; p. 356, © Siegfried Tauqueur/Leo de Wys Inc./eStock Photography; p. 357, © Reuters/CORBIS; p. 360, © AP/Wide World Photos; p. 366, © Marcello Mencarini/ Grazia Neri; p. 370, © G. Arici/Grazia Neri; p. 376, © AP/Wide World Photos; p. 376, © Alessandra Benedetti/CORBIS; p. 376, © Pascuitini/Grazia Neri; p. 377, © CuboImages srl/Alamy; p. 381, © CuboImages srl/Alamy; p. 383, © Gaetano Lo Porto/Granata Press Service; p. 403, © Charles Bowman/Alamy; p. 403, © Bridgeman Art Library; p. 405, © A.A./Granata Press Service; p. 408, © Elizabeth Garvey; p. 411, © Elizabeth Garvey; p. 423, © CuboImages srl/Alamy; p. 424, © CuboImages srl/Alamy.

Illustrations: pp. 11, 12, 14, 144, 337, and inside covers, Patti Isaacs/Parrot Graphics; pp. 76, 213, 304, 352, and 422, Anna Veltfort; pp. 44, 46, 86, and 362, James Edwards. All other illustrations by Tim Jones.

Realia: p. 8, Università per Stranieri di Siena; p. 37, Ciao Roma Trolley Tour; p. 40, Università per Stranieri di Siena; p. 55, Aeroporti di Roma; p. 79, Caffè Giubbe Rosse; p. 82, Pomodoro & Mozzarella Pizzeria; p. 101, *I viaggi di Repubblica*; p. 104, Associazione Carnivale di Foiano; p. 120, Fondazione Carnivale di Viareggio; p. 123, Due mondi viaggi e turismo; p. 143, Editoriale L'Espresso S.P.A.; p. 155, *Corriere della Sera: Calorie e cibi*; p. 179, CTS-Presidenze nazionale: Prezzi e proposte; p. 179, CTS News; p. 201, *Corriere della Sera: Almanacco meteo*; p. 213, Università per Stranieri di Perugia; p. 214, Editoriale L'Espresso S.P.A.: Inchiesta; p. 219, Cineteca di Firenze; p. 244, Centro turistico Gran Sasso d'Italia; p. 355, Unico Napoli; p. 356, Notte bianca a Napoli; p. 359, *La Repubblica*; p. 359, Auditorium parco della musica; p. 363, Teatro alla Scala; p. 374, ATAF; p. 378, Gransassolagapark.it; p. 378, Pasta de Cecco; p. 379, *I viaggi di Repubblica*; p. 380, National Museum of Archaeology of Abruzzo; p. 384, Istituto europeo di design: Pubblicità corsi offerti; p. 422, Editoriale L'Espresso S.P.A.: Sondaggi (13 & 20 dic 92).